Félicité

DU MÊME AUTEUR

Un viol sans importance, roman, Sillery, Septentrion, 1998

La Souris et le Rat, roman, Gatineau, Vents d'Ouest, 2004

Un pays pour un autre, roman, Sillery, Septentrion, 2005

L'été de 1939, avant l'orage, roman, Montréal, Hurtubise HMH, 2006,, format compact, 2008

La Rose et l'Irlande, roman, Montréal, Hurtubise HMH, 2007

Les Portes de Québec, tome 1, *Faubourg Saint-Roch*, roman, Montréal, Hurtubise HMH, 2007, format compact, 2011

Les Portes de Québec, tome 2, *La Belle Époque*, roman, Montréal, Hurtubise HMH, 2008, format compact, 2011

Les Portes de Québec, tome 3, *Le prix du sang*, roman, Montréal, Hurtubise HMH, 2008, format compact, 2011

Les Portes de Québec, tome 4, *La mort bleue*, roman, Montréal, Hurtubise, 2009, format compact, 2011

Haute-Ville, Basse-Ville, roman, Montréal, Hurtubise, 2009, format compact, 2012 (réédition de *Un viol sans importance*)

Les Folles Années, tome 1, *Les héritiers*, roman, Montréal, Hurtubise, 2010, format compact, 2013

Les Folles Années, tome 2, *Mathieu et l'affaire Aurore*, roman, Montréal, Hurtubise, 2010, format compact, 2013

Les Folles Années, tome 3, *Thalie et les âmes d'élite*, roman, Montréal, Hurtubise, 2011, format compact, 2013

Les Folles Années, tome 4, *Eugénie et l'enfant retrouvé*, roman, Montréal, Hurtubise, 2011, format compact, 2013

Un homme sans allégeance, roman, Montréal, Hurtubise, 2012 (réédition de *Un pays pour un autre*)

Félicité, tome 1, *Le pasteur et la brebis*, roman, Montréal, Hurtubise, 2011

Félicité, tome 2, *La grande ville*, roman, Montréal, Hurtubise, 2012

Félicité, tome 3, *Le salaire du péché*, roman, Montréal, Hurtubise, 2012

Félicité, tome 4, *Une vie nouvelle*, Montréal, Hurtubise, 2013

Les Années de plomb, tome 1, *La déchéance d'Édouard*, Montréal, Hurtubise, 2013

Les Années de plomb, tome 2, *Jours de colère*, Montréal, Hurtubise, 2014

Jean-Pierre Charland

Félicité

tome 1

Le pasteur et la brebis

Roman historique

Hurtubise

Catalogage avant publication de Bibliothèque et Archives nationales du Québec et Bibliothèque et Archives Canada

Charland, Jean-Pierre, 1954-

   Félicité

   (Hurtubise compact)
   Édition originale : 2011-2013.
   Sommaire : t. 1. Le pasteur et la brebis -- t. 2. La grande ville -- t. 3. Le salaire du péché -- t. 4. Une vie nouvelle.

   ISBN 978-2-89723-463-8 (vol. 1)
   ISBN 978-2-89723-464-5 (vol. 2)
   ISBN 978-2-89723-465-2 (vol. 3)
   ISBN 978-2-89723-466-9 (vol. 4)

   I. Charland, Jean-Pierre, 1954- . Pasteur et la brebis. II. Charland, Jean-Pierre, 1954- . Grande ville. III. Charland, Jean-Pierre, 1954- . Salaire du péché. IV. Charland, Jean-Pierre, 1954- . Vie nouvelle. I. Titre. II. Collection : Hurtubise compact.

PS8555.H415F44 2014   C843'.54   C2014-941186-3
PS9555.H415F44 2014

Les Éditions Hurtubise bénéficient du soutien financier des institutions suivantes pour leurs activités d'édition :

- Conseil des Arts du Canada ;
- Gouvernement du Canada par l'entremise du Fonds du livre du Canada (FLC) ;
- Société de développement des entreprises culturelles du Québec (SODEC) ;
- Gouvernement du Québec par l'entremise du programme de crédit d'impôt pour l'édition de livres.

Graphisme de la couverture : René St-Amand
Illustration de la couverture : Marc Lalumière
Maquette intérieure et mise en pages : Andréa Joseph [pagexpress@videotron.ca]

Copyright © 2011, 2014 Éditions Hurtubise inc.

ISBN : 978-2-89723-463-8 (version imprimée)
ISBN : 978-2-89647-622-0 (version numérique PDF)
ISBN : 978-2-89647-856-9 (version numérique ePub)

Dépôt légal : 3ᵉ trimestre 2014
Bibliothèque et Archives nationales du Québec
Bibliothèque et Archives Canada

Diffusion-distribution au Canada :   Diffusion-distribution en France :
Distribution HMH   Librairie du Québec / DNM
1815, avenue De Lorimier   30, rue Gay-Lussac
Montréal (Québec) H2K 3W6   75005 Paris FRANCE
www.distributionhmh.com   www.librairieduquebec.fr

La *Loi sur le droit d'auteur* interdit la reproduction des œuvres sans autorisation des titulaires de droits. Or, la photocopie non autorisée — le « photocopillage » — s'est généralisée, provoquant une baisse des achats de livres, au point que la possibilité même pour les auteurs de créer des œuvres nouvelles et de les faire éditer par des professionnels est menacée. Nous rappelons donc que toute reproduction, partielle ou totale, par quelque procédé que ce soit, du présent ouvrage est interdite sans l'autorisation écrite de l'Éditeur.

Imprimé au Canada
www.editionshurtubise.com

Liste des personnages principaux

Drousson, Félicité: Institutrice formée au couvent des sœurs de Sainte-Anne, à Saint-Jacques-de-l'Achigan.

Drousson, Marcile: Mère de Félicité. Veuve, elle travaille comme ménagère au presbytère de Saint-Jacques.

Leclerc, Isidore: Inspecteur d'école du district judiciaire de Joliette.

Limoges, Léonard: Marchand général au village de Saint-Eugène.

Malenfant, Tarrasine: Paysanne habitant le rang Saint-Antoine, elle entretient une relation trouble avec le curé. Elle a quatre enfants: Griphine, Sildor, Louvinie et Hélas.

Marcoux, Léonidas: Cultivateur, commissaire de l'arrondissement scolaire numéro 3.

Merlot, Liboire: Curé de Saint-Jacques, il assume en partie le coût de la scolarité de Félicité.

Normand, Nicéas: Forgeron, il est président de la Commission scolaire de Saint-Eugène.

Ouimet, Gédéon (1823-1905): Seul personnage de ce roman ayant réellement existé, il fut premier ministre du Québec et surintendant de l'instruction publique.

Richard, Ernestine: Élève de 13 ans, elle assume le rôle d'assistante de Félicité. Elle a trois frères : Samuel, Élie et Jérémie.

Saint-Jean-l'Évangéliste, sœur: Directrice du couvent des sœurs de Sainte-Anne, situé à Saint-Jacques.

Sasseville, Philomire: Curé de Saint-Eugène, commissaire d'école. Il habite avec son père Romulus, sa mère Laïse et une domestique.

Simard, Floris: Fils de Phidias et Odélie, il commence l'école en septembre 1883.

Simard, Odélie: Épouse de Phidias, elle a un garçon, Floris.

Tessier, Horace: Notaire à Saint-Eugène, il occupe le poste de secrétaire-trésorier de la Commission scolaire.

Chapitre 1

— Mesdemoiselles, ce sera bientôt à vous, les avertit sœur Saint-Jean-l'Évangéliste. Tenez-vous prêtes !

La tension marquait la voix de la religieuse. La cérémonie de cette fin d'année scolaire de 1883 parachevait des mois de travail. Il convenait de terminer sur la meilleure note possible. Son bon déroulement procurait une excellente visibilité à l'établissement. On en discuterait dans les paroisses avoisinantes, cela favoriserait les inscriptions pour septembre prochain.

— Ne vous inquiétez pas, ma mère, murmura Félicité, tout se passera bien.

À en juger par sa fine silhouette, la jeune fille de taille moyenne pouvait avoir dix-sept ans. Ses cheveux châtains encadraient un visage régulier. Elle se tenait dans les coulisses, au premier rang d'une petite cohorte de sept couventines toutes vêtues de blanc.

Au-delà de la petite scène où se déroulait la remise des diplômes, la salle de classe bruissait de plus de cent voix, celles d'hommes, de femmes et d'enfants réunis. Au début de l'après-midi, les élèves qui finissaient leur cours élémentaire avaient défilé, un peu gauches dans leur uniforme noir, devant cette assemblée de parents et de voisins. Cette tenue leur donnait un air austère. Aucune maman n'aurait osé mettre un ruban de couleur dans les cheveux d'une fillette, de peur de rompre la solennité de l'exercice.

Une douzaine de jeunes adolescentes étaient ensuite venues chercher un morceau de papier de couleur crème, l'attestation signée par la directrice de l'établissement. Celles-là terminaient le cours modèle. Leur science allait jusqu'à conjuguer des verbes au plus-que-parfait du subjonctif, et même à situer la Tartarie sur un globe terrestre.

Puis les parents émus avaient versé une larme en assistant à une saynète charmante rédigée par la maîtresse des petites. Une fillette blonde et bouclée avait incarné Jésus enfant, faisant la leçon aux docteurs du temple de Jérusalem. Pour personnifier des hommes d'âge mûr, des gamines de dix ans s'étaient collé sur le visage des morceaux de laine teints en noir ou en gris qui faisaient office de barbes.

Maintenant, les grandes devaient défiler sur la scène à leur tour. Arrivées au terme de leurs études, elles portaient une tenue virginale qui remplaçait l'uniforme scolaire. L'accoutrement témoignait de leur vertu et de leur modestie. Comme ses compagnes paraissaient résolues à se confier des secrets à l'oreille, Félicité prit sur elle de les rappeler à l'ordre :

— Chut ! Monsieur le curé va parler.

L'abbé Merlot se leva péniblement d'un grand fauteuil situé au milieu du premier rang des spectateurs. Même si les religieuses l'avaient recouvert d'un tissu rouge pour l'occasion, le saint homme ne devait guère se sentir dépaysé, le siège venait tout droit du presbytère situé tout à côté. Il s'agissait d'un homme d'une soixantaine d'années, la tête couronnée de cheveux blancs.

— Mes très chers frères, mes très chères sœurs, commença-t-il comme s'il se trouvait en chaire, comme nous avons assisté à une représentation édifiante ! Dieu nous parle si bien par la bouche de nos enfants… Maintenant, nous allons distribuer les diplômes du cours académique.

Comme les couventines continuaient leur babillage, Félicité fronça les sourcils et posa son index en travers de ses lèvres pour leur imposer le silence.

— Profites-en pour jouer encore un peu à la mère supérieure, grommela l'une des élèves, c'est notre dernier jour.

Du regard, la jeune fille sage chercha l'appui de sœur Saint-Jean-l'Évangéliste, qui s'avançait sur la scène en poussant une petite table montée sur des roulettes. Sept cylindres de papier s'y trouvaient.

— La robe de Victorine te va bien, gloussa une autre, même si tu ne la remplis pas tout à fait.

De la main, la couventine désignait la poitrine de sa compagne. Les joues en feu, Félicité baissa le regard et constata de nouveau combien le vêtement blanc tombait plutôt mal sur son corps. La directrice avait dû chercher chez d'anciennes élèves de quoi l'habiller pour ce grand jour.

— Accueillons la première de sa promotion, annonça le curé Merlot, Félicité Drousson.

Quelques applaudissements polis soulignèrent ces mots. Tout au fond de la salle, une petite femme allongeait le cou afin d'avoir une meilleure vue sur la scène. Son visage trahissait toute la fierté d'une mère, mais elle n'osait taper des mains.

Dans les coulisses, toujours blessée par la remarque assassine, la première de classe comprit avec un petit retard que son nom avait été prononcé. Elle s'engagea sur la scène avec un empressement malhabile tout en tentant de replacer sa robe sur ses épaules. Deux cents yeux fixés sur elle, les joues cramoisies, la honte dans l'âme, elle tendit une main tremblante pour recevoir le cylindre de papier, avant de se sauver comme une voleuse. Sa précipitation suscita des ricanements.

Au dernier rang, Marcile Drousson rougit un peu par sympathie et se déplaça sur sa chaise nerveusement.

— La seconde de la classe académique, Laure Grandbois, enchaîna le prêtre.

Revenue en coulisse, Félicité contempla sa tortionnaire s'avançant sur la scène, la fille de l'un des deux médecins du village, assurée, maîtresse d'elle-même, élégante dans une robe de « magasin » rehaussée de dentelles.

— Ils se sont trompés, ça doit être elle la première, commenta une paysanne à haute voix pour couvrir le bruit des applaudissements.

La mère souhaita intervenir, clamer bien haut que sa fille s'était montrée, et de loin, la meilleure élève du couvent, et qu'elle l'avait été tout au long de ses études. Mais cela ne servait à rien. Une domestique devait baisser les yeux, même devant une femme dont les chaussures embaumaient le crottin de cheval.

Les sept jeunes filles ayant récupéré leur diplôme, sœur Saint-Jean-l'Évangéliste vint les rejoindre en coulisse. Des yeux, elle interrogea Félicité. La couventine lui retourna un regard chargé de honte. La situation se passait d'explication, le petit jeu de sape n'avait pas de cesse.

Sur la scène, l'ecclésiastique avait affiché une mine recueillie, comme si le défilé de charmantes écolières méritait qu'il se perde dans ses pensées.

— Nous allons maintenant entendre une allocution de mademoiselle Drousson, invitée à présenter les remerciements de toutes ses camarades pour l'année écoulée.

L'ecclésiastique regagna sa place avec une lenteur convenant à son statut et à son âge. Félicité adressa un regard désespéré à la directrice. Laure Grandbois émit un petit gloussement amusé.

— Tu dois y aller, murmura la religieuse d'un ton impératif.

Les semaines de répétition s'estompaient de la mémoire de la jeune fille pour ne laisser que la honte toute nue, une honte imprécise, englobant le vêtement trop grand d'aujourd'hui, mais aussi tous les coups d'épingle encaissés au cours des dernières années. Les mots appris par cœur se dérobaient. Debout au centre de la scène, Félicité chercha une feuille dans sa poche tout en replaçant la robe sur son épaule de l'autre main, puis commença :

— Monsieur le curé, messieurs les commissaires, chers parents et amis...

Un peu machinalement, elle réussit à dire un texte convenu, destiné à remercier tout le monde, et en particulier les religieuses pour leurs efforts incessants. Elle quitta la scène trop rapidement encore cette fois, après avoir invité les personnes présentes à boire un rafraîchissement dans la cour arrière de l'édifice. Les derniers mots avaient été débités si vite que sœur Saint-Jean-l'Évangéliste vint les répéter aux invités.

Sous les regards goguenards de ses compagnes, Félicité, immobile derrière la scène et le dos appuyé contre un mur, puisait dans ses dernières forces pour réprimer ses pleurs.

Une envie irrépressible la tenailla, celle d'arracher cette robe blanche et de la jeter en lambeaux aux pieds des rieuses. Mais même de cette révolte, elle n'avait pas les moyens.

Quand elle maîtrisa un peu mieux ses émotions, plutôt que d'emboîter le pas aux autres qui se rendaient dans le jardin, la jeune fille s'engagea dans un couloir et grimpa les quatre escaliers conduisant sous les combles. Deux dortoirs y avaient été aménagés. Elle s'engagea dans le premier. Depuis deux ans, les religieuses comptaient sur elle pour tenir à l'œil les pensionnaires les plus jeunes. Elle se rendait ainsi utile afin d'exprimer sa reconnaissance pour la charité qu'on lui faisait de la laisser étudier.

Bien vite, Félicité se débarrassa de la robe blanche trop grande. Vêtue d'une culotte en toile rugueuse et d'une chemise ample, toutes les deux taillées dans des sacs, elle prit le temps de la plier soigneusement. Elle enleva ensuite ses bottines lacées. Une petite armoire placée à la tête de son lit contenait ses seuls vêtements, deux uniformes scolaires ayant connu plusieurs propriétaires déjà. La robe de laine, pas encore trop usée, reviendrait sans doute à une autre pauvresse en septembre.

Par contre, ses vieilles chaussures achevaient leur carrière. Avachies, déformées, les fils des coutures usés au point de se rompre en certains endroits, le cordonnier ne voudrait plus les réparer. Pourtant, elle se les mit dans les pieds. La jeune fille prit ensuite la robe soigneusement pliée et les bottines lacées, puis descendit les escaliers. Ces vêtements d'emprunt se retrouvèrent sur une chaise située près de la porte de la directrice. Elle hésita un peu, puis souffla entre ses dents:

— Je dois y aller, elle m'attend certainement.

Comme une condamnée, elle se résolut à rejoindre les autres.

Les rafraîchissements offerts aux parents et amis des élèves témoignaient de la modestie des moyens de la communauté des sœurs de Sainte-Anne. Les personnes n'aimant pas le thé pouvaient boire de l'eau. Le sucre à la crème ralliait toutefois tous les suffrages. Dans une paroisse où tout le monde se trouvait apparenté, les conversations allaient bon train. Les couventines les plus jeunes retrouvaient naturellement leurs jeux habituels. Les plus âgées formaient de petits groupes où, pour une ultime fois, on se répétait les confidences échangées au cours de la dernière année.

Quand elle arriva dans la cour arrière, Félicité vit sœur Saint-Jean-l'Évangéliste quitter un petit groupe de notables pour venir vers elle.

— Ta robe?

— Ce n'était pas la mienne. Je l'ai placée près de votre porte.

— ... Tout de même, tu es une diplômée, pas une simple étudiante.

Bien peu de parents laissaient leurs filles fréquenter l'école jusqu'au terme du cours d'études. La présence des robes blanches dans cette réunion inciterait peut-être les pères des finissantes du cours modèle à les réinscrire pour deux années encore.

— Elle était trop grande pour moi, je flottais dedans. Je me sens mieux comme cela.

— Tu en vois beaucoup, des personnes au vêtement parfaitement ajusté, aujourd'hui?

Machinalement, le regard de la couventine se porta sur Laure Grandbois. Prise par sa conversation, elle agitait ses boucles brunes en riant.

— Peut-être pas, admit-elle, sauf celle-là. Mais les autres ne se trouvaient pas debout au milieu de la scène il y a vingt minutes.

La religieuse eut envie d'entamer un sermon sur le vilain péché d'orgueil. Les circonstances s'y prêtant mal, ce serait partie remise.

— Tu viendras me voir ce soir, à mon bureau. En attendant, ta mère se languit de te dire un mot.

La femme se tenait en bordure du terrain, comme si elle craignait qu'on ne la chasse de ces lieux.

— Très bien, ma mère.

La jeune fille marcha la tête basse, souffrant du regard de tous ces gens dans la cour. Ils devaient commenter sa piètre performance de tout à l'heure, s'imagina-t-elle.

— Je suis tellement fière de toi, commença Marcile en lui tendant les bras.

L'écolière accepta les bises, mais ne résista pas à l'envie de marmotter :

— J'ai été mauvaise.

— Non, non. Puis ce n'est pas facile de parler devant les gens.

La précision enlevait toute sa valeur à la protestation.

— Enfin, tu as terminé ces longues études, continua la femme. Tu as travaillé tellement fort.

— Pas plus que toi, maman.

Tout naturellement, Félicité avait multiplié les efforts pour se rendre digne de cette femme tout entière vouée à lui donner le meilleur, malgré la faiblesse de ses ressources.

— Je vais rentrer, dit la mère. Il n'aime pas retarder son souper.

Le ton trahissait une pointe d'agacement. Leurs doigts se touchèrent légèrement en guise de dernier salut, puis la ménagère du curé marcha vers le presbytère. L'édifice se trouvait tout près, voisin du couvent. Heureusement, car la domestique marchait avec la plus grande difficulté. Une fracture du fémur mal traitée par un rebouteux, survenue peu après son mariage, la laissait avec une patte croche et une sévère claudication.

Une fois devenue veuve, cet accident malheureux s'était étonnamment révélé une bénédiction. Jamais le curé n'aurait pris cette femme aux traits réguliers, à la silhouette avantageuse, à son service si elle avait eu les jambes bien droites. Sa difficulté à se déplacer, et la grimace de douleur quand elle devait le faire, la disqualifiaient comme femme désirable.

Félicité la suivit des yeux avant de reprendre la direction du couvent. L'abbé Merlot quittait un groupe de paroissiens pour en aborder un autre. Les yeux baissés, elle s'approcha pour lui demander :

— Monsieur le curé, avez-vous pensé à mon certificat de moralité ?

L'homme s'arrêta pour se tourner vers elle.

— Je n'ai pas eu le temps encore. Passe demain après-midi à mon bureau.

Sa voix trahissait un certain agacement, ou peut-être une déception.

— Merci, monsieur le curé.

La jeune fille se dirigea ensuite vers le couvent, les yeux vers le sol, désireuse de se soustraire aux regards et aux commentaires.

Le couvent de pierres grises se trouvait maintenant presque désert. Les élèves pensionnaires avaient regagné leur domicile au terme de la distribution des prix. Au repas du soir, Félicité préféra s'asseoir toute seule dans le réfectoire, tellement les événements de l'après-midi la mettaient encore mal à l'aise. Une seule petite remarque mesquine avait suffi à lui faire oublier les semaines de préparation. La honte de sa piètre performance l'amenait à ne désirer voir personne.

La jeune fille resta quelque temps assise à une longue table, songeuse.

— Que fais-tu là ? demanda une voix depuis l'entrée de la grande salle.

— … J'attends le repas.

— Ne fais pas l'enfant. Personne ne fera le service ici ce soir, tu le sais aussi bien que moi.

Le ton de la directrice contenait une pointe d'impatience.

— Viens, ajouta-t-elle un peu plus doucement.

Félicité ne pouvait s'isoler pour ruminer ses idées noires. Pour elle, la solitude représentait un luxe inaccessible. Depuis sa première communion, elle vivait dans ce couvent comme un membre de la communauté. Tout au long de l'année scolaire elle partageait l'existence des élèves, mais l'été elle devenait en quelque sorte la plus jeune des novices.

Dans le réfectoire des religieuses, la couventine attira les regards de toutes les personnes présentes.

— Mes sœurs, je m'excuse pour avoir tout gâché, cet après-midi…

— Assieds-toi avec les autres, l'interrompit sœur Saint-Jean-l'Évangéliste.

Les yeux baissés, la jeune fille alla prendre place au bout de la table. Elle mangea en silence, sans participer aux échanges sur la dernière année scolaire, ni sur celle à venir.

❖

Lorsque Félicité entra dans le bureau de la directrice, celle-ci l'interpella depuis sa place derrière une petite table de travail.

— Tu vas faire cette tête d'enterrement combien de temps encore?

L'intonation légère atténuait un peu les mots prononcés.

— Viens t'asseoir, suggéra-t-elle en désignant la chaise devant elle.

— J'ai eu l'air d'une idiote.

— Il faut beaucoup d'orgueil pour s'inquiéter autant du regard des autres.

— … Elle s'est moquée de moi, de la robe trop grande.

Le timbre de la voix rappelait celui d'une petite fille blessée.

— Tu donnes tant d'importance aux remarques de cette… fille?

L'hésitation indiquait à quel point sœur Saint-Jean-l'Évangéliste prenait au sérieux l'obligation de demeurer charitable. Mieux valait taire le mot «garce» venu spontanément à son esprit. La couventine baissa la tête. Lors de sa prochaine confession, le lendemain, elle évoquerait l'orgueil.

— Si tu portais une robe comme la mienne, plus jamais tu n'aurais à te soucier de ta tenue. Pour le reste de tes jours, ton habit inspirerait le respect.

— Mais, ma mère, je n'ai pas entendu l'appel!

Le constat traduisait toute sa déception. Après dix ans passés dans ces murs, à attendre, jamais l'Esprit saint ne s'était manifesté. «De toute façon, comment Celui-ci touchait-il les âmes?» se demandait-elle. Une conviction se développait-elle dans le cœur pendant l'élévation lors d'une messe? Ou apparaissait-elle dans un rêve? La jeune fille n'imaginait pas que l'appel puisse prendre la forme de mots entendus, comme avec l'un de ces mystérieux appareils, le téléphone, dont on parlait dans les journaux.

— Pourquoi ne s'est-Il pas adressé à moi ? questionna-t-elle.

— Tu sais que je t'aime beaucoup…, commença la directrice.

À l'arrivée de la fillette dans ce couvent, sœur Saint-Jean-l'Évangéliste s'occupait de la classe des petites. Tout de suite, elle s'était attachée à l'enfant dont le père tuberculeux venait d'être enterré dans le cimetière voisin. Comme Félicité continuait d'occuper son lit dans le dortoir pendant les vacances, seule élève toujours dans les murs de l'école, la relation s'était approfondie. Pendant ces mois, pour tromper son ennui, elle continuait d'apprendre dans le cadre d'un curieux mentorat.

— Oui, je sais, ma mère.

Dans ce contexte, le mot prenait un sens particulier.

— Il faut beaucoup de fierté pour imaginer que Dieu vient nous inviter personnellement à le servir.

Après une courte pause, elle enchaîna :

— Tu n'as pas été bien, parmi nous, au cours des dernières années ?

— Oui, bien sûr. Si vous n'aviez pas été là…

Devenue veuve, Marcile Drousson avait eu la possibilité de devenir la servante du curé, mais pour cela elle avait dû se séparer de son enfant. Le couvent était donc devenu l'asile de la petite.

— Justement, ça ne te suffit pas, comme invitation, le fait que nous ayons été là pour toi ?

La jeune fille s'émut. Lorsque sa mère, incapable du moindre travail soutenu dans une ferme, s'était trouvée forcée de tout vendre, l'offre du curé, disposé à offrir le gîte et le couvert à une ménagère, et celle du couvent s'étaient avérées providentielles. Quitter ces lieux, n'était-ce pas s'opposer à la volonté du Seigneur?

La directrice entendit pousser son avantage :

— Tu connais la vie de la communauté, tu as pu enseigner aux plus petites au cours des trois dernières années. Après une année ou deux à la maison mère de Lachine, tu pourrais te retrouver dans une bonne paroisse. On te confierait bien vite une classe modèle, peut-être même une classe académique. Tu en sais plus que moi!

— Je n'ai pas la vocation.

La protestation contenait une pointe de désespoir. La religieuse secoua la tête, découragée par une pareille obstination.

— Soit, fais comme bon te semble. Après un an ou deux dans une petite école de rang, je suis certaine que tu apprécieras mieux la vie dans une communauté comme la nôtre. Cette liberté qui t'attire aujourd'hui, tu lui trouveras un goût amer, mais sache que nos portes te seront toujours ouvertes.

La sombre prédiction amena Félicité à baisser les yeux. Au fond, elle n'avait aucune idée de la vie à l'extérieur du couvent. Il lui restait de vagues souvenirs de ses premières années sur la ferme, avec son père et sa mère. Peut-être justement parce qu'elle n'en connaissait rien, le monde au-delà des murs du pensionnat exerçait sur elle une étrange fascination.

— Mais, ma mère, si je peux enseigner le cours modèle, je ne serai pas dans un rang.

— Personne ne confiera l'école du village à une institutrice comme toi.

En effet, les religieuses enseignantes assumaient la direction des couvents et chassaient les laïques dans les petits établissements isolés. Le silence s'installa entre elles. À la fin, la directrice renonça à la convaincre.

— Si tu crois cette avenue préférable... Tu pourras apporter tes livres avec toi.

— Les livres de classe?

— Oui. Nous en recevrons de nouveaux, les tiens ont beaucoup servi.

La jeune fille devait toutes ses possessions à la charité : ses vêtements, sa nourriture, ses livres.

— Je vous remercie, ma mère, balbutia Félicité en baissant les yeux.

Ces attentions représentaient autant de piqûres à sa fierté, mais, dans sa situation, il fallait les accepter de bonne grâce. Elle se leva bientôt.

— Je suis un peu fatiguée. Bonne nuit, ma mère.

— Bonne nuit, ma fille.

Quelques minutes plus tard, la jeune couventine se trouvait allongée sur le dos dans l'obscurité, les yeux grands ouverts. Le silence du dortoir l'angoissait. Une vingtaine d'écolières, même endormies, suscitait de multiples petits bruits rassurants dont elle avait l'habitude.

Elle se répétait sans cesse les paroles de sœur Saint-Jean-l'Évangéliste. La garantie du gîte et du couvert jusqu'à la fin de ses jours valait-elle d'abandonner toute liberté, de prononcer des vœux de chasteté, de pauvreté et d'obéissance?

Chapitre 2

La mère et la fille vivaient à peu de distance l'une de l'autre, et cette situation les rassérénait toutes les deux. À la messe, Félicité saluait Marcile qui, malgré sa jambe blessée, assistait à la cérémonie debout à l'arrière de l'église. La jeune fille rejoignait les religieuses dans les deux bancs leur étant réservés.

En après-midi, elles avaient l'habitude de se retrouver dans la cuisine du presbytère. La couventine utilisait toujours la porte arrière, afin de ne pas troubler la quiétude du maître des lieux ou de croiser des paroissiens.

— Il est ici ? demanda-t-elle ce jour-là sur le pas de la porte.

— Oui… avec le marguillier en charge. Viens t'asseoir un moment.

L'interminable journée de travail de la ménagère s'entrecoupait de pauses nombreuses, chaque fois que sa douleur à la jambe devenait insupportable.

— Tu es certaine de ta décision ?

— Oui. Je veux passer l'examen du Bureau d'examinateurs pour devenir institutrice. Je ne sais rien faire d'autre.

Et même de cela, Félicité n'en possédait pas l'assurance. Les journées passées auprès des petites, avec une religieuse pour l'encadrer, ressemblaient-elles à ce que serait la direction de sa propre classe ? Seul l'avenir le lui dirait.

— Tu devrais rester là.

La femme voulait dire dans la communauté. Tout le monde se liguait pour l'inciter à se réfugier sous une robe noire. Elle fit non de la tête. Le bruit d'une porte fermée vint jusqu'à la cuisine.

— Je vais y aller tout de suite.

— Attends, je vais voir…

La bonne se leva en s'appuyant sur le rebord de la table, puis claudiqua jusqu'au bureau du prêtre. Elle revint tout de suite et indiqua d'un geste à sa fille qu'on l'attendait.

Le curé Liboire Merlot se tenait dans sa pièce de travail en attendant les vêpres. La jeune femme s'arrêta dans l'embrasure de la porte, soudainement intimidée. L'autorité de cet homme s'imposait sans partage à l'ensemble de ses ouailles, dans tous les domaines de la vie. Au gré des confessions hebdomadaires, il la connaissait mieux que personne.

— Entre et viens t'asseoir, l'invita-t-il d'une voix bourrue.

Elle obtempéra pour prendre place sur une chaise, les yeux baissés, bien droite, les genoux collés ensemble, les mains dans son giron. Le silence durait, lourd, intimidant.

— Tu es certaine ?

À nouveau, sa décision se trouvait remise en question.

— Je veux devenir institutrice.

— Ta mère se réjouissait tellement de t'imaginer religieuse. Pour elle, cela donnait un sens à tous ses sacrifices des dernières années.

Comme le bon prêtre assumait depuis toujours la plus grande part du coût de la scolarité, sa propre déception dépassait sans doute celle de la domestique. La couventine ne s'y trompa pas.

— Tous les jours pendant les dix dernières années, j'ai prié pour elle, et surtout pour vous, monsieur le curé.

Les invocations d'une institutrice laïque ne valaient certes pas celles d'une religieuse. L'homme se tourna vers son bureau à cylindre, où il prit une feuille de papier et sa plume.

— Tu sais que la loi interdit l'embauche d'une institutrice de moins de dix-huit ans. Toi, tu es bien née en 1865 ?

— 1866, monsieur le curé.

— Mais dans ce cas, tu ne pourras pas trouver de travail.

En un instant, les projets de Félicité volèrent en éclats.

— C'est impossible. Des filles de seize ans ont tenu des écoles dans la paroisse.

— Je sais, mais chaque fois le secrétaire de la Commission scolaire a dû demander la permission de Québec.

Présentée de cette façon, une telle autorisation paraissait impossible à obtenir. En réalité, le surintendant de l'instruction publique ne se faisait pas prier.

— Tu peux tout de même aller passer l'examen, déclara l'ecclésiastique pour la rassurer.

— Mais je dois travailler en septembre… les sœurs ne me garderont pas une année de plus, et maman le peut encore moins.

Le prêtre examina la visiteuse, envisageant de la prendre à son service pour les mois à venir. Menue, elle ne faisait pas son âge. « Même aux yeux des paroissiens les moins scrupuleux, cela ferait scandale », conclut-il rapidement pour lui-même.

— Vous ne pourriez pas indiquer que je suis née en 1865 ? plaida Félicité.

Les religieuses acceptaient de la garder jusqu'en septembre, mais leur générosité n'irait pas au-delà. Elles aussi se sentaient un peu flouées par l'entêtement de cette jeune personne à refuser de prendre l'habit religieux.

— Ce serait une fausse déclaration, dit-il.

— … Juste une erreur.

L'homme ne put réprimer un sourire. Après tout, une bonne moitié de ses paroissiens ne pouvaient donner leur âge avec exactitude. Il se pencha finalement sur sa feuille et commença à écrire. Les formules lui venaient facilement. Depuis toujours, on exigeait des candidates à l'enseignement de détenir un certificat de moralité. Il en avait rédigé des dizaines au fil des ans.

Il tendit la feuille à la jeune fille, puis lui donna une enveloppe. Félicité n'osa pas la lire devant l'ecclésiastique.

— Je vous remercie, monsieur le curé, dit-elle en esquissant le mouvement de se lever.

— Tu sais que cela ne suffit pas. Tu dois encore avoir la signature de trois commissaires d'école.

La couventine hocha la tête, résolue à quitter les lieux avant qu'il n'évoque une nouvelle fois la vocation religieuse.

— Oui, je sais, les religieuses nous ont familiarisées avec la loi scolaire. Je vous remercie encore.

Ajouter « Je prierai pour vous » lui parut présomptueux. À la place, elle se fit très humble pour demander :

— Voulez-vous me bénir ? Cela m'aidera certainement dans toutes ces démarches.

Sans attendre la réponse, Félicité se mit à genoux et baissa la tête pour exprimer sa soumission. Le bon prêtre fit un geste de la main, marmonna quelques mots en latin. Elle se releva bien vite puis se dirigea vers la porte après avoir bafouillé un « Merci encore ».

— Ma fille…, fit le prêtre au moment où elle sortait.

— Oui, monsieur le curé.

— Bonne chance pour l'examen.

— Merci.

Elle sortit sur la grande galerie couverte. Avant de descendre l'escalier, elle parcourut les premières lignes :

«Mademoiselle Félicité Drousson, née en cette paroisse le 8 juillet 1865 […]». Le reste ne présentait aucune surprise. Comment douter de la moralité d'une personne réfugiée dans un couvent depuis l'âge de sept ans?

Une moralité sans tache était jugée essentielle chez une future institutrice. Chacun, malgré ses propres fautes, tenait à confier ses enfants à une personne irréprochable. L'obligation d'obtenir trois signatures de commissaires paraissait bien tatillonne. Si leur curé avait apposé la sienne sur un document de ce genre, aucune personne ne refuserait de faire de même.

Dès le lendemain matin, Félicité quitta le couvent pour se rendre au magasin général. Le marchand présidait la commission scolaire. Un couple de paysans complétait ses achats. Elle attendit patiemment son tour et s'avança près du comptoir quand ils eurent quitté les lieux, soucieuse de ne pas avoir de témoins. Le marchand la dévisagea un instant, puis la reconnut:

— La petite première de classe. Sans votre robe blanche, je ne vous replaçais pas.

Le rouge monta aux joues de la jeune fille. Même si ses études étaient terminées depuis quelques jours, faute d'un meilleur habit elle portait toujours l'uniforme scolaire.

— J'étais au premier rang, à la distribution des prix, précisa l'homme.

Il se trouvait donc aux premières loges pour contempler sa déconvenue. Elle eut un peu de mal à en venir à l'objet de sa visite.

— Vous avez besoin de quelque chose?

— Non… Enfin oui, mais rien du magasin. La semaine prochaine, je compte me rendre à Joliette pour me soumettre à l'examen des institutrices. Monsieur le curé a bien voulu me remettre un certificat de moralité. La loi exige qu'il porte aussi les noms de trois commissaires.

Dans une paroisse, chaque notable se devait d'occuper l'une ou l'autre des fonctions électives disponibles. La présidence de la commission scolaire ne venait malheureusement pas avec des connaissances de la législation. Toutefois, depuis sa nomination, quelques jeunes filles avaient demandé au marchand le même service.

— Très bien. Si vous voulez m'attendre.

Pour ce genre de document, le bout de crayon porté derrière l'oreille ne convenait pas. Dans la grande pièce encombrée de marchandises, tout le nécessaire pour écrire était posé sur une table poussée dans un coin. Le marchand ouvrit un encrier, trouva une plume d'acier et revint bientôt vers Félicité en lui tendant la feuille. D'un coup d'œil, elle repéra le «Jean-Baptiste Demers, président, commission scolaire de Saint-Jacques» tracé d'une main hésitante.

— Cela ira? demanda l'homme.

— Oui, tout à fait. Mais puis-je vous demander un autre service?

Il la regarda, un peu soupçonneux.

— Dites toujours.

— Je peux difficilement parcourir les rangs afin d'obtenir deux autres noms. Voulez-vous garder ce document et demander à vos collègues de signer?

— Nous n'avons aucune réunion prévue cette semaine. L'examen aura lieu très bientôt, je pense.

— Dans huit jours. Même si aucune séance n'est prévue, ces hommes viendront certainement faire des achats. Vous pourriez le leur demander.

Le marchand hésita. La réticence de cette jeune fille à parcourir les rangs pour rencontrer deux autres commissaires lui parut suspecte. À cet âge, deux ou trois milles à pied représentaient une jolie promenade, sans plus.

— Je veux bien, mais je ne peux rien promettre. Ces cultivateurs ne passeront pas nécessairement ici…

— Je vous remercie infiniment. Je viendrai samedi prochain, un peu avant souper, pour la récupérer.

Demers plia le document pour le remettre dans l'enveloppe qu'elle lui tendait. La couventine avait pris soin d'y inscrire son nom en grandes lettres élégantes. Même en calligraphie, elle avait terminé première de sa classe.

Quand il se dirigea vers sa table de travail pour y poser le certificat, Félicité le suivit :

— Monsieur, je voudrais encore vous demander…

Embarrassée, elle s'arrêta.

— Oui ?

— Je ne sais comment procéder, mais j'aimerais proposer mes services pour l'une des écoles de la paroisse.

— D'abord, il faut réussir l'examen.

— Mais ensuite ?

Pour la première de classe, réussir un exercice de ce genre ne représentait pas un bien grand défi. Si tout le reste l'affolait, y compris l'idée de se rendre chez des agriculteurs pour obtenir leur signature, prouver ses connaissances ne la troublait guère.

— Vous écrirez au secrétaire trésorier pour proposer vos services, en précisant le numéro de votre diplôme. Mais ne comptez pas trop là-dessus.

— … Que voulez-vous dire ?

— Nous avons tout notre personnel pour la prochaine année.

La réponse la déçut. Chaque mois de septembre, des écoles changeaient de mains. Le métier d'institutrice paraissait bien instable, et les raisons de recruter du nouveau personnel, innombrables.

La déception sur le petit visage toucha assez le commissaire pour l'inciter à dire :

— Mais on ne sait jamais. Écrivez-nous, votre lettre sera prise en considération.

— Je le ferai. Encore une fois, merci, monsieur Demers.

Sur ces mots, la jeune fille quitta le commerce, la mine soucieuse. Jusque-là, obtenir les meilleures notes lui était apparu comme un moyen infaillible de se trouver un emploi. Depuis les dernières années, elle s'imaginait dans une école de Saint-Jacques, pas très loin du village, avec des enfants qu'elle connaissait au moins un peu pour les croiser tous les dimanches à la messe.

Les choses seraient peut-être plus difficiles que cela.

Au terme d'une année scolaire, de nombreuses jeunes filles, riches d'un diplôme modèle ou académique, entendaient tirer parti de cet accomplissement en obtenant un certificat de l'un des bureaux d'examinateurs disséminés dans la province. Le 9 juillet, elles étaient quatre debout devant le grand escalier du couvent. Trois d'entre elles portaient une robe d'indienne et un chapeau de paille. L'ensemble leur donnait l'allure de jolies paysannes invitées à des noces.

Félicité s'affublait toujours de son uniforme scolaire. Sa mère avait acheté quelques verges de tissu au magasin général. Elle l'avait assurée qu'elle serait en mesure de lui procurer une jolie robe au cours de la prochaine semaine.

D'ici là, elle afficherait l'air d'une petite fille timide, effrayée de quitter l'école.

Un peu après huit heures, un cultivateur s'engagea dans le rang Saint-Jacques.

— Le voilà enfin, s'exclama une jeune fille.

— Ce n'est pas trop tôt. Nous avons une longue route à faire, ajouta une autre.

L'inquiétude sur le chemin à parcourir se révélait bien vaine, les examens ne commenceraient pas avant le lendemain matin. Le paysan tira sur les guides de son cheval en prononçant un « Wôw » sonore. Il lança à la ronde :

— Mesdemoiselles, vous êtes prêtes à vous rendre en ville ?

— Bien sûr, monsieur Durand, répondit une jeune fille de quinze ans en posant sa chaussure sur le marchepied.

Prestement, elle monta dans la voiture pour prendre place sur la banquette. Très vite, ses deux camarades firent de même.

— Félicité, tu vas devoir t'asseoir devant, ironisa la cadette.

Leur empressement tenait à leur désir de rester entre elles, la couventine le savait bien. Elles en auraient pour des heures à se susurrer des confidences à l'oreille. Il lui restait en partage l'étroite banquette permettant au cocher de mener son attelage.

— Vous n'êtes pas bien grosse, mademoiselle Drousson. Je vais vous faire une petite place.

La remarque fut accueillie avec un ricanement à l'arrière. Félicité se hissa près de lui en rougissant et réussit à se glisser à sa droite. Sa hanche se trouva pressée contre celle de l'homme. Pour limiter ce contact, elle se tassait, tenant son corps incliné vers le vide.

Le paysan fit claquer les guides sur le dos de sa jument dans un « Hue » sonore. Le trajet jusqu'à Joliette prendrait au moins quatre heures. Pour éviter de devoir faire la conversation, sa passagère sortit un chapelet de sa poche et commença à égrener les petits morceaux de bois rose.

Joliette bourdonnait d'activité. Ce petit centre industriel se donnait des allures de métropole régionale. Les jeunes filles contemplaient la multitude de maisons, d'édifices commerciaux, d'ateliers d'artisans. Le cultivateur se dirigea tout droit vers le couvent des sœurs de la congrégation Notre-Dame.

— Vous voilà rendues, dit-il en arrêtant son cheval devant un grand édifice de pierres grises.

La couventine sauta en bas de la voiture dès l'arrêt des roues, au risque de montrer ses bas noirs jusqu'à mi-jambe. Ses trois compagnes montrèrent plus de réserve en descendant.

— Nous devons vous payer tout de suite, monsieur Durand ? demanda Félicité.

L'homme se pencha vers elle pour répondre :

— Vous revenez avec moi demain ?

— Oui, en fin d'après-midi.

— Vous me paierez à ce moment.

Dès que les autres jeunes filles eurent gagné le trottoir de bois, il quitta les lieux après un dernier salut. Elles s'entreregardaient, ne sachant trop que faire. Aucune d'entre elles ne s'était jamais aventurée aussi loin de sa paroisse sans ses parents.

— Autant rentrer tout de suite, dit Félicité. Il est largement passé midi.

Elle prit la tête du petit quatuor pour pénétrer dans le couvent. La portière les accueillit avec une mine renfrognée, fâchée de voir ces candidates au métier d'institutrice troubler la quiétude des lieux pendant les grandes vacances.

— Un repas a été servi au réfectoire, dit-elle. Pressez-vous, sinon vous mangerez froid.

De la main, la vieille femme indiqua un couloir. En pénétrant dans la grande salle, elles trouvèrent plus de quinze jeunes filles venues à Joliette pour se soumettre à l'examen. D'autres arriveraient encore le lendemain. Toutes s'ajouteraient au nombre des institutrices se disputant la direction des petites écoles du district en septembre prochain.

Félicité se retrouva un peu à l'écart devant une soupe à peine tiède, absorbée dans le *Cours de pédagogie* publié par l'abbé Jean Langevin.

Le soir venu, toutes ces jeunes filles renouèrent pour la nuit avec les dortoirs d'une institution d'enseignement. Dès le matin, après un déjeuner sommaire, elles formèrent une procession pour se rendre à l'académie des Frères des écoles chrétiennes.

À neuf heures, l'inspecteur des écoles du district, Isidore Leclerc, ouvrit les portes pour les faire entrer. À la trentaine de jeunes filles présentes s'était ajoutée une demi-douzaine de garçons. Dans la grande salle d'étude, il déclara :

— Mesdemoiselles, messieurs, nous allons commencer par la dictée. Les candidats à l'enseignement primaire s'arrêteront quand je l'indiquerai. Les autres poursuivront. Nous passerons ensuite au calcul.

Comme une bonne élève, Félicité prit place au premier rang. Habituellement, chaque table accueillait deux écoliers, mais l'affluence limitée, tout comme la nature de l'exercice, permettait d'y mettre un seul candidat. La jeune fille chercha dans son sac quelques feuillets, une plume d'acier et une bouteille d'encre.

L'inspecteur d'école commença sa lecture lentement, en articulant bien, de la voix d'un ancien instituteur :

— Dans les forêts profondes…

Les plumes crissaient à l'unisson sur les feuilles de papier blanc. La lecture dura pendant vingt minutes.

— Maintenant, la suite ne s'adresse qu'aux candidats aux diplômes pour les écoles modèles et les académies.

Toutes les jeunes filles, excepté Félicité, posèrent leur plume. Pendant longtemps encore, l'homme continua son évocation des grands arbres et des ruisseaux chantants, sans oublier les animaux à plumes et à poils. La couventine se penchait sur sa copie, absorbée dans l'exercice, un pli au milieu du front.

Une longue pause marqua la fin de la dictée. L'inspecteur ramassa les copies avant de passer à l'autre étape de l'examen. Ce premier exercice mesurait les connaissances en orthographe et grammaire des candidats. Le suivant mettrait à l'épreuve leur maîtrise de trois des quatre opérations mathématiques. Pour cela, il écrivit au tableau noir :

$$(11\ 3/4 + 6\ 1/8)\ X\ (9\ 5/8 - 7\ 1/7)$$

À l'unisson, plusieurs poitrines féminines laissèrent échapper un grand soupir. Mémoriser des tables de multiplications et de divisions était une chose, chercher des dénominateurs communs, une autre. Félicité mordit le bout de sa plume, esquissa un sourire. Sur une nouvelle feuille blanche, elle commença par copier le problème, puis entreprit de le résoudre.

Cette partie de l'examen prit aux plus lents une bonne demi-heure. C'est avec la mine basse que certaines rendirent leur copie.

— Avant d'enchaîner, précisa Leclerc, je vais passer parmi vous pour prendre les certificats de moralité et le paiement pour l'examen.

Mieux valait ramasser l'argent avant la divulgation des résultats. En cas d'échec, certains refuseraient sans doute de payer les frais. La première, Félicité tendit le certificat et la somme de trois dollars. Pour recevoir un diplôme pour les écoles élémentaires, il fallait en verser seulement deux.

— Mademoiselle, vous désirez recevoir le diplôme modèle ? demanda le fonctionnaire en trahissant une certaine surprise.

— Non, académique, monsieur.

L'autre hocha la tête d'un air entendu. La démarche lui paraissait présomptueuse. Il poursuivit son tour des tables pour collecter les documents et l'argent. Revenu sur l'estrade à l'extrémité de la salle, l'homme reprit :

— Je vais vous poser encore quelques questions avant la pause de midi. Les candidats aux certificats modèle et académique reviendront dans cette salle après le dîner. Les autres pourront passer tout de suite devant le bureau, pour la partie orale de l'examen.

De retour au couvent, les échanges à voix basse prenaient le dessus sur les conversations animées du matin.

Félicité se tint un peu à part afin de profiter de cette pause pour réviser ses leçons. L'une des candidates de Saint-Jacques vint se planter devant elle pour dire :

— Toi, tu as trouvé cet examen facile, je suppose.

Le ton était accusateur.

— Pas tant que cela…

Afficher sa trop grande confiance agissait comme un repoussoir. Il lui fallait se montrer prudente.

— L'exercice de calcul, tu l'as complété ?

— … Oui.

Sa camarade alla s'asseoir avec ses amies. Pour toutes ces jeunes filles, la partie écrite de l'examen était terminée, il ne leur restait qu'à se présenter devant les membres du bureau pour répondre à quelques questions.

Félicité revint dans la salle d'étude en compagnie des garçons. Pendant une bonne heure encore, l'inspecteur les interrogea sur la grammaire, l'histoire sainte, l'histoire du Canada et la géographie. L'académie ne faisait pas mystère de ces questions, elles étaient publiées dans le *Journal de l'instruction publique*. Dans toutes les écoles modèles ou académiques, au cours de l'année scolaire, des centaines de jeunes gens apprenaient par cœur les réponses.

Ensuite, les candidats purent se reposer pendant une heure dans la cour devant l'école. Deux bancs se trouvaient placés de part et d'autre d'une croix, les garçons s'y réfugièrent. Puis l'un d'eux se rappela de ses cours de bienséance.

— Mademoiselle, voulez-vous prendre ma place ?

— Non merci, monsieur. Je préfère marcher un peu.

Pour donner crédit au prétexte, Félicité affecta de s'intéresser aux rosiers plantés en bordure de la rue. Celui qui lui avait offert son siège décida de s'approcher afin d'engager la conversation.

— Je m'appelle Florent Paquin, commença-t-il.

Il se demanda s'il convenait de lui tendre la main mais conclut finalement que d'enlever son chapeau serait une marque de respect suffisante.

— Et moi, Félicité Drousson.

— Vous avez fait le cours académique?

— Oui, au couvent de Saint-Jacques.

— Moi aussi, dans cette école.

Il se retourna pour désigner l'établissement des Frères des écoles chrétiennes. Lui n'avait pas eu à parcourir plusieurs milles pour passer l'examen. Le garçon gardait le silence, ne sachant pas comment enchaîner. Puis, il demanda:

— Vous désirez enseigner dans une école modèle?

La réponse allait de soi. Dans le cas contraire, elle ne se serait pas soumise à tous les exercices depuis le matin.

— À ce niveau, on n'engage que des membres de congrégations enseignantes, n'est-ce pas? remarqua-t-elle avec un certain dépit.

Son interlocuteur hocha la tête.

— C'est la même chose pour les écoles de garçons, dit-il. Les emplois disponibles pour les laïques ne sont pas très nombreux.

Certains ecclésiastiques tenaient des discours si virulents contre leur présence dans les écoles que l'on en venait à penser que ce métier leur était interdit. Le jeune homme secoua son pessimisme pour ajouter:

— Mais tout de même, certaines villes embauchent des laïques. Dans ce cas, on privilégie les couples. La femme s'occupe des plus jeunes, l'homme des plus âgés.

Sa propre audace l'étonna. Un témoin aurait pu croire à une demande en mariage. Le rose aux joues, il remit son chapeau en disant:

— Je m'excuse, mais avec ce soleil, je pourrais attraper une insolation.

D'un geste de la tête, elle lui donna son assentiment. Elle l'observait du coin de l'œil. Âgé de dix-huit ans, un costume modeste sur le dos, il se présentait plutôt bien. Un trouble tout à fait nouveau s'emparait d'elle. Excepté les salutations sur le parvis de l'église, jamais elle n'avait échangé avec un garçon depuis qu'elle avait « marché » au catéchisme, dix ans plus tôt. Bien sûr, habiter dans un couvent ne lui facilitait guère les choses.

— Peut-être même trouverai-je à m'employer à Saint-Jacques, continua-t-il. Vous m'avez bien dit venir de là ?

— Oui, en effet.

— Il y a une école modèle au village, je pense.

De la tête, elle lui répondit par l'affirmative. Si on ne les rappelait pas bientôt, ils en seraient réduits à commenter le beau temps et l'abondance de la récolte de foin. L'une après l'autre, les candidates à l'enseignement élémentaire sortaient de l'académie, la plupart avec une mine réjouie, certaines honteuses de leur échec.

Puis l'inspecteur Leclerc se planta en haut de l'escalier pour leur faire signe de revenir dans la grande bâtisse.

— Par égard pour son sexe, mademoiselle Drousson passera la première. Après, messieurs, ce sera votre tour.

Ils s'assirent sur les bancs placés le long du mur, Félicité suivant Leclerc. Elle se retrouva dans une salle de cours vidée de la plupart des pupitres. Quelques-uns formaient une ligne, derrière laquelle siégeait un véritable jury. Un prêtre se trouvait assis au milieu. Il assumait la présidence du Bureau d'examinateurs de Joliette. De part et d'autre se tenaient quatre hommes, dont deux médecins et un avocat. L'inspecteur complétait le groupe.

— Mademoiselle Drousson, commença l'ecclésiastique, vos résultats sont impressionnants.

Il la toisait comme s'il s'agissait d'une situation inconvenante. Depuis le matin, tous ces hommes parcouraient les copies pour les noter.

— Docteur, vous avez des questions pour mademoiselle?

— Non, monsieur le curé.

Les autres membres préférèrent aussi garder le silence. Ils ne tenaient pas à allonger une journée déjà exigeante.

— Moi, j'en ai quelques-unes, déclara le prêtre en posant les yeux sur la jeune fille. Pouvez-vous me dire ce qu'est le vice?

— «Le vice est une mauvaise disposition de l'âme qui la porte à fuir le bien et à faire le mal. Elle est causée par la fréquente répétition d'actes mauvais.»

La jeune femme répétait là les mots exacts du *Petit catéchisme*. Bien droite dans son uniforme scolaire noir, visiblement usé, elle faisait penser à une religieuse en mal de couvent.

— Dites-moi comment on peut triompher des péchés capitaux.

— «Par l'exercice des vertus opposées: de l'orgueil par l'humilité, de l'avarice par la libéralité, de la luxure par la chasteté, de la colère par la patience, de la gourmandise par l'abstinence, de l'envie par la fraternité, de la paresse par la diligence et l'ardeur dans le service de Dieu.»

À nouveau, le prêtre constata sa capacité de répéter exactement les enseignements reçus. Il chercha un document sur la surface du pupitre, le déplia pour lire:

— «Je soussigné affirme que mademoiselle Félicité Drousson est née le 8 juillet 1865 en cette paroisse…»

La jeune fille se mordit la lèvre inférieure, craignant que la petite supercherie ne soit éventée.

— Vous venez tout juste de célébrer votre dix-huitième anniversaire ?

— Il y a deux jours, monsieur le curé.

— «Celle-ci affiche une moralité irréprochable et s'acquitte de ses devoirs religieux avec la plus grande régularité. Elle a été élevée par les sœurs de Sainte-Anne...» Mon collègue semble bien vous connaître.

Les autres membres du bureau dissimulaient mal leur impatience. Lire à haute voix un certificat de moralité ne servait à rien, à moins de soupçonner une malversation.

— Ma mère travaille au presbytère comme ménagère.

— Ah ! Je comprends. Vous pouvez partir, vous recevrez votre diplôme par la poste, la semaine prochaine.

L'inspecteur Leclerc quitta sa chaise pour la raccompagner. Une fois hors de la salle, elle demanda :

— Puis-je vous parler un instant ?

L'homme regarda en direction de la demi-douzaine de candidats, puis déclara à celui assis au bout du banc :

— Entrez, et dites au président que je reviens dans une minute.

Le garçon échangea un regard avec la couventine, puis fit comme on le lui disait. L'instant d'après, en haut de l'escalier, l'inspecteur lui demanda :

— Que puis-je pour vous ?

— Le président de la commission scolaire de Saint-Jacques me disait avoir tout son personnel pour la prochaine année. Vous devez savoir où on a besoin d'une maîtresse. Je crois avoir bien réussi l'examen.

Leclerc se priva de lui révéler l'excellence de son résultat.

— Les emplois dans les écoles supérieures sont réservés à...

— Je me contenterais d'une école de rang, coupa-t-elle. Je dois absolument travailler. Je suis certaine que vous connaissez les commissions scolaires toujours à la recherche de quelqu'un.

— Oui, sans doute, répondit-il, l'air désintéressé. Toutefois, je dois y penser, et on m'attend là-dedans. Si une idée me vient, je vous le ferai savoir. Bonne fin de journée, mademoiselle.

Elle répondit à son souhait d'une inclinaison de la tête, déçue de l'accueil fait à sa requête. D'un pas pressé, la jeune femme marcha en direction du couvent de la congrégation Notre-Dame.

Ses trois compagnes de Saint-Jacques se tenaient déjà sur le trottoir, de même que le paysan devant les ramener à la maison.

— Te voilà enfin, déclara la plus jeune en sautant sur le marchepied.

Les autres allaient faire comme elle quand le cocher intervint:

— Cette demoiselle a déjà fait le trajet devant. C'est maintenant le tour d'une autre à avoir droit à ma compagnie.

Si le bonhomme espérait faire la conversation pendant ce long parcours, il serait déçu. Une grande fille attristée monta près de lui. Les craintes exprimées à l'heure du midi se montraient justifiées, le diplôme lui avait été refusé. Au moins, celle-là ne se tiendrait pas de guingois pendant quatre heures pour éviter tout contact avec son épaule. Le cultivateur n'aimait pas être traité comme un contagieux.

Félicité occupa la dernière place à l'arrière de la voiture. La plus jeune des filles demanda:

— Pourquoi as-tu mis si longtemps?

— L'examen pour le brevet académique compte plus de questions, c'est tout.

Ses compagnes ne purent s'empêcher de la juger prétentieuse. À l'avant, la plus grande laissa échapper un soupir chargé de lassitude. Le cultivateur encouragea sa jument à accélérer le pas. Ils n'arriveraient pas au village avant la nuit tombée. Si la conversation occupa les passagères pendant la première heure du trajet, par la suite la fatigue et la faim les amenèrent à se taire.

Passé dix heures, la voiture s'arrêta devant le couvent des sœurs de Sainte-Anne. Depuis un moment, Félicité tenait un dollar dans sa main, le prix de l'aller-retour.

— Je vous remercie, dit-elle en descendant sur le sol.

— Je suis à votre service, si vous voulez aller quelque part.

À ce tarif, faire le cocher rapportait plus que sa ferme.

— Monsieur Durand, nous ne pouvons pas rentrer à la maison en pleine noirceur, plaida l'une des passagères.

— C'est bien pour ça que je vais vous déposer devant votre porte.

La couventine demeura un instant immobile dans la cour du couvent, les yeux tournés vers le ciel. L'obtention de son diplôme académique avait un goût de cendre tellement son avenir lui paraissait incertain. L'examen, le trajet et la pension d'une journée chez les sœurs de Notre-Dame lui avaient coûté presque une semaine du salaire d'un ouvrier, un mois de celui de sa mère. Il lui restait un peu plus de six semaines pour se dénicher un emploi.

Chapitre 3

À compter du jeudi, Félicité se rendit au bureau de poste tous les après-midi, dans l'espoir de recevoir son certificat d'enseignement. Finalement, il arriva le lundi. Plutôt que de rentrer tout de suite au couvent, elle se dirigea à l'arrière du presbytère, frappa légèrement à la fenêtre de la cuisine pour attirer l'attention de sa mère.

— Entre, dit la ménagère par la croisée ouverte. Je suis seule.

Toutes les deux prirent place à la table. Marcile posa une théière et deux tasses entre elles.

— C'est ton diplôme? demanda-t-elle.

— Je suppose. Je n'ai pas encore ouvert l'enveloppe.

— Qu'attends-tu?

La couventine ressentait une certaine inquiétude devant un document susceptible de sceller son sort. Elle l'ouvrit et sortit une feuille pliée en deux qu'elle plaça à plat sur la table pour en parcourir le contenu. Il s'agissait d'un formulaire imprimé sur lequel le président du Bureau d'examinateurs avait rempli les blancs en indiquant son nom, son lieu de naissance et son âge.

— Mais le «dix-huit ans révolu», commenta la mère, ce n'est pas vrai.

— … Autrement je ne pourrais pas avoir d'emploi. Le curé Merlot a accepté de changer la date.

Si le procédé gênait un peu la ménagère, elle ne le fit pas voir. Elle lui tendit plutôt un carton blanc dont le coin dépassait de l'enveloppe. Félicité le lut rapidement à haute voix.

— Mademoiselle, j'apprends qu'il existe un emploi disponible à Saint-Eugène. L'information me vient du curé Sasseville. Le mieux serait de vous adresser à lui. Je vous souhaite bonne chance.

— Qui t'envoie ça ?

— L'inspecteur Leclerc. C'est lui qui nous a donné l'examen.

— Il a envoyé un mot de ce genre à toutes les nouvelles institutrices ?

La jeune fille l'ignorait, mais elle espérait que ce ne soit pas le cas.

— Je lui ai demandé de m'aider, l'autre jour.

— Saint-Eugène, c'est plutôt loin.

— Une quinzaine de milles.

Sans cheval, c'était une distance trop grande pour un aller-retour à pied dans une seule journée. Si elle y dénichait un emploi, la fille ne pourrait pas voir sa mère plus d'une fois au cours de l'année.

— Tu devrais chercher dans la paroisse…

— Mais je te l'ai déjà dit, le président de la commission scolaire m'a déclaré avoir tout son monde.

Marcile ne cacha pas sa déception. Pareil exil lui paraissait insupportable.

— Tout de même, se reprit Félicité, je vais envoyer une demande d'emploi à monsieur Demers. Mais Saint-Eugène fera l'affaire, si rien ne se trouve plus près.

Marcile hocha la tête, résolue à faire contre mauvaise fortune bon cœur.

— J'ai terminé tes deux robes. Tu veux les essayer ?

— Monsieur le curé n'est pas là ?

— Il est parti faire la tournée des malades. Personne ne nous dérangera. Va te changer dans ma chambre.

La ménagère couchait dans un petit réduit à côté de la cuisine. Cette proximité lui permettait de tenir le poêle allumé toute la nuit au plus fort de l'hiver. La jeune fille revint vêtue d'une robe bleu foncé. Sa mère avait choisi une cotonnade de qualité.

— Comme tu es jolie ! Cela te change tellement de cet uniforme affreux.

De son côté, Félicité se sentait gauche dans ses nouveaux atours.

— Il y a si longtemps que je n'ai pas porté une vraie robe.

Durant les dix dernières années, elle était passée d'un uniforme scolaire à l'autre.

— Ce n'est pas trop… révélateur ?

Pourtant, le vêtement qui tombait sur ses chevilles était boutonné jusqu'au cou. Il laissait seulement voir une agréable silhouette.

— Mais non, tout le monde s'habille comme ça. Maintenant, passe la grise. Elle se mariera très bien avec tes yeux.

Le second essayage suscita les mêmes compliments. La mère releva le bas de la robe pour commenter :

— Tu as bien demandé au cordonnier de te faire des chaussures ? Celles-là sont ruinées. Une paire pour l'été, et une autre pour l'hiver.

— Maman, je ne veux pas dépenser autant d'argent. Tu n'en as pas assez pour toi.

— Voyons, sois un peu réaliste. Pour commencer dans la vie, il te faut des vêtements, des souliers, des bottes, un manteau…

— Ça coûtera une fortune.

Sa mère lui adressa un sourire entendu puis lui caressa la joue.

— Tu sais, j'ai toujours l'argent de la vente de la terre. Enfin, la part que le médecin m'a laissée.

— C'est pour ta vieillesse.

— Tu dois être vêtue comme une institutrice. Tu ne vas pas faire la classe avec des trous dans tes chaussures. Bon, maintenant je dois préparer le souper. Tu gardes ça sur toi pour rentrer ?

Félicité pencha la tête pour regarder le vêtement sur elle et chercha son reflet dans la fenêtre. Sa mère ne possédait aucun miroir, le couvent en était totalement dépourvu.

— Non, je vais remettre mon uniforme. Aussi longtemps que je vivrai parmi les religieuses, je préfère ne rien changer.

Elle retourna dans la pièce voisine pour enfiler ses vieux oripeaux. Sa mère plia les deux robes avec soin pour les remettre à sa fille.

— Tu me tiendras au courant de tes démarches.

— Bien sûr. Merci, maman, pour ces magnifiques robes. À bientôt !

La jeune femme sortit par la porte de devant.

Sœur Saint-Jean-l'Évangéliste tenait le diplôme entre ses mains.

— Dommage, murmura-t-elle.

Le rose monta aux joues de Félicité. Son malaise amena la religieuse à préciser :

— Tu as reçu cela pour couronner de très bonnes études, mais tu n'en profiteras pas vraiment. Jamais tu n'auras à enseigner quelque chose de plus complexe que l'abécédaire.

La couventine craignit de la voir s'engager dans un nouveau plaidoyer pour l'inciter à prendre l'habit religieux. L'autre se refréna.

— Où en es-tu dans tes démarches?

— J'ai écrit tout à l'heure à monsieur Demers. Je vais envoyer des lettres à toutes les commissions scolaires des paroisses des environs.

— Bon, je te souhaite la meilleure des chances.

Le ton manquait de conviction. La jeune fille se retira dans le dortoir afin de profiter encore un peu de la lumière du jour. Chacun des curés dans un rayon de vingt milles recevrait son offre de service, remise ensuite aux autorités scolaires.

Quelques curés se donnèrent la peine de répondre pour lui signifier qu'aucun emploi n'était disponible dans leur paroisse. Le silence des autres était on ne peut plus éloquent. Une seule missive lui donna un certain espoir. Isidore Leclerc avait eu raison: une école demeurait sans titulaire à Saint-Eugène. Le curé lui donnait même un rendez-vous pour le 28 juillet.

— C'est si loin, Saint-Eugène, commenta sa mère en terminant la lecture de la lettre.

— Toutes les autres contenaient un refus.

Afin de la convaincre de sa bonne volonté, la jeune fille les lui montrait au gré de leurs rencontres.

— Je ne te verrai plus pendant des mois.

La pauvre femme en était à inventorier les maisons bourgeoises du village et à supputer des possibilités de la placer comme domestique.

— Je me demande si monsieur le curé n'accepterait pas de me recommander à l'abbé Sasseville.

— … Pourquoi pas. Tu sais, il a beaucoup d'estime pour toi.

Félicité aurait bien aimé la croire, mais le souvenir de l'air bourru du vieil ecclésiastique lors de leur dernière rencontre ne lui en donnait pas la certitude.

— Si tu veux, je vais le lui demander tout de suite.

La femme n'attendit pas la réponse. Elle s'exécuta et revint en disant :

— Il t'attend. Montre-lui la lettre.

La couventine suivit le couloir jusqu'à l'avant de la maison, intimidée à l'idée de revoir le saint homme. Celui-ci l'accueillit en disant :

— Assieds-toi, et montre-moi ce que tu as là.

Il tendait la main pour prendre la missive. Quelques secondes lui suffirent pour en prendre connaissance. Une ombre passa sur son visage lorsqu'il vit la signature.

— Ah ! L'abbé Sasseville, fit-il, songeur.

— Vous le connaissez ?

— … Je connais tous les prêtres du diocèse. Un jour ou l'autre, nous nous croisons. Tu n'as pas reçu d'autres offres ?

— Non, c'est la seule. Vous voudrez bien m'aider ? Si vous dites un mot pour moi…

Le prêtre paraissait maintenant préoccupé, relisant la lettre.

— Tu as songé à placer une annonce dans le *Journal de l'instruction publique* ? Beaucoup d'enseignantes le font pour offrir leurs services.

— Le prochain numéro sortira cet automne. Ce sera trop tard pour moi. Puis je risquerais de me trouver bien loin. Déjà, maman se désole de la distance entre ici et Saint-Eugène.

Après un court silence, le curé Merlot conclut dans un soupir :

— Je vais rédiger une lettre de recommandation pour toi. Tu la donneras à Sasseville lorsque tu le rencontreras.

Le prêtre mit plusieurs minutes à s'acquitter de sa tâche, cherchant les mots justes. Il lui tendit la feuille de papier dans une enveloppe.

— Tu n'iras pas là-bas à pied, j'espère ?

— Je ne peux pas payer quelqu'un pour me conduire.

— C'est un trajet de trente milles pour l'aller-retour !

Elle baissa la tête. Profiter encore plus des ressources de sa mère lui paraissait impossible.

— Bon, soupira l'abbé Merlot, je demanderai à mon bedeau de te conduire. J'espère juste qu'il n'y aura pas d'urgence ce jour-là.

— Je vous remercie infiniment, fit la jeune fille à mi-voix en se levant.

— Encore une chose. Quand tu seras là-bas, si quelque chose ne te plaît pas, refuse cet emploi.

— Que voulez-vous dire ?

L'ecclésiastique parut embarrassé un instant, puis dit d'une voix lourde d'appréhension :

— Rien de particulier. Si cet endroit ne te convient pas, fais-moi signe. Je verrai avec des collègues curés s'il y a du travail chez eux.

— Bien. Merci encore.

Félicité, légèrement inquiétée par cette mise en garde, regagna la cuisine pour saluer sa mère avant de retourner au couvent. Une fois dans le dortoir, elle ouvrit l'enveloppe pour parcourir la lettre. Excepté les mots « Mademoiselle Drousson vous fera une parfaite institutrice », elle croyait relire le certificat de moralité. Merlot insistait sur sa piété et ses années au couvent, mais ne faisait pas mention de ses succès scolaires.

Le curé de la paroisse Saint-Jacques se révéla fidèle à son engagement. Tôt le matin, le bedeau se trouvait assis dans une voiture attelée au vieux cheval de son curé. Il accueillit la jeune fille en disant :

— Toi, la petite, tu bouleverses bien des habitudes. Ce midi, le curé sera obligé de sonner l'angélus lui-même.

— J'espère juste qu'il n'enverra pas maman à sa place.

— Voyons, notre saint pasteur n'oserait pas.

En s'accrochant au-devant de la voiture, elle grimpa pour prendre place à ses côtés. Voilà dix ans qu'elle rencontrait ce vieil homme aux allures de grand-père très régulièrement ; s'asseoir sur la banquette près de lui ne l'intimidait guère.

Le cheval s'engageait dans le chemin de traverse, quand il ajouta :

— Cette robe et ce chapeau te vont bien. Ils viennent de ta mère ?

— Oui. Et elle s'est mise en tête de m'en faire une en laine pour l'hiver.

— Elle travaille bien, et tu es devenue un joli brin de fille.

Le compliment lui mit le rose aux joues. Elle replaça soigneusement le tissu sur ses cuisses et se cala sur la banquette pour un long trajet. Dans les champs, les cultivateurs s'employaient à terminer les foins. L'avoine demeurait encore verte, on ne la faucherait pas avant la seconde moitié d'août, peut-être même en septembre. Les classes seraient alors commencées.

Le village de Saint-Eugène se trouvait à l'ouest, et un peu au nord de Saint-Jacques. Il se composait tout au plus d'une quinzaine de maisons distribuées de part et d'autre de l'église.

— C'est bien petit! s'exclama Félicité.

— La paroisse a été établie il y a une trentaine d'années, pas plus. Puis les terres ne sont pas bien riches.

Le vieil homme arrêta sa voiture près de l'église, une construction de pierre assez simple, coiffée d'un unique clocher. Le presbytère, à côté, ressemblait à une grande maison paysanne avec sa longue galerie. Elle descendit de la voiture prestement.

— Que ferez-vous en m'attendant?

— Quelqu'un voudra bien me laisser détacher mon cheval pour lui permettre de manger un peu. Moi, je vais me chercher une place où m'étendre à l'ombre.

Cette question réglée, la jeune fille ajusta son chapeau de paille puis marcha en direction de la grande demeure aux murs blanchis à la chaux. Après avoir frappé à la porte, la longue attente lui fit se demander s'il y avait quelqu'un. L'huis s'entrouvrit finalement sur un petit visage un peu étrange, avec une bouche ouverte en permanence et des sourcils relevés.

— Bonjour, je dois voir monsieur le curé Sasseville.

Son interlocutrice la regardait avec de grands yeux écarquillés, sans rien dire. La visiteuse insista:

— Monsieur le curé, il m'a demandé de venir le voir.

— La fille, tasse-toi, fit une voix de crécelle à l'intérieur de la maison.

La domestique s'esquiva pour céder la place à une vieille dame vêtue de noir, courte et large.

— J'ai un rendez-vous avec monsieur le curé, répéta-t-elle pour la nouvelle venue.

L'autre l'examinait des pieds à la tête.

— Oui, je sais, laissa-t-elle enfin tomber. Suis-moi.

Elle tourna les talons. Étonnée de l'accueil, Félicité entra pour s'accrocher à ses pas. Au bout du couloir, une porte s'ouvrait sur sa gauche. Elle y découvrit un homme pas très grand, noir de poil, au visage bruni par le soleil, vêtu d'une soutane.

— Ah! Mademoiselle Drousson, je suppose.

Il quitta sa chaise derrière une table de travail pour venir vers elle, la main tendue.

— C'est bien moi, répondit-elle en lui abandonnant ses doigts.

Il les retint tout en la détaillant. Rougissante, ne sachant quelle contenance adopter, elle attendit.

— Comment êtes-vous venue jusqu'ici? demanda-t-il en abandonnant enfin sa main.

— Le bedeau de Saint-Jacques a accepté de me conduire.

— Il est dehors?

— Il voulait trouver un endroit où dételer.

— Maman, dit le prêtre, va lui dire de mettre son cheval à l'écurie. S'il veut s'installer dans la cuisine, libre à lui.

La vieille dame le regarda, un pli au milieu du front, et disparut.

— Avez-vous mangé? demanda ensuite son hôte.

— Oui, dans la voiture tout à l'heure.

— Tant mieux, car nous avons un programme un peu chargé, mademoiselle. Si vous nous convenez, mieux vaudrait régler au plus vite les détails.

Comme elle le regardait sans mot dire, il expliqua :

— Il faudra vous faire rencontrer le président de la commission scolaire et le secrétaire-trésorier. Et vous ne voudrez pas accepter un engagement sans voir l'école, n'est-ce pas ?

— … Je suppose que oui.

Le curé se tenait tout près d'elle, trop près en réalité, à la dévisager.

— Venez vous asseoir, dit-il enfin en s'éloignant un peu. Dans votre lettre, vous disiez avoir un diplôme d'académie.

Elle tenait un sac de toile à la main. Une fois assise, elle y récupéra son diplôme pour le tendre à son interlocuteur.

— Je vois, dit le curé en parcourant le document des yeux.

— J'ai aussi une lettre de recommandation.

Le prêtre consulta le texte, chercha la signature.

— Liboire ! Je ne l'ai pas vu depuis longtemps. Il se porte bien ?

— Si l'on excepte le poids de l'âge, oui, je crois.

Il relut les quelques lignes, puis regarda la visiteuse dans les yeux avant de demander :

— Vous avez été élevée au couvent ? Comment cela ?

— Après la mort de mon père, maman est devenue la ménagère de l'abbé Merlot, et moi je suis entrée au pensionnat. J'y suis même restée pendant les congés et les grandes vacances.

— Vous n'avez pas voulu devenir religieuse ?

Félicité se raidit un peu sur sa chaise, fâchée de voir le sujet de sa vocation évoqué une nouvelle fois.

— Non, confirma-t-elle.

— Vous vous intéressez donc aux garçons ?

Cette fois, les joues en feu, elle protesta :

— Non, ce n'est pas cela.

— Voyons, ne vous défendez pas, c'est tout à fait normal. Si Dieu a fait des garçons et des filles, c'est pour qu'ils se retrouvent ensemble un jour.

L'affirmation n'appelait aucune réponse. La couventine ne pouvait qu'attendre la suite. La recherche d'un emploi lui réservait son lot de surprises.

— Mais cela ne devait pas être simple, recevoir des cavaliers au couvent, les bons soirs, railla son interlocuteur. Je suppose que toutes les religieuses se mettaient en rang pour servir de chaperon.

Cette fois, elle fixa les yeux sur le plancher, contemplant le bout de ses souliers.

— Bon, ce n'est pas tout, mademoiselle Drousson. L'heure avance, nous allons nous rendre chez le secrétaire-trésorier. Le président doit déjà nous attendre.

— Vous ne pouvez pas régler l'engagement ?

— Je suis membre de la commission scolaire, mais il y a les autres. La décision se prend à la majorité des voix. Venez.

L'ecclésiastique quitta son siège, la visiteuse l'imita.

— Je vous laisse passer devant.

De la main, l'homme l'invita à quitter la pièce, puis il s'accrocha à ses pas.

Félicité sentit ses yeux dans son dos comme une brûlure. De la galerie, vers la gauche, elle aperçut la voiture du bedeau de Saint-Jacques. De l'homme et de son cheval, elle ne vit aucune trace.

— Nous allons loin ? s'inquiéta-t-elle.

— Non, le notaire Tessier habite tout près.

En descendant de la galerie, la jeune femme fit en sorte de se trouver aux côtés du curé.

Le prêtre avait dit vrai, l'étude du notaire se dressait à quelques dizaines de verges, dans la rue Principale. Quand il frappa à la porte, le professionnel vint lui ouvrir lui-même.

— Monsieur le curé, nous vous attendions.

— Je devais tout de même faire un peu connaissance avec cette jeune personne. Je vous présente mademoiselle Drousson.

Elle accepta la main tendue, se déclara « Enchantée ».

— Comme je vous le disais, le notaire Tessier agit comme secrétaire de la commission scolaire et de la municipalité.

Dans une paroisse de cette taille, les contrats de mariage, les testaments et les actes de vente ne lui permettaient pas de s'enrichir. En cumulant les emplois, il arrivait à tenir son rang de notable.

— Suivez-moi, dit l'hôte une fois les présentations faites.

Dans son bureau, ils retrouvèrent un homme à la forte carrure, une vareuse sur le dos, sa casquette dans les mains.

— Voilà Nicéas Normand, le forgeron de notre village, et le président de la commission scolaire.

Le colosse se leva pour tendre une main calleuse, puis retrouva son siège. La candidate prit la chaise voisine. En s'asseyant, le curé commença.

— Mademoiselle Drousson m'a montré son diplôme académique, de même qu'une lettre très élogieuse de son curé.

— L'école du village a sa maîtresse, intervint le forgeron. Nous avons renouvelé son contrat au mois de mai.

Comme le diplôme de Félicité lui permettait d'occuper la meilleure école de la paroisse, l'homme tenait à faire cette précision d'entrée de jeu.

— Je sais, je sais, dit Sasseville, mais je trouve encore que nous avons été un peu empressés de la reconduire dans son poste.

Si le curé n'assumait pas la présidence de la commission scolaire, il guidait ses opérations sans vergogne. De toute façon, devina la candidate, ce Normand devait à peine savoir lire et signer son nom.

— Mademoiselle, vous n'avez jamais enseigné, je pense, commença le notaire.

— Non, monsieur. J'ai terminé mes études en juin dernier.

— De très longues études, commenta le forgeron.

Au moins, il n'avait pas dit « trop longues ». Visiblement, une institutrice moins instruite lui aurait mieux convenu.

— De toute façon, elle a eu dix-huit ans ce mois-ci, intervint le prêtre. La loi lui interdisait d'obtenir un emploi plus tôt.

À l'embauche, les candidats devaient être soumis à un examen par les commissaires. Le notaire avait même le *Guide de l'instituteur* devant lui, de même que la *Circulaire numéro 12* du surintendant de l'instruction publique. Elle contenait toutes les questions destinées aux Bureaux d'examinateurs. Mais la nature du diplôme de cette jeune fille rendait toute interrogation superflue.

— Vous serez en mesure d'enseigner la lecture et l'écriture sur papier ? demanda encore le professionnel.

— Évidemment !

La réponse formulée trop vite témoignait d'une certaine suffisance. Elle ajouta en baissant les yeux avec modestie :

— Je connais aussi la grammaire.

— Vous devrez couvrir aussi les nombres jusqu'à dix mille, les quatre règles mathématiques, les tables de multiplications et de divisions.

Elle hocha la tête. Le secrétaire-trésorier évoqua l'histoire du Canada, l'histoire sainte, la géographie, tous les éléments du programme en fait. À chaque élément de l'énumération, la candidate acquiesçait.

Quand il se tut, le curé consulta ses deux compagnons du regard.

— Si vous voulez nous laisser seuls un moment, mademoiselle, nous allons discuter.

Elle quitta sa chaise et le notaire prit sur lui de la conduire dans le salon familial. Les mains réunies dans son giron, elle attendit sous les portraits des ancêtres du professionnel.

Dans le bureau, le forgeron déclara :

— Elle semble être une bonne fille, mais elle est trop savante. Les enfants du rang Saint-Antoine ont seulement besoin de savoir lire, compter un peu, et d'apprendre le catéchisme.

— Elle enseignera le contenu du programme élémentaire, dit le curé. En savoir un peu plus ne lui nuira pas.

— Mais elle ne restera pas ici. Avec son diplôme, elle voudra prendre le premier poste disponible dans une école modèle.

— Si elle est venue nous voir, c'est qu'elle n'a rien d'autre. Et si on l'engage, elle aura un contrat avec nous pour une année.

Le curé paraissait résolu à défendre la candidate. Il ajouta encore :

— Nous approchons du début des classes. Si nous ne la prenons pas, nous risquons de n'avoir personne en septembre.

— Il n'y a aucune fille de la paroisse capable d'occuper le poste ? s'informa encore le président.

— Quelques-unes ont bien proposé leurs services, expliqua le notaire, mais elles savaient à peine lire elles-mêmes. Aucune n'avait de diplôme, de toute façon.

— Nous pouvons toujours demander une exemption pour une de ces filles.

Sasseville prit sur lui de rappeler :

— Mais l'inspecteur nous obligerait à la renvoyer dès sa visite de l'automne. On ne peut pas confier des enfants à une ignorante. Moi, je suis d'avis de la prendre.

L'opinion du curé finirait par prévaloir auprès du pauvre forgeron.

— Si vous croyez que c'est la chose à faire, concéda celui-ci, embauchons-la.

— Messieurs, s'interposa le secrétaire, je vous rappelle que trois autres commissaires doivent aussi se prononcer.

— Nous verrons Marcoux tout à l'heure, à l'école numéro 3, précisa le curé. La majorité d'entre nous l'aura vue. Nous y allons ?

Déjà, le prêtre se levait en remettant sa barrette.

— Nous prendrons votre voiture, notaire ? demanda le forgeron.

— Mon garçon doit déjà avoir attelé.

— Je me charge d'emmener la jeune fille avec moi, dit le prêtre.

Déjà, il quittait la pièce pour aller la chercher dans le salon. Les deux autres échangèrent un regard entendu avant de le suivre.

Chapitre 4

Lorsqu'elle revint au presbytère, Félicité aperçut un vieil homme aux cheveux blancs tenant un cheval attelé par la bride. Une moustache de même couleur barrait un visage buriné par les intempéries.

— Tu y as mis le temps, maugréa-t-il d'une voix caverneuse.

— Que veux-tu, ces messieurs aiment discuter, dit le prêtre alors qu'il grimpait dans la voiture avant de saisir les guides. Montez, mademoiselle.

L'ecclésiastique tendit la main pour l'aider. Félicité hésita d'abord à la prendre. La force de la poigne la surprit. Sous le regard attentif de l'ancêtre, elle leva la jambe pour atteindre le marchepied.

Étroite, la banquette la forçait à se tenir contre son conducteur. Le prêtre salua son père et claqua la langue pour inciter le cheval à se mettre en marche. En le guidant, son bras droit frôlait la poitrine de la jeune femme. Pour masquer son émoi, elle demanda :

— Vous vivez avec vos parents ?

La voiture s'engagea dans le chemin de traverse.

— Oui, mes parents habitent avec moi. Ils se sont saignés aux quatre veines pour me faire instruire. Il a toujours été entendu entre nous que cela représentait un investissement pour leurs vieux jours.

Le cheval suivait la route sans mal, l'homme pouvait consacrer toute son attention à sa compagne. Ses yeux noirs scrutaient le visage aux traits réguliers.

— Cette fidélité filiale vous honore, commenta-t-elle pour rompre le silence devenu intimidant.

— Ce n'est pas plus coûteux pour la fabrique. Maman entretient la maison, papa s'acquitte des tâches de bedeau.

Il reporta enfin son attention sur la route devant lui et fit claquer les guides sur le dos de l'animal pour l'inciter à accélérer son allure. Félicité se tourna à demi pour voir la voiture du notaire derrière eux.

— Cette école que nous allons visiter…, commença-t-elle.

— L'école numéro 3. La paroisse en compte quatre, avec celle du village.

— Toutes donnent le cours élémentaire?

— Celle du village va un peu plus loin… Mais malgré les prétentions de l'institutrice, aucun élève ne complète vraiment le cours modèle.

Pour les agriculteurs et leurs épouses, nul besoin d'être bien savant. Quant aux quelques notables du village, ils en étaient quittes pour placer leur progéniture dans un pensionnat. Elle avait côtoyé quelques-unes de leurs filles au couvent de Saint-Jacques.

Dans le rang Saint-Antoine, le curé s'engagea vers l'ouest. À trois bons arpents, peut-être quatre, elle découvrit une bâtisse rectangulaire coiffée d'une croix. Trois fenêtres s'alignaient sur le côté de l'édifice offert à sa vue.

— C'est là?

— Oui, c'est ici.

Le cheval s'arrêta dans une cour couverte d'herbes folles. Le prêtre descendit pour enrouler les guides à un piquet de clôture. Puis il vint vers la voiture la main tendue, un sourire satisfait sur les lèvres.

— Ce n'est pas nécessaire, balbutia-t-elle.

— Ne faites pas la couventine.

Il agitait ses doigts sous ses yeux. À la fin, elle accepta son aide.

— Le notaire ne nous a pas suivis ?

— Vous voyez la maison de ce côté du chemin de traverse ? Le commissaire de cet arrondissement habite là. Il a fait un crochet pour le prendre avec lui. De toute façon, lui seul a la clé.

Tout en parlant, ils avaient marché en direction de l'école. Un gros cadenas rouillé en fermait la porte.

— Vous avez vu de l'autre côté ? Il y a une petite rivière.

Ils arrivèrent bientôt près de la rive escarpée. Sept ou huit pieds plus bas, le cours d'eau dansait sous le soleil.

— Quel est son nom ?

— La rivière du Chêne. Il doit bien y en avoir une vingtaine du même nom dans la province. Si vous aimez pêcher, elle vous donnera quelques repas de poisson.

Elle esquissa un sourire à cette idée. Petite fille, elle avait passé de beaux dimanches à se livrer à cette activité avec son père.

— Bon, nous y allons, je vois le notaire entrer dans la cour.

Bientôt, le nouveau venu attacha lui aussi son cheval. Deux hommes l'accompagnaient. C'est avec un sourire timide que Félicité s'approcha pour être présentée au cultivateur.

— Léonidas, commença l'ecclésiastique, voilà made-moiselle Drousson. Elle possède un diplôme, et d'excellentes recommandations de son curé.

— Monsieur…

L'homme lui serra la main en la dévisageant.

— Si tu veux nous ouvrir, maintenant, dit encore le curé.

L'autre fouilla dans sa poche, sortit d'abord un mouchoir d'un rouge vif, puis un canif, avant de récupérer une clé de bronze. Il s'escrima sur le cadenas avant que la porte ne s'ouvre dans un grincement.

— Si vous voulez entrer la première, mademoiselle, dit l'homme en s'écartant un peu.

Félicité découvrit une salle de dix-huit pieds de large sur vingt-quatre de long. Elle occupait presque tout le rez-de-chaussée. De part et d'autre d'une allée centrale, de grandes tables encombraient presque tout l'espace.

— Cet aménagement convenait peut-être pour l'enseignement mutuel, releva-t-elle, mais de nos jours, plus personne ne procède comme ça. Le Département de l'instruction publique suggère des pupitres adaptés à la taille des enfants et des chaises avec un dossier, tous orientés vers le tableau.

La remarque fut accueillie par des visages moroses.

— Les gens de Québec s'entendent pour nous ruiner, répondit le président de la commission scolaire. Ces pupitres-là valent certainement quatre piastres par élève.

— Mais avec l'aménagement actuel, insista Félicité, la moitié des enfants tournent le dos au tableau noir.

L'autre secoua la tête de dépit. Cette personne ne comprenait rien à la réalité économique d'une petite paroisse agricole. La jeune femme marcha jusqu'à l'avant de la classe où, sur une petite estrade haute de dix pouces, était placée la table de l'institutrice. Derrière, des planches horizontales peintes en noir servaient de tableau. Dans une petite boîte accrochée au mur, elle aperçut quelques bouts de craies.

— Vous avez des cartes pour la géographie et des affiches pour les principales règles de grammaire?

— De l'autre côté du mur, dit Marcoux. L'ancienne maîtresse ne s'est jamais plainte.

Et, aux yeux de ce paysan, la prochaine devrait s'en tenir à cette habitude. Sur la gauche de l'estrade, un poêle de fonte noire permettait de chauffer l'endroit. En réalité, en février, les enfants assis à l'arrière, près de la porte, devaient geler, et ceux à l'avant, subir une chaleur inconfortable.

De l'autre côté du mur, elle vit bien quelques panneaux de carton posés sur le sol. Un escalier étroit permettait d'aller sous les combles. Une porte conduisait aux dépendances, un enchaînement de deux petites rallonges faites à l'édifice principal.

— Les enfants entrent par ici, dit le curé en pénétrant dans la première. Vous voyez les clous pour accrocher leurs vêtements d'hiver.

Ils donnaient une allure étrange à ce cagibi. À trois et à quatre pieds du sol, sur deux lignes parallèles, ils se trouvaient à la bonne hauteur pour des enfants.

— Les écoliers sont nombreux? demanda la candidate.

— J'ai recensé près de cinquante jeunes enfants d'âge scolaire dans l'arrondissement, expliqua le secrétaire-trésorier.

— Il n'y a pas de place pour tout le monde.

La loi indiquait que tout enfant de sept à quatorze ans était d'âge scolaire. Dans les campagnes, bien peu de garçons et de filles fréquentaient l'école aussi longtemps, mais en contrepartie on en acceptait de plus âgés.

— Vous n'en aurez jamais autant devant vous, précisa le curé. Ils seront une vingtaine, tout au plus.

Au-delà de ce vestibule, une porte donnait accès à un appentis plus petit encore. Félicité la poussa pour en découvrir deux autres, l'une avec un «F» et l'autre avec un «G» tracés à la craie. Elle poussa son exploration dans l'un de ces réduits pour constater la présence d'une planche percée, ouverte sur une fosse d'aisance. Même si l'endroit se trouvait déserté depuis la fin de juin, l'odeur ne laissait planer aucun doute quant à l'usage de ces lieux.

Quand elle revint dans le vestibule, le prêtre demanda :

— Trouvez-vous le tout à votre satisfaction ?

— L'institutrice loge dans l'école ?

— En haut.

— Je peux voir ?

Le commissaire de l'arrondissement roula des yeux, comme s'il s'agissait d'une exigence démesurée.

— Bien sûr, déclara l'ecclésiastique. Si vous voulez monter.

Marcoux et le président Normand échangèrent un regard. Le second précisa :

— Nous allons attendre dans la classe.

Le secrétaire-trésorier préféra tenir compagnie aux deux hommes.

Rendue au milieu de l'escalier, Félicité sentit la présence du prêtre derrière elle, son regard, une fois encore, la troubla. Sous les combles, elle découvrit un grenier un peu poussiéreux. Son espace utile faisait huit pieds de largeur, à cause de la pente du toit qui courait sur toute la longueur de la bâtisse. La tête de l'homme frôlait les poutres transversales. Aux deux extrémités, une fenêtre en losange éclairait les lieux.

— Ce sont les seuls meubles mis à la disposition de l'institutrice ?

D'un côté, une petite table et une chaise se trouvaient sous les carreaux à l'avant de la pièce. De l'autre, sur une commode aux dimensions plutôt réduites, un pot et une cuvette de porcelaine permettraient à l'occupante des lieux de se débarbouiller. Au-dessus, un miroir fêlé servait à constater le résultat de ses efforts.

Puis, près du tuyau traversant le grenier pour percer le toit, un lit métallique étroit promettait des nuits sans confort.

— Il n'y a pas de matelas ?

— Le commissaire verra à mettre une paillasse là-dessus.

— Et le chauffage ?

— Le poêle se trouve en bas. Le tuyau permet à la chaleur de se répandre dans ce grenier et, vous voyez les trappes dans le plancher, l'air chaud monte par là.

L'institutrice préparait donc son repas dans la classe. À l'heure du midi, ce serait en présence des élèves.

— Cela vous convient ?

Félicité fit un tour complet sur elle-même, laissa échapper un soupir.

— Oui, cela me va.

De toute façon, aucune autre offre ne se trouvait sur sa table. Elle s'engagea dans l'escalier. Arrivée au rez-de-chaussée, elle jeta de nouveau un regard circulaire sur la classe.

— Vous voulez bien nous laisser quelques minutes ? demanda le curé.

— Je vais retourner près de la rivière, dit la jeune femme en quittant les lieux.

❈

Planté devant la fenêtre, l'abbé Sasseville contemplait la jolie silhouette, bien découpée grâce au vent qui collait la robe grise à son corps.

— Nous avons de la chance, dit-il, elle se montre disposée à accepter ce poste.

— Cette petite princesse ne cessera pas de se plaindre, protesta Marcoux. Vous l'avez entendue, elle veut de beaux petits pupitres de magasin.

— Elle fera avec ces tables, même si je suis d'accord avec elle. Quand la moitié des écoliers tournent le dos à la maîtresse, il est difficile d'assurer une certaine discipline.

Le cultivateur secoua la tête. Son école lui échappait, le curé entendait tout régenter. Il ne voulut pas se tenir pour battu tout de suite.

— La petite Malenfant est prête à prendre cette classe en charge. Nous n'avons pas besoin de cette étrangère.

La distance entre Saint-Eugène et Saint-Jacques valait tout un océan dans l'esprit de cet habitant. Le curé regarda le secrétaire-trésorier dans les yeux pour l'inciter à jouer son rôle.

— La petite Malenfant a quinze ans, trois de moins que l'âge limite.

— Le gouvernement donne des exemptions.

— Je l'ai reçue dans mon bureau, je lui ai donné une dictée. Elle fait à peu près trois fautes par mot.

Comme l'autre ne savait pas écrire, ce genre d'évaluation lui paraissait bien mystérieux.

— Je sais bien que les Malenfant sont tes voisins, reconnut le prêtre, mais nous ne pouvons embaucher leur fille. Elle n'a pas la compétence voulue.

— Mais elle vient de la paroisse.

Le ton manquait de conviction. L'homme s'avouait vaincu.

— Et si nous ne prenons pas cette fille, dehors, insista Sasseville, nous risquons de laisser un cadenas sur la porte pendant toute l'année scolaire.

— Combien nous coûtera-t-elle ? dit le président. Avec son diplôme académique…

— Nous pouvons lui offrir soixante-quinze piastres pour l'année.

— La petite Malenfant en espérait cinquante, ronchonna le paysan.

Les trois autres dissimulèrent mal leur agacement, mais aucun d'entre eux ne jugea utile de préciser que dans cette éventualité, la dépense serait une perte totale.

— Elle accepterait peut-être un peu moins, dit tout de même le secrétaire.

— Regardez-la ! s'exclama le prêtre qui l'observait de la fenêtre. Maigre comme une sauterelle. Il faut au moins lui permettre de se nourrir.

Il abandonna son poste d'observation pour dire encore :

— Il faudra aussi la chauffer. Les habitants de l'arrondissement fourniront le bois, comme d'habitude.

Cet usage, tout comme la fourniture d'un logement, on l'estimait à une valeur de trente dollars par an. Cela donnait une rémunération totale de cent cinq dollars pour dix mois de travail.

— Tout de même, on ne peut pas lui faire signer un contrat tout de suite, précisa le président Normand. Les deux autres ont leur mot à dire.

— Mais nous sommes présents en majorité. Si nous nous mettons tous d'accord…

Du coin de l'œil, le prêtre regarda Marcoux pour l'inciter au silence.

— Il convient de respecter les règles, intervint le secrétaire-trésorier. L'engagement d'une institutrice nécessite une réunion régulière.

— J'hésite à la faire revenir pour apposer sa signature sur le contrat.

— Je peux le lui envoyer par la poste, elle nous le retournera de la même façon.

L'abbé Sasseville regrettait de ne pouvoir expédier les formalités tout de suite, mais mieux valait ne pas trop bousculer ses collègues.

— Tout à l'heure, dit-il, je lui résumerai les conditions et je lui remettrai une copie du règlement. Nous nous réunirons cette semaine pour boucler l'affaire.

Les trois autres hochèrent la tête. Ils laissèrent au prêtre le soin de donner le signal du départ. Celui-ci se dirigea vers la porte. En mettant le pied dehors, il posa la main sur l'épaule de Léonidas Marcoux en disant :

— Je sais que les Malenfant ont dû te harceler pour obtenir cette école pour leur fille. C'est la bonne femme qui a eu cette idée folle.

— Je n'aime pas que notre argent sorte de la paroisse. Cette étrangère…

L'homme voulait montrer que son opposition ne tenait pas qu'à l'insistance de sa voisine.

— Je lui dirai un mot, dit le prêtre sans prêter attention à la protestation. La petite doit encore étudier, pas enseigner.

Depuis le bord de la rivière, Félicité observa le quatuor en grande conversation. Quand ils parurent sur le point de se séparer, elle s'avança.

— Mademoiselle, commença le président, monsieur le curé vous mettra au courant. Je vous souhaite un bon retour.

Le secrétaire-trésorier répéta le même souhait. Marcoux se contenta d'une inclinaison de la tête, tout en lui adressant un regard méfiant. Quand le trio s'éloigna pour monter dans la voiture, le curé lui adressa un sourire ironique.

— Vous voilà bien intriguée, mademoiselle Drousson. Allez, venez, je vous mettrai au courant de notre discussion chemin faisant.

Cette fois, il se tint près d'elle pour l'aider à rejoindre la banquette. Au lieu de prendre sa main, il lui prit la taille pour la soulever un peu. Le geste la dérouta, un bref instant tout son corps se raidit.

Pendant quelques minutes, l'émotion la contraignit au silence. Ils avaient parcouru la moitié du chemin de traverse quand elle osa enfin demander:

— Alors, monsieur le curé?

— Nous sommes prêts à vous embaucher pour la prochaine année scolaire, répondit-il, jovial.

Félicité fut surprise de ne pas éprouver une réelle satisfaction. Elle se tenait un peu sur la droite pour limiter le contact entre leurs deux corps.

— Cela ne paraît pas vous transporter de joie, remarqua-t-il.

— Non, n'allez pas croire cela. Je suis très contente, au contraire.

— Tant mieux. Nous entendons vous proposer soixante-quinze piastres, en plus du chauffage et du logement.

Comme elle se taisait, le prêtre ajouta:

— Ces gages correspondent aux usages, vous savez. Vous n'auriez pas à chercher longtemps pour trouver des institutrices expérimentées qui reçoivent moins.

— ... Vous avez sans doute raison. En réalité, je ne sais pas ce que cette somme représente. C'est un peu ridicule, mais j'ignore ce que coûtent les choses.

La jeune femme exagérait à peine. Elle avait rarement fait des achats au magasin général.

— C'est vrai, vous avez passé votre vie au couvent. Croyez-moi, en étant prudente, vous vous tirerez d'affaire. Bien sûr, vous ne vous achèterez pas souvent de jolies robes comme celle-là.

— Elle me vient de ma mère.

Félicité se mordit la lèvre inférieure, puis laissa tomber tout bas :

— J'accepte ces conditions.

Le ton trahissait une certaine inquiétude. Sa nouvelle vie à l'extérieur du couvent lui donnait un peu le vertige.

Quand la voiture s'arrêta près du presbytère, elle sauta sur le sol, soucieuse d'éviter tout contact. Son empressement lui fit presque se tordre une cheville.

— Où se trouve le bedeau ? demanda-t-elle. Si je veux arriver à Saint-Jacques avant la tombée du jour, nous devons partir tout de suite.

— Mon père devait lui offrir un verre. À cette heure, il doit ronfler dans le foin. De toute façon, nous avons encore à parler un peu. Venez dans mon bureau, je vais vous expliquer le règlement des écoles de la paroisse.

Félicité dissimula sa déception en emboîtant le pas au curé. Une fois dans sa pièce de travail, elle accepta de s'asseoir sur la chaise qu'on lui désignait. La présence d'un lourd pupitre entre eux la rassura un peu.

Sasseville chercha dans un tiroir, sortit une feuille de papier pour la lui tendre et en prit une autre, identique. Le titre disait : *Règlement des écoles de la paroisse Saint-Eugène.*

— Comme vous pouvez le voir, les premiers articles concernent les obligations de la maîtresse. D'abord, être catholique, bien sûr.

La précision semblait inutile, personne n'aurait songé à embaucher une protestante dans une commission scolaire catholique.

— Vous devrez enseigner le catéchisme une heure par jour au moins, le matin, et ensuite les autres matières figurant au programme. La maîtresse doit récompenser avec équité les mérites des écoliers, elle châtie le vice, ou la négligence, avec le même esprit de justice.

L'homme leva les yeux au-dessus de la feuille de papier pour contempler la visiteuse.

— Ces conditions ne doivent pas vous étonner.

— On les trouve toutes dans les contrats types proposés par le Département de l'instruction publique.

Le curé approuva d'un signe de tête. Ses années de couvent lui avaient permis de prendre connaissance de tous les documents venus de Québec.

— La suite contient certainement des éléments inédits. Vous devez allumer le poêle au moins à sept heures et demie le matin, une heure avant le début de la classe, pour réchauffer l'établissement. À l'heure dite, vous sonnez la cloche pour faire entrer les enfants. Leur journée se termine à quatre heures trente, une demi-heure plus tôt pendant la mauvaise saison. Vous leur accordez une heure pour dîner… et vous devez surveiller leurs jeux dans la cour.

Il marqua une pause avant d'ajouter :

— C'est là où ils font leurs mauvais coups, se lancent des insultes et que les batailles éclatent.

— Je sais.

— Oh non! Vous ne savez pas. La récréation, dans une école de rang, diffère de celle d'un couvent peuplé de jeunes filles sages. Vous devrez même faire en sorte de prévenir… les conciliabules trop intimes entre les élèves de sexes différents.

Une rougeur marqua les joues de la visiteuse. Le prêtre se complut dans les «fonctions naturelles».

— Vous devez aussi les inciter à prendre leurs «précautions» à l'heure du dîner. Sinon, vous en aurez qui passeront l'après-midi dans les bécosses.

Elle remua la tête, toujours aussi intimidée. Toute l'information se retrouvait écrite noir sur blanc de la belle écriture ronde du notaire. La jeune femme aurait pu en prendre connaissance à son retour à Saint-Jacques, mais l'homme tenait visiblement à lui en faire la lecture pour prolonger leur rencontre. Pour hâter les choses, Félicité remarqua:

— Il est prévu d'empêcher l'accès des élèves contagieux à l'école?

— Oui. Cela va de la grippe à la variole, en passant par la coqueluche et la scarlatine. Toutes les maladies d'enfant, en fait.

— La variole?

— Vous êtes trop jeune pour vous en souvenir, mais il y a dix ans, ce mal frappait encore ici et là. Depuis ce temps, on ne le voit plus, mais qui sait.

La précaution de retirer de l'école les enfants malades pour éviter l'épidémie lui était familière, les religieuses l'appliquaient au pensionnat. Toutefois, la responsabilité de procéder elle-même à ces exclusions la déconcertait.

— Je devrai aussi voir à l'entretien des lieux?

— Cela se fait partout : nettoyer les planchers et les murs, de même que les latrines.

Elle assumait ces tâches au couvent depuis le début de l'été pour diminuer le coût de la pension. Mais constater qu'elles incombaient à l'institutrice la surprenait un peu.

— C'est moins lourd que cela ne paraît. Pas question de laver les plafonds, mettre de la chaux ou de la peinture sur les murs ni de faire des réparations.

Ces précisions ne la rassuraient pas vraiment.

— Et même pour le reste, précisa le curé, vous pouvez vous faire aider. Les garçons pourront entrer le bois et l'eau, les filles passer le balai à la fin de la journée.

Félicité opina de la tête, puis ses yeux se posèrent sur une pendule placée sur une étagère.

— Mon Dieu, il sera bientôt six heures ! Je dois absolument partir tout de suite.

— Vous allez souper avec nous.

— Impossible. Cela me conduirait à rentrer au milieu de la nuit.

— Vous pourriez même coucher ici. Ce ne sont pas les chambres qui manquent dans cette grande maison.

Elle se leva précipitamment, les joues en feu.

— Je dois partir, dit-elle dans un souffle.

— Quelle bonne petite couventine vous faites, souligna-t-il, un sourire en coin. Un comportement de novice, en fait.

— Où se trouve le bedeau ?

— Vous ne vous méfiez pas de votre futur curé, j'espère ? Passer une nuit dans la même maison que moi ne porte pas à mal. Mon évêque le fait bien, sans risque pour sa vertu.

Elle n'écoutait plus. Debout, elle cherchait un moyen de quitter les lieux sans avoir l'air de prendre la fuite.

— Mon diplôme, vous pouvez me le rendre ?

— Je le mettrai à la poste en même temps que le contrat d'embauche. Deux commissaires ne l'ont pas vu encore. Tous devront voter pour votre engagement.

Il se leva, un sourire moqueur sur les lèvres, pour la raccompagner dehors. La voiture se trouvait toujours là, au fond de la cour, mais aucune trace du bedeau. Félicité marcha d'un pas rapide, dans un frou-frou de robe et de jupon, grimpa sur le marchepied et atteignit la banquette dans un seul mouvement souple, afin de se dérober à toute forme d'aide de la part du curé.

Juchée sur son siège, la colonne vertébrale bien droite, les yeux fixés droit devant, elle demanda :

— Je recevrai le contrat par la poste ?

— En deux copies, signées par le président de la commission. Vous mettrez votre nom au bas de l'une d'entre elles et vous nous la retournerez.

— Je le ferai sans faute.

Elle gardait sa position rigide, parlait d'une voix mal assurée.

— Très bien, mademoiselle Drousson. Je passe dans mon appentis pour réveiller votre cocher. Je vous souhaite un bon retour.

La jeune femme demeura un instant muette, mais finit par ajouter :

— … Monsieur le curé, je vous remercie beaucoup de votre accueil.

Elle devinait, à la mine un peu renfrognée des commissaires au cours de l'après-midi, que le prêtre avait poussé sa candidature.

— Mademoiselle, vous faites une si charmante couventine. Je vous recevrai toujours de mon mieux à chacune de vos visites dans mon presbytère.

Sur ces mots, en lui adressant un signe de la main, il se dirigea vers l'appentis.

✿

Plusieurs minutes plus tard, le bedeau vint la rejoindre en tenant son cheval par la bride. Félicité dut encore attendre pendant qu'il attelait la bête. Quand il grimpa pour la rejoindre sur la banquette, la jeune femme remarqua la maladresse de ses gestes.

— Ça prend du temps, embaucher une maîtresse d'école, grommela l'homme.

La jeune femme sentit un relent d'alcool dans son haleine.

— Je suis désolée. J'ai dû voir le président, le secrétaire-trésorier, visiter l'école, entendre le curé me lire le règlement…

— Je ne te reproche rien, la petite. Le père du bon abbé a le sens de l'hospitalité.

En comparaison, jamais le titulaire de la paroisse Saint-Jacques ne payait une bonne rasade d'alcool à son employé.

— Nous allons devoir faire la moitié du trajet dans l'obscurité, ajouta le cocher. Mon cheval a sans doute une meilleure vue que moi. Il ne devrait pas se perdre.

La voiture arriva bien vite à l'extrémité du village. Curieusement, Félicité ressentit un certain soulagement en s'éloignant de Saint-Eugène.

— La directrice doit déjà s'inquiéter de ton absence, ricana encore le bedeau. Tu ne mettras pas les pieds au couvent avant onze heures, peut-être minuit.

— Sœur Saint-Jean-l'Évangéliste comprendra.

Du moins, elle l'espérait. Après cette longue journée, elle ne souhaitait pas avoir à se livrer à de grandes explications avant de se mettre au lit.

Chapitre 5

Au début d'août, tous les bras valides se trouvaient requis pour les travaux des champs. La voiture transportait pourtant deux femmes visiblement robustes et en bonne santé, l'une dans le second versant de la trentaine, l'autre toute jeune. En tournant pour entrer dans la cour de l'église, la plus âgée des paysannes se leva à demi pour tirer sur les guides de cuir afin que le cheval ralentisse. Elle l'incita ensuite à continuer jusqu'à la ligne d'arbres bordant le cimetière.

— Attache les cordeaux à la clôture, dit-elle à l'intention de sa fille.

Cette dernière sauta prestement sur le sol. Il s'agissait d'une adolescente aux formes déjà plantureuses dont la jupe tombant juste au milieu des mollets aurait pu être jugée un peu osée. Les pieds nus accentuaient cette impression.

La femme descendit plus lentement, comme il convenait à son âge et à ses formes. Ses hanches s'élargissaient d'une façon un peu exagérée, ce qui donnait à sa démarche un dandinement rappelant un canard.

— Tu vas venir avec moi, Griphine. Après tout, nous allons parler de ton avenir.

— Je ne sais pas, maman. Il me fait un peu peur.

— Ne dis pas de stupidités. C'est un homme comme les autres, précisa-t-elle avec un air entendu.

La paysanne frappa violemment contre la porte. Dans tous ses gestes, elle mettait une ampleur appuyée. Une jeune fille au visage un peu ahuri se présenta de l'autre côté de la moustiquaire, les yeux écarquillés.

— Tu me reconnais ? Ouvre, je veux voir le curé.

L'autre la regarda sans bouger, comme si le sens de ces mots lui échappait totalement.

— Allez, ouvre.

L'insistance ne donna aucun résultat. La femme fit le geste de prendre la poignée quand une ombre se dessina au bout du couloir.

— Tiens, tiens, de la belle visite, dit Sasseville.

À son approche, la domestique se rangea près du mur, comme effrayée.

— Entre, Tarrasine, ne reste pas sur le perron.

La paysanne se retrouva dans le couloir, ses yeux bleus rivés dans ceux de son interlocuteur.

— Il y a longtemps, commença-t-elle.

— Notre vie à tous doit suivre son cours. Et cette grande fille doit être Griphine ?

L'ecclésiastique tendit la main vers l'adolescente. Elle lui abandonna ses doigts un long moment.

— Tu as bien profité. Je l'ai remarqué, à l'église, à la communion. Mais ce n'est pas comme te contempler ici de plus près.

Le regard de l'homme se porta sur la jeune poitrine qui, déjà, n'avait plus rien d'enfantin. Elle levait son visage vers lui maintenant, tout malaise oublié.

— Nous voulions te voir, commença la paysanne.

Le prêtre se raidit devant cette familiarité.

— Vous voir, se reprit-elle. À propos de cette école.

— Bien sûr, l'école.

Il se retourna vers la domestique, toujours le dos plaqué au mur.

— Toi, tu vas servir des biscuits et du thé à cette jeune paroissienne.

Du doigt, il désignait Griphine. L'adolescente ne dissimula pas sa déception d'être mise à l'écart de la conversation.

— Mais nous allons parler d'elle, protesta la mère, elle peut nous accompagner.

— Justement, nous allons parler de cette belle fille entre nous. Viens dans mon bureau.

Le curé se dirigea vers la pièce au fond du couloir. Après avoir échangé un regard avec sa fille, la paysanne le suivit.

La porte du bureau se referma dans le dos de la visiteuse. Elle examina les lieux comme s'ils lui rappelaient de bons souvenirs.

— Prends cette chaise, dit le curé en allant occuper son siège, derrière la table de travail.

Ce meuble entre eux témoignait de son désir de conserver ses distances.

— Cette maîtresse venue de Saint-Jacques, ce n'est pas sérieux, commença-t-elle.

— C'est tellement sérieux que le contrat a été mis à la poste hier.

— Mais cette place est pour Griphine.

La protestation venait du cœur, comme si les Malenfant possédaient un droit sur l'école numéro 3.

— Ta fille est allée rencontrer le secrétaire-trésorier pour se soumettre à un examen. Elle ne peut écrire un mot sans faire une faute.

Pour cette femme sachant à peine lire et écrire, savoir tracer des lettres sur une feuille de papier paraissait bien suffisant. Que ce ne soit pas nécessairement les bonnes, ou que leur ordre paraisse un peu fantaisiste, cela demeurait des détails insignifiants.

— Cette étrangère va prendre notre école.

— En plus, ta fille n'a pas l'âge. La loi demande d'avoir dix-huit ans.

Tarrasine secouait la tête, comme si ces arguments n'avaient pas de sens.

— Écoute, s'impatienta le curé, Griphine doit étudier, pas enseigner aux autres. Pour l'instant, elle est trop ignorante. Place-la à l'école le mois prochain et dis-lui de travailler très fort. Plus tard, nous verrons bien.

— L'année prochaine, tu peux me promettre qu'elle aura l'école?

Le retour au tutoiement mit le curé mal à l'aise, comme si elle exerçait une pression sur lui.

— Nous avons un contrat d'un an avec la couventine de Saint-Jacques. Après, nous choisirons la meilleure candidate.

Cela ressemblait bien peu à un engagement. La paysanne devrait s'en contenter. Insister encore mettrait son interlocuteur en colère.

— Tu ne me demandes pas des nouvelles d'Hélas?

— … Bien au contraire, tu vas me dire comment se portent tous tes enfants. Sildor doit bien avoir quinze ans, maintenant.

— Pas quinze, quatorze.

Qu'il ne s'en souvienne pas la heurta un peu.

— Ah! Il est bien bâti pour son âge. Vous allez l'envoyer au chantier, cet automne?

— Non, il est trop jeune pour ça. Il va aider sur la terre, et aller à l'école.

— Et ta plus jeune fille? Elle a quel âge?

Décidément, l'ecclésiastique désirait montrer combien le sort de tous ses paroissiens lui tenait à cœur, mais qu'aucun en particulier ne méritait qu'il se souvienne des détails de sa vie.

— Louvinie a dix ans.

— Elle marchera donc au catéchisme le printemps prochain.

Le silence s'installa entre eux un instant. Enfin, dans un sourire plein d'ironie, le prêtre lança :

— Et le plus jeune ?

— Hélas a huit ans. Il a les cheveux noirs, très foncés. Pas comme les autres…

Bien sûr, avec un père et une mère au teint et aux poils clairs, nul besoin d'être un expert en génétique pour arborer un certain scepticisme.

— C'est vrai, les traits de famille sont un peu capricieux. Parfois ils sautent une génération. Cela me rappelle une histoire des Filion : toutes leurs vaches sont noires et blanches, leur taureau aussi, mais il leur est venu un veau tout rouge.

Le curé ponctua son histoire d'un grand éclat de rire. Tarrasine se priva de dire que le bœuf du voisin devait avoir sauté la clôture. Ces choses se voyaient parfois, à la campagne.

— Bon, Griphine doit avoir mangé ses biscuits. Autant la rejoindre, maintenant, dit l'homme en se levant de son siège.

La déception se lisait sur le visage de la visiteuse, mais au lieu de se diriger vers la porte, elle appuya ses fesses sur le rebord du bureau, les jambes un peu écartées. Elle posa les mains sur sa jupe avec l'intention manifeste de la retrousser et se fit enjôleuse :

— Griphine est plutôt patiente, elle nous attendra.

— Mes paroissiens le sont moins. Je dois visiter un malade.

Devant le pieux mensonge, la paysanne décida d'offrir meilleure figure. Elle quitta sa posture engageante pour traverser le couloir avec Sasseville et se placer dans l'embrasure de la porte de la salle à manger.

— Alors, les biscuits de ma mère sont-ils mangeables? demanda le prêtre.

L'adolescente leva les yeux vers lui et trouva son plus beau sourire pour répondre:

— Ils sont très bons.

— Je lui ferai part de cette appréciation. Elle en sera heureuse, crois-moi.

Elle se leva pour venir près d'eux. Sa façon de se déplacer, en se tortillant un peu, faisait penser à une chatte en chaleur. Une chatte bien maladroite, bien incertaine de ses attraits, mais tout de même, n'importe quel mâle comprendrait le message.

— N'est-ce pas que j'ai une jolie fille? insista la paysanne, comme si la chose risquait d'échapper aux observateurs.

— Oui, c'est bien vrai.

— Votre malade peut sans doute attendre un peu, le temps d'une… direction spirituelle.

La connaissance de cette expression laissait deviner la bonne chrétienne chez cette paroissienne, ou l'expérience… L'abbé Sasseville, de son côté, n'aimait pas voir son horaire bousculé.

— Je ne me déroberai pas à mon devoir, et je suis certain que cette jeune personne ne s'expose pas au feu de l'enfer, même si nous n'échangeons pas dès à présent… en particulier.

— Ce sera pour une prochaine fois, convint Tarrasine, déçue.

— Je ne négligerai pas une aussi charmante paroissienne.

La visiteuse choisit de considérer cela comme une promesse, aussi abandonna-t-elle sa mine morose le temps de parcourir le couloir jusqu'à la porte.

Derrière elle, le curé marchait un peu en retrait de Griphine. Par jeu, il posa sa paume sur une fesse de l'adolescente. Elle frémit de tout son corps. «Comme elle a le sang chaud», songea-t-il.

En ouvrant la porte, il conclut leur rencontre sur ces mots:

— Tarrasine, Griphine, je vous remercie pour cette gentille visite.

— Au revoir, monsieur le curé, répondirent-elles avec un bel ensemble.

À travers la moustiquaire, le prêtre les regarda marcher en direction du cimetière. L'une des silhouettes se faisait un peu lourde, alors que l'autre présentait les rondeurs d'un fruit encore vert.

Le curé Sasseville, ou le notaire Tessier, Félicité ne savait trop à qui être reconnaissante de cette célérité, se montra fidèle à la parole donnée: le contrat d'embauche arriva au couvent une dizaine de jours après sa visite à Saint-Eugène.

Sœur Saint-Jean-l'Évangéliste demanda à la jeune femme de passer à son bureau un peu après le dîner. Lorsque cette dernière entra dans la pièce, elle l'accueillit en disant:

— Voilà ce que tu attendais, je crois.

— Merci, ma mère, déclara la visiteuse en tendant la main.

D'un coup d'œil, elle vérifia l'adresse de retour. L'envoi venait bien de Saint-Eugène.

— Assieds-toi, et ouvre-la.

Depuis la fin de juin, la directrice se disciplinait au point de ne plus évoquer la vocation religieuse. Félicité sortit le contrat pour en parcourir la première page. Elle reconnut les grandes lignes du règlement évoqué par le curé Sasseville. Sur le feuillet suivant, de nouvelles obligations lui causèrent une certaine surprise.

— La maîtresse s'abstiendra de participer à des assemblées, des danses et des veillées, lut-elle à haute voix.

— Cette mention se trouve dans tous les documents de ce genre.

— Je sais, mais comme je ne me suis jamais adonnée à ces activités, cet article me paraît tout à fait inutile.

La religieuse lui adressa un sourire contraint. Perdre une aussi belle âme la navrait.

— La maîtresse ne recevra à l'école aucune personne de sexe opposé, à l'exception de ses proches parents.

— Cette interdiction va aussi de soi.

— Sauf maman, je n'ai pas de parents.

Il lui restait des cousins ou des cousines au second degré, mais le patronyme Drousson risquait bien de disparaître de la province, tellement peu de personnes le partageaient.

— Comme je vous le disais après ma visite là-bas, le salaire sera de soixante-quinze dollars pour l'année.

Félicité marqua une pause, puis précisa :

— Je serai payée en deux versements, le premier le 6 janvier, et l'autre en juin, à la fin des classes.

— À nouveau, cela correspond aux usages.

— Mais comment vais-je me nourrir pendant tout l'automne?

De nombreuses institutrices habitaient chez des parents, si bien que cette attente ne leur pesait pas. Mais celles vivant seules se trouvaient condamnées à un grand dénuement.

— Tu devras acheter à crédit chez des voisins, et au magasin général.

— Avoir des dettes…

— Les commerçants ont l'habitude. Les cultivateurs ne reçoivent à peu près rien de l'hiver. Au retour du chantier, ou alors à la vente des produits de la terre, ils règlent les factures.

Cette éventualité la tracassait tout de même. Pendant un moment, elles demeurèrent silencieuses. Félicité osa finalement:

— Vous me manquerez beaucoup, ma mère. Pendant toutes ces années…

L'émotion lui brisa la voix, une larme perla à la commissure de ses yeux.

— À moi aussi, tu sais. Bien sûr, il y a les autres élèves, mais ce n'est pas la même chose. Toi, tu restais avec nous tout l'été.

Son vœu de chasteté avait interdit à la religieuse d'avoir des enfants. La jeune fille assise en face d'elle en avait fait office depuis le début de son séjour en ces lieux. Toutes les deux se regardaient. La couventine se leva, un peu embarrassée.

— Je vous laisse travailler, ma mère.

— Bon après-midi, dit-elle, visiblement émue.

❖

Félicité traversa la cour du couvent pour aller frapper à une fenêtre de la cuisine du presbytère. Bien vite, elle se trouva assise à la table avec Marcile, le contrat posé entre elles. La jeune fille lut les clauses à haute voix.

— Soixante-quinze dollars, répéta la mère, dépitée.

— Le curé Sasseville m'assure que le montant est convenable. Je m'inquiète surtout de la date du premier versement.

La ménagère répéta les explications de sœur Saint-Jean-l'Évangéliste. Le curé aussi devait parfois attendre le paiement de la dîme.

— Mais ce sont surtout les articles sur l'entretien de l'école qui me préoccupent, précisa Marcile. Nettoyer les bécosses ! Tu aurais été aussi bien de prendre un emploi dans une maison privée du village.

— Voyons, maman, tu ne vas pas recommencer.

Ces dernières semaines, elle tentait de lui faire renoncer à son ambition de se faire la maîtresse d'une école de rang. L'arrivée soudaine de l'abbé Merlot dans la cuisine amena Félicité à se lever brusquement en disant, rougissante :

— Monsieur le curé, j'allais partir.

— Non, non, assieds-toi. Tu as là ton contrat d'embauche ?

L'homme prit le document pour le consulter en diagonale.

— Cela me paraît conforme, commenta-t-il en le reposant sur la table. Mais tu ne m'as pas parlé de ta rencontre avec mon collègue Sasseville. Comment l'as-tu trouvé ?

— Très serviable, répondit-elle après une courte réflexion. Il m'a accompagnée chez le secrétaire-trésorier, et même à l'école du rang Saint-Antoine.

— Serviable, lâcha-t-il, songeur. Tu es heureuse d'aller travailler là-bas?

Félicité hésita une nouvelle fois avant de répondre:

— Toutes ces années, je me suis préparée au travail d'institutrice. Je suis satisfaite de pouvoir le pratiquer. Mais j'aurais préféré que ce soit dans notre paroisse.

Son regard se porta sur sa mère lorsqu'elle dit ces mots.

— C'est bien dommage, en effet. Il ne me reste plus qu'à te souhaiter bonne chance, dit-il avant de regagner son bureau.

La mère et la fille poursuivirent leur conversation avant que cette dernière ne se rende au bureau de poste. Elle envoya une copie dûment signée du contrat au secrétaire-trésorier de la commission scolaire de Saint-Eugène.

Félicité quitta le couvent un peu avant sept heures du matin. L'église se trouvait à quelques minutes à peine, elle y accéda par une porte de côté. À l'arrière, sa mère se tenait debout malgré tous les bancs restés vides lors de la messe basse. Comme elle ne payait pour la location d'aucun d'eux, elle n'osait s'y asseoir.

— Viens avec moi, lui dit sa fille à l'oreille.

— Voyons, cela ne se fait pas.

— Viens.

La jeune fille prit sa mère par le bras pour l'entraîner dans l'allée latérale. Elle portait sa robe bleue et son chapeau de paille. Cette élégance modeste lui allait parfaitement.

— Les religieuses n'aimeront pas apprendre que je me suis assise ici, chuchota la ménagère.

— Comme aucune n'est ici, elles ne le sauront pas.

— Tu sais bien que quelqu'un aura la gentillesse de le leur apprendre.

Elle disait vrai. Tout le monde dans la paroisse surveillait ses voisins. Le moindre accroc à une morale rigoriste, ou ce qui pouvait y ressembler, se trouvait abondamment commenté. Les fautifs devenaient l'objet d'un ostracisme complet.

— Cela leur fera quelque chose à raconter, tenta de la rassurer Félicité, souriante.

Comme le curé Merlot pénétrait dans le chœur, un servant de messe accroché aux talons, les deux femmes portèrent leurs yeux dans sa direction. Pendant toute la cérémonie, Félicité s'absorba dans de ferventes prières. Elles se résumaient à une seule invocation: «Bonne Sainte Vierge, protégez-moi pendant la prochaine année.» La perspective de passer tous ces mois isolée dans le rang Saint-Antoine l'apeurait plus qu'elle ne voulait le montrer.

À la communion, la mère et la fille s'agenouillèrent à la sainte table, ramenèrent la grande pièce de tissu sur leurs mains et ouvrirent la bouche pour recevoir l'hostie sur la langue à tour de rôle. Quelques minutes plus tard, sur le parvis de l'église, Félicité dit à sa mère en mettant sa main sur son avant-bras:

— Je vais passer te voir tout à l'heure.

— Je ne bougerai pas de ma cuisine.

Son employeur aimait se recueillir devant un dîner copieux le dimanche, après la grand-messe. Elle ne déserterait pas ses fourneaux de toute la matinée.

Les cinq religieuses, soit tout le personnel enseignant du couvent, formaient une haie près de la porte de l'établissement. Elles s'apprêtaient à se rendre à la grand-messe, mais auparavant il convenait de faire leurs adieux à leur protégée.

— Tu vas terriblement nous manquer à toutes, répéta sœur Saint-Jean-l'Évangéliste.

Ces saintes vierges regretteraient certainement de ne plus jouer à la maman avec elle.

— Je vous remercie, ma mère. Vous me manquerez aussi.

Elle eut envie de poser ses lèvres sur la joue de la directrice. La timidité l'en empêcha ; les religieuses n'avaient pas l'habitude de ces gestes d'affection.

— Je dois me sauver, maintenant, dit Félicité.

— Oui, bien sûr. N'oublie pas d'aller remercier monsieur le curé.

Étouffée par l'émotion, elle se décida finalement à serrer la main de la directrice, puis celle de toutes les autres sœurs. Les yeux chargés de larmes, elle s'enfuit littéralement avec son vieux sac de toile. De son séjour au couvent, la jeune fille gardait un uniforme scolaire, un manteau de drap et une vieille paire de chaussures éculées. Surtout, une demi-douzaine de manuels usagés constituait sa principale richesse.

Au lieu de se diriger tout de suite vers le presbytère, Félicité fit un détour par la sacristie. Le prêtre se trouvait devant une grande armoire, vêtu de son surplis. Une dizaine de garçons, accoutrés de soutanes, parlaient à voix basse.

— Monsieur le curé, je tenais à vous remercier avant de partir.

— Me remercier pour quoi ?

— Voyons, mes études…

Des yeux, elle regarda les enfants de chœur. Son séjour au couvent devait beaucoup à la générosité de cet homme.

— Puis vous avez bien voulu me recommander pour l'emploi disponible à Saint-Eugène.

— Ah oui ! Tu pars pour ton école aujourd'hui, c'est bien vrai.

Des yeux, il regarda le sac de toile à sa main.

— Les classes commencent demain matin… Alors, merci encore.

— Si les choses ne vont pas à ta convenance là-bas, tu pourras revenir, réitéra-t-il avec insistance. Le docteur Denis serait disposé à t'employer.

Le prêtre avait pris sur lui d'en parler au professionnel, en lui présentant la chose comme un acte charitable envers une orpheline.

— Tout ira pour le mieux, je vous assure. Et maintenant, je me sauve.

De toute façon, Merlot devait finir de se préparer pour la grand-messe. Il la regarda quitter les lieux d'un pas vif.

Marcile Drousson avait du mal à se concentrer sur son rôti. Elle avait insisté pour mettre elle-même les vêtements et les chaussures neuves de sa fille dans un sac. En plus, elle avait déposé une boîte de carton d'assez bonne taille au milieu de la table.

Quand Félicité entra dans la cuisine, elles restèrent sans bouger, empruntées. Puis la mère commença :

— Voilà ce que j'ai préparé pour toi.

La fille se pencha sur le carton, y remarqua trois sacs de papier brun, deux gros pains, un morceau de jambon et un autre de fromage, quelques bocaux de confiture et un autre contenant du thé.

— Mais je ne peux pas accepter tout cela. Je me sens si mal à l'aise de te voir sacrifier toutes tes économies pour moi.

— … Dans ce cas précis, c'est plutôt une attention de monsieur le curé.

— Ça ne se peut pas.

— La semaine dernière, il m'a dit de te préparer une boîte de victuailles, puisque le magasin général sera fermé quand tu arriveras.

Félicité s'engageait dans cette nouvelle aventure avec une totale ignorance des aspects pratiques. Cela ajoutait aux inquiétudes de sa mère.

— Tu pensais manger quoi, en débarquant dans ton école ?

La jeune fille rougit, prise en défaut, mais n'émit pas un son.

— Au moins là, tu pourras tenir une semaine. Puis je te donne ça.

La mère tendit sa main fermée, en déposa le contenu dans la paume tendue. Des billets de banque roulés soigneusement provoquèrent sa surprise.

— Maman, j'ai l'impression de te dépouiller.

— Il y a dix dollars, tous des uns.

Félicité prit la main de sa mère pour lui rendre la somme.

— Ne me fais pas de peine, ma petite. Tu ne peux pas te retrouver là sans un sou. Tu ne seras pas payée avant le mois de janvier. Avec ça, tu te nourriras quelques semaines.

J'aimerais pouvoir t'en donner plus... Je vais tellement m'inquiéter.

— Si j'accepte cet argent, tu me laisseras te le rendre quand je recevrai mes gages, l'été prochain.

— Nous en reparlerons en juin prochain.

Un joli bruit de clochettes se fit entendre par les fenêtres ouvertes.

— Voilà déjà le bedeau, dit la mère dans un soupir.

Elles étaient plongées dans le silence quand le vieil homme entra dans la cuisine. Il regarda la boîte sur la table.

— Je suppose que cela fait partie des bagages de la demoiselle.

— Oui, dit Marcile. Elle va s'occuper des sacs.

De toute façon, le bedeau n'aurait pas pu tout transporter en un seul voyage. Quand il sortit, Félicité se précipita dans les bras de sa mère.

— Je te remercie, ma petite maman. Tu as été tellement bonne pour moi.

— ... Tu viendras me voir aux fêtes, n'est-ce pas?

— Oui, bien sûr. Et je vais t'écrire toutes les semaines.

Elles s'enlacèrent, puis Marcile réussit à se maîtriser un peu.

— Je vais aller dans ma chambre. Je ne veux pas te voir partir.

Hoquetant, une main devant la bouche, elle quitta la cuisine, refermant bruyamment la porte derrière elle. Guère plus rassurée, Félicité prit ses deux sacs, puis, la tête basse, s'en alla.

Tous les paroissiens de Saint-Jacques, excepté ceux qui avaient profité de la messe basse, se trouvaient à l'église.

De nombreux chevaux, attachés près du temple, avaient le nez plongé dans le sac d'avoine accroché derrière leurs oreilles.

Sans dire un mot, le bedeau plaça les bagages sous la banquette. La boîte de victuailles occupait tout l'espace derrière le siège. Il eut le bon sens de se taire en conduisant sa voiture vers la rue. Près de lui, Félicité regardait à droite pour cacher un peu ses larmes.

Elle se retourna sur la grand-route pour contempler longuement les deux clochers du temple. Elle ne reverrait pas de sitôt ce repère familier.

— Tu vas lui manquer, formula son compagnon d'une voix rauque.

Le constat paraissait dramatiquement en dessous de la vérité.

— À moi aussi, elle me manquera, répondit-elle d'une voix mal assurée.

— D'un autre côté, elle sera si fière de toi. Maîtresse d'école, ce n'est pas rien.

L'affirmation admirative rasséréna un peu Félicité. Le chagrin cédait la place à une angoisse sourde qui augmentait au gré des arpents franchis par la voiture. Après une vie dans l'atmosphère feutrée du couvent, elle plongeait vers l'inconnu.

La voiture s'arrêta devant le presbytère de Saint-Eugène après des heures sur la route empoussiérée.

— Je vais descendre pour saluer monsieur le curé. Je ne serai pas longue.

Aussi prestement que le lui permettait la jolie robe lui tombant sur les chevilles, elle sauta sur le sol, monta les marches conduisant à la porte de la grande maison. Après avoir frappé une première fois sans succès, elle recommença, un peu plus fort.

Finalement, la vieille dame vint ouvrir. Elle toisa la visiteuse des pieds à la tête.

— Madame, j'aimerais saluer monsieur le curé.

Pour tout nouveau venu dans une paroisse, cette démarche revêtait le caractère d'une obligation. Autrement, ce serait risquer d'être l'objet de tous les soupçons.

— Tu es la nouvelle institutrice, non?

— Oui. Je suis venue cet été.

La ménagère se souvenait très bien. Elle s'effaça pour la laisser entrer, puis la conduisit au bureau de son fils.

— C'est pour toi, dit-elle d'une voix renfrognée.

La vieille femme retourna dans sa cuisine. Debout près de la porte, Félicité ne savait trop quelle contenance adopter. Le simple fait de se trouver en face de cet homme faisait remonter son malaise de l'été précédent.

— Ah, la charmante couventine! Venez vous asseoir.

— Je ne peux pas m'attarder. Monsieur Bolduc m'attend.

— Votre vieux cocher? C'est un homme patient. Venez.

Il lui désignait la chaise en face de lui. Refuser l'invitation de son nouveau pasteur ne se faisait pas.

— Juste une minute alors, dit-elle en prenant place.

Elle sentait ses yeux sur elle, plus bas que son visage.

— Alors, vous êtes prête à commencer cette année scolaire?

— Oui, monsieur le curé. Je suis déterminée à faire de mon mieux.

— Oh! Je suis tout à fait certain de cela. Après tout, vous avez été formée par les sœurs de Sainte-Anne, ces saintes femmes.

Une curieuse ironie pointait dans sa voix. Pour abréger la rencontre, elle demanda :

— Pouvez-vous me remettre la clé de l'école ? Je dois vraiment y aller tout de suite.

— La clé, vous la trouverez chez Léonidas Marcoux. Ce bon commissaire considère la bâtisse comme sa propriété personnelle... Et la maîtresse aussi, j'en ai bien peur.

— Bon, dans ce cas je vais passer chez lui, dit la jeune fille en se levant.

— Comme vous êtes pressée de vous enfermer dans cette petite bicoque isolée.

Le prêtre entendait la reconduire jusqu'à la porte. Il lui tendit la main.

— Je vous laisse donc vous enfuir de nouveau. Mais vous savez, mon invitation tient toujours. Je serai heureux de vous recevoir à ma table pour un repas.

— ... Je vous remercie, monsieur le curé.

Elle abandonna ses doigts dans la main rugueuse et tiède, tout en regrettant ses mots. L'idée de dîner ou de souper avec cet homme lui paraissait intolérable, sans qu'elle sache exactement pourquoi.

La ferme des Marcoux paraissait prospère et la maison, solidement construite. La maîtresse frappa à la porte de la cuisine d'été. Une femme dans la force de l'âge vint ouvrir.

— Je voudrais voir monsieur Marcoux.

Une voix venue de l'intérieur demanda :

— Qui est là ?

— La fille de Saint-Jacques, dit la ménagère en se retournant.

Son identité ne faisait pas mystère. Tous ceux qui l'avaient aperçue depuis son arrivée dans le village la devinaient sans mal.

— J'arrive, fit encore la voix masculine.

— Entrez, dit la femme.

Dans la maison, la jeune fille demeura près de la porte, intimidée, alors que la paysanne disparaissait dans une autre pièce. Deux enfants assis à la table interrompirent leur jeu de cartes pour la contempler avec curiosité.

— Tu vas nous faire l'école ? demanda le plus âgé des deux.

— Oui, à compter de demain. Cela te fera plaisir de revenir en classe ?

— Non, pas du tout. Ça ne sert à rien, c'est une perte de temps.

Elle ne sut comment répondre. Heureusement, le commissaire arriva en replaçant ses bretelles sur ses épaules. Comme tous les dimanches, le bonhomme se permettait un somme.

— Je suis désolée de vous déranger, monsieur. Je voudrais la clé de l'école.

— Je vais aller vous ouvrir.

— Ce n'est pas nécessaire.

Sans répondre, l'homme décrocha une clé d'un clou planté dans le mur. Félicité se souvint des paroles du curé : il voyait l'école comme sa propriété.

— Allons-y, dit-il en passant la porte.

Dans la cour, le commissaire constata que la voiture ne pouvait recevoir trois personnes.

— Je vais m'y rendre à pied.

Son interlocutrice songea à lui céder sa place, mais il ne lui en laissa pas le temps. D'un bon pas, il gagna le chemin public. Bientôt, le cheval le dépassa, pour arriver très vite dans la cour de l'école. Dès que les roues s'immobilisèrent, la jeune femme descendit, s'étira pour prendre les guides des mains du bedeau et les attacher à un piquet de clôture. Les herbes folles lui venaient à mi-jambe. Cela donnait à l'endroit un air d'abandon.

— Tiens, voilà tes sacs, dit l'homme en les lui tendant.

Il descendit à son tour et prit la boîte de victuailles pour aller la poser sur le perron de la petite construction.

— Je vais partir tout de suite, dit-il en se relevant.

— Vous pouvez attendre un peu?

L'idée de se retrouver seule, sans plus personne de Saint-Jacques, lui inspirait un peu de crainte.

— Non, j'ai une longue route à faire pour le retour. J'arriverai encore à la brunante. Mais ce gars t'aidera à tout monter.

— Alors au revoir…

— Au revoir, la petite, dit-il d'un ton rassurant.

En croisant le commissaire, le bedeau toucha sa casquette en guise de salut. Le paysan, une fois arrivé près de la porte, nota:

— Vous avez beaucoup de bagages.

De son côté, la jeune fille savait en avoir très peu. Surtout, pour lui procurer tout cela, sa mère se saignait aux quatre veines.

— Je serai là pour toute l'année.

L'homme peina à ouvrir le cadenas. Il y parvint finalement, ouvrit la porte et s'effaça pour la laisser passer. Avec ses deux sacs, elle marcha jusqu'à la table au bout de la classe pour les poser sur la petite estrade. En se retournant, elle trouva la pièce plus petite que dans ses souvenirs. Les longues tables portaient des marques gravées au couteau par des générations d'enfants, tandis que les murs

99

montraient des taches de moisissures. Les lieux paraissaient moins déprimants cinq semaines plus tôt.

Marcoux vint la rejoindre, posa les victuailles sur l'une des tables réservées à l'usage des écoliers.

— Tout est à votre satisfaction ? demanda-t-il.

— Je trouverai le nécessaire pour le début des classes dans cette armoire ?

Sans attendre la réponse, Félicité ouvrit la petite porte et y trouva quelques craies, un torchon pour essuyer le tableau, un balai et une vadrouille ayant connu de meilleurs jours. Cet inventaire constituait toute sa richesse.

— Je ne vois pas de produits de nettoyage.

— J'apporterai du *lessi*.

— Les allumettes ?

— Il y en a quelques-unes dans cette boîte. J'en achèterai d'autres.

Du doigt, il montrait une toute petite boîte métallique clouée au mur.

— Où se trouvent le livre des présences et le journal de classe ?

— … Il n'y en a pas.

— C'est une nécessité. Lors de sa visite, cet automne, l'inspecteur voudra les voir.

L'homme secoua la tête, agacé par toutes ces demandes formulées dès son arrivée. Il se répétait que cette pimbêche jouait à la princesse. Pourtant, elle avait raison.

— J'irai au village demain, consentit-il enfin, pour vous trouver tout ça.

— Je vous remercie. Vous avez pu faire une provision de bois ?

N'entendant pas se fier à sa parole, la jeune femme se rendit dans l'appentis où s'entassait une très maigre réserve de bûches à la fois trop petites et trop vertes.

— Cela est nettement insuffisant, remarqua-t-elle.

Celle qui se montrait réservée au couvent prenait tout à coup de l'assurance en faisant état de toutes ses demandes, soucieuse de bien commencer l'année scolaire.

— En cette saison, inutile de chauffer.

— Mais je devrai faire cuire mes repas.

— Vous avez là de quoi préparer la soupe pour deux semaines. J'ai même apporté une hache pour couper des copeaux, pour allumer. Vous recevrez du bon bois en temps voulu.

La promesse était formulée de si mauvaise grâce que l'institutrice devina qu'il lui faudrait insister pour obtenir son dû. L'homme retourna dans la salle de classe et regarda la boîte de carton en demandant :

— Vous pourrez monter ça toute seule ?

— Oui, bien sûr. Je vous remercie d'être venu m'ouvrir.

L'autre secoua la tête, comme pour signifier que ce n'était rien.

— Vous trouverez deux chaudières de fer-blanc en haut. Mettez la nourriture dedans.

— … Mais pourquoi ?

— Sinon, vous partagerez avec les souris. N'oubliez pas de bien les refermer.

Elle esquissa une moue dégoûtée. L'allusion aux repas l'amena tout de même à demander :

— Je n'ai pas vu d'assiettes, de chaudron…

— En haut, avec les chaudières. Bon, je vous laisse. J'insiste, n'oubliez pas de fermer soigneusement en sortant.

Il sortit de sa poche le gros cadenas et la clé qu'il posa sur la table. Après un salut de la tête, il se dirigea vers la porte.

— Merci encore, monsieur Marcoux.

Le commissaire sortit sans se retourner. Félicité laissa échapper un soupir, puis s'assit sur la chaise réservée à l'institutrice. Elle vit un petit réveil sur une tablette. Il serait bientôt quatre heures. Mieux valait qu'elle se mette tout de suite au travail. Elle se leva pour monter ses victuailles. L'allusion aux souris la chicotait encore. Sa nourriture entrait tout juste dans les chaudières.

Afin de ne pas gâcher l'une de ses bonnes robes, Félicité revêtit son uniforme scolaire. Avec un seau de bois, elle se dirigea ensuite vers la margelle du puits, une construction sommaire constituée de troncs d'arbre. Des planches posées sur l'ouverture interdisaient aux oiseaux d'y nicher. La précaution n'avait pas empêché les araignées d'y tisser leur toile.

Avec un long bâton, elle débarrassa l'ouverture des voiles grisâtres, fit descendre le seau attaché avec une chaîne à la surface de l'eau et le remonta en tournant la manivelle. Le liquide contenait sa part de saletés. La jeune fille en serait quitte pour le filtrer avec une serviette de toile.

Deux seaux furent nécessaires afin d'alimenter un grand contenant de grès destiné à recevoir la réserve d'eau potable. Chacun des écoliers pourrait s'y abreuver avec une louche de fer-blanc.

Ensuite, Félicité s'échina devant le poêle à deux ponts. Pour difficile qu'ait été l'allumage des rondins de bois vert, une demi-heure plus tard une bouilloire de fonte sifflait tout de même dans la pièce pendant qu'elle balayait le plancher. L'absence de *lessi* l'empêchait de nettoyer en profondeur. À six heures, assise à sa table de travail, une tasse de thé devant elle, elle mangeait un peu de jambon avec du pain, les yeux dans le vague.

Le repas lui prit tout au plus dix minutes. Ensuite, la jeune institutrice plaça une pièce de bois dans des crochets de fer pour barrer la porte. Elle bloqua de la même façon l'accès dans l'appentis. La petite école devenait sa forteresse. Aussi longtemps que la lumière du jour le lui permit, elle s'absorba dans le *Cours de pédagogie* de l'abbé Jean Langevin. Ses nombreuses relectures lui permettaient de le citer de mémoire.

Le soir commença par teindre d'indigo les deux fenêtres en losange. La paillasse mince et un peu rugueuse lui piquait la peau. En réalité, ce niveau de confort valait celui du couvent. La solitude cependant lui pesait déjà. De toute sa vie, jamais elle n'avait mangé seule, ni couché seule sous un toit.

Quand les carreaux prirent une couleur d'encre, elle avait les yeux encore grands ouverts. De légers bruits venaient à ses oreilles, comme des grattements. Elle imaginait des centaines de souris. Des craquements plus mystérieux la plongeaient dans l'inquiétude. La vieille bâtisse bougeait sans doute imperceptiblement.

Après que le sommeil se fut enfin emparé de son esprit, une plainte venue de l'extérieur la réveilla en sursaut. Elle fouilla des yeux l'obscurité, assise dans son lit, effarée. Lentement, ses pupilles s'élargirent, elle discernait les objets. Un frisson la parcourut lorsqu'elle posa les pieds sur le plancher froid. La main appuyée sur le mur, elle s'engagea dans l'escalier étroit et abrupt pour découvrir d'où provenait la plainte. Elle multiplia les précautions afin de ne pas chuter.

Vêtue seulement de sa robe de nuit de coton, Félicité glissa comme un spectre dans la classe, se planta devant chacune des six fenêtres pour scruter la nuit sans rien distinguer que les arbustes agités par le vent.

— Ce doit être mon imagination.

Alors qu'elle regagnait son lit, la première journée de classe à venir hantait son esprit. Le sommeil revint comme l'aurore blanchissait le ciel.

Chapitre 6

La sonnerie du réveil la fit sursauter. Pieds nus sur le plancher glacé, elle marcha vers le petit meuble et versa la moitié du pot d'eau dans la cuvette pour se débarbouiller un peu. La fracture dans le miroir lui coupait le visage en deux, un peu de biais, ce qui lui donnait une allure étrange. La pièce de tissu rugueux qu'elle utilisa pour s'essuyer le visage lui rougit les joues. Elle mit un peu d'ordre dans ses cheveux avec un peigne ayant perdu quelques dents.

Son déjeuner se résuma à un morceau de pain beurré. Un peu avant huit heures, vêtue de sa robe bleue et ses souliers lacés aux pieds, elle descendit dans la salle de classe. Dans le contenant de grès, sous un couvercle de bois, se trouvait une provision d'eau potable suffisante pour la matinée. Par les croisées, Félicité vit qu'aucun écolier ne se trouvait encore dans la cour. Elle pensa se faire un peu de thé mais la médiocrité de sa réserve de bois l'incita à s'en priver.

L'institutrice se pencha sur ses manuels, incertaine des activités à proposer aux enfants. Heureusement, le *Petit catéchisme* l'occuperait une bonne partie de la matinée. Apprendre par cœur les prières, les questions et les réponses, fournissait la matière de trois ou quatre années de scolarité. Aucun de ses élèves ne dépasserait les notions élémentaires dans les autres matières.

Quand elle revint devant une fenêtre, ce fut pour constater la présence de quelques écoliers. Elle surveilla les conciliabules : les fillettes se réunissaient à deux ou trois pour partager les nouvelles de l'été. Les garçons, au nombre de quatre, semblaient parmi les plus jeunes du groupe.

Félicité avait posé le réveil à sa place, près du tableau noir et sous un grand crucifix. La grande aiguille marquait déjà la demie. Une cloche de laiton à la main, elle enleva la pièce de bois fermant la porte de l'appentis, pour se planter sur le petit perron. Tous les yeux se tournèrent vers elle. La maîtresse demeura immobile un bref instant, incertaine. Puis elle agita la cloche.

— Vous allez former des rangs, les plus petits devant, les plus grands derrière, dit-elle quand les enfants s'approchèrent.

En maugréant un peu, ils obtempérèrent. La jeune femme entra dans l'école, ils lui emboîtèrent le pas. Dans la salle de classe, elle se retourna pour dire encore :

— Celles et ceux d'entre vous qui viennent à l'école pour la première ou la seconde année vont se mettre de ce côté, les autres, à droite.

— L'ancienne maîtresse nous laissait nous asseoir où nous voulions, remarqua une grande jeune fille.

— Mais maintenant, c'est moi qui suis ici.

Félicité regretta immédiatement son ton un peu cassant. L'élève se renfrogna.

— Et à chacune des tables, les filles vont se placer sur les bancs placés à l'intérieur de la classe...

De la main, elle les leur indiqua.

— ... et les garçons, dos au mur.

L'institutrice verrait ainsi leurs visages et les tiendrait plus facilement à l'œil. Les écolières paraissaient moins susceptibles de conspirer entre elles ; qu'elles lui tournent le dos tirerait peu à conséquence. Pourtant, la même adolescente se dirigea vers les bancs du fond tout en la défiant du regard.

— De l'autre côté, jeune fille. Quel est ton nom ?

— Griphine Malenfant.

— Alors, Griphine, viens t'asseoir ici.

Félicité se tenait derrière une place au bout du banc des filles.

— J'ai dit ici, répéta-t-elle.

Elles se jaugèrent quelques secondes, puis l'écolière céda. Elle garderait une mine butée toute la journée. Devant cette scène, les plus âgés arboraient des sourires moqueurs alors que les plus jeunes paraissaient inquiets. Leur première impression de cette année serait mauvaise.

— Maintenant, reprit Félicité après une pause embarrassée, je vais vous demander vos noms. D'ici la fin de la journée, j'espère tous les connaître. Mais auparavant...

La jeune femme se dirigea vers la boîte contenant des craies, en prit une pour écrire sur le tableau noir : «Mademoiselle Drousson» en grandes lettres bien formées, visibles depuis le fond de la classe.

— Je me nomme mademoiselle Drousson.

Elle prononça lentement, en soulignant les syllabes une à une.

— Vous m'appellerez mademoiselle, et vous me parlerez en utilisant le «vous».

La demande provoqua un ricanement amusé.

— Ce sont les usages envers les adultes lorsqu'on est enfant, jugea-t-elle à propos de justifier.

De nouveau mal à l'aise, elle regagna son siège, prit une feuille de papier, un crayon, et les yeux fixés sur lui, demanda au garçonnet à sa gauche :

— Quel est ton nom ?

— Floris Simard.

— Quel est ton âge, Floris ?

— Sept ans tout juste.

De petite taille, les cheveux châtain clair, avec de grands yeux bleus, il paraissait ému de se trouver là.

— C'est ton premier jour de classe ?

— Oui, mademoiselle.

D'un sourire, elle le remercia de se soumettre de si bonne grâce à sa directive. À côté de lui, Félicité reconnut l'un des enfants du commissaire Marcoux rencontré la veille. Celui-là amorçait sa seconde année. Deux fillettes du même âge se trouvaient en face de ces enfants.

Puis l'institutrice porta son attention sur l'autre table, à sa droite, interrompant des conversations murmurées. Ces élèves avaient tous neuf ans et plus. Griphine Malenfant se révélait la plus âgée, à quinze ans. Grande et bien bâtie, elle paraissait plus mature que l'enseignante. Des huit écoliers assis de ce côté de la classe, il y avait seulement deux garçons. L'effectif s'élevait à douze en tout.

— Vous êtes très peu nombreux, remarqua-t-elle.

— C'est la période des récoltes, commenta le garçon le plus âgé sur le ton d'un expert, du haut de ses onze ans.

Félicité fixa son regard dans le sien, fronçant les sourcils.

— Mademoiselle, compléta-t-il enfin.

— Quand reviendront-ils en classe ?

— Dans un mois, peut-être un peu plus.

Alors qu'elle se levait pour retourner écrire au tableau, une fillette demanda :

— Mademoiselle…

— Oui ?

— Venez-vous de la ville ?

— Non, de Saint-Jacques. Pourquoi ?

Le garçon rabroué plus tôt ironisa :

— Et vous ne savez pas quand nous faisons les récoltes… mademoiselle ?

Il affichait un air de défi. La jeune femme préféra ignorer cette tentative de se moquer d'elle.

— Combien d'autres élèves se joindront à nous, au cours de l'automne ?

— Sept ou huit, répondit une gamine de douze ou treize ans.

La clientèle pouvait donc s'élever à une vingtaine d'enfants et d'adolescents, répartis entre sept et quinze ans. La liste des jeunes d'âge scolaire habitant l'arrondissement dépassait pourtant la quarantaine.

Félicité quitta son siège pour effacer son nom du tableau, et y écrire celui de saint Grégoire le Grand.

— Nous sommes le 3 septembre. Aujourd'hui, c'est la fête de saint Grégoire. Vous connaissez des hommes qui s'appellent Grégoire ?

Trois ou quatre élèves firent oui de la tête.

— C'est leur saint patron. Saint Grégoire est né à Rome. Vous savez ce qu'on trouve dans cette ville, aujourd'hui ?

Douze regards posés sur elle témoignaient d'une complète ignorance.

— Voyons, vous savez certainement ce qu'il y a à Rome.

Un autre silence accueillit la remarque. À la fin, elle expliqua :

— Le pape habite dans cette ville, Sa Sainteté Léon XIII. La basilique Saint-Pierre, la première église de la chrétienté, se dresse là-bas.

Elle songea à leur demander dans quel pays se trouvait Rome, mais la crainte d'affronter le mutisme de ses élèves l'amena à s'en abstenir.

— Rome est la capitale de l'Italie. Saint Grégoire le Grand était un moine bénédictin.

— Mademoiselle ?

La petite voix venait de la gauche de la classe, il s'agissait de Floris Simard.

— Oui ?

— Un moine, c'est quoi ? Un oiseau ?

Quelques rires moqueurs accueillirent la question. L'enfant rougit, un peu honteux.

— Je suppose que l'un ou l'autre de tes camarades connaît la réponse, puisque la question les amuse. Qui veut la donner ?

L'institutrice scruta tous les visages. Personne n'osa prendre la parole.

— Voyons, celles et ceux qui riaient il y a un instant doivent connaître la réponse. Alors, qu'est-ce qu'un moine ?

— … Une espèce de curé, risqua Griphine Malenfant.

— Oui, en quelque sorte, mais pas tout à fait. Ce sont des religieux qui habitent dans un monastère. Certains ont été consacrés, ils disent la messe, dispensent les sacrements. Donc ce sont des prêtres. Les autres font vœux de chasteté, d'obéissance, mais ne peuvent donner les sacrements. Ils sont comme les religieuses, en fait.

La jeune femme craignit qu'un enfant demande la signification du mot « chasteté ». Heureusement, personne n'osa se lancer.

— Saint Grégoire a aussi été pape. Aujourd'hui, c'est le patron des enfants de chœur, des musiciens, des chanteurs, des tailleurs de pierre, des étudiants et des professeurs. C'est donc l'un de mes saints patrons, et le vôtre aussi.

Elle jugea s'être assez longuement aventurée dans le panthéon chrétien. Aussi enchaîna-t-elle en disant :

— Maintenant, vous allez tous sortir votre *Petit caté-chisme*.

La moitié des élèves obéirent, les autres posèrent sur elle de grands yeux inquiets.

— Je n'en ai pas, mademoiselle, dit une fillette d'une douzaine d'années.

— … Vous allez donc vous mettre deux par deux. Nous allons réviser les prières. Les plus jeunes, ceux qui ne savent pas lire encore, ouvrez bien vos oreilles. Les plus âgés liront à tour de rôle… Griphine, veux-tu commencer la première, avec le *Je vous salue, Marie* ?

L'adolescente entreprit sa lecture d'une voix hésitante, écorcha quelques mots dans les deux premières lignes. Une autre élève prit le relais, encore plus malhabile. Même à douze ans, après environ quatre ans d'école, certains apprentissages de base ne semblaient pas encore bien assimilés.

Au cours de la matinée, deux autres enfants se joignirent au groupe dans la petite bâtisse. Félicité les prit à part pour entendre les motifs de leur retard.

— Nous avons dû aider à la traite des vaches, ce matin, dit le plus âgé.

— Puis nous habitons à l'autre bout du rang, ajouta la cadette, à au moins deux milles d'ici.

Elle contempla leurs pieds nus couverts de poussière. Des quatorze écoliers se trouvant maintenant dans la pièce, seuls quatre portaient des chaussures.

— C'est bon, allez rejoindre les autres.

Le reste de l'avant-midi fut consacré au catéchisme. À midi, quelques enfants, dont les Marcoux et le petit Floris Simard, retournèrent manger à la maison. Les autres sortirent de leur sac de toile des tranches de pain enveloppées de papier ciré. Les plus chanceux y trouvaient aussi un morceau de fromage. Leur maîtresse ne se trouvait pas mieux nantie. Puis à tour de rôle, chacun plongea la louche dans le pot de grès pour boire un peu.

Alors que les élèves quittaient la classe pour profiter d'une récréation bien méritée, Félicité s'approcha d'un garçon pour demander :

— Antoine, veux-tu utiliser ce seau pour aller chercher de l'eau au puits ?

— Oui, mademoiselle.

Un peu à contrecœur, l'écolier s'exécuta. Avant qu'il verse le liquide dans le contenant de grès, la jeune femme étendit une pièce de toile sur le seau pour débarrasser l'eau de ses impuretés.

— Merci, Antoine. Tu es gentil.

Jusqu'à une heure, la maîtresse surveilla les jeux des enfants, tout en jetant un œil aux va-et-vient devant les latrines. Elle cherchait surtout à éviter que des garçons et des filles se trouvent ensemble à attendre leur tour.

À une heure, le son de la cloche ramena tout le monde au travail. Le silence s'imposa lentement. Quand elle eut capté l'attention de tous, Félicité reprit la classe en sortant un feuillet de ses affaires :

— Dans toutes les familles, il existe des règles, sinon la vie devient impossible. Nous sommes quinze dans cette salle, personne ne peut apprendre dans le désordre. Nous allons tous nous engager à respecter ce petit code.

Elle agita la feuille dans sa main, puis commença à lire :

— D'abord, les élèves devront s'adresser à la maîtresse en la vouvoyant et en l'appelant « mademoiselle ».

Des yeux, elle s'assurait ainsi que chacun se souvienne des directives du matin.

— Ensuite, personne ne quittera sa place pendant les heures de classe sans demander la permission.

— Mademoiselle, si on veut aller à la bécosse? questionna un garçon.

Il insista sur le dernier mot, provoquant quelques ricanements chez ses camarades.

— Pour quitter sa place, il faut me demander la permission.

— Mais si ça presse?

Tous les deux se toisèrent. Le garçon détourna le regard le premier.

— D'ailleurs, ajouta l'institutrice, prenez vos précautions avant de partir de la maison et à l'heure du midi afin de ne pas troubler le déroulement de la classe en allant aux latrines. Maintenant, je continue: Aucun élève n'utilisera de mots blessants à l'égard de ses camarades, que ce soit dans la classe, dans la cour ou sur le chemin, pour venir à l'école ou retourner à la maison.

Par la suite, elle s'attarda aux actes de violence, aux jeux représentant un danger. L'esprit de quelques élèves vagabondait. Les autres, les plus petits, donc les plus exposés à souffrir des comportements brutaux, fixaient des regards inquiets sur elle.

— Tous les matins et tous les midis, un garçon choisi parmi les plus grands entrera un seau d'eau pour permettre à chacun de boire pendant la journée. Quand il sera nécessaire de chauffer les lieux, un garçon ira chercher du bois à côté pour le mettre dans le poêle.

Le jeune Antoine laissa échapper un soupir. Sa récréation risquait de se voir amputée régulièrement.

— Tous les soirs à la fin de la journée, les grandes filles habitant près de l'école passeront le balai avant de partir.

Au moins, elle prenait la précaution d'épargner cette corvée à celles devant couvrir la plus grande distance pour rentrer chez elles.

— Vous comprenez bien ces règles ?

La majorité des enfants hocha légèrement la tête.

— Je vais donc afficher cette feuille au mur. Quand vous les oublierez, vous pourrez venir les lire.

Félicité se retourna pour épingler le document sous le grand crucifix, comme pour lui donner un caractère sacré. Quelqu'un en profita pour laisser échapper un ricanement. Les règles inventées par cette jeune maîtresse les amusaient plutôt. Trop jolie, trop délicate, quelle autorité pouvait-elle exercer sur eux ? Puis son langage châtié renforçait l'idée qu'elle était une étrangère. L'année s'amorçait dans un climat de méfiance.

— À présent, les plus grands vont faire une petite dictée, dit la maîtresse en leur faisant face. Sortez votre cahier d'écriture.

— Mademoiselle, je n'en ai pas, intervint une petite fille.

— Tu n'as pas de feuilles ? N'importe quoi fera l'affaire.

Elle exhuma un bout de papier brun, récupéré d'un envoi postal. D'autres enfants consentirent à sacrifier une page de leur cahier pour partager avec un voisin plus démuni.

— Pas toi, Ernestine. Ce matin tu lisais mieux que les autres. Tu vas donc donner la dictée à tes camarades. Voilà le texte.

L'institutrice récupéra un livre sur sa table, le montra à ses élèves.

— Il s'agit des *Devoirs du chrétien envers Dieu*, un livre très important.

À Ernestine, elle précisa :

— Voilà, tu lis cette page lentement, en mentionnant les virgules et les points. Tu comprends ?

L'adolescente paraissait bien peu confiante, mais elle approuva toutefois de la tête.

— Alors, vas-y, maintenant.

Cette question réglée, Félicité s'approcha de la table des petits :

— Vous avez votre ardoise ?

Elle ne fut pas étonnée de voir que sur cinq enfants, seulement trois en possédaient une, les deux autres se contentèrent d'un bout de papier.

— « Nécessité d'une religion », commença Ernestine. Après, il y a un point.

Habituée au cours des années précédentes au débit des dictées, elle lisait lentement, en insistant sur chaque syllabe.

— Maintenant, dit l'institutrice aux plus jeunes, vous allez tracer des lettres. Nous allons commencer avec le « a ». Ensuite, ce seront les « b » et « c ».

Dans cette classe où certains ne connaissaient pas leur alphabet, d'autres s'efforçaient d'écrire une page des *Devoirs du chrétien*. Sans cesse, la maîtresse devrait trouver le moyen d'occuper tout le monde en même temps pour éviter les désordres.

— « L'existence de l'univers et l'ordre qui règne supposent nécessairement une cause puissante et sage », poursuivait l'adolescente.

La jeune femme avait quant à elle inscrit un « a » dans un coin des ardoises ou des feuilles de papier.

— Vous allez copier cette lettre sur toute l'ardoise. Vous autres, vous écrirez une ligne.

Avec son bout de craie, Floris s'essaya à cet exercice difficile. Le résultat s'avérait bien loin du modèle.

— Attends, je vais t'aider.

L'institutrice guida doucement de sa main celle de l'enfant. Elle se trouvait penchée sur lui, ses cheveux touchaient sa joue.

— Tu vois? Il faut faire comme cela. Essaie encore.

En se relevant, Félicité aperçut la petite fille de l'autre côté de la table, ses yeux suppliants posés sur elle.

— Je vais t'aider aussi.

Dans l'autre section de la classe, l'adolescente reprenait pour la troisième fois les deux lignes difficiles, en ajoutant la ponctuation.

Quand les cinq petits maîtrisèrent à peu près le «a», ils passèrent au «b». Mieux valait leur épargner pour quelques jours encore les difficultés des lettres majuscules.

— «Cette cause est Dieu: c'est lui qui crée toutes les choses, et règle tout selon les lois éternelles de sa divine sagesse.»

Quand Ernestine arriva au bas de la page, après s'être assurée qu'elle traçait ses lettres avec une relative habileté, Félicité lui demanda de prendre le relais auprès des petits. Des notions de calcul occuperaient les plus âgés tout le reste de l'après-midi.

À quatre heures et demie, Félicité donna le signal de la fin de la classe. Certains élèves s'enfuirent comme si on les avait contraints à un long enfermement. D'autres lui souhaitèrent un «Bonne soirée, mademoiselle» un peu chantant. Ce ne furent ni les plus âgées, ni celles qui habitaient le plus près de l'école, qui se dévouèrent pour balayer la classe. La maîtresse les remercia chaleureusement une vingtaine de minutes plus tard.

À sa table de travail, la jeune femme se penchait sur les neuf copies de la dictée. Deux d'entre elles ne portaient que le nom de leur auteur, tracé très maladroitement, comme si quelqu'un leur avait montré à dessiner une signature sans connaître les lettres. Aucun des mots lus à haute voix ne leur avait semblé intelligible, ou alors ils ne maîtrisaient pas assez bien l'alphabet pour tenter de les mettre par écrit.

— Demain, je devrai les prendre à part et les mettre à la table des petits, dit-elle à mi-voix.

Elle devrait trouver le moyen de le faire sans trop blesser leur amour-propre.

D'autres textes semblaient écrits au son par des personnes à l'ouïe déficiente. «Nésesitedunrélégion», lut-elle sur une copie. Dans le meilleur des cas, des élèves avaient sauté les mots les plus difficiles, pour multiplier les fautes dans les autres. Elle devrait renoncer aux *Devoirs du chrétien*, le manuel scolaire le plus répandu dans la province, et sans doute le moins bien adapté à cet usage.

— Mademoiselle…

Félicité lâcha un petit cri perçant et se leva brusquement, au point de faire tomber la chaise sur laquelle elle se trouvait.

— Monsieur Marcoux, réussit-elle à articuler, la main sur la poitrine, son cœur battant la chamade.

— Excusez, dit le commissaire. Comme la porte était ouverte…

La jeune femme se fit la remarque de toujours placer, dorénavant, la barre sur ses crochets dès le départ des enfants. Autrement elle ne survivrait pas à de nombreuses surprises de ce genre.

— Non, c'est à moi de m'excuser. J'étais absorbée dans la correction des dictées. Que puis-je pour vous ?

— Je viens porter ce qui vous manquait hier. Cette première journée… Tout s'est déroulé à votre satisfaction ?

L'homme lui adressait un petit sourire entendu. Ses deux enfants devaient lui avoir déjà raconté par le menu les événements survenus en classe.

— Seuls les écoliers peuvent en témoigner. De mon côté, je suis satisfaite même si je manque d'expérience pour m'occuper d'une classe de divers niveaux. Au couvent Saint-Jacques, toutes les élèves mises ensemble se trouvaient de la même force.

— Ah ! Ma petite demoiselle, les écoles de rang, ce n'est pas comme les pensionnats. Vous venez m'aider ?

Répondre par la négative ne se faisait pas. Elle récupéra un cahier des présences et un journal de classe tout neufs. Elle les déposa sur la table, retourna à l'extérieur pour prendre les produits de nettoyage. Pendant ce temps, le commissaire entrait des bûches de bois dans l'appentis.

L'institutrice reçut des craies, du papier, une provision d'encre et des plumes d'acier avec leur support en bois. Dans la charrette, elle trouva encore une lampe à pétrole au pied et au tuyau un peu ébréchés, et trois boîtes d'allumettes. Elle lança un regard intrigué à Marcoux, qui lui dit :

— J'avais ça à la maison, elle ne servait à rien. J'ai mis un peu d'huile dedans.

— Oh ! C'est très gentil à vous. Je vais vous la remettre à la fin des classes.

— C'est rien, grommela l'autre en prenant une dernière brassée de bois.

L'homme déposa sa charge dans l'appentis et se redressa pour dire :

— Vous en avez pour plusieurs jours. Bientôt, un cultivateur vous en livrera trois cordes pour l'hiver.

— Cela n'entrera pas ici.

— Il les mettra derrière, contre le mur des bécosses. Le toit se prolonge un peu pour les conserver à l'abri de la pluie et de la neige. Bon, alors bonsoir, mademoiselle Drousson.

— Bonsoir, et merci encore.

La jeune femme attendit de voir le cultivateur regagner le chemin public, puis elle plaça la barre de bois dans les crochets de fer. Il n'était pas encore six heures, mais l'isolement de sa petite école la rendait craintive.

— Bon, autant manger un peu.

Pour se donner l'illusion de ne pas être seule, déjà elle se parlait à elle-même. Elle se nourrit à nouveau de jambon. Il lui faudrait bien vite s'adresser à des cultivateurs des environs pour se procurer des produits frais.

Tous les Malenfant se trouvaient réunis à la table familiale, les parents et leurs quatre enfants.

— Elle se prend pour une autre, rageait Griphine, dans sa belle robe bleue, avec ses cheveux comme ça.

Elle passa la main près de sa tête, pour indiquer de légères ondulations.

— Moi, je l'ai trouvée jolie, déclara Hélas, un garçon de huit ans.

Toute la journée, assis parmi les petits, il avait suivi la jeune femme des yeux.

— Elle insiste tout le temps pour qu'on lui donne du «mademoiselle» par-ci, du «mademoiselle» par-là.

— Elle se pense une grande dame parce qu'elle sort du couvent, commenta la mère. Pourtant, elle chie la même chose que moi.

Tarrasine versait la soupe dans des bols ébréchés, un poing fermé posé contre sa hanche.

— Quand j'irai à l'école, affirma Sildor, je vais lui réserver un chien de ma chienne. Elle a pris la place de Griphine.

Cette solidarité fraternelle ne réservait rien qui vaille à l'institutrice. À quatorze ans, le garçon offrait une carrure d'homme. Il avait les épaules larges et sa chemise s'entrouvrait sur une poitrine musclée. À la fin des récoltes, les quatre enfants de la maison iraient à l'école de rang.

— Tu sais, papa, elle est très jolie, disait Floris en serrant sa cuillère dans son poing.

— Tant que ça ?

— Oh oui ! Puis elle est gentille.

L'homme échangea un regard amusé avec son épouse. Celle-ci souriait discrètement, en ressentant tout de même un petit pincement au cœur. Son fils tombait amoureux de la première jeune femme avec qui il entrait en relation.

— Gentille comment ? demanda-t-elle pourtant.

— Elle m'a montré à faire des lettres. Comme j'avais de la misère, elle a pris ma main pour m'aider, comme ça.

Pour illustrer son propos, il traça des « a » dans l'espace.

— Ce soir, je vais en faire d'autres. Tu vas m'aider, maman ?

La demande rassura un peu la paysanne. Son fils aurait encore besoin d'elle pour les petites et les grandes choses de la vie. De la main, elle lui caressa les cheveux.

Chapitre 7

Félicité commença la journée du vendredi suivant avec une certaine confiance. Il lui semblait que la classe se déroulait de façon plus harmonieuse. Après la première semaine, les moments de tension se raréfiaient.

Comme ils l'avaient fait les jours précédents, les enfants prirent leur place de part et d'autre de la pièce et trouvèrent au tableau une évocation du saint du jour.

— Aujourd'hui, c'est la fête de sainte Grimonie.

— C'est un nom, ça… mademoiselle? demanda Hélas.

Chaque fois que l'institutrice portait les yeux sur cet écolier, elle se demandait comment des parents pouvaient avoir affublé leur rejeton d'un prénom semblable. Cela ressemblait à une mauvaise blague. Plus surprenant encore, le curé Sasseville avait laissé passer cette très étrange initiative.

— C'est même le prénom d'une sainte, rétorqua-t-elle. Cette personne est née dans une famille païenne, en Irlande. Vous savez ce que signifie le mot « païen »?

Désormais plus habitués à elle, les enfants répondaient plus volontiers à ses questions.

— Une personne qui n'est pas catholique, risqua Ernestine.

— Comme les protestants? l'interrogea une autre.

— Non, pas tout à fait. Les protestants croient en Notre-Seigneur Jésus-Christ. Les païens adorent de faux dieux, comme les Sauvages avant l'arrivée des Français.

Au terme de l'année scolaire, ces écoliers sauraient classer la valeur de toutes les communautés humaines selon leur rapport à la «vraie» religion.

— Grimonie est née en Irlande, répéta la jeune femme. Ce pays se trouve là.

La maîtresse avait accroché une mappemonde au mur le matin même, ayant maintenant évalué les limites des connaissances en géographie de ses élèves. La vie des saints devenait une occasion de leur en donner une petite leçon.

— À douze ans, elle s'est convertie au catholicisme. Quand ses parents ont voulu la marier de force à un païen, elle s'est enfuie. Les hommes envoyés pour la retrouver l'ont tuée.

— Parce qu'elle ne voulait pas se marier à un païen? fit Ernestine, consternée.

— Oui. Cet homme l'aurait forcée à abandonner sa religion.

L'adolescente ne cacha pas son étonnement. Pour elle, l'idée d'un mariage forcé paraissait plus horrible que l'abandon de ses croyances.

— Parmi vous, y a-t-il des filles qui accepteraient de marier un protestant? demanda Félicité en parcourant la classe des yeux.

De nombreuses filles remuèrent la tête de gauche à droite, d'autres murmurèrent un «Non» horrifié. Satisfaite de l'unanimité de la réponse, Félicité enchaîna:

— Maintenant, mettons-nous au travail. J'aborderai les péchés capitaux avec les plus grands. Les plus petits s'exerceront à écrire des mots simples.

— Mademoiselle, mademoiselle…

— Oui, que veux-tu, Griphine?

— Je connais déjà les péchés capitaux. Je peux m'occuper d'eux.

Son empressement visait à prendre Ernestine de vitesse.

— D'accord. Je te laisse t'en occuper.

L'institutrice entretint une partie de la classe de la gourmandise, son *Petit catéchisme* à la main. L'adolescente se trouva à l'extrémité de l'autre table, les yeux de sept enfants fixés sur elle. Le mardi précédent, un garçon et une fille avaient dû accepter d'être rétrogradés à ce niveau, même s'ils amorçaient leur troisième année à l'école. Félicité commençait à porter un jugement peu flatteur sur la personne l'ayant précédée dans son poste.

— Vous allez écrire « abbé », commença Griphine.

« Avec la double consonne, ils auront du mal, se dit la maîtresse, bébé conviendrait mieux. » À haute voix, elle poursuivit :

— La gourmandise, c'est le péché qui consiste à trop manger, à s'empiffrer.

Les enfants devant elle risquaient peu de perdre leur salut de cette manière. Dans le rang Saint-Antoine, personne ne devait faire bombance.

— Pour les adultes, on appelle aussi gourmandise l'abus d'alcool.

Cette éventualité leur paraissait sans doute plus familière. Les pommes de terre et le blé fournissaient aux paysans la matière première nécessaire à la fabrication de boissons enivrantes.

— Vous allez effacer ce mot, et écrire « râteau » à la place, demanda Griphine.

« Trop difficile », pensa l'institutrice.

— Quelqu'un parmi vous peut me dire ce qu'est l'envie ? enchaîna-t-elle.

Le déroulement de deux leçons en même temps semait une confusion constante, les élèves ne pouvant s'empêcher de tendre l'oreille à chacun des mots prononcés pour l'autre section de la classe. Pendant qu'une fillette s'emmêlait dans la définition du péché en question, Félicité entendit :

— Non, ça ne s'écrit pas comme cela. Il faut un « o ».

— Non, pas dans « râteau », protesta la plus âgée des « petites ».

— C'est un « o ». Je le sais, moi.

Elle présentait l'argument des ignorants, assez crédules pour croire qu'assumer une fonction leur conférait une compétence.

— Attendez-moi, je reviens tout de suite.

La maîtresse se dirigea vers la table voisine et se pencha sur l'épaule de la fillette de dix ans pour voir le mot correctement écrit.

— Bravo, Léontine, tu as raison, il faut mettre « eau ». Tu pourras bien vite rejoindre les autres, si tu continues.

Elle voulait dire du côté des grands. Sur les autres ardoises, plus ou moins bien tracées, s'alignaient des lettres pour former « rato ».

— Ce mot est trop difficile pour des débutants, Griphine. Retourne à ta place, maintenant.

L'adolescente lui adressa un regard mauvais, pesta en pointant une ardoise :

— Tout le monde le comprend, écrit comme ça.

— Le mot ne s'écrit pas de cette manière. Va t'asseoir à ta place.

À l'autre table, Ernestine surveillait la scène, prête à prendre le relais. Félicité lui signifia à l'oreille :

— Des mots d'une ou deux syllabes et évite les combinaisons de voyelles ou de consonnes.

Après avoir traversé la salle, elle enchaîna à voix haute :

— Maintenant, veux-tu reprendre ton explication de tout à l'heure ? Qu'est-ce que l'envie ?

L'écolière aurait tout aussi bien pu, en guise d'explication, montrer Griphine du doigt, qui l'incarnait alors parfaitement, ainsi que la colère.

À la pause du midi, Griphine fulminait encore. Son hostilité lui était inspirée autant par son institutrice que par sa camarade.

— Tu vas me le payer, grommela-t-elle pour cette dernière en se levant de sa place.

— Râteau ne s'écrit pas avec un «o». Tout le monde sait ça.

— Tu fais tout pour devenir son chouchou. Mais attends ce soir, je vais t'en faire avaler un, un râteau.

Sur ces mots, elle quitta la classe pour rentrer manger chez elle. Près du poêle, Félicité touillait sa soupe, attentive à toutes les paroles prononcées. En fin d'après-midi, se promit-elle, elle raccompagnerait Ernestine chez elle.

Les enfants s'égaillèrent très vite, heureux de ne pas avoir à revenir avant le lundi suivant. Comme lors des journées précédentes, Ernestine s'attarda un peu, le temps de passer le balai dans la classe. Quand elle eut terminé, Félicité lui dit :

— Je vais marcher avec toi, attends-moi une minute.

La jeune femme mit la barre de bois à la porte de l'appentis pour libérer celle de l'entrée principale. En sortant, elle y plaça le gros cadenas.

— J'espère juste pouvoir l'ouvrir tout à l'heure. Monsieur Marcoux a eu un peu de mal, quand je suis arrivée.

— Je n'ai pas peur d'elle, vous savez.

La maîtresse contempla son élève. À treize ans, vêtue d'une mauvaise robe reprisée plus d'une fois, elle ne payait pas de mine. Pourtant, sous une tignasse de cheveux blonds un peu sales se dessinaient des traits réguliers. Avec un bon nettoyage et des vêtements décents, elle aurait été jolie.

— Elle est plus grande que toi, et plus forte sans doute.

— Plus grande, oui. Plus forte, je ne sais pas.

Ernestine parlait sans arrogance. Félicité devina une volonté farouche de vivre dans ce corps un peu frêle.

— Tu parais très intelligente.

— Vous voulez dire plus que les autres.

La nuance valait d'être formulée. Elle avait suffisamment d'esprit pour comprendre ne pas savoir grand-chose.

— Tout de même, tu lis bien, tu sais écrire.

— Des mots comme « râteau » ? Mais ça, même Léontine le sait, et elle est avec les petits. Je retiens ce que j'entends, ou ce que je lis, confia-t-elle enfin.

— Tu continueras de t'occuper des petits, si tu veux.

— D'accord…

Soucieuse, elle osa tout de même demander :

— Je pourrais devenir institutrice un jour, vous pensez ?

— Pourquoi pas ? Si je garde cet emploi l'année prochaine, je t'aiderai à préparer l'examen du Bureau d'examinateurs.

Elles parcoururent une douzaine d'arpents vers l'est. Devant une grande maison sur leur droite, Ernestine indiqua :

— Ce sont les Malenfant.

La demeure paraissait un peu écrasée, comme si elle s'arc-boutait pour mieux résister aux intempéries. Les murs n'ayant pas été blanchis à la chaux depuis longtemps prenaient une vilaine teinte grise. Sur le perron, Griphine montait la garde avec un grand garçon robuste.

— L'autre, qui c'est ?

— Son frère, Sildor.

— Contre lui, tu n'aurais rien pu faire.

— Mais je ne suis pas une enfant unique. Moi aussi, j'ai des frères.

La remarque s'accompagnait d'un petit rire. Dans le rang, les relations de voisinage ne se révélaient pas toujours harmonieuses. Elles arrivèrent devant la maison des Richard quelques minutes plus tard.

— Me voilà rendue, dit l'adolescente.

— Je peux saluer tes parents ?

L'autre hésita un peu comme si elle avait honte. Mais elle gravit les trois marches du perron et ouvrit la porte pour annoncer :

— Je suis de retour. Mademoiselle l'institutrice est venue avec moi.

Félicité entra sur les pas de son élève. Devant la table, une grosse dame s'essuya les mains avec les pans de sa robe, puis déclara avec un sourire :

— Mademoiselle, je suis heureuse de vous connaître.

— Moi aussi, madame.

La visiteuse accepta la main tendue, un peu crasseuse.

— Et ces trois mauvais garçons sont mes frères, Élie, Samuel et Jérémie.

Le plus jeune devait avoir seize ans, le plus âgé, vingt. Ils affichaient une musculature enviable, celle des bûcherons. À eux aussi, l'institutrice serra la main. L'adolescente ajouta :

— Mon père est mort quand j'étais petite. Une ruade de cheval.

L'aîné avait donc assumé le rôle de chef de famille au plus jeune âge.

— J'ai préféré raccompagner Ernestine parce qu'une élève lui a dit des paroles menaçantes, expliqua l'institutrice.

Du doigt, l'écolière désigna la direction du voisin plus bas dans le rang.

— C'est gentil à vous, répondit l'aîné. Nous irons leur rendre visite avant lundi matin.

— Mais c'étaient des paroles d'enfant ! se ravisa tout de suite la jeune femme, craignant maintenant d'avoir précipité des revanches à la chaîne.

— Mais nous aussi, nous sommes des enfants, ricana le cadet.

La mère s'était dirigée vers le poêle afin de soulever le couvercle d'une marmite. Une odeur de bouilli se répandit dans la cuisine.

— Vous allez manger avec nous, dit-elle d'un ton accueillant à la visiteuse.

— Je ne sais pas…

Du coin de l'œil, elle lut la déception sur le visage d'Ernestine.

— Je ne voudrais pas déranger, précisa-t-elle en se disant pourtant que, depuis une semaine, elle n'avait pas avalé un véritable repas.

— Ça ne nous dérange pas du tout ! Puis vous vous êtes bien occupée de la petite.

— Alors dans ce cas, j'accepte.

Un peu plus tard, assise sur une chaise branlante, dévisagée par trois garçons portant des prénoms bibliques, elle apprenait à connaître cette famille.

Le repas se trouva vite expédié, puisque les garçons devaient ensuite s'occuper des animaux. À six heures trente, Félicité pressa le pas devant la ferme des Malenfant, craignant un peu la colère de Griphine. Elle surmonta cependant sa timidité pour aller frapper à la porte du commissaire Marcoux. Son épouse vint ouvrir, les avant-bras mouillés jusqu'aux coudes.

— Ah! C'est vous. Mon mari est aux bâtiments. Si vous ne craignez pas de salir vos beaux souliers, vous pouvez vous rendre à l'étable.

— En réalité, j'ai plutôt affaire à vous. Je ne peux pas me faire de pain moi-même. Les jours de boulange, pourriez-vous me mettre une grosse miche de côté? Bien sûr, je vous paierai.

Prise au dépourvu, la ménagère se fit prudente.

— Je ne sais pas... Ce ne sera pas plus d'un pain? questionna-t-elle.

— Oui. Je suis seule, et je ne mange pas beaucoup.

— Dans ce cas, je veux bien.

Elle se dirigea vers la huche et revint avec une miche blonde.

— J'en ai fait hier. Voilà.

— C'est combien?

Félicité sortit un billet d'un dollar de sa poche.

— Non, non, mon mari s'occupera de ça.

— ... Alors merci. Et les jours où vous ferez boucherie, si vous pouviez me mettre de côté un morceau, ce sera bienvenu.

L'institutrice voulut évoquer les pommes de terre et les autres légumes, mais elle s'en abstint. Mieux valait répartir ses achats chez les différents habitants du rang Saint-Antoine.

Félicité profita d'une journée de congé après sa pre-mière semaine de travail. Vêtue de son vieil uniforme scolaire, elle plaça les bancs sur la surface des tables pendant que de l'eau chauffait sur le poêle. Puis à genoux, un torchon à la main, elle nettoya le plancher à grand renfort de *lessi*. Le curage des latrines l'amena à plisser le nez. À midi, elle mangea chichement. Il lui tardait d'amé-liorer son ordinaire.

Pour cela, la jeune femme entendait profiter d'une découverte fortuite : une paire d'hameçons un peu rouillés se trouvait dans le tiroir du petit meuble, en haut. La hache à la main, elle alla couper une hart longue de six pieds. Elle récolta quelques vers de terre en soulevant une pierre. De retour à l'école, elle sacrifia une partie d'une pelote de gros fil noir. Ce ne serait pas l'idéal, mais faire l'aller-retour jusqu'au village pour acheter de la ficelle ne lui disait rien.

Un peu après une heure, après avoir verrouillé soigneu-sement la porte, Félicité marchait le long de la petite rivière, cherchant un endroit à la fois libre de pièces de bois immergées, afin d'éviter de perdre un hameçon, et poissonneux. Une piscine naturelle située à un coude du cours d'eau lui parut propice. Elle fit une grimace de dégoût lorsqu'elle enfila un ver sur le minuscule crochet pointu avant de jeter à l'eau la ligne alourdie d'un petit morceau de fer.

Pendant un long moment, rien ne se passa, puis tout à coup une voix flûtée prononça derrière elle :

— Mademoiselle Drousson !

Elle se retourna pour découvrir Floris debout au sommet d'un talus. Le garçon vint vers elle avec un sourire timide.

— Vous pêchez ? commença-t-il.

— Comme tu peux le voir. Mais sans grand succès jusqu'à maintenant.

Il portait une canne lui aussi. Pour un enfant, s'asseoir près de la rivière constituait une bonne façon de passer cette belle journée de septembre.

— Ce n'est pas un bon endroit. Si vous me promettez de ne pas le dire, je vais vous montrer mon endroit secret... mademoiselle.

— Jamais je ne le révélerai à personne, répondit-elle avec un sourire.

Elle le suivit sur une distance de trois arpents, jusqu'à un espace ombragé.

— Lancez votre ligne près de la grosse roche. Ça va mordre.

Félicité fit comme on le lui disait. Puis, assise sur un tronc d'arbre abattu, elle tint la hart à l'horizontal, les yeux fixés sur le fil noir. Le garçon s'installa près d'elle, silencieux.

— Floris, as-tu aimé ta première semaine d'école ?

— Oh oui, mademoiselle. Surtout avec vous. Tous les soirs, je fais des lettres sur mon ardoise.

— Je sais. Tu fais des progrès rapides.

Le rouge atteignit les oreilles de l'enfant. La jeune femme le regarda, puis ajouta :

— Tu sais, quand nous ne sommes pas à l'école, tu peux me dire « tu », et m'appeler par mon prénom, Félicité.

— Vous... Tu es sûre ?

— Si tu me promets de ne pas le faire en présence d'un autre élève, ce sera notre secret.

— Oui, notre secret.

Cela valait une promesse d'amitié éternelle. Aucun des deux ne trouva comment alimenter la conversation.

Heureusement, à la pêche, le silence demeurait de bon aloi. Puis l'institutrice lança un petit cri.

— J'ai senti une secousse dans le bâton !

Le fil se tendit en décrivant une diagonale.

— Vous l'avez... Tu l'as. Tire.

Elle tira, si bien que le garçon faillit recevoir le poisson en plein visage. Tenant la hart levée d'une main, elle l'attrapa, puis réussit à saisir la tête de l'hameçon de l'autre. Le contact avec le corps glissant et frétillant lui mit une autre grimace sur le visage.

— Laisse, Félicité, je vais l'enlever.

Posant sa canne sur le sol, il tendit les mains.

— C'est une truite, elle doit faire un bon pied.

— Je dirais neuf ou dix pouces, tout au plus, le corrigea-t-elle.

Le garçon laissa le poisson dans l'herbe et chercha dans sa boîte de fer-blanc un ver soigneusement déterré près d'un tas de fumier.

— Tu sais que tu feras un jeune homme très aimable, dans quelques années.

— Merci, balbutia-t-il.

Le compliment lui procurait un plaisir mitigé. Ces quelques années lui semblaient bien longues. À la fin de l'après-midi, chacun ramenait six truites retenues sur une baguette de bois. La jeune femme n'en garda que trois. Ce serait l'occasion pour elle de faire bombance.

L'église se trouvait à un peu plus d'un mille de l'école. Pour épargner ses chaussures, elle eut l'idée de mettre les vieilles galoches éculées héritées du couvent, quitte à apporter les autres dans ses mains et à en changer sur le parvis de l'église. Son statut d'institutrice lui parut finalement incompatible avec cette précaution.

Après avoir attaché le cadenas à la porte avant, elle s'engagea dans le rang Saint-Antoine. La voiture des Malenfant la dépassa lorsqu'elle empruntait le chemin de traverse. Le couple sur la banquette avant feignit de ne pas la voir. Dans la boîte, à l'arrière, les quatre enfants gardèrent longuement les yeux sur elle. Félicité lut de la rancœur dans le regard des aînés. Toutefois, Louvinie et Hélas lui adressèrent un petit geste de la main.

Un peu plus tard, ce fut au tour des Marcoux de passer devant elle. Le commissaire tira sur les rênes pour arrêter son cheval, le temps de dire :

— Mademoiselle Drousson, désolé, avec la marmaille, je ne peux pas vous offrir une place.

Ils étaient cinq à s'entasser dans la boîte de la voiture.

— Ce n'est rien. Marcher un peu me fera du bien.

— Pour le pain, quatre cents chacun, ça vous paraît un prix honnête ?

— Oui. Si vous avez de la monnaie, je vous paie tout de suite.

Une nouvelle fois, elle sortit le billet de un dollar de la poche de sa robe.

— Non, nous réglerons nos comptes quand j'aurai à passer à l'école.

La transaction conclue, l'homme secoua les guides en claquant la langue pour inciter son cheval à se remettre en route. Deux autres familles paysannes la dépassèrent encore. Tous les habitants de la paroisse, à moins d'une maladie grave, respectaient le rendez-vous dominical.

Quand une autre voiture approcha, elle entendit une voix joyeuse :

— C'est Félicité !

Déjà, le garçon trahissait son engagement de ne jamais utiliser le prénom en présence de tiers.

— Voyons, n'appelle pas ton institutrice par son petit nom.

La mère le disputait d'une voix douce, un peu amusée. Le cultivateur arrêta sa voiture à côté de la marcheuse.

— Excusez-le, mademoiselle, dit-il. Il est jeune encore.

— Un ami qui décroche les poissons de ma ligne peut bien utiliser mon prénom devant sa famille.

— Mais pas à l'école, précisa Floris.

Qu'il fasse au moins cette distinction la rassura. Elle le remercia d'un sourire pour son souci de s'en tenir à la consigne.

— Les parents de mon ami peuvent aussi laisser tomber le « mademoiselle », continua la jeune femme.

La mère lui adressa un sourire reconnaissant, puis elle dit :

— Veux-tu monter avec nous, Félicité ?

— Il y a de la place derrière, avec moi, spécifia le garçon.

— Avec plaisir, je te remercie…

La phrase laissée en suspens indiquait son désir de connaître le prénom de son interlocutrice. Cette femme montrait un beau visage amical. Elle devait avoir autour de vingt-cinq ans, son mari juste un petit peu plus. Floris prit sur lui de donner l'information :

— Maman s'appelle Odélie.

— Merci, Odélie.

L'institutrice prit place à l'arrière. Tout de suite, le garçon s'installa près d'elle, son épaule contre son bras, les pieds pendant dans le vide.

— Alors, hier soir, as-tu mangé tes poissons ? demanda Félicité.

— Je les ai partagés avec maman et papa.

Au rythme lent du pas du cheval, ils gagnèrent le village. Au moment de descendre, le cultivateur Simard prit la peine de préciser :

— Tout à l'heure, si vous voulez revenir avec nous, vous serez la bienvenue.

Il préférait quant à lui s'en tenir aux usages conventionnels.

— Je vous remercie, fit l'institutrice, mais comme je devrai passer au magasin général, je ne veux pas vous retarder.

— Raison de plus pour vous de monter avec nous. Vous ne pourrez pas rentrer à pied avec des provisions dans les bras.

Elle le remercia d'un sourire, puis marcha vers l'église.

Le temple lui parut particulièrement bien décoré, compte tenu des moyens limités de la population de la paroisse. À l'arrière, le long du mur de gauche, se trouvait un confessionnal. Trois ou quatre personnes attendaient leur tour. Elle voyait les jambes d'un pénitent sous le rideau grenat.

Félicité songea à se mettre au bout de la file, même si sa dernière confession datait de dix jours à peine. Le souvenir de sa rencontre avec le pasteur, surtout de l'invitation réitérée à souper, l'amena à changer d'idée. De toute façon, son mode de vie ne lui donnait guère d'occasions de pécher.

Ne possédant pas de banc dans cette église, et privée des moyens de s'en procurer un, elle se planta à l'arrière de la grande bâtisse. Les paroissiens se rendirent lentement à leur place et commencèrent à prier. En fait, la plupart des hommes somnolaient sous leur mine recueillie. Ne pouvant se permettre ce luxe, l'institutrice sortit son livre de messe de sa poche pour s'absorber dans la lecture.

— Mademoiselle Drousson, chuchota une voix près d'elle un peu plus tard.

— Oh! Monsieur le curé, bonjour.

— Bonjour. Que faites-vous là?

Dans les circonstances, la question se révélait un peu ridicule, aussi se tint-elle coite.

— Venez avec moi. La fabrique réserve un banc pour les institutrices.

Vêtu de son surplis, une étole autour du cou, le prêtre pressait le pas. Les dévots avaient un peu allongé leur confession. Dans l'allée latérale de droite, il s'arrêta à un banc situé à l'arrière. Trois femmes l'occupaient déjà.

— Mesdemoiselles, si vous voulez vous tasser un peu, votre collègue se joindra à vous pour la prochaine année.

Elles se déplacèrent de mauvaise grâce, sembla-t-il à Félicité. À quatre, elles tiendraient mal sur la banquette. L'une, âgée de trente ans peut-être, présentait un visage ingrat. La nouvelle venue apprendrait plus tard qu'on lui confiait la responsabilité de l'école du village. Félicité la salua de la tête, se pencha un peu vers l'avant pour donner le bonjour aux deux autres, des jeunes femmes d'environ vingt ans.

L'endroit ne se prêtant pas à des présentations en bonne et due forme, elles les remirent à plus tard. Bientôt, le curé Sasseville entra dans le chœur, suivi de deux servants de messe. Quelques autres prenaient déjà place du côté gauche de l'autel sur des banquettes.

À la communion, Félicité se plaça dans la longue file formée dans l'allée centrale. La plupart des femmes désiraient offrir le spectacle de leur foi. Les hommes, eux, se contentaient plus souvent de ne faire que leurs Pâques.

Quand elle s'agenouilla à la sainte table, recueillie, ses voisines la détaillèrent. Un gamin ensoutané posa sa patène sous son menton. Elle tira la langue et ferma les yeux. Dans cette posture, son visage semblait être une offrande. Y posant l'hostie, le curé effleura ses lèvres avec ses doigts. L'intimité du contact la fit sursauter.

La cérémonie se prolongea pendant un peu plus d'une heure et demie. Le sermon du curé porta sur la reconnaissance due à Dieu pour les récoltes abondantes. Dans sa bouche, la religion ressemblait à un marchandage : des prières et un rituel d'un côté, les naissances et la croissance des plantes de l'autre.

Sur le parvis de l'église, les quatre institutrices se présentèrent l'une à l'autre. La plus âgée remarqua :

— Vous avez été formée au couvent de Saint-Jacques, mademoiselle ?

— Oui, c'est bien le cas.

— Moi aussi, vous savez, il y a quelques années.

Le diplôme d'académie de la nouvelle faisant l'objet de conversations dans de nombreuses maisons, elle entendait affirmer sa propre science.

— Vous avez beaucoup d'élèves ? demanda l'une des plus jeunes.

— Selon la liste du commissaire, je devrais en avoir quarante. Mais cette semaine, je n'en ai pas vu plus de quinze.

— C'est la même chose à l'école numéro 4. Il en arrivera d'autres à la fin du mois, mais ils auront oublié la matière vue l'an dernier.

Félicité enregistra l'information, comprit que sa tâche se compliquerait bientôt. Du coin de l'œil, elle remarqua Phidias Simard entrant au magasin général avec sa femme et son fils.

— Si vous voulez m'excuser. Monsieur Simard a la gentillesse de me reconduire. Je ne veux pas le mettre en retard.

Après un dernier salut de la tête, elle délaissa ses collègues pour traverser le chemin. La cloche tinta quand elle passa la porte du commerce. Une douzaine de cultivateurs tournèrent la tête pour l'examiner.

— Mesdames, messieurs, bonjour.

Quelques personnes répondirent par un grognement, d'autres par un geste de la tête.

— Vous êtes la nouvelle maîtresse ? demanda une paysanne.

— Oui, à l'école numéro 3.

Sa curiosité satisfaite, la dame demanda trois livres de farine au marchand. Sous les regards attentifs, comme si elle venait d'un pays lointain, Félicité attendit son tour. Une fois devant le comptoir, un homme encore jeune affublé d'un tablier blanc lui demanda :

— Alors, mademoiselle Drousson, que voulez-vous ?

— Vous me connaissez ?

— Tout le monde connaît la nouvelle institutrice. Vous me connaissez aussi : Léonard Limoges. Mon nom est écrit sur la devanture. Alors ?

La jeune femme se tourna à demi, pour constater que cinq ou six personnes étaient entrées dans le commerce et faisaient la file derrière elle.

— Vous savez, mademoiselle, le curé me permet de rester ouvert une heure après la messe, pour rendre service aux habitants des rangs. Si vous ne vous décidez pas, certains retourneront chez eux les mains vides.

— … Je ne serai pas payée avant le mois de janvier. Pouvez-vous « marquer » jusque-là ? demanda-t-elle, mal à l'aise.

Le rouge colorait maintenant ses joues. Dans une heure, tout le monde dans la paroisse saurait qu'elle se trouvait sans le sou.

— Il y aura des frais : trois pour cent.

Elle écarta les mains en signe d'impuissance. Elle utiliserait ses dix dollars pour payer les cultivateurs des environs lors de l'achat de produits frais. Le marchand accepta la liste tendue et chercha les produits en les nommant à haute voix.

— Deux livres de saindoux, un rouleau de fil gris, un autre de bleu, des aiguilles, six hameçons… dix verges de fil à pêche ?

L'homme s'arrêta, un sourcil levé, puis l'interrogea du regard.

— La rivière coule à côté de l'école.

— Trois verges de fil de laiton ?

— Oui. On ne sait jamais quand on peut en avoir besoin pour attacher quelque chose.

Son interlocuteur lui demanda avec un sourire amusé :

— Vous ne voulez pas des raquettes aussi ?

Il avait deviné juste : l'hiver venu, capturer quelques lièvres lui permettrait d'épargner ses sous.

— Non, ce ne sera pas nécessaire.

À la fin, elle se retrouva avec une boîte de carton remplie de divers produits de première nécessité, et un montant d'argent à porter à son débit. Félicité trouva les Simard dans leur voiture au milieu de la rue en sortant du commerce.

— Vous n'auriez pas dû…

— Allons, montez. Ce sera la meilleure façon d'arriver bientôt à la maison.

Phidias lui adressait son meilleur sourire. Déjà Floris lui faisait une place à l'arrière. Elle accepta de s'asseoir près de lui avec plaisir et garda son bras autour de ses épaules pendant une partie du trajet.

— Ah! Ça ne va pas du tout. Je veux le voir, je dois le voir, rugit une voix dans l'entrée du presbytère.

— Le curé Sasseville a des obligations, madame Malenfant, répondit la vieille ménagère.

— Vous n'êtes même pas allée lui demander s'il voulait me rencontrer.

— Ce n'est pas nécessaire, à crier comme vous le faites, toute la maisonnée est au courant.

Dans sa pièce de travail, le prêtre posa sa plume en laissant échapper un soupir. Mieux valait entendre ce que cette mégère avait à dire.

— Viens, Tarrasine, dit-il depuis l'embrasure de la porte de son bureau. Je ne voudrais pas te mettre en retard pour dîner. Tes nombreux enfants risquent de t'attendre.

— Je suis justement ici pour les défendre, mes enfants. Manger leur rôti un peu plus tard ne les tuera pas.

— Pour les défendre! Quelle menace pèse sur eux, cette fois?

La paysanne se dandina jusqu'à la pièce au bout du couloir. Sasseville ferma la porte derrière elle.

— Cette prétentieuse a tourné ma fille en ridicule, vendredi dernier.

— … Je ne comprends pas. De qui s'agit-il?

— De la maîtresse ! Elle s'est moquée de Griphine dans son école, devant tous les autres.

L'homme laissa échapper un soupir lassé en s'installant sur son siège. Il croyait en avoir terminé avec cette histoire le mois précédent.

— Explique-moi tout ça.

— Griphine est la plus vieille de la classe. Elle lui a retiré le rôle d'assistante pour le confier à la petite Richard.

Dans ces écoles où s'entassaient des enfants d'âge et de compétence très inégaux, l'institutrice choisissait habituellement l'une des plus grandes pour l'aider. Parfois les parents s'en plaignaient, d'autres fois ils voyaient cela comme un véritable honneur.

— Aucune règle n'ordonne de choisir l'aînée. Il faut confier ce rôle à la plus instruite.

— Ma fille va à l'école depuis huit ans.

— Mais cela lui permet-il d'écrire sans faire de fautes ?

— … Quelqu'un t'a déjà tout raconté, lâcha-t-elle dans un soupir.

Cela n'avait pas été nécessaire. Lors de ses visites mensuelles à l'école numéro 3, au cours de l'année précédente, la performance de l'adolescente s'était révélée navrante.

— Cesse de t'entêter, Tarrasine. Ta fille ne peut pas prendre les petits à sa charge, elle n'en sait pas assez.

— La petite Richard…

— Si mademoiselle Drousson l'a choisie, elle a ses raisons. Rentre à la maison pour t'occuper des tiens.

La paysanne demeura immobile, indécise quant à la façon de mettre fin à cette rencontre. Son charme opérerait-il encore ? Cela pouvait aider sa cause. Son interlocuteur régla son dilemme.

— Maintenant, je dois parler au marguillier en charge. Sauve-toi vite.

Il se leva pour la reconduire à la porte, s'informant brièvement de la progression des moissons pour l'empêcher
d'aborder un autre sujet.

Lorsque les Simard approchaient de l'école, l'institutrice se retourna pour dire au couple assis à l'avant :

— Je suis un peu gênée de vous demander cela, mais si
vous pensez avoir assez de pommes de terre pour l'hiver,
j'aimerais vous en acheter un peu.

— Des patates ? Ce seront celles récoltées l'automne
dernier, dit Odélie. Elles ne sont plus très fraîches.

— Je les aime justement comme ça.

L'autre rit de bon cœur.

— Alors viens à la maison. Je verrai ce que je peux
t'offrir.

— Si tu as un peu de beurre, du fromage aussi…

— Nous verrons ça.

— Je vais payer pour tout, ne crains rien.

Prévention inutile, puisque aucun cultivateur ne céde-
rait ses aliments pour rien. La ferme des Simard ne payait
pas de mine. Le chef de famille ne pouvait malheureusement pas compter sur une demi-douzaine de grands
enfants pour le soutenir dans ses diverses tâches. La mai
son, petite et grise, était couverte de bardeaux de cèdre.

Lorsqu'elle pénétra dans la cuisine, une odeur de soupe
aux choux parvint aux narines de la maîtresse.

— Il faut réchauffer le dîner. Phidias, tu veux t'en
charger ?

La mère chercha du petit bois pour rallumer son poêle
pendant que son mari soulevait une trappe dans le plancher.

Elle donnait accès à une cave de trois ou quatre pieds de profondeur, creusée dans un sol glaiseux.

— Deux ou trois livres, ça vous conviendrait ?

— Oui, si vous pouvez vous le permettre. Je ne veux vous priver de rien.

L'homme posa les tubercules sur le plancher et demanda encore :

— Des oignons, des carottes ?

Mal à l'aise, elle accepta. Bientôt, la jeune femme se retrouva avec un sac de victuailles à la main, après avoir remis au couple quelques pièces de monnaie.

— Tu veux manger avec nous ? demanda Odélie alors qu'une fine vapeur commençait à s'élever au-dessus de son chaudron.

— Non, je te remercie, mais je veux me plonger dans mes préparatifs de classe. Tu sais, j'en suis à ma première année…

Félicité craignait surtout de s'imposer à ce couple. Puis elle doutait de la capacité de Floris à retrouver sa neutralité le lendemain, si une trop grande familiarité s'installait entre eux.

— Je comprends. Dans ce cas, ce jeune homme va t'aider à porter ta boîte. Avec le sac en plus, tu n'y arriverais pas.

— J'aurais aimé que tu restes, dit le garçon une fois dans le chemin public, attentif à ne pas laisser choir son fardeau.

— Tu es très gentil, mais je dois travailler un peu.

La maison des Simard se trouvait à une courte distance de l'école, de l'autre côté du pont jeté sur la rivière du Chêne. Bientôt, devant la bâtisse, elle cherchait sa clé au fond de sa poche.

— Tu peux poser la boîte sur le perron.

— Je peux attendre.

— Cela me prend toujours du temps pour ouvrir ce cadenas, et ta soupe doit se trouver dans ton bol, maintenant.

Après une petite réflexion, il obtempéra.

— Alors à demain, Félicité.

— À demain, Floris. Tu te souviens bien de notre entente ?

— Oui, mademoiselle Drousson.

Après lui avoir souri de presque toutes ses dents de lait – il en manquait une sur le devant –, il regagna le chemin. L'institutrice trouva un pain sur sa table de travail. Le commissaire Marcoux devait avoir profité de son délai à revenir du village pour se permettre cette petite incursion. Il possédait donc un double de la clé, en conclut l'institutrice, maintenant résolue à garder ses portes barrées en permanence.

Chapitre 8

Félicité ferma derrière les élèves à la fin de sa seconde semaine d'école, revint ensuite à sa table de travail pour feuilleter les copies. Puis elle sortit des feuilles de papier et des enveloppes de son armoire. La plume d'acier traça les mots dans une belle écriture ronde :

Ma bien chère mère,

Comme vous l'aviez prévu, la vie d'une école de rang diffère beaucoup de celle du couvent de Saint-Jacques. Je me trouve devant un petit groupe d'élèves, le plus jeune a sept ans, la plus âgée, quinze. J'essaie de les aimer tous, même les moins aimables.

Impossible de mentir à sœur Saint-Jean-l'Évangéliste. Tout au plus la jeune institutrice aménagea un peu la réalité. Ainsi, elle traduisit son désarroi fréquent en vague inquiétude, et ses rapports tendus avec certains de ses écoliers en une communication pas toujours facile. Elle demeura muette sur la solitude si lourde à porter dans son logis à l'étage.

Elle glissa la première lettre soigneusement pliée dans une enveloppe. De son écriture délicate, elle y inscrivit l'adresse.

Sur la seconde missive, elle écrivit :

Ma bonne maman,

Tu dois m'en vouloir un peu de mon silence des derniers jours, mais j'ai été très occupée, comme tu peux le deviner. Les enfants sont adorables, je me sens bien dans ce métier…

À l'auteure de ses jours, il fallait présenter les choses de manière idyllique. Autrement, après tous ses sacrifices, comme elle serait déçue. L'école numéro 3 prit, pendant une vingtaine de lignes, l'allure d'un endroit parfait.

Laver le plancher de la classe et la surface des tables l'occupa plus d'une heure, décrotter les latrines et l'appentis un peu plus. Félicité retira ensuite son uniforme de couventine pour mettre sa robe bleue et ses bottines lacées. Après avoir placé le cadenas sur la porte, elle s'engagea sur le chemin public d'un pas alerte.

Un cultivateur la doubla sur le chemin de traverse. S'il la salua d'un signe de la tête, il n'alla pas jusqu'à lui offrir de prendre place près de lui. Elle aurait de toute façon repoussé l'invitation. Une voiture imposait une trop grande proximité pour que ce soit convenable.

Au village, elle chercha l'affichette portant les mots *Post Office*. À l'intérieur, dans une petite pièce séparée en deux par un comptoir, trois paroissiens commentaient la température clémente du mois de septembre. Félicité s'approcha d'une femme d'une cinquantaine d'années après un échange de salutations discrètes.

— Madame, je veux poster ces deux lettres.

La maîtresse de poste lui tendit les deux timbres, quelques cents changèrent de main.

— Vous êtes mademoiselle Drousson, n'est-ce pas? demanda-t-elle.

— Oui, c'est moi.

L'autre se retourna vers une série de petits casiers et récupéra une enveloppe.

— Ceci est arrivé pendant la semaine.

L'institutrice regarda au verso pour voir l'adresse de retour.

— C'est de maman.

— Vous devez trouver difficile de vivre loin des vôtres, dit-elle sur un ton empathique.

— La distance n'est pas si grande, mais ma mère me manque. J'en suis séparée pour la première fois.

La sympathie de son interlocutrice l'incitait à se confier un peu. De toute façon, elle évoquait là des évidences.

— Vous êtes venue à pied depuis le rang Saint-Antoine?

— Marcher un peu plus de deux milles ne me fait pas peur en cette saison.

— En tout cas, bienvenue dans notre paroisse, conclut la maîtresse de poste.

Ces simples mots, Félicité les entendait pour la première fois depuis son arrivée. Après un «Merci» ému, elle reprit le trajet de retour.

À Saint-Jacques, sous prétexte de prendre l'air, le curé Merlot se rendait au bureau de poste tous les jours. Il tenait en réalité à épargner cet effort à sa domestique qui avait une jambe douloureuse.

À son retour, il vint la retrouver dans la cuisine, une lettre à la main.

— Marcile, c'est pour vous.

La femme essuya ses mains enfarinées sur le devant de son tablier avant de s'emparer du pli. Du bout du pouce, elle déchira le rabat.

— C'est de Félicité, dit-elle avec fébrilité. Je ne peux pas attendre.

Le curé demeura là, curieux lui aussi de connaître le sort de la jeune fille.

— Oh, que je suis heureuse ! murmura la femme. Tout semble aller pour le mieux.

— Dit-elle quelque chose à propos de Sasseville ?

— … Le pasteur là-bas ? Non, pas un mot. Pourquoi ?

— Je ne sais pas. Pour comparer entre son ancien et son nouveau curé.

La domestique lui adressa un sourire amusé, puis elle offrit :

— Je peux la lire à haute voix.

— Je n'osais pas le demander.

Marcile prit la peine de s'asseoir, puis commença : «Ma bonne maman…» Le prêtre comprit que le récit visait à rassurer une mère inquiète. Tout de même, si sa protégée donnait un compte rendu comme celui-là, elle échappait sans doute aux grands ennuis pour n'en essuyer que de petits.

Trois autres semaines étaient passées. Félicité se laissait porter par une routine un peu éreintante. De son côté, Ernestine prenait de l'assurance dans son rôle d'assistante. Elle acceptait d'arriver plus tôt et de rester un peu après la classe pour se préparer.

Floris arrivait sans trop de mal à retrouver le «mademoiselle» et le vouvoiement sur le terrain de l'école.

Toutefois, il partageait avec la sous-maîtresse de treize ans le douteux privilège de se faire traiter de chouchou. Mais lui n'avait pas un trio d'aînés aux muscles solides pour se garder des assauts. Cela lui valait de se tenir à l'écart et de ne jamais s'attarder dans la cour de l'établissement.

Le dernier vendredi de septembre, un peu avant la classe, il s'approcha de la table de Félicité pour y poser un papier plié en deux.

— De la part de maman, mademoiselle.

Sagement, il retourna à sa place. La jeune femme prit connaissance du message tracé d'une main hésitante : «Félicité, viens te joindre à nous demain pour la soirée. Nous t'attendons à sept heures. Odélie».

Elle eut du mal à se concentrer pleinement au cours de la matinée tellement l'invitation de son amie la réjouissait. Voilà l'occasion de rompre avec sa lourde solitude, ne serait-ce que l'espace d'une soirée. Lorsque les élèves s'égaillèrent pour le dîner, elle invita Floris à venir près d'elle.

— Tu diras à ta maman que c'est d'accord.

L'enfant lui répondit d'un sourire, puis s'élança au pas de course vers la maison.

Les samedis ramenaient avec une ennuyeuse régularité la corvée de nettoyage. Félicité avait pris l'habitude d'aller ensuite jeter sa ligne à l'eau. Elle montrait plus d'assiduité que Floris à cet exercice, car elle ne le rencontra pas de nouveau. Sans doute le grand air et le repas gratuit s'imposaient-ils plus pour elle que pour lui.

Avant de se rendre chez les Simard, elle hésita un peu sur la façon de se vêtir. Aucun des paysans du rang ne devait soigner sa mise dans ces circonstances, mais porter son uniforme de couventine lui semblait un peu ridicule. Non seulement il montrait une trop grande partie de ses mollets, mais ses nouvelles formes tiraient maintenant sur les coutures, à la hauteur des hanches et de la poitrine. Depuis les derniers mois, la jeune fille disparaissait bien vite pour laisser place à la femme.

Son choix s'arrêta finalement sur la robe grise, celle dont la teinte se combinait si bien à ses yeux. Le temps était un peu frais, mais pas assez pour revêtir son paletot. Il lui aurait fallu une veste, mais ses moyens ne lui permettraient pas d'en acquérir une avant l'été prochain. Elle dut se résoudre à frissonner pendant le court trajet.

Le son des conversations vint à ses oreilles dans la cour des Simard. Quand elle frappa à la porte, une petite voix se fit entendre :

— C'est elle. Je vais ouvrir.

Floris montrait l'enthousiasme et l'empressement d'un fiancé.

— Entre, Félicité, dit-il en s'effaçant un peu pour la laisser passer.

Dans la pièce où se déroulaient tant la vie de famille que toutes les rencontres sociales, on avait réaménagé l'espace pour accueillir les invités. En plus du couple Simard, treize personnes se trouvaient là, un couple dans la force de l'âge et des jeunes gens, répartis également entre les deux sexes. Félicité fut grandement étonnée de voir tous ces voisins réunis, alors qu'elle s'attendait à ne retrouver que la famille proche d'Odélie.

— Je suis heureuse de te voir, dit cette dernière en lui faisant la bise.

Cette familiarité, devant une assemblée si importante, troubla davantage l'institutrice. D'un autre côté, prendre place dans leur voiture tous les dimanches justifiait cet accueil amical.

— Un peu d'attention tout le monde, voici Félicité, la nouvelle institutrice. Vos petits frères et vos petites sœurs vous ont certainement parlé d'elle. En tout cas, Floris se montre bien bavard à son sujet.

En tenant son invitée par le bras, Odélie lui fit faire le tour de la pièce pour lui présenter les jeunes filles présentes, toutes à peu près de son âge. Elle s'attarda un peu plus longtemps auprès du couple Samson. Il s'agissait des parents de deux jeunes invitées, et la dernière venue constata qu'ils partageaient les frais et l'organisation de la soirée.

— Pour les garçons, quand ils seront un peu dégelés, ils trouveront bien les moyens de se présenter eux-mêmes.

L'allusion fit monter un peu de rouge aux joues de l'invitée. Ces personnes se connaissaient déjà pour avoir fréquenté la même école ou, à tout le moins, avoir marché au catéchisme ensemble. Elle était la seule étrangère dans ce groupe. Cela, tout comme sa robe un peu trop élégante pour l'occasion, amenait tous les regards sur elle.

Tous n'étaient pourtant pas de parfaits inconnus. Les aînés des garçons Richard, Élie et Samuel, se trouvaient là.

— Viens-tu t'asseoir près de moi ? demanda Floris.

— Non, non, l'en empêcha la mère. Tu es trop petit. Tu vas venir près de moi. Et Félicité, va rejoindre ce grand colosse.

Des yeux, elle désignait le plus âgé des frères Richard. La jeune femme le rejoignit sur le banc formé d'un madrier. Pour mettre une certaine distance entre elle et lui, elle s'assit malencontreusement sur les jupes d'une Ilidia plantureuse qui s'empressa de vouloir ramener vers elle les plis du tissu.

— Pardonnez-moi, s'excusa la nouvelle en se levant à demi.

Son voisin lui sourit, amusé par son malaise.

— Bon, maintenant on peut commencer, déclara le père Samson depuis sa place. Tout le monde est là.

Phidias se leva de son siège pour dire :

— Je n'ai pas besoin de vous faire un dessin, j'espère. Les gars, il y a une fille à côté de vous. Vous vous tournez un peu vers elle, et vous lui parlez.

L'hôte poussa le zèle pédagogique jusqu'à dire à sa femme qui passait justement par là avec une bouteille à la main :

— Madame, je m'appelle Phidias Simard. Et vous ?

— Odélie Durand, mais à cause d'un grand escogriffe je suis maintenant une Simard aussi.

— Ah ! Si nous sommes apparentés, ça ne peut pas marcher. Nos enfants risquent d'avoir un œil au milieu du front, ou de ne pas distinguer leur devant de leur derrière.

L'allusion aux dangers de la consanguinité permit à Félicité de comprendre la vraie nature de cette soirée. Sottement, elle avait imaginé passer une heure ou deux à discuter du bel automne avec ses hôtes, un plat de sucre à la crème sur la table pour donner un air festif à la rencontre. Il en irait tout autrement.

— Comme on vient de nous expliquer comment faire, commença son voisin, toujours avec un sourire narquois sur les lèvres, je m'appelle Samuel Richard. Et vous ?

— … Félicité Drousson.

À sa droite, Ilidia en était déjà à évoquer l'état de santé du grand-père de son voisin immédiat. La marche à suivre ne faisait pas mystère pour elle.

— Vous n'êtes pas de la paroisse, je pense ?

Son compagnon entendait se livrer au jeu du premier contact. Impossible pour elle de se refuser à l'exercice.

— Non, je suis de Saint-Jacques.

— Ce n'est pas très loin. Que fait votre père ?

— Il était arpenteur… En plus il avait une ferme. Il est décédé.

— Je suis désolé d'apprendre ça.

Le garçon paraissait sincère. Il lui présentait un visage carré, énergique, des yeux vifs. Elle devinait aussi une faculté à s'amuser de soi et des autres.

— Oh ! Il y a bien dix ans maintenant.

— Tout de même, cela a dû être difficile.

— Et vous ? Je veux dire, quand votre père est-il mort ?

— Depuis à peu près dix ans aussi.

Dans la grande pièce, les conversations se déroulaient sans trop de silences. Odélie apportait à chacune des jeunes femmes un verre d'un vin de cerise de sa confection. Les hommes de leur côté se retrouvaient avec une tasse de fer-blanc. Phidias y versait un peu d'un liquide ambré. Les grimaces suivant la première gorgée s'accompagnaient de commentaires se résumant à « C'est du bon ».

— Votre mère s'est occupée de la terre, après son décès ? demanda Samuel pour relancer l'échange.

— Non. J'étais la seule enfant… Elle est devenue la ménagère du curé.

— Ah ! Et vous, la fille du saint homme. La fille adoptive, bien sûr.

L'homme paraissait se réjouir un peu trop de sa répartie pour faire un bon effet sur son interlocutrice. Elle n'eut pas à chercher trop longtemps les mots susceptibles de le remettre à sa place. Phidias clama de sa voix forte :

— Les trop longues fréquentations, ce n'est jamais bon. Les gars, vous vous déplacez comme ça, pour faire la connaissance d'une autre adorable personne.

De la main, il indiquait à chacun de se déplacer vers la gauche. Élie Richard arriva bientôt devant son frère la main tendue, hilare.

— Sam, c'est moi qui te clenche. Sans rancune ?

— Sans rancune, dit l'autre en se levant.

Puis, tourné vers la jeune femme, il ajouta :

— À bientôt, mademoiselle Drousson.

— … À bientôt.

Samuel se retrouva à côté d'Ilidia, son benjamin prit place sur le banc.

— On ne va pas se redonner nos noms ? commença-t-il.

— Ce ne sera pas nécessaire, je pense.

— Odélie disait vrai, tout à l'heure. Ernestine ne cesse pas de parler de vous.

— C'est une très gentille fille.

Cette nouvelle conversation porta essentiellement sur la vie à l'école, alors que la précédente s'était montrée plus personnelle. Cela augurait-il bien, ou mal ? Félicité ne se souciait guère de la question. Après cinq ou six minutes, un jeune paysan un peu empoté vint « clencher » Élie d'une poignée de main pour prendre sa place. Il l'entretint des dégâts dus aux chenilles dans le champ d'avoine de son père et l'assura que, le jour de son mariage, il posséderait sûrement sa propre terre.

— Je vais passer tout l'hiver au chantier et en revenant, si j'arrête à Hull, ce sera seulement pour prendre un bain. Je ne dépenserai pas une cenne là-bas.

Son souci d'économie et son sens moral visaient évidemment à rassurer sa voisine pour mieux la charmer. Il se fit « clencher » par un garçon intimidé au point d'en perdre ses mots.

Au bout de trente minutes, après avoir bu un verre de vin de cerise et échangé avec cinq jeunes hommes bavards ou silencieux, assurés ou timides, Félicité se réjouit de l'arrivée d'Odélie chargée de deux gros sacs de jute, un dans chaque main.

— Maintenant, je vais vous faire travailler un peu, dit-elle. Videz ça sur le plancher, et mettez-vous à deux pour tout éplucher. Les feuilles vont dans la poche, bien sûr, pas partout sur le plancher.

Puis elle posa un sac devant l'institutrice et son dernier cavalier, un fils de cultivateur un peu rougeaud, leur second voisin de droite.

— Je vais l'ouvrir, se dévoua son compagnon en se penchant.

Un amoncellement d'épis de maïs se trouva devant eux. L'homme lui en tendit un, puis commença à en éplucher un autre. L'opération se déroulait, pour certains couples, avec des fous rires. Au terme de cette soirée, deux ou trois garçons demanderaient sans doute à des jeunes filles la permission de les visiter chez elles. Félicité se réjouissait silencieusement que le règlement des écoles de la paroisse lui interdise de recevoir un cavalier. Elle n'aurait pas à faire un choix pareil.

— Ah, j'en ai un! s'écria Ilidia, en levant un épi rouge au bout de son bras.

— Oui, tu as raison, dit la maîtresse de la maison après vérification, comme si elle craignait une fraude. Tu vas donc aller embrasser celui des garçons que tu as trouvé le plus avenant.

Pas trop intimidée par cette exigence, la paysanne se dirigea vers le cultivateur économe et moral, pour poser ses lèvres sur la joue offerte. Le geste fut souligné par des «Oh! Oh!» paillards. L'institutrice se mit à rougir, redoutant la suite.

— Tu y prends plaisir, Ilidia, déclara une jeune fille avec un ricanement d'où pointait un peu de déception.

— Octave est plus rouge que la crête de son coq, hurla un garçon.

Les rires et les conversations se poursuivirent un peu plus fort que précédemment, alors que les mains arrachaient les feuilles et les soies adhérant aux grains pour les enfouir dans les sacs de jute. Odélie passait autour de la salle pour ramasser les épis. Déjà, son mari avait allumé le poêle pour y placer une grande marmite à demi remplie d'eau. Un jeune homme trouva un épi rouge et se livra timidement au rituel convenu. Puis, ce fut au tour de Samuel Richard.

— Ah! Quelle sera ta préférée? demanda le père Samson.

— Le charme des femmes qui viennent de loin, je n'y résiste pas.

Un sourire satisfait sur les lèvres, il s'approcha rapidement de Félicité et, en lui mettant la main sur le cou, juste sous l'oreille, se pencha pour lui embrasser la joue. Le contact des doigts rugueux mais légers sur sa peau, puis celui des lèvres, l'inconvenance de la situation, tout cela la fit rougir jusqu'aux oreilles. Mais, au-delà de la gêne, un plaisir étrange lui alourdit le ventre.

Quand le garçon se releva, il lui adressa un clin d'œil. Quelques-uns de ses compagnons battirent des mains, enviant sans doute un peu son audace, alors que les jeunes filles de la compagnie présentaient des mines déçues. Cette concurrente venue de loin, comme l'avait dit Samuel, leur soufflerait-elle l'un des bons partis du coin ?

Le gaillard regagna sa place et le voisin immédiat de Félicité se leva en disant :

— Je vais fumer une pipe.

L'information la laissa indifférente, ou plutôt elle la soulagea un peu. Mieux valait ne plus avoir ses yeux globuleux sur elle. Assis dans la quatrième marche de l'escalier, Floris regarda l'homme sortir de sa poche une blague à tabac taillée dans une vessie de porc. Les yeux de l'enfant se portèrent ensuite sur la place laissée libre, pleins d'envie.

— Tu en veux encore ?

Odélie se tenait devant l'institutrice, sa bouteille de liqueur à la main.

— Pourquoi pas.

La boisson lui donnerait une contenance. Après avoir bu la moitié de son verre, la jeune femme reporta son attention sur les épis de maïs. La malchance la poursuivait : elle fut la suivante à découvrir des grains rouges. Avant qu'elle puisse le faire disparaître sous le banc, Ilidia cria :

— Elle en a un, elle en a un !

— Ah ! Félicité sera la prochaine à embrasser le garçon de son choix, s'exclama Odélie.

— Non, non !

La protestation amusa les invités.

— Voyons, il y a certainement un homme qui te plaît dans l'assemblée, commenta l'hôtesse.

Sur sa marche d'escalier, Floris se redressa, les yeux écarquillés.

— Bien sûr, quelqu'un de tout à fait charmant.

L'institutrice marcha vers le garçon, l'embrassa sur la joue puis lui passa la main dans les cheveux. Les visages butés des hommes lui échappèrent alors que les conversations reprirent graduellement. Elle leur préférait un enfant !

Floris attendit que sa mère se tourne vers la marmite pour en retirer des épis fumants avant d'oser bouger. Comme une ombre, il se glissa près de son institutrice qui épluchait toujours des épis.

— Je vais t'aider, sinon tu n'y arriveras pas toute seule.

— Tu es gentil. Je n'ai pas l'habitude.

— Il t'a abandonnée.

Le jeune cultivateur était revenu, mais au lieu de reprendre la place laissée libre, il préférait faire la conversation avec la mère Samson.

— C'est vrai que je suis le plus... charmant ? reprit l'enfant après une pause.

— Certainement, parmi les garçons de sept ans.

La réponse ne le satisfaisait pas vraiment. Odélie posa des épis de maïs cuits dans les assiettes. Toutefois la majeure partie de la récolte serait mise à sécher, puis égrenée et transformée en farine. Elle se détourna de sa corvée pour prendre un petit bol et revenir vers ses invitées.

— Avant de passer au réveillon, j'ai des petites galettes pour les demoiselles. Qui en veut ?

Un rire nerveux accueillit cette offre.

— Félicité en veut une, intervint Floris.

— C'est vrai ? demanda-t-elle, un peu de surprise sur le visage.

L'étonnement de la maîtresse de maison échappa à la visiteuse.

— Pourquoi pas, dit la jeune femme.

Le second verre de liqueur lui tombait un peu sur le cœur, manger quelque chose lui ferait du bien. Quand la jeune femme en prit une pour mordre dedans, tout le monde la regarda en silence. Il s'agissait de pain sans levain, étrangement salé. Elle mordit encore, résolue à ne pas heurter la susceptibilité de ses hôtes.

— Tu vas rêver au petit, je suppose, lança son dernier cavalier.

La remarque semblait n'avoir aucun sens. Les autres jeunes femmes mangèrent une galette à leur tour. Phidias, de son côté, distribuait les épis de maïs aux hommes tout en leur proposant une nouvelle lampée de son alcool.

Pendant une demi-heure les mâchoires s'activèrent sur les épis bien salés et beurrés. Les couples se réunissaient en fonction des affinités découvertes au cours de la soirée. Il devait bien être dix heures quand l'aîné des Richard quitta son banc pour s'approcher de ses hôtes.

— Merci de votre invitation. Ça a été bien plaisant, mais je dois vous quitter. À la prochaine.

L'homme eut droit à une poignée de main, la femme à une bise sur la joue. Quand Élie s'exécuta à son tour, son frère s'arrêta devant Félicité.

— Mademoiselle Drousson, l'école est sur notre che min. Voulez-vous rentrer avec nous ?

Le souvenir du baiser reçu plus tôt dans la soirée l'amena à répondre :

— Non, c'est gentil mais je vais rester encore un peu.

— Alors bonne fin de soirée, dit le jeune homme un peu déçu.

Ces premiers départs agirent comme un signal. Le couple Samson quitta bientôt les lieux avec ses deux grandes filles en remorque. Floris dut regagner son lit à contrecœur et l'institutrice considéra cela comme son congé.

— Merci, Odélie, dit-elle en lui prenant les mains.

— J'espère que tu as aimé. À l'école, trouves-tu ta paillasse assez bien rembourrée ?

La question la prit totalement au dépourvu. Son interlocutrice précisa sur le ton de la plaisanterie :

— Les feuilles de maïs sont bien plus confortables que la paille, je t'assure.

— Je ne sais pas…

En réalité, étendue sur sa couche, elle sentait très bien les lames de fer du lit.

— Tu ne me priveras pas, tu sais. Dans le rang, on en aura assez pour coucher une armée. Prends-en deux poches.

Les sacs de jute se trouvaient sur le perron.

— D'accord. Merci beaucoup, Odélie, et bonne nuit.

Elle lança un « Au revoir » à la ronde après avoir échangé une poignée de main avec Phidias. Lorsqu'elle empoigna un sac dans chaque main, une voix derrière elle fit :

— C'est trop lourd pour vous, je vais vous aider.

C'était son dernier cavalier, le plus ennuyant du lot, prénommé Thaddée.

— Non, ça va.

— Allons, donnez-moi ça.

Il les lui arracha plus ou moins des mains et descendit les quelques marches. Elle n'avait d'autre choix que de le suivre.

L'homme marchait vite. Cela convenait à Félicité, car le froid la saisit. Sa petite robe de coton la protégeait bien mal. Quand ils entrèrent dans la cour de l'école, elle réprima un frisson.

Son chevalier servant posa les sacs près de la porte avant de se retourner vers elle.

— Merci, c'est très gentil à vous.

— Justement, ça vaut bien une récompense.

— ... Pardon ?

Félicité cherchait déjà la clé dans sa poche. La répartie la laissa totalement interdite.

— Ces deux sacs. Les avoir portés, cela vaut bien un petit bec.

L'institutrice trouva soudainement l'école bien isolée et la nuit bien noire. L'homme n'attendit pas, il la saisit par les deux bras et l'attira vers lui. Les doigts serraient très fort, au point de laisser des marques. Elle détourna la tête pour éviter que les lèvres masculines ne se posent sur les siennes. L'odeur du mauvais alcool et du maïs lui leva le cœur.

— Lâchez-moi, lâchez-moi ! cria-t-elle dans la nuit.

— Arrête de faire ta sainte-nitouche, la maîtresse d'école.

Il réussit à lui labourer la joue avec une langue pâteuse.

— Laissez-moi, je vous dis.

Elle dégagea l'une de ses mains pour lui asséner une claque au visage. Le geste ne pouvait lui faire mal. Il suffit tout de même à lui faire relâcher son étreinte.

— Allez-vous-en maintenant, sinon je hurle.

Elle hurlait déjà. L'autre eut un ricanement bref, puis lança, méprisant :

— Tu te trouves trop bien pour moi ?

Finalement, le cultivateur s'éloigna en grommelant «Maudite salope».

Félicité le regarda marcher jusqu'au chemin, puis approcha sa clé du trou du cadenas. Sa main tremblait. Elle souhaitait faire vite, mais l'émotion la rendait maladroite et elle mit deux bonnes minutes à ouvrir. Quand l'anneau de fer céda enfin, elle entra en coup de vent, ferma la porte en la claquant, la rouvrit pour récupérer les sacs et les oublier tout de suite dans un coin de la classe.

Une fois la barre de bois remise à sa place, la jeune femme se cogna trois fois le front contre le bois de la porte.

— Le cochon, le maudit cochon !

Sœur Saint-Jean-l'Évangéliste avait bien évoqué ce genre de danger pendant l'été, en laissant maintes fois entendre qu'un uniforme noir et un voile sur la tête la mettraient définitivement à l'abri. Félicité se surprit à détester les Simard pendant un instant. Elle regarda longuement par toutes les fenêtres avant de monter et fouilla des yeux l'obscurité avec une pointe d'inquiétude. Sur son lit, les couvertures sous le menton, le sommeil mit longtemps à venir.

La colère dominait le tourbillon des émotions du paysan énamouré. Le long du chemin vers la maison, l'air froid de la nuit le calma un peu, pour ne lui laisser que la honte et l'angoisse quand il ouvrit la porte de la maison paternelle. Cette prétentieuse risquait de répandre son histoire à droite et à gauche, pensait-il. Il deviendrait la risée du rang, sinon de toute la paroisse.

Le lendemain matin, il annonça à son père son intention de se rendre à la messe basse. L'initiative surprit la maisonnée, mais le désir d'allonger sa partie de chasse fournissait un prétexte parfait. Aussi assista-t-il à la cérémonie de sept heures au milieu d'une petite assemblée de dévotes.

Le prêtre et son unique servant de messe retournaient vers la sacristie à huit heures. Le temps de se départir de ses ornements sacerdotaux, l'officiant revenait dans la nef en surplis, une étole autour du cou. Il se trouvait toujours des personnes désireuses de se confesser. Le jeune homme se trouva derrière deux vieilles dames.

Quand son tour vint, Thaddée tira le rideau grenat et s'agenouilla sur le petit banc du réduit. L'homme commença une fois le guichet ouvert par le curé :

— Je confesse à Dieu tout-puissant, à la bienheureuse Marie toujours Vierge, à Saint-Michel-Archange, à Saint-Jean-Baptiste, aux apôtres...

La longue incantation du *Confiteor* représentait son entrée en matière. Il enchaîna ensuite :

— Mon père, je m'accuse de m'être saoulé à quelques reprises.

Il lui fallut peu de temps pour évoquer chacun des péchés capitaux. Il termina par la luxure, évoquant de mauvaises pensées, de mauvais touchers. Il commença l'*Acte de contrition* pendant l'absolution, après avoir reçu trois chapelets en guise de pénitence.

— Mon Dieu, j'ai un extrême regret de vous avoir offensé, parce que vous êtes infiniment bon, infiniment aimable, et que le péché vous déplaît...

Le confesseur enchaîna avec un «Allez en paix». Puis il fit mine de fermer le guichet.

— Attendez, monsieur le curé. Je voudrais vous dire quelque chose.

— Veux-tu venir me voir au presbytère ?

— Non, ce n'est pas la peine. Je voulais vous parler de la nouvelle institutrice.

L'intérêt de Sasseville s'éveilla vivement.

— Mademoiselle Drousson ?

— Oui. Hier soir, elle a participé à une veillée.

Le jeune homme décrivit en quelques phrases la fête de la veille.

— Tu ne répéteras rien de cela, n'est-ce pas? conclut le prêtre. La médisance est un vilain péché.

— Mais ce n'est pas tout, monsieur le curé.

— Quoi encore?

— Quand je suis revenu à la maison, je l'ai aperçue sur le perron de l'école avec un homme.

Le prêtre redoubla d'attention. Ses autres paroissiens attendraient bien encore un peu.

— Quel homme?

— Je ne sais pas. Il faisait noir, vous savez, et je me trouvais sur le chemin public.

— Et que faisaient-ils?

— Ils s'embrassaient, collés l'un contre l'autre.

Ce scénario correspondait bien peu à l'image que l'ecclésiastique se faisait de la couventine. L'aurait-il mal jugée?

— Tu sais certainement de qui il s'agissait. C'est probablement l'un des garçons invités chez les Simard.

— Peut-être, je ne sais pas. Pendant l'épluchette, le plus vieux des Richard l'a embrassée.

— … Bien. Va, maintenant. Il y a certainement encore des gens qui désirent se confesser.

Le jeune homme se leva, puis passa devant les regards sévères de quelques vieilles dames. Ses confidences si longues à l'oreille du curé laissaient deviner de nombreux péchés. La longue marche vers le rang Saint-Antoine permettrait à Thaddée de dire le premier chapelet de sa pénitence. Il aurait oublié les deux autres au dîner.

Chapitre 9

Félicité présentait des traits tirés et un visage buté lorsqu'elle monta dans la voiture des Simard. Odélie se retourna pour demander :

— Tu as bien dormi ?

— Non, pas très bien.

— Des mauvais rêves ?

De la tête, elle fit signe que non, regardant le garçon pour expliquer son silence.

— Écoute, cet après-midi mes deux hommes vont aller chasser la perdrix. Veux-tu venir m'aider à écosser les haricots ? Nous pourrons discuter un peu entre femmes.

L'institutrice souhaitait adresser des reproches à son amie pour lui avoir caché la véritable nature de la soirée de la veille. Elle gardait encore l'impression d'avoir été prise au piège. Elle acquiesça.

Comme d'habitude, les deux femmes et le garçon descendirent devant l'église. Phidias alla seul chercher un endroit où attacher son cheval. Elles se séparèrent à l'arrière du temple. Au lieu de regagner tout de suite le banc des institutrices, Félicité s'attarda, jeta un regard sur les quelques personnes alignées devant le confessionnal. Voilà un mois qu'elle habitait dans la paroisse sans s'être confessée ; des âmes charitables s'inquiétaient sans doute de son salut. Mieux valait passer par ce tribunal pour éviter les médisances.

La maîtresse se plaça derrière les autres. Après une dizaine de minutes, elle entra dans la boîte de bois et s'agenouilla. Le glissement du carreau devant elle l'amena à commencer le *Confiteor*. La fine résille dans l'ouverture permettait de voir la silhouette sombre de la grosse tête du curé.

— Mon père, je m'accuse de manquer parfois de patience envers les enfants.

— Je ne pense pas que cela compte parmi les péchés.

— Et j'ai même pour certains des pensées peu charitables.

La jeune femme n'avait guère l'occasion de commettre de nombreuses fautes. La faiblesse de ses revenus la mettait à l'abri de la gourmandise comme de la vanité. Quant à la luxure, le sujet ne lui effleurait même pas l'esprit. Il lui fallait s'inventer des fautes pour faire «bonne figure».

— J'ai terminé, mon père, dit-elle après quelques minutes.

— Vous en êtes certaine, mademoiselle Drousson?

La remarque la laissa totalement interdite.

— Mais oui… je crois n'avoir rien oublié.

— Vous savez que je peux vous refuser la communion, si je soupçonne une confession incomplète.

— Monsieur le curé, je vous assure…

L'institutrice était au bord des larmes.

— Ce n'est pas l'endroit pour avoir une conversation. Vous viendrez me voir au presbytère après la messe pour compléter cette confession. Je vous donnerai l'absolution à ce moment.

Elle allait de nouveau protester quand le prêtre referma le guichet. Réprimer son envie de cogner contre le carreau pour tirer la situation au clair lui fut difficile. Abasourdie, elle quitta le petit réduit pour se rendre à son banc. Elle salua discrètement les autres institutrices, puis s'absorba dans ses pensées, repassant en mémoire toutes ses actions au cours du dernier mois afin de trouver celle qui méritait une telle attitude de la part de son curé.

À la communion, Félicité s'effaça pour laisser passer ses collègues. La menace à peine voilée de Sasseville la pétrifiait. Se faire refuser l'hostie à la sainte table devant les autres paroissiens la ferait mourir de honte. Elle resta plutôt dans le banc, sous les regards accusateurs des autres ouailles.

À la fin de la messe, l'institutrice chercha à éviter toute conversation. Elle glissa à Odélie en sortant :

— Je rentrerai à pied, je dois voir monsieur le curé.

— Nous pouvons attendre.

— Non, je n'ai aucune idée de ce qu'il me veut. Rentrez tout de suite. Marcher me fera du bien, de toute façon.

— Tu viendras cet après-midi ?

La jeune femme acquiesça d'un mouvement de la tête. Elle traversa la cour de l'église et frappa à la porte du presbytère. La vieille femme vint lui ouvrir.

— Monsieur le curé m'a demandé de venir le voir.

— Il est à l'église.

— Je sais, c'est là qu'il m'a donné rendez-vous.

— Bon, suivez-moi.

Un peu à contrecœur, la ménagère la conduisit au bureau de son fils.

— Ne touchez à rien.

— … Mais bien sûr, répondit Félicité, décontenancée par semblable méfiance.

La jeune femme examina la pièce une fois seule. Les meubles paraissaient austères, des rayonnages de livres se trouvaient derrière le siège de l'occupant des lieux. Un meuble bas présentait une serrure, les registres de la paroisse devaient s'y trouver. Mentalement, elle commença une prière : «Je vous salue, Marie […]».

— Oh! Vous êtes déjà là, l'interpella Sasseville dans son dos.

Il ferma soigneusement la porte et alla prendre sa place derrière le bureau.

— Vraiment, monsieur le curé, je ne comprends pas. Je vous ai confessé tous mes péchés.

— Vous êtes certaine?

La dérision marquait la voix. À nouveau, la maîtresse voulut plaider, la protestation s'étrangla dans sa gorge.

— Hier soir, vous êtes allée à une veillée.

— … Oui, c'est vrai. Mais ce n'est pas une faute.

— Vous ne vous souvenez pas du règlement des écoles?

Elle comprit alors. Dès le matin, quelqu'un l'avait dénoncée au curé.

— Oui, je me souviens. Mais quand madame Simard m'a invitée, je ne savais pas de quoi il s'agissait. Je pensais être seule avec la famille…

— Ce n'était pas une soirée ordinaire, mais une veillée «à clencher», où des jeunes gens des deux sexes se côtoient pour rechercher le bon parti. Cela doit conduire à des fréquentations, les bons soirs.

— Je ne savais pas, je vous assure. Au couvent…

— C'est vrai, chez les religieuses vous n'avez rien appris des choses de la vie.

Félicité trouva assez de sympathie chez son interlocuteur pour soupirer légèrement. La suite la déçut :

— Le petit vin de cerise d'Odélie était à la hauteur ?

Le rouge lui monta aux joues. L'autre continua :

— Vous en avez pris deux fois.

— … Mon père, je m'accuse du péché de gourmandise.

La crainte de perdre son emploi lui nouait le ventre maintenant. Sottement, elle avait écorché deux des règlements de la commission scolaire.

— Il semble aussi que vous ayez été la première à prendre une galette salée.

— Mais qui vous a raconté tout cela ?

— De qui avez-vous rêvé ensuite ?

Elle secoua la tête. Pour la troisième fois, quelqu'un évoquait ses songes.

— Je ne comprends pas…

L'institutrice retenait ses larmes.

— Je sais, je sais, le couvent. Je vais devoir écrire à la directrice pour lui demander de ne pas laisser des jeunes filles dans une totale ignorance des choses essentielles. Selon la croyance, cette petite galette devait vous permettre de rêver de votre promis. Vous avez démontré un tel empressement à prendre la première… Vous devez avoir bien hâte d'être dans les bras de votre amoureux.

Le rouge lui monta aux joues encore une fois. Elle devait être la risée de tout le rang Saint-Antoine, maintenant.

— Je vous assure, je ne savais pas.

— Et l'épluchette de blé d'Inde ?

— Ce n'est pas un péché !

— Le plus vieux des Richard vous a embrassée. Il vous plaît ? Vous avez rêvé de lui ?

Elle secoua la tête de droite à gauche, proche du désespoir.

— Tu sais, dit le prêtre en passant brusquement au tutoiement, à ton âge, désirer un garçon, vouloir l'embrasser, et même plus, c'est tout à fait naturel.

— Je ne voulais pas l'embrasser.

— Voyons, c'est dans la nature des choses, ces envies sont normales. Ton corps est développé. Regarde les animaux autour de toi. La négation de ces inclinations tient de la maladie, ou du péché. Dieu nous a faits ainsi, nous devons respecter ses desseins.

Cette interprétation de la religion et des rapports amoureux laissa son interlocutrice interdite. Elle secouait toujours la tête de droite à gauche.

— La difficulté, ma petite Félicité, c'est que tout ce qui est normal pour une autre jeune fille de la paroisse ne l'est pas pour une institutrice. Tu ne peux pas aller à une veillée « à clencher », ni participer à une épluchette de blé d'Inde. Même prendre une petite galette salée dans un bol peut monter les paroissiens contre toi. Tu dois être parfaite, une véritable sainte.

— Alors, mon père, je m'accuse de tous ces péchés. Me donnerez-vous l'absolution ?

— Je ne pense pas que ta confession soit complète encore.

— Elle l'est, je vous assure.

Longtemps, ils se fixèrent des yeux.

— Le baiser devant la porte de l'école ?

— Mais il m'a forcée !

Le cri résonna dans la pièce, sans doute audible dans toute la demeure. Puis elle éclata en sanglots. Après un moment, l'homme quitta son siège, vint se placer derrière elle pour la prendre par les épaules et amorcer un mouvement caressant.

— Va, ma petite, pleure. Cela te soulagera.

Les doigts du prêtre jouèrent dans les cheveux châtains, sous le rebord du chapeau de paille. La tenue de la jeune femme devenait totalement hors saison. Finalement, elle réussit à retrouver le mouchoir dans son sac pour souffler dedans.

— Je vous assure, il m'a forcée. J'en ai des marques sur les bras.

Sasseville eut envie de lui demander de les lui montrer.

— Ce gars, quel est son nom?

— Thaddée, je pense. Il m'avait offert de porter deux sacs de feuilles de maïs.

«Quel petit salaud», songea le curé. Non seulement il tentait de la forcer, mais en plus le lendemain, en racontant son histoire, il essayait de la faire chasser de la paroisse.

— Je te crois. Si tu te mets à genoux, je te donnerai l'absolution.

Sans hésiter, son mouchoir toujours sous le nez, Félicité fit comme il le lui demandait.

Son visage se trouvait à la hauteur du ceinturon du prêtre. Elle récita les paroles de l'*Acte de contrition*, il traça une croix dans les airs en marmonnant des mots latins.

L'abbé Sasseville lui tendit la main pour l'aider à se relever.

— Tu devras me faire confiance et me dire toute la vérité, la prochaine fois.

— Je ne voulais pas vous mentir. Je ne pensais pas que c'était péché, je vous assure.

— Ça va, tu peux rentrer maintenant.

Lorsque l'homme lui fit signe de se diriger vers le couloir, la visiteuse demanda dans un souffle :

— Vous croyez que je risque de perdre mon emploi ?

— Je ferai tout mon possible pour faire taire les mauvaises langues. Crois-moi, Félicité, dans cette paroisse tu n'as pas de meilleur ami que moi.

— … Je vous remercie.

En l'accompagnant jusqu'à la porte, il posa le bras autour de la taille de la jeune femme, très bas. Sa vieille mère les regardait depuis l'entrée de la cuisine. Il dit encore avant de la laisser partir :

— Et tu sais, ma fille, j'attends toujours de te recevoir à ma table.

— … Merci, monsieur le curé.

Elle descendit très vite les marches du perron en s'essuyant les yeux. Quand la porte du presbytère fut refermée, la ménagère dit, depuis son poste d'observation :

— Philomire, tu crois que c'est prudent ?

— Quoi ? Cette demoiselle a besoin d'une direction spirituelle. C'est mon métier de lui apprendre à distinguer le bien du mal.

La vieille secoua la tête, un peu découragée.

Le temps de parcourir le mille la séparant du rang Saint-Antoine, Félicité put reprendre un peu ses esprits. Bien sûr, le règlement était clair. Elle devait s'abstenir de se présenter à des soirées et de recevoir des hommes à l'école. Cette règle devait désigner aussi le perron de la bâtisse. Elle se trouvait doublement fautive.

Mais qui pouvait l'avoir dénoncée ?

Un peu plus tard à sa table de travail, devant une tartine couverte de confiture, l'institutrice demeurait encore les yeux dans le vague, inquiète. Si quelqu'un portait plainte à la commission scolaire, cela lui coûterait son poste. Le curé pourrait-il la sauver, dans ce cas ? Une bouffée de reconnaissance pour cet homme qui pourtant la mettait mal à l'aise lui gonfla la poitrine. Il avait raison : personne d'autre ne lui viendrait en aide.

L'idée même de devoir retourner au presbytère de Saint-Jacques, sans aucune ressource, après tous les sacrifices de sa mère, lui paraissait insupportable. Il n'y avait pas pire situation, selon elle. Elle déposa finalement la tartine dans l'un des seaux de fer-blanc, incapable d'avaler quoi que ce soit.

Dans son vieil uniforme scolaire, Félicité se présenta chez les Simard largement après deux heures. La paysanne se trouvait assise sur le perron, un amas de petites branches aux feuilles déjà séchées devant elle.

— À cette heure, je ne t'espérais plus, dit Odélie avec son meilleur sourire.

— Le curé m'a mise en retard. Puis j'ai hésité à venir.

Elle s'assit près de sa voisine, la mine butée et en soupirant.

— Comment ça ? interrogea l'autre en lui tendant un bol de fer-blanc.

La jeune femme se pencha pour prendre un pied de haricot et commencer à écosser.

— Tu vas m'expliquer ?

— Le curé voulait me voir pour me reprocher mon comportement. J'ai peur de me faire mettre dehors.

— Qu'est-ce que tu racontes ?

— La veillée, hier, chuchota-t-elle. C'était mal.

— Mais pourquoi ? Des épluchettes de blé d'Inde, il y en a dans tous les rangs, ces jours-ci. C'est une façon de fêter la Saint-Michel.

— Mais le règlement des écoles de Saint-Eugène interdit spécifiquement aux maîtresses de participer aux veillées. En plus, une veillée… « à clencher ».

L'autre eut un rire bref, puis reprit à voix basse :

— Comment veux-tu que les garçons rencontrent des filles, autrement ? À douze ou treize ans, la plupart des jeunes abandonnent l'école ; ils n'ont plus aucune occasion de se voir, sauf sur le perron de l'église.

— Je veux bien. Le curé m'a dit que tout cela était convenable pour les autres personnes de mon âge, mais pas pour les institutrices.

— Elles doivent rester vieilles filles ?

Félicité haussa les épaules. Ses deux jeunes collègues dans la paroisse habitaient chez leurs parents. Personne ne leur reprochait de participer aux soirées tenues chez ceux-ci, car ils étaient garants de leur moralité.

— Le pire, c'est que j'ignorais totalement ce qui m'attendait hier.

— C'est juste une façon pour les hommes de parler aux jeunes femmes des environs… Tu as vu, ça se passe en riant, entre voisins. En tout cas, je m'excuse si je t'ai fait du tort.

— Non, ne t'excuse pas. J'ai été idiote. Je ne me doutais même pas que tu offrais une veillée.

— Voyons, à Saint-Jacques…

— J'ai grandi au couvent. J'ai entendu parler de fêtes de ce genre par d'autres élèves. Mais les sœurs n'abordaient pas ce genre de question... En plus, ma mère est la ménagère du curé.

— Seigneur!

Tout en discutant, les deux femmes arrachaient les cosses, les ouvraient pour en faire tomber les grains du bout du pouce. Une fois de temps en temps, elles vidaient les bols dans un sac de jute. Tous les vendredis, les «bines» reviendraient sur la table de ces paysans. Malgré l'interdit de manger de la viande ce jour-là, chacun fermait les yeux sur les morceaux de lard et les poitrines de perdrix ajoutés à la légumineuse.

— Je me sens comme une enfant, confia Félicité après un silence, je ne sais rien de la vie. Même la galette... Tu te rends compte, j'ai été la première à en prendre une.

— Et tu n'as pas rêvé d'un garçon? Même pas de Floris? demanda son amie avec un sourire.

— Même pas.

— Ni de Samuel?

Cette fois, le rose monta aux joues de l'institutrice. L'audace du grand gaillard la troublait encore. Maître de lui, sûr de sa force, il représentait certainement un excellent parti.

— Mais j'y pense, dit Odélie. Si le curé a demandé à te voir pour t'en parler, il était donc au courant...

— De tout: le bec de Samuel, la galette, les deux verres de liqueur. Même de...

Félicité laissa la phrase en suspens, réprimant un frisson.

— Il s'est passé autre chose?

— ... J'ai tellement honte!

— Voyons, dis-le-moi. Tu peux me faire confiance.

— Quand je suis partie hier, Thaddée a insisté pour porter les sacs à ma place.

— J'ai remarqué qu'il est parti en même temps que toi.

Si les autres confidences avaient paru difficiles, celle-là la laissait particulièrement intimidée.

— Arrivé à l'école, il m'a embrassée de force.

— Tu n'es pas sérieuse.

Le scepticisme de son amie la blessa. Félicité regarda autour d'elle pour s'assurer que personne ne pouvait la voir. Elle déboutonna le devant de sa robe, abaissa la manche droite pour révéler le haut de son bras. Trois traits rouges parallèles témoignaient de la brutalité des mains du paysan.

— Seigneur ! Ma pauvre amie.

— De l'autre côté, c'est pareil, dit-elle en se reboutonnant très vite.

— Si tu veux, Phidias peut lui parler.

Odélie serra le poing devant elle, pour indiquer combien une conversation de ce genre entraînerait des ecchymoses et des bosses.

— Non, ce serait pire…

Déjà, la maîtresse craignait de se voir dénoncer en public pour la veillée. Mieux valait ne pas multiplier les ennemis au sein de la population du rang en encourageant la vengeance.

— Et le curé savait ça aussi ?

La paysanne ne dissimulait pas sa surprise.

— Oui. Quelqu'un devait me surveiller depuis le chemin, ou alors dissimulé dans les buissons.

— Mais qui ? Ça n'a pas de sens.

— Je ne sais pas… Les Malenfant ne paraissent pas me porter dans leur cœur, depuis qu'Ernestine me donne un coup de main avec les petits.

— Pour ça, et pour autre chose.

En quelques mots, elle évoqua la volonté farouche de Griphine d'occuper le poste de maîtresse d'école.

— Elle ne pourrait pas…

— Floris m'a raconté, quand tu lui as demandé d'aider. Il partage ton opinion sur elle, alors que la petite Richard lui paraît bien gentille.

— Si ce n'est pas l'un des Malenfant, je ne vois pas. À moins que Samuel…, ajouta-t-elle après un silence.

Son soupçon amusa sa compagne. Le temps de vider les deux bols de fèves dans le sac, celle-ci revint à sa place pour dire :

— Ma pauvre vieille, les religieuses ne sont pas bien compétentes pour apprendre aux filles à connaître les hommes. Samuel a un cœur d'or.

— Il m'a embrassée.

— Dans la cuisine, devant tout le monde.

— Après il a voulu me reconduire à l'école.

L'institutrice s'imaginait que, frustré de son refus, le jeune homme s'était tapi dans l'ombre pour l'espionner.

— Avec son frère ! Écoute, je ne sais pas pour toi, mais avec ces deux garçons, je me sentirais en parfaite sécurité. Puis regarde-les bien la prochaine fois que tu les rencontreras : aucun des deux, même des trois frères, n'a besoin de forcer les filles à les embrasser.

— C'est une curieuse famille, sans père.

— À sa mort, ils se sont tous serré les coudes. Maintenant, avec trois grands garçons, ils se tirent très bien d'affaire. Mais au début, ils ont mangé de la misère et de la vache enragée.

Félicité le devinait bien un peu, au gré des quelques confidences d'Ernestine. Si son amie avait raison, le mystère restait entier. La dénonciation qui avait eu lieu une douzaine d'heures après la veillée, venait nécessairement d'une personne figurant dans la liste des invités.

— Tout à l'heure, remarqua Odélie avec sympathie, tu as parlé du risque de perdre ton emploi. Tu étais sérieuse ?

— J'ai fait un accroc au règlement.

— Si tu veux, je vais aller rencontrer monsieur le curé pour lui expliquer. C'est ma faute.

— Il m'a assuré être de mon côté. Je lui ai tout raconté.

L'autre hocha la tête, bien résolue à prendre le parti de l'institutrice dans toutes les rencontres sociales. À la fin, avec un sourire taquin, elle demanda :

— Tu as aimé mon petit vin de cerise ?

— Un peu trop ! Après le second verre la tête me tournait.

— Tu en veux un peu ?

— Selon le curé…

— Allons, nous sommes entre nous. Viens.

La liqueur demeurait toujours aussi sucrée, et un peu enivrante. Pendant l'heure suivante, la corvée s'accompagna de quelques fous rires. Quand le père et le fils revinrent de la chasse, ils portaient chacun deux perdrix.

— Bonjour, Félicité, commença Floris avec sa pétulance habituelle. Celle-là, c'est moi qui l'a tuée.

— C'est bien vrai ?

— Oui, c'est vrai. Elle était par terre, dans un buisson. Papa m'a passé le fusil. J'ai visé, et paf !

L'enfant mimait toute l'action, même le recul brutal de l'arme contre son épaule.

— Vous en accepterez bien une, mademoiselle Drousson ? demanda Phidias.

— Non, c'est trop…

— Nous n'en mangerons pas quatre en un seul repas, et en cette saison, la température ne permet pas encore de les conserver bien longtemps.

— Tu prendras celle que j'ai tuée, tenta de la convaincre Floris.

Pour finir, elle accepta en rougissant un peu. Ces attentions multipliées la mettaient mal à l'aise. Cette question réglée, l'homme se tourna vers son fils en disant:

— Bon, mon garçon, tu as appris à tuer une perdrix, maintenant je vais te montrer comment la vider.

L'homme posa son arme sur le perron après s'être assuré qu'elle ne contenait plus de balles, puis entraîna Floris vers l'étable.

— Je suis gênée d'accepter, confia Félicité.

— Et moi de t'avoir placée dans l'embarras hier. Si tu veux un peu de ces fèves…

— Je n'ai pas de pot de terre cuite pour les préparer.

— Alors j'en mettrai deux dans le four cette semaine, dont un petit pour toi.

L'idée faisait saliver la jeune femme.

— Si je paie, je veux bien. Sinon…

La nuit tombait déjà. Félicité rentra chez elle un volatile à la main. Elle scrutait les taillis, certaine que quelqu'un devait se terrer dans l'obscurité.

Chapitre 10

La mission de visiter les écoles incombait à double titre au curé Sasseville. Comme pasteur d'abord, la législation lui donnait la responsabilité de l'apprentissage du caté-chisme et de la religion. En tant que commissaire, il pouvait venir vérifier le déroulement de la classe à tout moment.

Le jeudi 4 octobre, il se présenta à l'école numéro 3, conduit par son père. Ses coups sur la porte avant interrom-pirent la leçon d'histoire sainte. Félicité vint enlever la barre de bois pour ouvrir.

— Vous vous enfermez pour enseigner? demanda-t-il, moqueur.

— Les enfants utilisent toujours l'autre entrée. Bonjour, monsieur le curé.

L'institutrice se tourna vers la classe en disant :

— Regardez la belle visite que nous avons aujourd'hui. Levez-vous pour accueillir le curé comme je vous l'ai montré.

Avec un ensemble bien imparfait, tous se levèrent en disant :

— Bonjour, monsieur le curé.

L'ecclésiastique s'engagea entre les tables alignées. Son regard s'arrêta sur Griphine. Elle se tenait un genou sur le banc, un poing sur la hanche, un sourire un peu trouble sur les lèvres.

— Ah! Ma grande, il y a longtemps que tu n'es pas venue au presbytère.

— Vous n'avez qu'à me dire quand je peux vous visiter.

Félicité songea à la réprimander devant pareil sans-gêne mais le sourire dans les yeux du visiteur la retint.

— Alors, vous êtes tous bien sages ? continua ce dernier.

Le « oui » parut un peu hésitant, comme si certains doutaient de la réponse à donner.

— Je l'espère bien, car vous avez une maîtresse à la fois gentille et très compétente.

Certains élèves accueillirent l'affirmation avec une mine perplexe.

— Parmi vous, lesquels marcheront au catéchisme au printemps ?

Une demi-douzaine de mains se levèrent, celles des écoliers âgés de neuf et dix ans. Pour certains garçons, la première communion qui s'ensuivrait marquerait la fin de la scolarité. Les plus motivés attendraient leur confirmation.

— Et combien, parmi eux, marcheront dans les étoiles ? demanda le prêtre, cette fois en se tournant vers la jeune femme.

— Un ou deux, j'en ai bien peur.

— Vous me direz lesquels.

Si l'usage voulait que le catéchisme soit appris par cœur, de la première à la dernière question, certains enfants se montraient incapables d'une telle prouesse. Dans ce cas, ils devaient au moins connaître les réponses marquées d'un astérisque, appelé « étoile ». L'institutrice approuva d'un signe de tête.

— Maintenant, je vais poser quelques questions aux petits. Les autres, chut.

L'homme posa son index en travers de ses lèvres.

— Alors, qu'est-ce que l'homme ?

Malgré la directive, quelques mains se levèrent chez les plus âgés. Seul Floris se manifesta parmi les plus jeunes.

— Oui, mon petit?

— L'homme est un être composé d'un corps et d'une âme, et créé par Dieu à son image et à sa ressemblance.

Pendant la récitation, l'enfant gardait les yeux rivés sur la maîtresse, réfugiée au fond de la classe, un peu en retrait, comme pour se donner confiance.

— Très bien. Maintenant, vous autres là, dites-moi quels sont les jeûnes d'obligation. Ils font partie des commandements de l'Église.

Il fixait les yeux sur la section à droite. Un silence accueillit la question.

— Les vendredis, risqua Griphine.

— Non, ma grande. Les vendredis sont des jours maigres, ou d'abstinence. Il suffit de se priver de viande. Quelqu'un d'autre veut essayer? Quels sont les jeûnes d'obligation?

Ernestine échangea un regard avec Félicité, puis elle leva un doigt timide.

— Tu es bien la petite Richard?

— Oui, monsieur le curé.

— Alors vas-y, les jours de jeûne?

— Le carême dans son entier, excepté les dimanches. Les mercredis, vendredis et samedis des quatre-temps, les vigiles de la Pentecôte, de la Toussaint et de Noël, ainsi que la veille de la solennité de l'Assomption.

Il s'agissait des mots exacts du *Petit catéchisme*.

— Tu as une très bonne mémoire.

— Oui, monsieur le curé.

— ... Et pas beaucoup de modestie.

L'adolescente essuya la rebuffade en fronçant les sourcils. Elle décida de se taire jusqu'à la fin de la visite. Le prêtre posa encore quelques questions, avec un succès relatif. L'ascendant qu'exerçait l'éminent personnage sur les enfants étant palpable, l'émotion coupait la parole à la plupart. À la fin, l'ecclésiastique passa à la vérification des connaissances en français, tout en ne délaissant pas la religion.

— Mademoiselle Drousson, prêtez-moi votre *Petit catéchisme*, et vous, les enfants, sortez votre cahier d'écriture.

Un instant plus tard, il commença :

— Prière au saint ange gardien.

Quinze têtes se penchèrent sur les tables, les crayons crissèrent sur le papier.

— «Ange de Dieu, qui êtes mon gardien, puisque le ciel m'a confié à vous dans sa bonté, éclairez-moi, dirigez-moi et gouvernez-moi aujourd'hui. Ainsi soit-il.»

Ces quelques lignes suffirent à faire ouvrir de grands yeux désespérés aux plus jeunes. Le titre à lui seul les plongea dans le plus grand désarroi. De la main, l'institutrice les apaisa.

— Maintenant, venez me montrer cela, dit le curé.

Il s'adressait au seul côté droit de la classe, ce qui soulagea définitivement les plus jeunes. Une ligne se forma devant la table de travail où le prêtre s'était installé. L'homme n'en était pas à ses premières corrections. Muni d'un crayon, il encercla rapidement les erreurs sur une première copie.

— Quinze fautes pour une trentaine de mots, commenta-t-il en s'adressant à la première élève, et mon œil doit être moins exercé que celui de mademoiselle Drousson.

L'écolier suivant s'approcha avec une certaine appréhension et obtint un jugement plus sévère encore. Quand Ernestine arriva près de lui, elle tendit son cahier tout en conservant une certaine distance. Le reproche concernant son orgueil, émis plus tôt, lui restait en travers de la gorge.

— Eh bien ! Jeune fille, tu sembles avoir aussi une bonne orthographe. Ta mémoire te sert bien.

Elle regagna sa place avec un sourire satisfait ; aucun trait de crayon ne marquait sa copie. La dernière à se présenter devant le curé fut Griphine. Pour mettre son exercice d'écriture sous les yeux de Sasseville, elle s'approcha au point d'appuyer ses cuisses contre la table, la hanche contre l'épaule masculine.

— Ah ! Ma petite, tu as une façon bien personnelle d'écrire.

— Merci, monsieur le curé.

Au ton du pasteur, la remarque ne pouvait être un compliment. Pourtant, il ne fit aucune annotation sur la copie. De la place où elle se tenait, sous le grand crucifix accroché au mur, Félicité vit la main de son pasteur se poser en haut de la cuisse de l'adolescente, descendre en un mouvement léger.

— Allez, va t'asseoir maintenant.

Il la suivit des yeux, puis reprit la parole pour dire :

— Maintenant, nous allons passer aux confessions. Il sera bientôt midi, ceux qui n'ont pas fait leur première communion peuvent aller en récréation tout de suite. Pour les autres, vous passerez dans l'appentis à tour de rôle. Mais avant, mademoiselle Drousson va prononcer avec vous la prière de préparation à l'examen de conscience.

L'homme lui tendit le *Petit catéchisme*. Sans l'ouvrir, elle commença de mémoire :

— « Mon Dieu, donnez-moi la lumière nécessaire pour connaître mes péchés, et la grâce de les détester de tout mon cœur […]. »

Elle continua de sa voix douce jusqu'au bout, les mains jointes à la hauteur de la taille.

Le curé Sasseville prit la chaise de l'institutrice pour la déplacer dans l'appentis. Les plus jeunes purent quitter la classe pour aller à leurs jeux un peu plus tôt que d'habitude.

— Maintenant, dit Félicité en se tournant vers les autres, qui veut aller à confesse en premier ?

Personne ne se manifestant, elle dut insister un peu.

— J'y vais, déclara finalement Ernestine.

Elle semblait vouloir se débarrasser tout de suite d'une corvée désagréable.

— Les autres, dit Félicité, recueillez-vous comme ceci, les mains jointes, pour faire l'inventaire de vos fautes. Il ne faut rien oublier.

Le prêtre entendait sans doute dans la pièce voisine. Cette pensée la fit rougir un peu. Par la suite, les enfants se succédèrent. Comme ils ne risquaient pas de faire du désordre avec ce haut personnage à proximité, l'institutrice sortit dans la cour pour surveiller les plus jeunes. La visite bouleversait un peu ses habitudes, elle n'osait pas préparer son repas.

Ernestine se promenait près de la clôture longeant la rivière. Elle alla la rejoindre.

— Tu as terminé ta pénitence ?

— Oui, je n'avais à dire que deux *Je vous salue, Marie*, pour de bien petits péchés.

Pourtant, elle paraissait préoccupée. Félicité respecta son silence, convaincue qu'elle finirait par se confier.

— Je pense que je suis une bien mauvaise personne, pourtant.

— Comment cela ? Tous les enfants t'aiment bien.

— Cet homme, il me donne la chair de poule.

L'institutrice se retourna pour regarder en direction de l'école. La porte principale demeurait grande ouverte, les élèves en sortaient un à un. De son côté, pour tromper son ennui, le vieux Sasseville s'était étendu sur l'herbe, à l'orée du bois. Son cheval broutait tout près.

— Tu parles du curé ?

— Oui.

« Voilà une autre chose que nous avons en commun », songea la jeune femme. Une remarque semblable ne se formulait pas à haute voix. D'un autre côté, elle ne pouvait laisser cette adolescente se torturer.

— Cela ne fait pas de toi une mauvaise personne, j'en suis certaine.

— Que faites-vous du respect dû aux personnes de l'Église ?

— Il te met mal à l'aise. Tous les curés ne te font pas cet effet, je suppose. Ce n'est pas une faute en soi.

— Vous pensez ?

De la tête, l'institutrice fit un signe affirmatif. Bientôt, elles virent le curé Sasseville debout sur le perron de l'école, son étole toujours autour du cou. Il chercha du regard dans la cour, puis se dirigea vers Hélas pour lui tendre la main. Derrière lui apparut Griphine. Elle était la dernière à s'être confessée.

— Je dois aller le saluer, chuchota Félicité pour Ernestine.

L'homme et l'enfant firent quelques pas ensemble, la main du premier posée sur l'épaule du second. Une réflexion étrange monta à l'esprit de Félicité : « Comme ils se ressemblent. » Un sursaut de morale l'empêcha d'approfondir sa pensée.

La jeune femme, plantée près de la porte de l'école, prenait garde de ne pas interrompre cette conversation.

L'ecclésiastique vint finalement vers elle, un sourire aux lèvres.

— Alors, mademoiselle Drousson, j'ai encore mon étole autour du cou. Voulez-vous en profiter pour une confession ?

— … Non merci. Je préfère me rendre à l'église pour ça.

— Je vous taquinais. Alors, il me reste à vous dire de poursuivre votre bon travail.

Percevant une pointe d'ironie dans le ton, elle jugea bon de se défendre :

— Les enfants n'ont pas été très brillants, j'en ai peur.

— Ne croyez pas cela. Vous n'êtes plus au couvent Saint-Jacques, vous savez. Réduisez un peu vos ambitions. Je repasserai dans un mois. Bonne continuation.

L'homme lui tendit la main. Il retint ses doigts dans les siens plus longtemps que nécessaire, ce qui troubla la jeune institutrice.

— Et souvenez-vous, mon invitation à souper tient toujours.

Félicité ne sut que répondre. L'autre lui tourna le dos pour se diriger vers la voiture de son père en enlevant son étole.

Le mois d'octobre réservait parfois une jolie surprise aux habitants de la campagne, comme ce fut le cas cette année-là : quatre ou cinq jours successifs de temps ensoleillé, avec des températures clémentes. C'était la dernière manifestation d'une nature belle et généreuse avant le grand renfermement. Déjà, la plupart des feuilles des arbres gisaient sur le sol, comme une courtepointe colorée dans les sous-bois.

À huit heures, le matin du 27 octobre, Félicité se tenait sur le petit perron de la porte arrière de l'école, heureuse d'exposer son visage aux chauds rayons. À cette heure si matinale, le fond de l'air encore frais l'incita à se réfugier à l'intérieur. Malgré sa robe de laine d'un bleu presque noir boutonnée jusque sous le menton, elle frissonnait. Le poêle à deux ponts répandait une douce chaleur dans un rayon de dix pieds. Il lui avait servi à faire chauffer un bol de gruau. Surtout, l'attisée chassait un peu l'humidité dans la grande salle. Le soleil suffirait à maintenir la température à un niveau acceptable cette journée-là. Mais bientôt, il faudrait alimenter l'appareil de chauffage tout le jour durant.

L'institutrice évalua la provision de bois terriblement basse dans l'appentis. En septembre, Léonidas Marcoux s'était montré fidèle à son engagement en garnissant sa réserve. Mais les quelques cordes à mettre sous l'avancée du toit à l'arrière des latrines se faisaient toujours attendre.

— Hé, Malenfant! cria une voix à l'extérieur. Tu t'es enfin séparé de tes vaches.

Félicité revint vers la porte pour regarder par le petit carreau vitré. Au cours des trois semaines précédentes, trois garçons âgés de treize à quinze ans avaient rejoint la classe, au terme des récoltes des derniers grains, des derniers légumes et de l'épandage du fumier sur le sol. Un autre se présentait ce matin, Sildor Malenfant.

— Et toi, de tes cochons, rétorqua le nouveau venu avec un air de défi.

— Non, mon père ne veut pas que je m'occupe de tes frères et sœurs.

Des yeux, il désignait le trio un peu à l'écart : Griphine, Louvinie et Hélas. L'insulte suscita la colère de son interlocuteur.

— Veux-tu que je te ramène dans ta porcherie à coups de pied au cul?

— Pour t'aider, tu vas demander à ton père, ou à ta mère? Qui porte la culotte chez toi?

L'aîné des Malenfant saisit son opposant par le col, faisant sauter un bouton de la veste.

— Arrêtez! cria l'institutrice en sortant de l'école. Les batailles sont défendues dans la cour.

La jeune femme marchait vers eux d'un pas vif. Elle posa sa main sur le poignet de Sildor, tira un peu pour lui faire lâcher prise. C'était risqué, car chacun de ces deux protagonistes possédait la force d'un adulte. Un simple coup du revers de la main de l'un ou de l'autre l'aurait envoyée rouler par terre.

— Séparez-vous, soyez amis.

— La demoiselle veut que nous soyons de bons amis, ricana le plus grand des deux, Elzéar. Tu me donnes un petit bec?

Sildor tira encore sur le vêtement de son opposant, sans vraiment pouvoir le faire fléchir. Félicité se tourna à demi pour dévisager l'autre et demander:

— Elzéar, fais-moi plaisir. Va chercher de l'eau au puits pour toute la classe. Tu as été si gentil, les derniers jours.

Le grand adolescent la regarda un instant, puis consentit avec un sourire narquois:

— Demandé comme ça, je ne peux dire non. Si vous pouvez calmer cet enragé…

L'autre hésita avant de relâcher sa prise sur le vêtement de son opposant. La jeune femme tâcha de faire diversion en engageant la conversation:

— Je suis contente de te rencontrer. Tes sœurs et ton frère m'ont parlé de toi.

Elle lui présentait sa main à serrer pendant qu'Elzéar s'éloignait en lorgnant du coin de l'œil dans leur direction, visiblement méfiant, soucieux d'éviter un mauvais coup.

— Tu arrives bien tard à l'école, nota l'institutrice. Les récoltes ont été tardives?

Maintenant rendu près de la margelle du puits, Elzéar se retourna pour l'apostropher:

— Mais tu ne m'as pas répondu, Malenfant. À la maison, ta mère porte la culotte et ton père, la robe?

La victime du sarcasme fit mine de se lancer à sa poursuite. Encore au risque d'attraper un vilain coup, Félicité arrêta Sildor et chercha ses yeux.

— Les récoltes ont été remises? répéta-t-elle.

— … Non, mon père tenait à donner un bon coup pour couper du bois de chauffage. Il espère pouvoir en vendre un peu.

Ou ses clients achèteraient des bûches encore vertes, ou les transactions attendraient jusqu'à l'automne prochain. Du coin de l'œil, l'institutrice s'assura que l'autre grand garçon remontait le seau lancé dans le puits.

— Toi et lui, vous ne semblez pas vous aimer beaucoup.

— Il vient d'une famille de bandits. Ne lui tournez pas le dos.

La rivalité entre ces deux clans remontait donc à plusieurs générations. Tout fournissait un prétexte à une haine se perpétuant sur des décennies dans une paroisse comme la leur: une querelle de clôture, une transaction impliquant un animal malade, une insulte lancée sur le parvis de l'église, ou encore une campagne électorale un peu mouvementée.

— Sur le terrain de l'école, il conviendra de réprimer tes instincts belliqueux.

— Vous l'avez entendu, c'est lui qui a commencé.

— Je ne sais pas qui a commencé, mais le plus intelligent des deux sera celui qui arrêtera le premier.

Le garçon de quatorze ans la dévisagea de ses yeux bleus. Ses traits réguliers se révélaient un peu lourds, son regard sournois sous une tignasse de cheveux blonds. Si elle avait eu à parier sur l'intelligence de l'un des belligérants, l'institutrice n'aurait pas misé sur celui-là.

— Très bien, mademoiselle, maugréa-t-il pourtant.

— Merci. Il est l'heure de sonner la cloche.

Après quelques instants, elle agita la cloche de laiton dans l'embrasure de la porte. Les élèves se mirent plus ou moins en rang selon la taille et le sexe. Très vite, elle avait renoncé à les discipliner à ce sujet. Ce lot de garnements lui fournissait sans mal des milliers de raisons de les gronder. Mieux valait préserver son énergie pour les situations les plus sérieuses.

Dans la classe, Sildor s'empressa de s'asseoir à la seconde place à la table de droite. Quand Elzéar en aurait terminé avec la corvée de l'eau, quelques garçons se trouveraient entre eux.

— Bonjour, les enfants, commença Félicité. Je constate que nous n'avons jamais été si nombreux… Vingt personnes en me comptant. J'espère que nous nous rendrons tous ensemble aux examens de la fin juin.

Ce souhait serait certainement déçu. Les grands froids d'abord, puis les travaux des champs au printemps, décimeraient sans doute son petit effectif.

— Maintenant, vous allez faire connaissance avec une autre sainte. Quelqu'un peut lire son nom ?

Quatre mains se levèrent, les mêmes que d'habitude. La maîtresse les ignora pour demander :

— Sildor, tu veux le lire pour nous ?

Le garçon se troubla, une voix masculine un peu railleuse, celle de son adversaire du matin, souffla : « Il ne sait pas lire. »

— Allez, ce n'est pas bien difficile, encouragea Félicité en mettant le bout de sa craie sous la première lettre. Sss...

— ... Sainte Salomé la...

Le dernier mot le laissa totalement pantois. Floris, au premier rang de la table voisine, tenait encore sa main si haute qu'il risquait de se déboîter le bras.

— Myrophore, prononça-t-il d'une voix aiguë.

Puis il posa sa paume sur sa bouche, comme pour la punir d'avoir trop parlé.

— Vous voyez, ironisa Elzéar, un petit de première année lit mieux que lui.

Au couvent Saint-Jacques, Félicité aurait demandé à une gamine à la langue si bien pendue de se mettre dans le coin, face contre le mur. Mais avec un garçon la dépassant de trois bons pouces, elle ne s'y risqua pas.

— Mademoiselle, l'interrogea doucement Ernestine pour désamorcer la tension, que veut dire « Myrophore » ?

— Ce mot désigne les personnes qui portent les parfums. Dans une minute, vous comprendrez pourquoi.

Quoique mal assurée, la réponse permit à la jeune femme de retrouver une certaine contenance. Elle expliqua :

— Sainte Salomé était la mère des apôtres Jean et Jacques. Elle a assisté à la mort de Notre-Seigneur sur la croix. Quand on l'a décroché de là pour le mettre au tombeau, avec d'autres femmes elle a acheté du parfum pour en enduire le corps.

— Parfumer un mort, quelle curieuse idée, intervint Griphine.

Après une pause, elle ajouta :

— Mademoiselle.

— Ce mort, c'était son Dieu, et cela devrait être le tien aussi.

La répartie amena l'adolescente à baisser les yeux.

— Sainte Salomé la Myrophore. Maintenant vous connaissez la raison pour laquelle elle porte ce surnom. Elle compte aussi avec d'autres femmes parmi les premières à avoir reconnu Jésus ressuscité, le matin de Pâques. Bon, maintenant passons à un peu d'histoire sainte.

À la craie, elle dessina une étable avec autour des palmiers prenant une allure de sapins. La Galilée devenait ainsi plus familière à ces enfants que la province voisine de l'Ontario. Il convenait maintenant de les préparer à la fête de Noël.

— Vous savez ce qu'est un recensement ? On en a fait un au Canada il y a deux ans. L'année de la naissance de Jésus, il y en a eu un…

Une nouvelle fois, le silence accueillit la question.

La classe se termina à midi. Alors que la plupart des enfants sortaient de leur sac de quoi manger, d'autres prenaient le chemin de la maison. Floris s'attarda un peu dans la cour avant de faire de même. Une voix attira l'attention de Félicité, maintenant occupée à préparer son propre repas.

— Toi, le christ de chouchou, tu aimes me faire passer pour un ignorant. Je vais te montrer.

En mettant le pied sur le perron, l'institutrice aperçut le plus grand en train de tordre un bras au plus petit.

— Sildor ! cria-t-elle d'une voix forte.

L'adolescent lâcha le col de sa victime. Floris détala comme un lapin. Félicité remarqua que, comme la plupart des autres, il se trouvait encore pieds nus.

— Je n'aime pas faire rire de moi, clama l'adolescent pour se défendre.

— Floris n'a pas ri de toi.

L'autre voulut répondre, mais n'en eut pas le temps. Ernestine arriva aux côtés de l'institutrice et l'entraîna un peu à l'écart de Sildor. À cet instant, le garçon préféra les laisser à leur conciliabule et rentrer à la maison. Une nouvelle occasion de régler ses comptes avec le chouchou se présenterait bien.

L'institutrice regarda le trublion s'éloigner tout en prêtant l'oreille à l'adolescente. Celle-ci résuma très bien la situation dans un murmure :

— Méfiez-vous de lui, c'est un vicieux. Il cherche à passer sa colère contre un petit, car il n'aurait pas le dessus avec celui-là.

Des yeux, elle désignait Elzéar, debout le dos appuyé contre le mur de l'école, une pipe de maïs vissée à la mâchoire. La scène semblait l'avoir beaucoup amusé.

— Vous voyez, cette fois je n'ai rien à y voir, dit-il à l'intention de Félicité.

— J'espère que tu t'en tiendras à cette attitude. Tu sais que la provision d'eau a bien baissé ?

— Je sais. Vous rendre ce service me remplit de joie, ajouta-t-il, l'air charmeur.

À quinze ans, il pensait déjà que cette institutrice représenterait un parti fort convenable pour lui.

Chapitre 11

Les jours coulaient lentement dans une routine immuable. Le 1er novembre, une fête religieuse valut un premier congé à la fois aux élèves et à leur institutrice. Cela ne signifiait pas pour autant un véritable repos. Un peu après huit heures, la voiture des Simard s'arrêtait sur le chemin public. Félicité se leva du perron de l'école où elle attendait sagement assise, salua le couple puis regagna sa place habituelle à l'arrière.

Floris l'accueillit avec son meilleur sourire. Elle remarqua de vilaines chaussures à ses pieds. Beaucoup trop grandes, elles lui donnaient une allure un peu ridicule. Au moins, elles lui tiendraient les pieds au chaud jusqu'à ses dix ans.

— Félicité, la Toussaint, c'est la fête de qui ?

— De tous les saints, pas un en particulier.

Cette explication, elle l'avait donnée la veille en classe. Le garçon la questionnait pour le seul plaisir d'engager la conversation.

— Donc, tous ceux que tu as nommés depuis le début de l'année ont une fête personnelle, et une autre aujourd'hui.

— C'est ça. Mais c'est aussi la fête de toutes les personnes qui vivent saintement.

Là-dessus, son compagnon montra son incompréhension.

— Il y a des saints qui ont été canonisés. Le pape a analysé leur vie et leurs miracles, puis il a dit: «Toi, toi et toi, vous êtes des saints.»

De l'index, la jeune femme désignait des piquets de clôture de chaque côté du chemin de traverse, comme s'il s'agissait de candidats à l'honneur suprême.

— Eux, ce sont des saints officiels. Mais à la Toussaint, nous fêtons aussi toutes les personnes qui, pendant leur vie, ont toujours obéi aux commandements de Dieu et de l'Église, sans commettre de fautes.

— Jamais aucun péché?

Depuis que son institutrice lui enseignait la liste des interdits, le pauvre Floris devenait un peu plus morose. Le chemin vers la perfection lui paraissait bien ardu, et le sucre à la crème de sa mère, terriblement séduisant.

— Je me suis mal exprimée. Les gens ordinaires qui vivent saintement commettent bien quelques petits péchés, mais ils les regrettent et très vite ils vont demander l'absolution à leur curé.

— J'ai hâte de pouvoir me confesser, glissa l'enfant dans un soupir.

Il s'absorba dans la contemplation de ses nouvelles mitaines de laine bleue. La température n'exigeait pas encore cet équipement, mais elles lui semblaient un bon complément à ses chaussures.

— Mais toi, Félicité, tu es certainement une sainte.

La jeune femme passa son bras autour des épaules de son compagnon pour le serrer contre elle. Du siège avant, Phidias laissa échapper un petit rire amusé alors qu'Odélie se tournait pour bien entendre la réponse.

— Malheureusement, je ne suis pas une sainte, glissa l'institutrice. Je suis loin d'être parfaite, tu sais. Mais toi, tu es certainement le plus gentil petit garçon du monde.

La répartie n'empêcherait pas Floris de la mettre dans son panthéon personnel. Une heure plus tard, il ne craindrait même pas de l'invoquer dans ses prières.

La messe prenait l'allure de funérailles solennelles. Les meilleures voix de la paroisse résonnaient en chants lugubres depuis le jubé. L'abbé Sasseville reprit en d'autres mots l'explication de l'institutrice à propos des saints « officiels » et des autres. À la lecture de l'Évangile, l'ecclésiastique puisa dans saint Mathieu la marche à suivre vers la sainteté :

Quand Jésus vit toute la foule qui le suivait, il gravit la montagne, il s'assit, et ses disciples s'approchèrent. Alors, ouvrant la bouche, il se mit à les instruire. Il disait :

Heureux les pauvres de cœur : le Royaume des cieux est à eux !
Heureux les doux : ils obtiendront la Terre promise !
Heureux ceux qui pleurent : ils seront consolés !
Heureux ceux qui ont faim et soif de la justice : ils seront rassasiés !
Heureux les miséricordieux : ils obtiendront miséricorde !
Heureux les cœurs purs : ils verront Dieu !
Heureux les artisans de paix : ils seront appelés fils de Dieu.
Heureux ceux qui sont persécutés pour la justice : le royaume des cieux est à eux !
Heureux serez-vous si l'on vous insulte, si l'on vous persécute et si l'on dit faussement toute sorte de mal contre vous, à cause de moi.

Réjouissez-vous, soyez dans l'allégresse, car votre récompense sera grande dans les cieux! C'est ainsi qu'on a persécuté les prophètes qui vous ont précédés.

Tout au long de la lecture des Béatitudes, Floris se tordait le cou afin d'apercevoir son institutrice. Il n'était pas loin de penser qu'elle lui avait raconté un petit mensonge pieux : il voyait toutes ces caractéristiques en elle.

Doucement, d'une main caressante à l'arrière de la tête, Odélie ramenait son regard vers le chœur, mais le petit se retournait toujours peu après.

— Si ce garçon se trouvait dans ma classe samedi matin, je lui chaufferais les oreilles, grommela la maîtresse de l'école du village. Pour se tortiller comme ça pendant la messe, il doit avoir le diable au corps.

Elle fixait sa voisine dans le banc, comme si elle attendait de sa part une promesse de sévir. Félicité se contenta de sourire au garçon, puis elle murmura :

— Heureux les cœurs purs, car ils verront Dieu!

Non seulement elle en avait la certitude, mais elle croyait aussi que cet adorable élève figurait dans ce lot. Un peu plus tard, dans la voiture, chacun se tut. La solennité du jour se prêtait mal aux éclats de rire. Toutefois, les événements du lendemain mettaient encore plus les cœurs des Simard en deuil.

À la Toussaint succédait le jour des Morts, ou plus élégamment dit, le jour des Fidèles défunts. Il s'agissait de se recueillir pour les proches passés de vie à trépas dans un passé plus ou moins lointain. Cette célébration aussi justifiait la fermeture de l'école.

L'institutrice parcourut encore une fois le trajet aux côtés de Floris, le dos appuyé sur deux sacs de jute contenant des patates et des légumes. Comme ses compagnons gardaient un air morose, la jeune femme adapta son expression à la leur. À l'avant, Odélie laissait son corps reposer à demi sur celui de son mari, la tête sur son épaule.

Félicité constata la présence d'un curieux amoncellement sur le parvis de l'église. Les poches de grains, de pommes de terre et de légumes dominaient. Des cages contenaient des poules ou des lapins. Attaché à un pieu fiché en terre, un cochon risquait une fluxion de poitrine à s'exposer ainsi au froid humide. Ses grognements indiquaient toute sa colère d'être négligé de la sorte. La messe semblait être un calque de celle de la veille : mêmes ornements lugubres, mêmes chants plaintifs, même musique poignante.

À la communion, l'institutrice remarqua combien l'accoutrement de plusieurs hommes paraissait étrange. Certains portaient des pantalons de grosse laine, dont le bas se trouvait glissé dans de hautes bottes de cuir, et leur jaquette de mariage sur une chemise à carreaux. D'autres affichaient sans vergogne leur costume de bûcheron. Cette curieuse tenue expliquait la tristesse de nombreuses épouses et de nombreuses mères ce jour-là…

La foule des paroissiens se regroupa devant l'édifice de pierres grises à la fin de la cérémonie. Le vieux Romulus Sasseville se planta près des grandes portes, vêtu de noir, un vieux haut-de-forme sur la tête. Il se décoiffa avant de commencer d'une voix forte :

— Tout le monde le sait, sauf peut-être les plus jeunes. La criée pour les âmes sert à vendre tous ces produits que vous avez généreusement donnés. Le profit servira exclusivement à payer des messes pour les défunts de la paroisse. Ces messes raccourcissent leur séjour dans les souffrances du purgatoire. Alors pour envoyer vos parents, vos amis, vos enfants peut-être plus vite au ciel, ne payez pas ces marchandises à leur valeur réelle, mais un peu plus. Votre esprit de charité viendra en aide à nos fidèles défunts.

Ce discours avait été prononcé dans une langue châtiée et avec aisance.

— Cet homme a l'habitude de parler en public, remarqua Félicité à l'intention de l'une des maîtresses du rang voisin.

— Il paraît qu'il a été instituteur, il y a plusieurs années.

— Ah! Comme c'est curieux, je le prenais pour un vieil habitant. Mais là, à l'entendre, on constate qu'il a étudié.

Sa compagne se demanda alors s'il convenait de révéler les secrets de la paroisse à une étrangère, puis décida finalement d'en divulguer quelques-uns.

— Selon ce qu'on raconte, il se serait aussi mêlé de politique pendant les Troubles…

Elle voulait dire lors des rébellions survenues en 1837-1838. Cela se pouvait bien, car le bonhomme devait alors avoir environ vingt ans.

— Sasseville, c'est un nom de la région de Saint-Eustache, lui apprit l'autre.

Cet élément teintait son histoire de plus de vraisemblance. Félicité regardait le vieil homme en essayant de l'imaginer les cheveux noirs, l'œil farouche, en train d'échanger des coups de feu avec les Anglais.

— Alors, qui veut de cette poche de patates? commença-t-il. Elle doit bien faire vingt livres.

Le crieur tenait le sac au bout de son bras, comme pour le soupeser.

— Allez, une bonne action. J'entends une plainte du côté du champ des morts. Un homme qui se tord dans les flammes du purgatoire.

L'image devait bouleverser un paroissien efflanqué, puisqu'il offrit dix cents.

— Dix cents, cela doit raccourcir de dix minutes les souffrances de votre parent. Allons, un petit effort.

Le silence ne dura pas. Quelqu'un ajouta encore dix cents pour acquérir ce bien. Félicité comprit très vite que de nombreux cultivateurs rachetaient leur propre offrande.

— Tout l'argent ira dans la poche du curé, grogna l'institutrice du rang Saint-Paul.

La brunette plaça ses deux mains devant sa bouche, comme une écolière ayant proféré une énorme sottise. Pour alléger son malaise, Félicité fit semblant de n'avoir rien entendu. Sa collègue disait vrai : le revenu des messes était totalement destiné au titulaire de la paroisse.

— Et maintenant, un bon dix livres de… Romain, qu'as-tu mis là-dedans ?

— Des carottes.

— Bon, dix livres de carottes. Qui va commencer la mise ?

Les paysans se défiaient l'un l'autre, s'incitant mutuellement à la dépense. La criée dura ainsi une bonne heure. À la fin, la vente des animaux suscita plus d'intérêt.

— Vous avez vu ce magnifique cochon ? Regardez, il crie : « Amenez-moi dîner chez vous ! »

La remarque provoqua l'hilarité chez les spectateurs. Quelqu'un lança la somme de dix cents, railleur. Les enchères montèrent jusqu'à dépasser le dollar.

— Un dollar et vingt cents, offrit le notaire Tessier.

— Quelqu'un offre un peu plus pour ce magnifique animal ? Regardez ses yeux affectueux.

Un grand éclat de rire souligna la saillie. Personne ne voulut renchérir.

— Alors, monsieur le notaire, vous pouvez amener votre cochon. Il sera charmant chez vous.

— Mais il y a une condition…

— Des conditions, ce n'est pas l'usage, protesta Romulus.

— Vous pouvez me montrer le texte de loi qui donne la règle de la criée pour les âmes ?

La répartie laissa l'homme en noir bouche bée.

— Quelle condition ?

— Celui qui a donné ce cochon va le nourrir jusqu'au 10 décembre, et me le ramener mort et vidé ce jour-là, précisa le tabellion. Pour sa peine, je lui donnerai cinquante cents.

— Euclide, ça te va ?

Le vieux paysan donna son assentiment d'une voix bourrue. Conclue en public, la transaction prenait un caractère inviolable. Quelques minutes plus tard, Romulus leva une cage à la hauteur de ses yeux.

— Tiens, ce lapin a l'allure d'un habitant du rang Saint-Antoine, dit-il en riant. La généreuse donatrice veut récupérer sa cage. Il paraît que ses enfants sont un peu turbulents, elle les mettra dedans.

Après une longue hésitation, Félicité leva la main, comme à l'école.

— Oui, la petite demoiselle de Saint-Jacques ?

— Dix cents.

— Pardon ?

L'homme mettait sa main près de son oreille, comme pour mieux entendre.

— Elle a dit dix cents, clama Samuel Richard, debout à quelques pieds.

— Notre institutrice a même un héraut pour parler à sa place.

La jeune femme échangea un regard avec le colosse. Avec une veste d'un vert foncé sur le dos, une casquette du même velours, bien droit, les reins cambrés, elle le trouva beau. Les paroles d'Odélie lui revinrent en mémoire. Comme elle avait été sotte de se méfier de lui, lors de cette fameuse soirée.

Les enchères montèrent jusqu'à vingt-cinq cents. Pour cette somme, l'institutrice se retrouva avec un bel animal couvert d'une fourrure blanche, les oreilles pendantes, et ses réserves financières terriblement basses.

— Vous voilà avec mon lapin favori, dit Samuel en s'approchant. Traitez-le bien.

— Vous l'avez donné?

— Ma mère a eu cette générosité.

— Je ne lui ferai aucun mal, je vous assure : je le tuerai avant de le manger, dit-elle avec humour.

L'homme chercha ses mots, intimidé de la trouver si séduisante. Le bruit des sabots de chevaux sur le chemin public l'amena à détourner la tête. Deux grandes charrettes arrivaient devant l'église.

— Jésus-Christ, ragea-t-il, ceux-là auraient pu attendre encore un peu.

— Vous partez aussi?

— Je ne viens pas à la messe habillé comme ça, d'habitude.

Il écarta les bras de son corps pour montrer son accoutrement de bûcheron.

— Vous serez nombreux. Deux voitures…

— La plupart des garçons de la paroisse de plus de seize ans, le quart des hommes mariés.

Félicité regardait les travailleurs s'approcher du contremaître debout dans l'une des charrettes.

— Certains ont l'air bien jeunes.

— Je suis «monté» pour la première fois à l'âge de douze ans, confia l'autre d'une voix triste.

— Vous aviez beaucoup de courage.

La sincérité et la douceur du ton le touchèrent plus qu'il n'aurait voulu. Embarrassé, il dit tout bas :

— Comme personne ne m'accompagne aujourd'hui, je me demandais…

— Je vois votre famille.

— Vous savez ce que je veux dire…

— Mais lors de la veillée «à clencher», une jeune fille vous a embrassé, non ?

L'autre éclata de rire, les yeux rivés dans ceux de Félicité.

— Une seule jeune fille m'a intéressé, ce soir-là, mais ça ne semblait pas réciproque. Mon cadet a eu plus de chance que moi.

Un peu plus loin, une jeune paysanne se tenait à proximité d'Élie, visiblement attristée.

— Alors, comme j'ai le malheur de ne pas être accompagné aujourd'hui, je me demandais si vous pouviez faire pour moi un petit acte charitable…

Félicité avait vu autour d'autres jeunes filles embrasser les hommes avant leur départ.

— Je veux bien, dit-elle, souriante, mais ne parlez pas de charité.

L'homme se pencha un peu pour lui tendre la joue. Elle s'approcha pour poser les lèvres sur la peau douce, frustrée de voir ses mouvements entravés par la damnée cage qu'elle tenait toujours. Et pendant un moment, la pensée d'être sous les regards de la moitié des paroissiens la laissa indifférente.

— Au revoir, mademoiselle Drousson, dit-il en se redressant. Je reviendrai en mai, après la drave.

— Au revoir, prenez bien soin de vous.

Elle ne voulait pas utiliser le mot « monsieur » et n'osa pas prononcer son prénom. L'homme se déplaça à grandes enjambées pour rejoindre sa mère et la serrer dans ses bras. Il parla ensuite longuement à l'oreille de sa sœur Ernestine. Toutes les deux ne dissimulaient pas leurs larmes.

Plusieurs paroissiennes pleuraient à l'idée de se séparer d'un époux, d'un frère ou d'un fils pour une longue période. Phidias tenait Odélie étroitement serrée contre lui. Près d'eux, Floris encerclait de ses bras les cuisses de ses deux parents, les épaules secouées de sanglots.

Avant de voir la moitié de ses hommes changer d'idée et déserter le chantier, le contremaître s'écria d'une voix bourrue :

— Les gars, faut penser à y aller. Vous pourrez manger chaud à la gare.

Les recrues mirent un certain temps à grimper dans les charrettes. Quand les deux conducteurs firent claquer les guides de cuir sur le dos des chevaux, Odélie revint vers l'institutrice en se tamponnant les yeux avec son mouchoir, tirant sur la main de son fils pour éviter de le voir courir derrière les voitures en pleurant.

— Ma pauvre amie, j'aimerais bien te serrer dans mes bras, mais avec cet animal…

Toujours attentionné, Floris tendit les mains pour prendre la cage. Attirant sa voisine près d'elle, Félicité bredouilla :

— Nous ne serons pas loin l'une de l'autre.

— Tout un hiver ! Ce sera si long.

— Je sais.

Elle n'osa pas dire que la perspective de ces longs mois de froidure et de solitude la terrorisait elle aussi.

— Si tu veux, dit Odélie en se ressaisissant, nous allons mettre ton lapin dans la voiture, et nous irons au cimetière avec Floris. Seule, je n'en aurai pas la force.

— Bien sûr. Moi aussi, j'avais l'intention d'y aller.

Bras dessus, bras dessous, elles marchèrent vers l'arrière de l'église. Au moins trente chevaux y attendaient encore leurs propriétaires, attachés à une clôture. Ils déposèrent le lapin dans la voiture. Puis Odélie prit une profonde inspiration, comme si la suite des choses lui demandait un effort surhumain.

Le champ des morts comptait peu de tombes à cause de la jeunesse de la paroisse. Elles s'ornaient de croix de fonte ou de bois, ou alors de madriers plantés un peu de guingois. Félicité ne remarqua que trois pierres tombales, dont celle de l'ancien curé. Seuls quelques notables s'offraient un luxe pareil.

Odélie se dirigea vers une croix de bois piquée dans le sol. Sur une planchette, une main maladroite avait tracé ces mots avec de la peinture noire : «Mathilde 1878-1881, Fille de P. Simard et O. Durand». L'institutrice comprit que Floris avait eu une petite sœur. Le garçon en gardait un souvenir vif, des larmes coulaient maintenant sur ses joues.

— Tu veux commencer la prière ? demanda la mère d'une voix hésitante. Je ne saurais pas.

La jeune femme accepta et se recueillit un instant avant de réciter :

— Confions au Seigneur celle qui nous a quittés.

— Donne-lui, Seigneur, le repos éternel, répondit Odélie.

— Seigneur Jésus, toi qui as pleuré ton ami Lazare au tombeau, essuie nos larmes, nous t'en prions.

— Donne-lui, Seigneur, le repos éternel.

Félicité avait l'impression de présider une cérémonie particulièrement émouvante. Elle marqua une pause avant de reprendre :

— Toi qui as fait revivre les morts, accorde la vie éternelle à notre sœur Mathilde, nous t'en prions.

— Donne-lui, Seigneur, le repos éternel.

Les mots vinrent dans un sanglot, cette fois.

— Tu as sanctifié Mathilde dans l'eau du baptême, donne-lui la plénitude de la vie des enfants de Dieu, nous t'en prions.

— Donne-lui, Seigneur, le repos éternel.

Odélie paraissait de plus en plus accablée. Sa compagne lui entoura les épaules de son bras pour la serrer contre elle.

— Tu sais, c'est un ange aujourd'hui, en présence de Jésus.

— Je l'ai eue si peu de temps avec moi.

Félicité garda son étreinte, gagnée elle aussi par une infinie tristesse.

— Tu veux continuer ? Moi, je ne peux pas.

L'institutrice ne se trouvait pas dans un meilleur état. Pourtant, elle enchaîna :

— Seigneur Jésus, avant de ressusciter, tu as reposé trois jours en terre. Et depuis ces jours-là, la tombe des hommes est devenue pour les croyants signe d'espérance en la résurrection. Nous te prions, toi qui es la résurrection et la vie, donne à Mathilde de reposer en paix dans ce tombeau jusqu'au jour où tu la réveilleras, pour qu'elle voie de ses yeux la lumière sans déclin pour les siècles des siècles.

La mère éplorée joignit sa voix à celle de sa compagne pour le *amen*. Le trio marcha ensuite jusqu'à l'église, puis s'agenouilla dans le banc des Simard le temps de prières supplémentaires. D'autres paroissiens se livraient au même rituel.

— Si tu veux, demanda Odélie une fois revenue sur le parvis de l'église, nous allons recommencer pour le repos de l'âme de mes parents.

— Je veux bien.

— Toi, tu as des parents défunts?

— Mon père…

— Ajoute son nom à la prière. Même s'il ne repose pas dans ce cimetière, Dieu saura bien démêler tout ça.

Elle acquiesça. Avec d'autres fidèles, ils répétèrent tous les trois la même prière devant une autre tombe.

Chapitre 12

Pendant le retour à la maison, Félicité se trouva assise sur la banquette à l'avant, alors que Floris, laissé seul à l'arrière, parlait au lapin de sa jeune sœur défunte.

— C'est vraiment cruel, marmonna Odélie. Le contre-maître qui vient chercher les hommes le jour de la fête des Morts !

— Devant toutes ces femmes et ces enfants…

Les deux s'absorbèrent dans leurs pensées. Félicité songea à s'informer des circonstances du décès de Mathilde. Elle préféra abandonner ce sujet. Mieux valait épargner à son amie de se remémorer des événements douloureux.

— Tu sais où ils iront bûcher ? demanda-t-elle à la place.

— En haut de la rivière Gatineau. Ils prendront le train jusqu'à Hull, puis continueront dans des voitures.

— C'est un long trajet.

— Ils arriveront au milieu de la nuit.

Pour eux commencerait alors un long séjour, triste et difficile. Des dizaines d'hommes passeraient des mois dans la plus grande promiscuité, enfermés dans des camps bas, sombres et enfumés, exposés à la vermine.

— Est-ce que ton mari fera la drave au printemps comme les garçons Richard ?

Évitant le sujet, Odélie répliqua :

— Tu sais, à travers mes larmes, je t'ai tout de même vue avec Samuel. Tu n'as plus peur de lui ? Tu le laisserais te raccompagner, si la soirée avait lieu ce soir ?

— Voyons, cela ne veut rien dire.

— Tes baisers ne veulent rien dire ?

L'institutrice se tourna à demi pour regarder Floris. Le garçon allongeait les doigts dans la cage pour caresser la fourrure du lapin.

— Je pense que c'est un bon garçon, admit-elle. Tu es contente ?

— Tu sais, rien de plus naturel, à ton âge.

La remarque rappelait à Félicité les paroles de l'abbé Sasseville. Gênée, elle s'intéressa au sujet premier :

— Tu ne m'as pas répondu. Phidias fera-t-il la drave ?

— Non, jamais, laissa tomber la paysanne d'une voix un peu cassante, et le visage soudain durci.

Elle demanda après une pause :

— Tu as déjà vu des hommes draver ?

— Non.

— Moi oui. Ils sautent sur les billes de bois pour les suivre au fil de l'eau. Avec de grandes gaffes, ils tentent de dégager les embâcles. Il n'y a pas un jour où ils ne tombent pas à l'eau. La plupart ne savent même pas nager. Dans le pire des cas, ils sont assommés par les troncs d'arbre et coulent à pic. Deux garçons de la paroisse sont morts noyés, ces dernières années.

Les pensées de Félicité allèrent vers Samuel. Elle l'imagina dansant sur la rivière pendant le flottage.

— Les hommes mariés ne font pas la drave, renchérit Odélie. Phidias ne la fera pas, il me l'a promis.

La jeune femme espérait de tout cœur qu'il respecte sa promesse.

— Comment sais-tu tout cela ?

— Mon père a été contremaître de chantiers. Ma mère l'accompagnait comme cuisinière, et moi je les suivais.

Elle s'absorba dans ses souvenirs. Il était déjà trois heures quand elles arrivèrent dans le rang Saint-Antoine. En récupérant le lapin des mains de Floris, Félicité déclara :

— C'est décidé. Vous allez venir manger avec moi ce soir.

Les laisser à leur chagrin lui paraissait intolérable, et sa propre solitude lui pesait.

— Nous devons voir au soin des animaux, protesta Odélie.

— Faites-le un peu plus tôt et venez ensuite. Je n'ai pas acheté cet animal pour me tenir compagnie cet hiver, et je risque d'en perdre la moitié si je mange seule. Déjà qu'il m'a coûté trop cher, au moins, profitons-en ensemble !

La paysanne préféra fermer les yeux sur le pieux mensonge. Une fois cuite, la viande pouvait se conserver.

— Tu sauras t'en occuper ?

Elle voulait dire tordre le cou du lapin, l'éviscérer et le faire cuire.

— Tu sais, même si j'ai passé des années au couvent, je ne suis pas une fille de notable. Pour rembourser un peu le prix de ma pension, j'aidais à la cuisine.

Son amie lui adressa un sourire complice, puis précisa :

— Nous viendrons un peu après six heures.

La petite réunion s'annonçait agréable. Les invités paraissaient bien un peu moroses, mais leur passage à la maison leur avait permis de verser leur trop-plein de larmes. Floris contempla la peau du lapin, se rappelant l'animal. La viande cuite avec des pommes de terre et des oignons, succulente, suffit à le réconcilier avec les dures réalités de la vie agricole. Personne ne songea à l'obligation de faire maigre le vendredi. La messe du matin maintenait l'illusion d'un dimanche.

Alors que les deux femmes se calaient sur leur chaise, une tasse de thé à la main, la visiteuse remarqua :

— Ça me fait tout drôle de manger dans une classe.

— En haut, j'ai une table grande comme ça.

Des mains, Félicité dessina un carré de deux pieds de côté. Elles se trouvaient à sa table de travail, sur l'estrade, près du poêle. La lampe à pétrole prêtée par Léonidas Marcoux fumait un peu. Elle dessinait un cercle de lumière sur le mur du fond.

— Il ne fait pas très chaud. Les soirées deviennent plus fraîches.

— Et ton bois n'a pas l'air bien sec.

L'institutrice hocha la tête. Après la prochaine messe dominicale, elle entendait entretenir le président de la commission scolaire de la réticence des cultivateurs à renouveler son approvisionnement avec régularité.

— Et toi, sauras-tu faire fonctionner la ferme toute seule ?

— Mais je ne serai pas toute seule. Ce garçon-là va m'aider.

Floris, la bouche pleine de sucre à la crème, remua la tête vigoureusement.

— Phidias lui a recommandé de se conduire comme un homme.

— Tout à l'heure, j'ai donné à manger aux vaches tout seul, dit-il après avoir avalé.

Sa bonne volonté lui mérita une caresse dans les cheveux.

— Tu sais, expliqua Odélie, nous avons besoin de cet argent-là. La ferme nous permet de bien manger, de nous vêtir. Mais la vente de nos surplus ne rapporte pas assez.

— Je comprends. C'est la même chose pour tout le monde dans la paroisse.

Le nombre de personnes à prendre le chemin des chantiers lui en avait donné la preuve à la fin de la matinée.

— Puis ce n'est pas la première fois. Depuis notre mariage, je passe toujours l'hiver seule. Et au début, j'étais vraiment seule. Au moins, maintenant, je profite de la présence de mon petit homme.

— Tu as ce qu'il faut jusqu'au printemps ?

— La cave et le grenier contiennent tout ce dont j'ai besoin.

Un court instant, la jeune femme imagina déplacer ses pénates chez sa voisine pour profiter d'un peu de compagnie. Ce genre d'arrangement se pratiquait parfois dans les campagnes. D'un autre côté, non seulement ne l'y invitait-on pas, mais des relations trop étroites avec certains voisins lui vaudraient l'inimitié des autres.

Les visiteurs rentrèrent chez eux un peu passé neuf heures. Félicité barra soigneusement les portes, passa devant chacune des fenêtres pour inspecter les alentours, puis monta la lampe à la main.

Les bruits de la bâtisse lui étaient devenus familiers, même les petits grattements des souris devenaient rassurants à la longue. Le tuyau du poêle à peine tiède, Félicité jugea tout de même la température suffisamment clémente pour se priver de faire une bonne flambée avant de se coucher.

Les feuilles des épis de maïs dans la paillasse craquaient un peu au moindre mouvement. Les yeux ouverts, elle ressassa les événements de la journée, puis répéta une nouvelle fois la prière des fidèles défunts pour raccourcir le séjour de son père au purgatoire.

Quand le sommeil vint enfin, des scènes de rivières tumultueuses, de billes de bois rendues glissantes par l'eau meublèrent son esprit. Puis une silhouette à la veste et à la casquette de velours vert apparut pour glisser aussitôt entre les troncs d'arbre. Au réveil, pour oublier ces images, elle répéta mentalement son petit exposé sur saint Malachie, dont la fête serait célébrée le lendemain. Après deux journées fériées, la commission scolaire exigeait qu'elle enseigne ce samedi-là pour compenser un peu.

Le mardi suivant, le curé Sasseville effectuait sa seconde visite à l'école numéro 3. Cette fois, il avait eu la gentillesse d'en prévenir Félicité. Cela lui permit d'enlever la barre à la porte principale pour ne pas s'attirer une nouvelle remarque sarcastique. Toutefois, les élèves se virent interdire de passer par là, « pour garder l'entrée toute propre pour monsieur le curé ».

Les pluies d'automne rendaient en effet le rang Saint-Antoine un peu boueux. Les enfants les plus attentionnés laissaient leurs chaussures dans l'appentis et passaient la journée en bas tricotés de grosse laine grise. Cela ajoutait aux nombreux effluves qui flottaient dans la pièce. Trois ou quatre se présentaient encore pieds nus. Ils en étaient quittes pour se décrotter les orteils avec un bout de bois avant d'entrer, ce qui forçait l'institutrice à laver le plancher plus souvent. Dès que la surface du sol gèlerait, les parents trop pauvres pour fournir des bottes à leurs petits les retiendraient à la maison jusqu'à la fonte des neiges.

Le prêtre arriva un peu avant dix heures. Il couvrit la distance entre la porte et la petite estrade en adressant quelques mots à certains enfants. Griphine minauda au point de susciter un malaise chez la maîtresse. Puis debout à l'avant il commença :

— Je vais voir si vous avez fait du progrès en catéchisme, depuis un mois. Vous êtes venus à la fête des Morts la semaine dernière. Voyons ce que vous avez retenu.

Félicité se tenait prête, elle lui tendit sa propre copie du *Petit catéchisme*.

— Alors… qu'est-ce qu'une indulgence ?

De sa place sur la petite estrade, l'ecclésiastique observait la classe. Les élèves avaient l'air effaré, craignant de se voir pointés. Ils avaient bien raison de se méfier.

— Je suis surpris de ne pas voir la petite Richard lever la main.

Celle-ci débita la réponse de mauvaise grâce :

— Une indulgence est la rémission totale ou partielle de la peine temporelle due au péché dont on a reçu le pardon.

— Mais qu'est-ce que cette peine temporelle ?

Bien des élèves savaient réciter de mémoire les questions et les réponses sans en comprendre le moindre mot. Ernestine ne comptait pas parmi eux.

— Il s'agit du temps de purgatoire destiné à nous permettre d'expier nos fautes.

Elle demeura par la suite silencieuse, et Sasseville ne l'interrogea plus. Les échanges portèrent pendant une heure sur le purgatoire, l'enfer ou le ciel. Tous ces enfants seraient alors bien près de s'imaginer condamnés aux flammes éternelles. L'*Acte d'humilité* servit ensuite à la dictée que le prêtre corrigea. Il passa à la dernière étape de la visite.

— Vous savez l'importance de vous livrer à une bonne confession pour faire votre salut. Sinon, vous serez condamnés à une éternité d'atroces souffrances. Mademoiselle Drousson va dire avec vous la prière avant l'examen de conscience.

La chaise de l'institutrice dans les mains, il passa dans l'appentis pendant que Félicité s'exécutait. Ernestine voulut cette fois encore passer la première et Griphine, la dernière. Comme les plus petits se trouvaient libérés de leurs travaux, l'institutrice posa son manteau sur ses épaules et sortit avec eux.

Dehors, elle marcha un peu. Sa jeune assistante vint la rejoindre après sa confession. L'adolescente ne parla pas de son malaise face au curé, mais ses lèvres arboraient une mine dégoûtée. Sa compagne respecta son silence, les yeux fixés sur le vieux Romulus. La curiosité la tenaillait au sujet du passé du bonhomme.

Un peu après midi, le prêtre apparut sur le perron de l'école, son manteau sur le dos et coiffé de sa barrette.

— Je dois lui parler, se résigna l'institutrice. À tout à l'heure.

Elle posa la main sur l'avant-bras d'Ernestine, puis alla rejoindre le curé.

— Pouvez-vous m'accorder une minute ? demanda-t-elle.

— Même plusieurs, mademoiselle. Tenez, vous pourriez donner congé aux écoliers pour le reste de la journée et venir dîner avec moi au presbytère.

Les joues de la jeune femme rosirent. Cette invitation sans cesse répétée devenait insupportable.

— Cessez de me taquiner, monsieur le curé.

— Ce n'est pas une taquinerie, je suis sérieux. Vous demeurez une couventine exemplaire... Mais je me trompe peut-être ! On m'a parlé d'un baiser donné à un jeune homme, juste sous le clocher de l'église, vendredi dernier. Il me faudrait remettre mon étole et retourner avec vous dans l'appentis.

Bien sûr, qu'elle se soit prêtée à ce geste spontané en public avait dû venir aux oreilles du chef incontesté de la paroisse. Bredouillante, elle se défendit :

— Ce n'est pas ce que vous pensez, je vous assure...

— Nous aborderons ce sujet dimanche prochain quand j'aurai mon étole. Que vouliez-vous me demander ?

— Avant de partir, pourriez-vous dire un mot à Sildor ?

— Le fils Malenfant ? Pourquoi devrais-je lui parler ?

Le prêtre adoptait soudainement le ton du reproche, comme si ce genre d'intervention était étranger à son ministère.

— Il se montre brutal avec les plus petits.

Son interlocuteur arqua les sourcils, comme si elle énonçait là une incongruité.

— Maintenir la paix entre vos élèves relève de votre compétence.

— Ce garçon a une mauvaise nature. Il me regarde dans les yeux avec un air de défi, puis n'en fait qu'à sa tête.

— Malheureusement, j'ai terminé mes confessions. Le prendre à part maintenant, après vous avoir parlé, serait indélicat.

Félicité voulut insister, mais le regard sévère du prêtre la força au silence. Ses yeux passèrent de son visage à son corps, puis revinrent se poser dans les siens.

— Au lieu de m'entretenir de Sildor, vous devriez plutôt évoquer Samuel. Remarquez, c'est un jeune homme plein de force, comme un jeune poulain au printemps. Vous comprenez, la sève…

L'allusion amena son interlocutrice, rougissante, à baisser le regard.

— Cessez de jouer à la couventine effarouchée. Vous êtes dans une école à la campagne, vous connaissez les exigences de la nature.

À nouveau, il la soumit à un examen attentif.

— Oui, je comprends Samuel, remarqua-t-il, vous avez bien profité depuis l'été dernier. Un baiser sur la place publique ! Même l'automne, la sève monte chez certaines pouliches.

Il marqua une pause, un sourire moqueur sur le visage.

— Vous désirez me dire autre chose, mademoiselle ?

— … Non, monsieur le curé, balbutia-t-elle.

Il la salua en soulevant sa barrette. Puis il se dirigea vers Hélas Malenfant pour s'entretenir avec lui. Du haut du siège de la voiture, les guides dans les mains, le vieux Romulus Sasseville la contemplait, visiblement amusé de la scène.

Nerveusement, la jeune femme rejoignit son assistante, les yeux rivés au sol.

— À toi aussi, il te fait « ça », lui souffla Ernestine.

Ce fut au tour de l'adolescente de poser la main sur l'avant-bras de l'institutrice. Cette dernière voulut aborder avec elle ce mystérieux « ça », mais n'osa pas. C'était vrai, la couventine lui demeurait rivée au corps.

Pendant la majeure partie de l'après-midi du dernier dimanche du mois de novembre, Félicité s'agita près du poêle dans la classe. Son initiative culinaire lui valait d'allonger encore la liste de ses dettes au magasin général. La mélasse, la cassonade, le sucre blanc et le beurre s'ajoutaient à son débit.

Les manches retroussées, le front humide de sueur, elle étira, étira encore les écheveaux de pâte, bruns au début, puis de plus en plus blonds au gré de ces manipulations. Bien sûr, elle aurait pu remettre au lendemain cette étape de la confection et la confier aux élèves. Mais elle imaginait facilement combien une activité de ce genre prêterait à la dissipation. Mieux valait ne pas fournir une occasion à tous ces larrons.

Quand le lendemain, après le son de la cloche, les élèves entrèrent dans la classe, ils virent les mots « Sainte Catherine » sur le tableau noir.

— Vous connaissez certainement la fête célébrée hier, commença l'institutrice. Peut-être l'avez-vous soulignée dans votre famille.

— C'est la fête des vieilles filles, nota un garçon.

Comme elle fixait les yeux sur lui, il ajouta un « mademoiselle » tardif.

— Et vous, mademoiselle, êtes-vous une vieille fille ? demanda Elzéar en fixant sur elle un regard moqueur.

— On parle de vieilles filles à compter de 25 ans. J'en suis loin.

— Vous avez quel âge ?

— Cela ne te regarde pas, mais je suis plus âgée que toi.

La précision rabattit un peu le caquet de son interlocuteur.

— La maîtresse de l'école du village est une vieille fille, elle, précisa Griphine.

À quinze ans, peut-être cette jeune fille s'inquiétait-elle déjà de trouver un bon parti.

— Même s'il est vrai, un commentaire de ce genre n'est pas très charitable, la reprit Félicité.

L'autre lui lança un regard un peu amer, mais n'ajouta rien.

— Vous savez pourquoi c'est devenu la fête des vieilles filles ? demanda un élève.

— Il y a très longtemps, le 25 novembre, on promenait une statue de la sainte dans les églises, et la célibataire la plus vieille de la communauté lui mettait un bonnet sur la tête. Toutes les autres célibataires portaient une coiffe en papier pour indiquer aux jeunes hommes qu'elles désiraient se marier.

— Et vous, mademoiselle, vous ne portez pas une coiffe ? demanda Elzéar.

— Tu vois un homme dans cette pièce, toi ?

La réplique tira un sourire au garçon. S'il n'y avait pas d'homme, il avait la prétention d'être celui qui s'en rapprochait le plus.

— Maintenant que vous êtes familiers avec les catherinettes, pouvez-vous me dire qui était sainte Catherine ? demanda la maîtresse.

Seul le silence lui répondit.

— Sainte Catherine était la fille d'un roi d'Alexandrie…

Elle poursuivit son récit jusqu'à l'exécution de la pauvre jeune demoiselle sur l'ordre de l'empereur romain Maxence. L'allusion à la décapitation tira ses auditeurs de leurs rêveries.

— Tout de suite après sa mort, des anges sont apparus pour transporter son corps sur une montagne, le Sinaï. Une source miraculeuse a surgi aussitôt à l'endroit où reposait son cadavre. Encore aujourd'hui, son eau guérit toutes les maladies. Elle est la patronne de toutes les jeunes filles non mariées.

Ces récits contenaient toujours une part d'aventure et de merveilleux susceptible de se graver dans les jeunes esprits.

— Il y a une autre tradition reliée à la Sainte-Catherine, dit Félicité d'une voix enjouée. Vous savez laquelle ?

— La tire, s'écria l'un des enfants Marcoux.

— Oui, la tire, confirma la jeune femme en ouvrant la porte de l'armoire pour en sortir une assiette bien garnie de friandises sucrées.

L'institutrice commença par présenter les petites gâteries aux occupants de la table de gauche, puis elle se déplaça à droite. Lorsqu'elle arriva à la hauteur de Sildor Malenfant, l'adolescent tendit une main un peu crasseuse pour en prendre une poignée.

— Ce que tu fais là n'est pas poli, gronda l'institutrice. Montre un peu de savoir-vivre et prends-en un seul.

— Il y en a assez pour les autres, même si j'en prends plusieurs.

— Faut pas lui en vouloir, mademoiselle, ricana Elzéar. Chez lui, son père fait la cuisine, et il n'est pas très bon. Le pauvre est privé de tout.

— Va chier, riposta le garçon.

— Tu sais parler devant les dames, toi ! répliqua l'autre.

— Assez, s'interposa Félicité d'une voix forte.

L'agressivité entre ces deux-là maintenait une tension continuelle dans la classe. Félicité pensa qu'il était bien dommage que l'un ou l'autre n'aille pas au chantier.

— Tu en prends un, ou pas du tout, exigea-t-elle après une pause. S'il en reste après une tournée, ce sera pour les plus jeunes.

— On sait bien…

Pour souligner le sous-entendu, le garçon porta son regard sur Floris, mais il fit comme on le lui disait. Quand Elzéar se servit à son tour, il demanda :

— Mademoiselle, dites-moi où il a mis sa patte. Je ne veux pas m'empoisonner.

L'initiative généreuse ajoutait paradoxalement à l'acrimonie se développant dans sa petite communauté. L'institutrice posa l'assiette encore bien garnie sur la table des petits en murmurant :

— Partagez le reste de façon équitable.

De retour sur son estrade, Félicité regrettait qu'il soit encore si tôt. Elle se languissait déjà de la pause du midi.

Les enfants se dispersèrent un peu après quatre heures. Deux fillettes s'attardèrent, le temps de passer le balai, alors que l'institutrice et Ernestine prenaient place de part et d'autre de la table des grands pour se pencher sur le journal de classe. Elles en étaient aux conjugaisons quand l'une des aides déclara :

— Nous avons terminé, mademoiselle.

— Je vous remercie, dit Félicité en se levant. Attendez un peu, j'ai quelque chose pour vous.

Dans l'armoire, elle récupéra un petit bol et en présenta le contenu aux écolières :

— Une petite réserve secrète de tire, pour partager avec les plus gentilles.

Elles acceptèrent les friandises, puis se hâtèrent de retourner à la maison. Le contenant se trouva entre la maîtresse et son assistante. En se servant, celle-ci remarqua :

— Heureusement que Sildor n'est pas là, nous devrions nous battre pour en avoir.

— Celui-là a juré de me faire craquer, on dirait. Je me demande pourquoi il agit ainsi.

— Comme c'est un idiot, il n'a pas vraiment besoin de raison. Mais dans ce cas précis, il en a une. Il croit servir les intérêts de sa grande sœur.

— Je ne comprends pas. Comment être détestable avec moi sert les intérêts de sa sœur?

— Griphine espérait se voir confier cette école. Elle considère avoir été victime d'injustice. Tout le monde le sait, dans le rang.

Tout le monde, sauf la principale intéressée. Pourtant, l'information lui aurait été précieuse en septembre.

— L'imbécile pense peut-être arriver à te chasser pour qu'elle gagne ta place, avança l'adolescente.

— … Mais elle ne sait pas écrire.

— Elle est si ignorante qu'elle ne sait même pas à quel point.

Ernestine, quant à elle, affichait décidément une sagesse un peu étonnante.

— Marcoux ne semblait pas enthousiaste quand on m'a embauchée, se souvint Félicité.

— Ma voisine a dû multiplier les visites chez le commissaire d'arrondissement, et surtout chez le curé, pour que son aînée soit choisie.

— … Monsieur le curé a appuyé ma candidature, ajouta Félicité en insistant sur le premier mot.

Le «monsieur» devait ramener l'adolescente à plus de respect envers les détenteurs de l'autorité. Dire «le curé» paraissait bien indélicat.

— Bien sûr, il voulait que ce soit toi, après t'avoir vue.

Le ton contenait un reproche muet. Félicité bafouilla, confuse:

— Je ne vois pas ce que tu veux dire.

— Voyons, tu constates bien son regard sur toi. Et après chacune de ses visites, tu parais troublée.

Qu'elle utilise ce mot avec un pareil à-propos étonna l'institutrice. Elle voulut protester, nier. Mais l'intelligence dans les yeux de son interlocutrice l'en empêcha. La lampe à pétrole jetait un cône de lumière de trois verges, laissant le reste de la pièce dans l'ombre. La scène donnait l'impression d'une conspiration.

— C'est un prêtre, marmonna-t-elle.

— Il est d'abord un homme. C'est à lui de se montrer digne de son habit, ou non.

À treize ans, élevée dans le fond d'un rang, elle énonçait des vérités profondes sans ciller des yeux.

— Tu lui es tombée dans l'œil, même si c'est un prêtre. Tout le monde peut le constater. Il a une façon bizarre de te regarder, de se tenir près de toi…

Félicité secoua la tête, agitant ses boucles châtaines, et réprima un frisson qu'elle voulut attribuer au froid. Après avoir mis une bûche de bois dans le poêle, elle répéta en se rasseyant :

— Il a été consacré. Il ne peut pas s'intéresser à «ça».

— Lui s'y intéresse. Même avec moi, à confesse…

La voix se révéla à peine audible. La curiosité de Félicité était piquée au vif.

— Au confessionnal, il y a une cloison, expliqua l'adolescente. Mais ici, dans l'appentis… Il faut se mettre à genoux près de sa chaise et poser les mains jointes sur sa cuisse.

Félicité imaginait sans mal la scène, pour l'avoir vécue au couvent de Saint-Jacques. Évidemment, le vieux curé Merlot n'intimidait aucune petite fille.

— Puis il met sa main sur mes épaules, pose des questions…

Là, Ernestine était à court de mots. Comment formuler à haute voix que le saint homme s'informait de ses règles et de ses pensées impures ?

— Puis tu as vu comment Griphine se tortille devant lui? ajouta-t-elle dans un souffle.

Félicité se remémora la main sur la cuisse de l'écolière, des semaines plus tôt. Elle fit non de la tête, comme pour s'entêter à ne pas voir la réalité.

— Griphine ne se compte pas pour vaincue, elle croit en ses chances de te supplanter. Le curé reviendra cette semaine avec l'inspecteur. Surveille-la bien.

Cette visite, annoncée la veille du haut de la chaire, agitait déjà le sommeil de la maîtresse.

— Tout de même, dit-elle, c'est encore une enfant. Elle ne peut pas espérer obtenir un poste d'institutrice en faisant de la façon au curé.

— Tu l'as bien regardée? C'est une enfant qui a bien profité… Surtout là et là, compléta l'adolescente après une pause.

À dix-sept ans, Félicité offrait moins de poitrine et de hanches que sa rivale.

— De toute façon, insista son interlocutrice, sa mère lui montre comment faire.

Ernestine levait le voile sur une vérité déconcertante. Le représentant de Dieu dans la paroisse prenait les traits d'un satyre. Des paroissiennes désireuses d'obtenir ses faveurs tentaient de le séduire. Ces observations dépassaient l'entendement.

— Tu vas devoir m'en dire un peu plus pour me convaincre…

Son interlocutrice la contempla.

— Vraiment, parfois tu m'étonnes, dit-elle en lui adressant un sourire… Tu as vu tous les Malenfant, non? Les enfants ici, les parents à l'église.

— Oui, en effet.

— Il y en a un qui cadre mal dans le paysage, n'est-ce pas?

Bien sûr, l'exception ne lui échappait pas. L'institutrice hocha la tête.

— Le curé a pris la peine d'échanger quelques mots avec lui après ses visites, cette année.

— Hélas...

— Tu parles d'un prénom! Le bonhomme Malenfant et le curé ont le sens de l'humour.

Toutes les deux oubliaient totalement le journal de classe grand ouvert devant elles. Félicité se souvenait des remontrances de l'ecclésiastique après la veillée «à clencher», des railleries à propos du baiser donné à Samuel devant l'église... Son esprit se refusait à accepter les évidences qui contredisaient l'image de droiture que lui inspirait une soutane, niait le malaise qu'il provoquait pourtant en elle. Ces constats devaient s'expliquer autrement.

— Mais si tout cela est vrai, les paroissiens...

— Les gens préfèrent regarder ailleurs. Après tout, comme tu le disais, il a été consacré... D'autres espèrent qu'un jour, nous aurons un meilleur curé.

Ernestine la regardait avec ses grands yeux, sous une tignasse de cheveux blonds un peu emmêlés.

— Tu fais partie du premier groupe, releva l'élève.

— Cela me semble si... incroyable.

La jeune femme se leva pour marcher un peu dans la classe, afin de dissimuler son émotion. Elle laissa finalement tomber:

— Bon, je dois penser à préparer mon souper. Tu veux manger avec moi?

— Je suis trop bavarde, nous n'avons presque pas travaillé.

L'adolescente se leva pour aller récupérer son manteau dans l'appentis. Elle revint dans la classe pour préciser :

— Je vais retourner à la maison avant que maman ne lance mon frère à ma poursuite.

— Tu veux que je te reconduise ?

— Non, je vais me débrouiller sans escorte. Allez, bonsoir Félicité.

— Bonsoir, mon amie, à demain.

La jeune femme posa la barre sur ses crochets. Ensuite, perdue dans ses pensées, elle resta longtemps assise à sa table de travail.

Chapitre 13

Un événement semait toujours le plus grand effroi chez les institutrices, surtout chez les nouvelles : la visite de l'inspecteur. Ce fonctionnaire payé par le Département de l'instruction publique pouvait même aller jusqu'à exiger le renvoi immédiat d'une enseignante jugée incompétente ou immorale.

Le dimanche 25 novembre, l'abbé Sasseville avait annoncé lors de son prône la venue de l'illustre personnage le mardi suivant. Cet étranger se livrerait à un examen attentif des procédés et des livres de comptes de la commission scolaire. Il verrait le jour suivant les écoles des rangs Saint-Paul et Saint-Eugène. Le jeudi, ce serait celle du village en matinée, et celle du rang Saint-Antoine en après-midi.

Ce jour-là, dès le matin, une anxiété fébrile empêcha Félicité d'avaler quoi que ce soit. La nervosité lui assécha la bouche au fil des heures. Pour demeurer audible, elle abaissa la réserve d'eau de façon considérable, et dut se rendre aux latrines avant la pause de midi. Les fesses sur la planche de bois glacée, elle entendait les cris et les sifflets dans la classe, sans doute accompagnés de remarques salaces. Au-dessus du grabuge, la petite voix d'Ernestine tentait de ramener l'ordre.

— Retournez à vos places et sortez votre livre de lecture, disait-elle. Si vos parents vous voyaient, ils auraient honte de vous.

Cela semblait bien peu probable à l'institutrice. À la récréation, le froid pinçant et le vent du nord retinrent les enfants dans la classe. Ne pas prendre l'air les rendrait encore moins attentifs, mais elle ne pouvait les forcer à se geler les oreilles. Ils se rapprochèrent le plus possible du poêle pour manger leur dîner.

À une heure, Félicité reprit la classe, plus nerveuse que jamais.

— Quand ils arriveront, ne me faites pas honte, répéta-t-elle pour la dixième fois. Ayez la fierté de présenter le meilleur de vous-même.

Certains s'étaient au moins donné la peine de se peigner un peu et de mettre des vêtements reprisés moins souvent. Puis à deux heures, le son des grelots ornant les attelages se fit entendre.

— Les voilà, n'oubliez pas ce que je vous ai dit…

La jeune femme se précipita vers la porte principale qu'elle ouvrit pour découvrir deux traîneaux. Le premier transportait le curé, le secrétaire-trésorier et l'inspecteur Isidore Leclerc. Le vieux bonhomme Sasseville faisait office de cocher. Le second était occupé par les quatre autres commissaires.

Lorsque le prêtre entra dans l'école, flanqué du fonctionnaire, Ernestine donna le signal aux élèves de se lever pour articuler plus ou moins à l'unisson :

— Bonjour, monsieur le curé. Bonjour, monsieur l'inspecteur.

Les cinq autres visiteurs venaient ensuite.

— Bonjour, messieurs les commissaires d'école.

Plusieurs butèrent sur le dernier titre. Félicité s'empressa de fermer la porte derrière eux pour protéger les élèves du froid, bien incertaine de la suite des événements. Heureusement pour elle, Isidore Leclerc avait l'habitude de ces novices torturées d'inquiétude. Il lui tendit la main en disant :

— Mademoiselle Drousson, je suis heureux de vous revoir.

— Moi aussi, répondit-elle après une hésitation.

— Messieurs, si vous voulez bien vous asseoir, les invita Isidore.

Ses compagnons firent ce qu'on leur disait et occupèrent les places libres au fond de la classe. Tout le temps de sa visite, cet étranger dirigerait les événements.

— Bonjour, les enfants, enchaîna-t-il. Vous pouvez vous asseoir aussi.

Il y eut un bref brouhaha de bancs déplacés.

— Maintenant, mademoiselle, si vous voulez continuer votre leçon. Vous en étiez où, exactement ?

— À la conjugaison des verbes en « er » chez les plus vieux alors que les autres se livraient à un exercice d'écriture.

Le tableau témoignait de son assertion. Les plus jeunes, avec une bonne volonté évidente, s'absorbaient déjà dans leur tâche.

Félicité s'adressa aux plus âgés en leur demandant de conjuguer le verbe « commencer » au présent.

— Je…, débuta-t-elle.

Elle agita les mains, un peu comme un directeur de chorale donnant le signal à ses chanteurs.

— … commence, dit quelqu'un.

— Oui, et tu…

— … commences, risqua un autre.

Elle écrivait chacune des réponses au tableau. Après en être arrivé au « ils commencent », elle reprit :

— Mais si vous parlez d'une action entreprise hier ?

Les élèves se firent encore bien timides, comme si elle parlait chinois.

— J'ai commencé, murmura Ernestine.

L'exercice se poursuivit avec l'imparfait, puis le futur simple. Isidore Leclerc eut pitié, ne la laissant pas s'aventurer du côté des subjonctifs.

— C'est bien, mademoiselle Drousson. Je suppose que vous les avez habitués à faire des opérations mathématiques. Que diriez-vous de les emmener au magasin général pour faire un petit achat ?

Tout de suite, Félicité comprit, et proposa :

— Vous avez besoin de quatre verges de coton pour faire une robe. Si chaque verge coûte sept cents, à combien montera la facture ?

— Donnez la réponse dans votre cahier, précisa l'inspecteur. Je passerai pour voir si vous avez réussi.

Même s'il s'agissait d'une simple multiplication, le tiers des élèves livra un mauvais résultat ou bien n'inscrivit rien du tout.

— Maintenant, élevons un peu la difficulté, déclara le fonctionnaire en venant occuper l'estrade à son tour, forçant l'institutrice à se placer en retrait. Vos parents sont tous des cultivateurs, vous le serez sans doute aussi. Alors voilà une situation où vous vous trouverez un jour ou l'autre. Votre cheval est mort juste au moment des labours. Vous devez le remplacer tout de suite, mais voilà, vous n'avez pas l'argent. Un voisin revenant du chantier accepte de vous prêter vingt-deux dollars pour six mois, à un taux annuel de dix pour cent d'intérêt. Combien lui remettrez-vous à l'échéance ?

— Monsieur, on ne peut pas avoir un bon cheval de labour pour vingt-deux piastres, se moqua un adolescent.

— Voyons, Sildor ! s'écria Félicité.

Le trouble-fête narguait l'institutrice du regard. Leclerc leva la main pour la faire taire, puis rétorqua :

— Jeune homme, tu sembles t'y connaître en chevaux. Ça vaut combien, d'après toi ?

— Une cinquantaine de piastres.

— Alors toi, et toi seul dans la classe, tu vas faire le calcul avec un montant de cinquante-trois dollars et demi, et un taux d'intérêt de onze pour cent.

Un ricanement accueillit la directive. L'institutrice regarda Elzéar, que la situation amusait fort. Des yeux, elle le supplia de se tenir coi. Leclerc refit le tour de la grande table pour vérifier les résultats. Tout au plus le tiers des élèves arriva à la bonne réponse. Deux seulement eurent droit à un commentaire. L'homme dévisagea l'aîné des Malenfant avant de dire :

— Au lieu de jouer au plus fin, tu devrais travailler en classe. Car si tu connais les chevaux aussi bien que les mathématiques, je suppose que tu attelles le tien la tête vers le bacul, et la queue vers l'avant.

La remarque souleva un éclat de rire. Félicité devina que Sildor lui ferait payer cette humiliation.

— Et vous, mademoiselle, vous avez fait les deux calculs ? dit-il en s'arrêtant aux côtés d'Ernestine.

— J'avais le temps, s'excusa-t-elle.

— Et les deux résultats sont exacts. Une femme comme vous épargnera bien des soucis d'argent à son mari, s'il est aussi faible en calcul que votre camarade.

De nouveau, la classe s'amusa fort aux dépens du jeune Malenfant.

— Nous allons passer maintenant à une courte dictée. Celui ou celle qui n'aura pas de fautes recevra ce livre.

De son sac, il sortit un *in-quarto* relié de toile rouge, *Histoire des Canadiens français* de Benjamin Sulte publié l'année précédente.

— Je suppose que la plupart d'entre vous connaissent les *Devoirs du chrétien*. Je vais vous faire une petite lecture de circonstance, à l'approche de Noël. Alors prenez tous votre cahier, cherchez une page vierge et efforcez-vous de bien écrire.

L'homme marqua une pause, attendit que tous les grands aient les yeux fixés sur lui puis il commença en utilisant le volume de Félicité :

— Auguste César ayant ordonné un dénombrement de tous les habitants de l'empire, Joseph et Marie se rendirent de Nazareth à Bethléem…

Avec ces deux derniers mots, le prix mis en jeu échappait à presque tous les élèves. La dictée se termina avec les mots : « Gloire à Dieu au plus haut des cieux, et paix sur la terre aux hommes de bonne volonté. »

— Maintenant, remettez-moi vos cahiers ouverts à la page de la dictée. Pendant que je corrigerai, mademoiselle Drousson fera répéter les tables de multiplication aux petits. Le meilleur d'entre eux aura droit aux *Fables* de La Fontaine.

Assis à la table de l'institutrice, un crayon rouge à la main, l'inspecteur posa les yeux sur la première copie. Comme le but de l'exercice était de trouver une dictée parfaite, inutile de tout lire. Les trois premières lignes recelaient toujours au moins trois erreurs. Après dix minutes, il resta avec en main un seul cahier exempt de trait rouge.

— Ernestine Richard, lut-il sur la première page.

L'adolescente leva la main.

— Ah ! Non seulement vous savez compter, mais vous savez écrire. Il y a en vous la graine d'une institutrice. Venez chercher votre prix.

Rougissante dans sa meilleure robe, sa chevelure blonde et frisée moins emmêlée qu'à l'habitude, elle enjamba son banc et marcha vers l'estrade.

— Je vous félicite, mademoiselle. À ma prochaine visite, je vous questionnerai sur le contenu de ce livre.

— Je l'aurai tout lu, monsieur l'inspecteur. Merci beaucoup.

Elle regagna sa place en le tenant à deux mains. À part les manuels scolaires, ce serait le premier véritable livre à pénétrer dans la maison familiale.

— De votre côté, mademoiselle Drousson, avez-vous un champion multiplicateur ?

— Oui, Honoré s'est rendu le plus loin.

Le commissaire Marcoux se gonfla d'orgueil en voyant son fils se distinguer. Floris regretta qu'on ne signale pas qu'il se trouvait second, même s'il ne fréquentait l'école que depuis septembre. Leclerc alla porter *Les Fables* à l'enfant méritant et réitéra l'invitation à les lire soigneusement.

— Maintenant, les enfants, comme il est assez tard, je vous permets de rentrer à la maison tout de suite. Et demain, vous aurez congé d'école.

Ils prononcèrent, la mine réjouie, un « Merci, monsieur l'inspecteur » bien discordant.

Les écoliers mirent quelques minutes pour ramasser leurs affaires et quitter les lieux. Isidore Leclerc invita les commissaires à s'approcher de l'estrade.

— Mademoiselle Drousson, pourriez-vous me donner le journal de classe et la liste des présences quotidiennes ?

Félicité récupéra les deux cahiers dans l'armoire et les posa au milieu de la table.

— Vous n'avez pas une autre chaise pour vous asseoir près de moi?

— Oui, en haut, dans mon logement. Mais je peux rester debout.

L'homme lui adressa un sourire, comme pour compatir à sa situation. Les commissaires la laissaient chichement équipée.

— La fréquentation de l'école m'apparaît bien faible. Il y avait quinze élèves, aujourd'hui.

— Plutôt quatorze, précisa-t-elle, dépitée. Faute de chaussures, quelques élèves ont cessé de venir depuis quelques jours. Un frère et une sœur se présentent en alternance, un jour sur deux, en se partageant une seule paire de bottes.

— Notre paroisse est pauvre, déplora Léonidas Marcoux, soucieux de préserver la bonne réputation de ses voisins.

— Bien sûr, ils sont pauvres.

Le ton de l'inspecteur exprimait une certaine lassitude. La même situation revenait sans cesse. Il leva les yeux vers l'institutrice.

— Les présences ont été prises avec soin. Montrez-moi vos planifications pour les prochains jours.

Des institutrices donnaient leur enseignement au petit bonheur, et colligeaient leurs activités après coup. Regarder les jours à venir lui paraissait une meilleure indication de leur sérieux.

— Vous commencez toujours en évoquant un saint patron?

— Cela me paraît une bonne façon d'aborder l'enseignement religieux.

— Vous passez ensuite à l'histoire sainte, puis au caté-chisme…

L'observation ne méritait pas d'être commentée, les activités évoquées s'alignaient sur deux colonnes dans son cahier, avec les minutes consacrées à chacune.

— Ernestine, c'est la jeune fille forte en dictée? Je vois son nom ici et là.

— Oui, elle m'aide avec les petits. Comme vous avez pu le voir, elle est en avance sur les autres.

— Elle rêve sans doute de se présenter au Bureau d'examinateurs?

L'institutrice approuva de la tête. L'homme referma le second cahier, puis lui fit signe de s'asseoir au bout du banc le plus proche.

— Vos livres sont impeccables, de plus vous maîtrisez les sujets d'enseignement sur le bout de vos doigts. Je m'y attendais, d'ailleurs, après vous avoir vue cet été. Je ne vous mettrai toutefois pas la mention «très bien», car vous paraissez avoir un peu de mal à établir votre autorité sur la classe.

— Non, je vous assure...

Il leva la main pour la faire taire.

— Certains élèves paraissent vous faire peur. Ce boulé...

— Sildor Malenfant?

— Il porte bien son nom, celui-là. Il vous effraie.

— Il est aussi grand que moi, plus fort aussi, et il me dévisage sans cesse avec un air provocateur.

L'inspecteur secoua la tête. Son interlocutrice bredouillait un peu, gênée de se voir réprimandée devant six témoins.

— Je vous assure, cela a peu à voir avec le poids, la taille ou même l'âge. Il faut établir votre autorité. Nous nous reverrons au printemps, vous aurez une autre occasion d'obtenir la meilleure note. Mais la mention «bien», au terme de quelques mois de travail seulement, devrait vous flatter. Certaines de vos collègues demeurent «passables» après cinq ans d'exercice.

La précision la rasséréna un peu. L'inspecteur se tourna à demi pour dire encore :

— Maintenant, à vous, messieurs…

Il posait des yeux sévères sur les commissaires.

— Je vous demande depuis combien de temps de vous débarrasser de ces tables pour acheter de vrais pupitres ?

— Ça coûte trop cher, déclara Léonidas Marcoux.

L'inspecteur fit mine de n'avoir rien entendu de la justification.

— Je vous le répète depuis ma nomination. Et vous n'avez rien fait. Votre école recevra une bien plus mauvaise note que l'institutrice, vous savez ? Ce sera «insuffisant», souligné en rouge.

Le verdict ne parut pas émouvoir outre mesure le président de la commission scolaire, Nicéas Normand. Après deux jours passés avec ce fonctionnaire, il paraissait s'ennuyer sérieusement de sa boutique de forge.

— Autre chose : nous sommes encore loin des semaines les plus rigoureuses de l'hiver, mais il fait déjà bien froid dans cette bâtisse.

— Mais non, rétorqua Marcoux. Je devrais même enlever mon paleteau tellement je crève.

— Vous êtes à deux pas du poêle. Tout à l'heure, les garçons assis le long du mur extérieur gardaient leur manteau.

Leclerc se leva pour s'approcher de l'appareil de chauffage.

— Quand avez-vous mis du bois là-dedans, mademoiselle Drousson ?

— Juste avant votre arrivée.

— Ça ne semble pas bien efficace. En février, les enfants vont geler.

Il approchait ses mains de la fonte noire pour appuyer son affirmation.

— ... Je fais mon possible, se défendit l'institutrice, mais le bois arrive au compte-gouttes.

— Vous n'en avez jamais manqué, insista Marcoux.

— Il ne reste que des petits rondins de bois vert, dans l'appentis derrière l'école. Vous pourrez le constater, monsieur l'inspecteur.

Du regard, la jeune femme défait le commissaire de son arrondissement de la contredire.

— Nous le verrons dans un instant, dit le visiteur en se dirigeant vers le mur de droite.

Il plaça le dos de sa main près d'une fenêtre, adressa un sourire au président de la commission scolaire.

— Il vente autant ici que dehors. Calfeutrer un peu, ça ne vous dit rien?

Il se pencha pour mettre sa main près du plancher.

— Vous devez renchausser le bas des murs de toutes vos maisons, je suppose.

Le silence lui répondit. Il précisa:

— Vous savez ce que c'est, renchausser? railla-t-il. Pelleter un peu de terre contre les murs extérieurs pour empêcher l'air froid de courir sur le plancher. Si vous le faites chez vous, pourquoi ne pas avoir la même attention pour vos enfants à l'école? Ne me dites pas que vous êtes trop pauvres, ça demande tout juste deux heures de travail et pas un sou.

En revenant près de l'estrade, Isidore Leclerc se pencha vers la jeune institutrice en disant:

— Mademoiselle, l'après-midi a été assez long et riche en émotions pour vous. Le temps de voir votre réserve de petits rondins verts, et nous vous laissons tranquille.

Elle se leva pour l'accompagner dans l'appentis, les commissaires sur les talons, inquiets tout d'un coup de la teneur du rapport.

— Vous avez raison, mademoiselle, on ne voit pas ici de beaux quartiers d'érable qui réchaufferaient une grande pièce.

Le sarcasme transparaissait dans sa voix. Nicéas Normand calculait mentalement le coût de cette visite d'inspection.

— Et vous n'avez aucune réserve ?

— Non. Dehors, derrière les latrines, c'est vide.

— Messieurs, nous irons constater la situation dans un instant. Et les latrines, elles sont là ?

L'homme désignait la porte derrière lui. Le commissaire de l'arrondissement acquiesça de la tête.

— Malgré le froid ambiant, l'odeur demeure perceptible depuis la classe. Il faudra les curer très vite, avant que ça ne devienne un foyer d'infection.

L'inspecteur entrouvrit la porte et se retourna vers la maîtresse pour dire, la main tendue :

— Mademoiselle, j'ai aimé vous revoir. Je suis sûr qu'au printemps, je vous trouverai au chaud, et en pleine maîtrise de cette classe.

— Je vous remercie, monsieur Leclerc.

Elle tendit la main vers les commissaires. Ceux-ci affectèrent de ne pas la voir, se contentant de la saluer de la tête en grommelant un «mademoiselle» maussade. Seul l'abbé Sasseville profita de l'occasion pour tenir longuement ses doigts dans sa paume.

— Vous vous êtes très bien tirée d'affaire, mademoiselle. Il est vrai qu'une femme aussi charmante que vous…

Le sous-entendu la fâcha, une émotion exprimée par un petit pli au milieu du front. Pour cet ecclésiastique, les bons mots de Leclerc tenaient à une jolie silhouette et à un visage avenant.

— Messieurs, les interpella l'inspecteur à l'extérieur, allons constater l'inexistence de cette réserve de bois.

— On m'appelle, dit le curé.

Sur ces mots, l'ecclésiastique quitta les lieux. Félicité vit la demi-douzaine d'hommes faire le tour de la bâtisse à la suite de Leclerc. Il devait leur expliquer quelles mesures prendre pour rendre la bâtisse un peu plus étanche. Puis les deux carrioles partirent dans un bruit de grelots. La jeune femme remit les deux barres de bois en place.

Pendant toute sa journée de congé inattendue, le lendemain, Félicité tenta d'arrêter une stratégie propre à mieux asseoir son autorité sur la classe. Plus elle y réfléchissait, moins une solution envisageable lui venait à l'esprit. Une conversation en tête-à-tête avec Sildor ne ferait que renforcer le garçon dans son attitude.

Toute la journée du samedi, elle s'occupa de la planification de ses leçons. Après deux jours de solitude, elle se trouva très tôt devant sa fenêtre le dimanche matin à surveiller l'arrivée de ses voisins qui viendraient la chercher pour la messe.

Elle vit poindre au loin le petit traîneau bas qu'Odélie utilisait depuis la première neige. Les deux femmes occupèrent la banquette étroite et Floris se tenait entre elles, un peu sur la planche de bois, un peu sur les cuisses de ses compagnes, la robe de fourrure remontée jusque sous le nez.

— Cette visite de l'inspecteur, tu m'en parles un peu ? demanda la paysanne.

— J'étais morte de peur, mais finalement les choses se sont bien passées.

— Aucun reproche ? J'en suis heureuse pour toi.

— Oh ! Il a trouvé un peu à redire, tout en m'assurant que pour une débutante, je m'en tirais plutôt bien.

Malgré cette conclusion positive, l'institutrice souhaitait changer de sujet. La conversation porta bientôt sur les travaux inévitables dans une ferme pendant la mauvaise saison, qui se limitaient essentiellement aux soins des animaux. Bientôt s'y ajouterait l'obligation de tasser les amoncellements de neige pour pouvoir entrer et sortir facilement des bâtiments.

À leur arrivée à l'église, les deux femmes unirent leurs efforts pour placer la robe de la carriole sur le dos du cheval. La vague de froid tenait ferme, le thermomètre devait indiquer autour de vingt degrés Fahrenheit.

Dans le banc des institutrices, les quatre femmes attendirent le prône avec une certaine nervosité. Il y serait nécessairement question d'elles. Après avoir évoqué le programme des manifestations pieuses et des sociétés religieuses pour la semaine à venir, le curé en vint à la question des écoles :

— Il y a quelques jours, l'inspecteur Leclerc se trouvait dans notre paroisse. Il a constaté la bonne tenue des livres de la commission scolaire, et il a eu de bons mots pour toutes nos institutrices, sans exception. Je tiens à les féliciter en votre nom.

Un soupir de soulagement s'échappa des quatre poitrines, alors que les regards des paroissiens se posaient sur elles.

— Toutefois, tint à noter le curé, je regrette de dire qu'un arrondissement a montré sa négligence dans la préparation de l'école pour les rigueurs de l'hiver. Ses habitants, j'en suis sûr, corrigeront très vite la situation.

Le rouge monta aux joues de Félicité. Si d'un côté elle passerait peut-être l'hiver au chaud, une telle semonce du haut de la chaire lui vaudrait l'inimitié de ses voisins, et surtout du commissaire de son arrondissement scolaire.

Chapitre 14

À la sortie de la messe, l'institutrice était tourmentée par des émotions contradictoires. Sur le parvis, tant ses collègues que les paroissiens jetaient sur elle des regards curieux.

Un peu après une heure, des coups discrets sur la porte de côté attirèrent son attention. Les mains mouillées par l'eau de vaisselle, elle ouvrit. Ernestine se tenait devant elle, un bonnet de laine sur la tête, sous lequel dépassaient quelques mèches rebelles.

— Entre, et suis-moi en haut. Je dois remettre mon couvert à sa place.

L'adolescente fit comme on le lui disait tout en demandant :

— Qu'est-ce que je fais avec cela ?

Elle désignait la paire de raquettes tenue dans la main droite, et les mocassins dans la main gauche.

— Apporte-les avec toi. Je ne peux les laisser en bas.

La visiteuse eut la délicatesse d'abandonner ses bottes enneigées dans l'appentis, puis elle monta l'escalier derrière Félicité. En haut, elle contempla le petit logis, curieuse. Les quelques livres placés sur le plancher, près du lit, attiraient surtout son attention.

— Je te les prêterai pendant les vacances, dit la jeune femme en rangeant son couvert.

— Merci, ça me fera plaisir.

— Tu as regardé le livre reçu de l'inspecteur ?

— Je l'ai lu vendredi, dans la journée. Ma mère ne cessait pas de répéter : « Tu vas te ruiner les yeux, à lire comme ça. »

Dans les faits, la grosse dame avait formulé ce commentaire toute rose de fierté, l'imposant *in-quarto* témoignant du talent de sa cadette.

— Si tu veux, je te le prêterai, offrit Ernestine.

— Oh oui ! En janvier, ce sera parfait. Tu sais, ici les soirées sont longues. Imagine en plein hiver, quand je ne pourrai même pas sortir un peu le soir.

La visiteuse examina encore les lieux. L'endroit offrait au moins autant de confort que la maison des Richard. Quant à la solitude, elle ne pesait guère sur les épaules de l'adolescente. Parfois, elle rêvait même d'une retraite comme celle-là, où sa vie serait plus calme. Ses trois frères ne se révélaient pas les moins turbulents de la paroisse.

— Je suis un peu gênée, fit la jeune femme après une pause. Je ne pourrai te payer…

En se penchant, elle prit l'une des raquettes pour la soupeser.

— Elles doivent avoir quarante ans. Maman les avait même oubliées dans le grenier. La babiche est un peu relâchée, mais heureusement, les souris ne l'ont pas mangée. Elles porteront sans mal une personne de ton poids.

— Il n'y a pas que les raquettes. Les chaussures…

— Samuel les a reçues toutes neuves il y a dix ans, elles sont passées à Élie ensuite, puis à Jérémie. Mais celui-ci a maintenant des pieds longs comme ça.

Elle indiqua un bon quinze pouces entre ses mains, tout en pouffant de rire.

— Les mocassins de Samuel…

Le visage de l'institutrice prenait un air rêveur, l'allusion au jeune homme lui rappelait la scène devant l'église.

— Nous avons reçu une lettre, lui apprit la visiteuse. Il demandait de tes nouvelles. Veux-tu que je lui en donne ?

Ernestine plissait les yeux de plaisir, volontiers taquine.

— Si tu veux.

— Alors que dois-je lui dire ?

— Je vais bien…

Puis l'institutrice haussa les épaules, comme si le sujet ne l'intéressait pas vraiment.

— Cela ne fera pas une bien longue histoire, commenta Ernestine. Si tu ne me confies rien de plus, je vais être obligée de lui dire de t'écrire directement.

La jeune femme s'inquiéta soudain. Le curé avait souligné l'importance de n'aller à aucune soirée. Recevoir une lettre d'un jeune homme ne lui vaudrait-il pas ses foudres ? Pourtant elle glissa :

— Ce serait plus simple, en effet.

Son interlocutrice lui adressa un sourire entendu.

— Tu devrais les mettre, ces mocassins, sinon tu commenceras ta carrière de trappeuse à la lueur d'un fanal.

Pliée en deux, Félicité détacha les lacets de ses bottines, puis les retira. Quand elle allongea la main pour prendre les chaussures de cuir souple, son élève s'informa :

— Tu n'as pas des bas plus chauds ? Avec ceux-là, tu vas te geler les orteils. Le coton ne convient pas dans le rang Saint-Antoine en plein hiver.

— J'en ai en laine…

— Deux paires ?

C'était là tout son capital. Elle les enfila l'une par-dessus l'autre et chaussa les mocassins.

— Même avec deux épaisseurs, je ne les remplis pas, énonça-t-elle en levant les pieds.

— Tant mieux. Trop serrée, tu aurais froid.

En descendant l'escalier, la jeune femme boutonnait son manteau jusque sous son menton. Son bonnet de laine lui donnait l'air d'une petite paysanne.

— Je prends la hache, décida Ernestine. Tu as les collets ?

— Dans ma poche.

Dehors, l'air froid leur coupa un peu le souffle. Le vent pinçait la peau. Elles se pressèrent pour couvrir les cent verges les séparant de l'orée du bois.

La couverture de neige ne dépassait pas six pouces d'épaisseur et les raquettes demeuraient encore inutiles. Les troncs gris des feuillus offraient des bras décharnés, les conifères faisaient des taches d'un vert sombre.

— Les traces sont nombreuses, remarqua Ernestine. Tu pourras en attraper plusieurs.

Les lièvres utilisaient toujours les mêmes sentiers, laissant derrière eux une empreinte composée de trois ovales formant un triangle.

— C'est drôle, indiqua Félicité, me trouver ici me fait penser à papa. Je me souviens d'être allée tendre des collets avec lui quand j'étais petite, même si j'ai du mal à me rappeler ses traits.

Sa compagne hocha la tête. Elle-même n'avait aucun souvenir du visage de l'auteur de ses jours. Devenue orpheline très jeune, elle n'avait même pas une photographie pour se le remémorer.

— Ici me semble un endroit parfait pour en mettre un, fit observer Félicité en désignant un espace étroit entre deux arbres.

Ernestine coupa une hart grosse comme l'index, puis la tendit à l'institutrice avec un sourire amusé, curieuse de la voir se débrouiller. Félicité la coinça entre les troncs gris, à peu près à neuf pouces du sol. Puis elle sortit le petit rouleau de fil de laiton de sa poche pour en détacher un bout. Elle suspendit la bouche de métal à la bonne hauteur.

— Si je place des brindilles de chaque côté, les lièvres courront juste dans le piège, commenta-t-elle à haute voix.

— Je suis impressionnée, répondit sa compagne en riant. Tu as sans doute du sang de Sauvage dans les veines.

La moquerie amusa l'institutrice. Avoir de la compagnie lui faisait du bien.

— D'ici les vacances, je devrais en attraper une demi-douzaine, dit-elle.

— Quand tu seras partie, je pourrai venir lever les prises.

— Depuis chez toi, c'est trop loin. Mieux vaudrait placer les tiens près de la maison de ta mère.

— Inutile, Jérémie ramasse déjà des bêtes en allant bûcher du bois de chauffage.

Elles s'étaient remises en route. Bientôt Félicité posa un second piège.

— Si vous n'en avez pas besoin chez toi, je demanderai à Odélie de venir récupérer les lièvres. Ils profiteront d'un peu de viande fraîche.

— Le gentil Floris s'en chargera. Il m'appelle «mademoiselle», tu sais.

Cette marque de respect la rendait fière mais lui donnait aussi l'envie de pouffer de rire. Elles tendirent en tout huit collets, effectuant un trajet circulaire. Un peu avant de sortir du bois, Félicité s'arrêta devant un grand pin.

— Il me faut quelques branches pour confectionner une couronne de l'avent.

L'écolière mania la hache comme une habituée, sa compagne se retrouva avec une brassée de rameaux verts. En s'approchant de l'école, l'institutrice demanda :

— Tu entres, le temps de boire une tasse de thé ?

— Non, le soir tombe déjà, répondit sa compagne. Maman a peur qu'un grand méchant loup m'attrape, dans le noir.

— … Et toi, tu n'as pas peur ?

— Pas de ceux qui ont quatre pattes et du poil aux oreilles. Bon, à demain !

Un peu déçue, la jeune femme lui rendit son salut, puis s'enferma dans l'école.

Les branches de pin ramenées de la forêt étaient réunies pour former une couronne. Il lui restait un peu de fil de laiton après la confection des collets, il servit à les faire tenir ensemble. Le lundi matin, les écoliers trouvèrent l'ornement posé sur la toute petite table descendue de l'appartement de l'étage. Quatre bougies se trouvaient posées près de lui, trois de couleur violette et la dernière, rose.

Sur le tableau noir, le mot « avent » se trouvait écrit en majuscules.

— Ce matin, nous n'évoquerons pas le saint du jour. Hier à la messe, monsieur le curé a souligné le début de l'avent. Il s'agit de la période de préparation à la fête de Noël, où l'on commémore la première venue du Christ sur la terre. Vous savez ce que le mot « commémorer » signifie ?

Les yeux des écoliers se portèrent sur Ernestine Richard. Elle se tut, certaine qu'un peu de discrétion ferait mousser sa popularité. Ce fut Floris qui risqua, après l'allusion à Noël :

— Une fête ?

— Oui, une fête, une célébration. Et la première venue du Christ, vous pouvez me dire quand elle s'est produite ?

Cette fois, l'hésitation dura un peu plus longtemps.

— Il y a 1883 ans, lança Elzéar, lui-même un peu surpris d'y avoir pensé.

— Exactement. Il est venu nous annoncer la bonne nouvelle.

L'expression lui valut des regards interrogateurs.

— C'est-à-dire l'établissement de la religion catholique. L'avent sert aussi à nous préparer à la seconde venue du Christ. Vous savez pourquoi il séjournera à nouveau parmi nous ?

Cette fois, personne ne voulut proposer une explication. Devant le silence un peu trop lourd, Ernestine se dévoua à contrecœur :

— Il viendra pour le jugement dernier.

— Précisément. L'avent nous permet de nous préparer à la résurrection des morts et au moment où notre Créateur enverra certains d'entre nous en enfer, et les autres au ciel.

L'institutrice s'attarda sur ce moment fatidique. Puis elle précisa que l'avent commençait quatre dimanches avant Noël. Donc la veille, l'abbé Sasseville en avait souligné le début.

— Hier, j'ai confectionné une couronne, pour rappeler celle couverte d'épines de Notre-Seigneur. Les quatre bougies représentent les dimanches. Quelqu'un veut allumer la première ?

Quelques mains se levèrent, dont celle de Floris, toujours assis le plus près possible de la maîtresse. Un bruit se fit alors entendre à l'extérieur de la bâtisse.

— Mademoiselle, il y a deux hommes dehors avec des pelles, signala quelqu'un.

Un choc contre le mur souligna ces paroles. Félicité s'approcha pour voir deux cultivateurs prélevant la terre dans la cour pour la précipiter vers les fondations de l'école. Le blâme du curé portait ses fruits. Bien sûr, se livrer à cette corvée après les premières gelées se révélait très difficile. Chaque pelletée s'accompagnait d'au moins deux jurons, à en juger par leur attitude et leurs lèvres qui remuaient.

— Alors, cette bougie? dit-elle en revenant vers l'estrade.

— Moi, moi, mademoiselle, insistait Floris en s'agitant sur le bout de son banc.

— Prends un petit morceau de bois dans l'appentis et allume-le dans le poêle.

L'enfant s'élança pour faire comme on le lui disait.

— Encore le petit lèche-cul, maugréa quelqu'un.

Félicité chercha des yeux l'auteur de la remarque. Son soupçon se portait sur Sildor, renfrogné sur son banc, son manteau sur les épaules. Elle n'osa pas l'affronter. L'inspecteur Isidore Leclerc avait bien raison: elle le craignait. Son attention se porta sur Floris, qui se tenait près de la petite table, un éclat de cèdre à la main.

— Tiens, allume celle-là, dit-elle en pointant l'une des bougies violettes.

Quand il regagna sa place, l'institutrice commença sa leçon sur l'histoire sainte. Le bruit des pelletées de terre heurtant les murs l'accompagna une partie de la matinée.

Après la récréation, alors qu'elle entendait donner une leçon de mathématiques où se mêleraient la production d'avoine à l'arpent et les prix du marché, Félicité fut interrompue par des coups contre la porte de côté.

— Que voulez-vous ? demanda-t-elle aux deux hommes debout devant elle.

— Paraît que nous devons calfeutrer les fenêtres, dit le plus grand.

— Mais pas pendant la classe…

— À en croire le curé, ça presse.

Le ton peu amène de son interlocuteur fit céder l'institutrice. Elle les laissa entrer. Ils portaient chacun un rouleau d'étoupe, un marteau et un coin de bois.

— Les enfants, ces travaux semblent urgents. Comme les coups risquent de nous déranger, je vais écrire des problèmes au tableau, Ernestine va faire la même chose pour les petits. Nous passerons près des tables pour vérifier les réponses.

Le bruit sec de deux marteaux sur les coins de bois commença tout de suite. Les hommes enfonçaient un ruban d'étoupe entre le châssis des fenêtres et leurs cadres. Le désagrément durerait la majeure partie de l'après-midi, mais les courants d'air cesseraient de traverser la salle pendant les quatre prochains mois.

Le soleil se trouvait déjà bas sur l'horizon quand l'un des cultivateurs déclara depuis l'arrière de la classe :

— Mademoiselle, on s'occupe aussi des fenêtres en haut ?

La jeune femme les imagina fouillant dans son linge intime.

— Je vous remercie, messieurs, mais ce ne sera pas nécessaire. Vous pouvez rentrer chez vous. Je vous suis très reconnaissante.

Les journées devenaient de plus en plus courtes, et quand les nuages couvraient le ciel, l'obscurité tombait plus vite encore. Le règlement l'autorisait à suspendre la classe à quatre heures pendant la mauvaise saison. Au signal ce jour-là, les élèves s'égaillèrent bien vite. L'institutrice sortit avec eux, son manteau sur les épaules, pour faire le tour de l'école. Les habitants avaient un peu bâclé leur travail, la terre ne montait pas bien haut au-dessus des fondations. Elle s'en contenterait toutefois.

— Mademoiselle, cria une voix après quelques minutes, Félicité !

Ernestine, depuis le chemin public, hurlait à s'en fendre l'âme.

— Oui, que se passe-t-il ?

— Sildor... il a déshabillé Floris.

La jeune femme se précipita dans un bruissement de jupon et de robe. Les plaintes de l'enfant parvinrent à ses oreilles. Dans le rang Saint-Antoine, son assistante à ses côtés, elle se dirigea vers le petit pont. L'adolescent avait en effet baissé le pantalon et le sous-vêtement de sa victime jusque sur ses mollets. Il le tenait dans ses bras au bord du tablier.

— Ah ! Tu as peur de prendre ton bain, le petit chouchou ? Je vais te montrer, moi, à lui lécher le cul.

Floris hurlait à pleins poumons, toute dignité oubliée. Le clan Malenfant, composé de Griphine, Louvinie et Hélas, formait un demi-cercle de spectateurs.

— Sildor, arrête immédiatement, ordonna l'institutrice.

— Ah ! Voilà ta protectrice qui accourt, ricana l'adolescent. Elle doit bien t'aimer, pour se démener comme ça.

— Lâche-le.

Ses deux mains saisirent un poignet du bourreau, pour tirer de toutes ses forces.

— Je te dis de le laisser.

— Je ne suis pas sur le terrain de l'école, alors ne me fais pas chier.

Félicité le frappa sur la joue d'un grand geste de la main droite, si fort que la douleur irradia dans son avant-bras. Sildor cessa enfin de s'en prendre à Floris pour agripper la jeune femme au col de son manteau avec la main gauche et la menacer de son poing droit.

— Je vais te défoncer la face.

La voix d'Ernestine, très aiguë, s'éleva :

— Sildor, ne la touche pas.

De la main, l'institutrice fit signe à son assistante de se tenir loin, puis elle articula d'une voix sourde :

— Sale petit pervers. Tu t'attaques aux enfants et aux femmes.

Le garçon fit mine de frapper. Cette fois, ce fut Griphine qui saisit le poignet de son frère.

— Lâche-la, laisse-la avec ses deux chouchous.

L'adolescent se tourna à demi vers elle, les yeux fous.

— Viens-t'en à la maison, insista son aînée.

Finalement, le regret d'abandonner sa victime imprimé sur le visage, il lâcha prise et tourna les talons pour s'éloigner. Étendu sur le tablier du pont, Floris laissait échapper de profonds sanglots désespérés, toujours à demi nu. L'institutrice se pencha sur lui tout en disant de sa voix la plus douce :

— Là, là, c'est fini maintenant.

Elle essaya de remonter le sous-vêtement taillé dans la toile d'un sac, vit qu'il était rempli de neige. L'enfant en avait dans les cheveux, les oreilles, le cou. Son supplice avait commencé par un bain glacé.

Elle réussit à le mettre debout, remonta le pantalon, des larmes de rage et de compassion dans les yeux. Le garçon ne pouvait réprimer ses sanglots, tout son corps en était secoué.

— Ne crains rien, ils ne reviendront pas, lui dit-elle en essayant d'attirer son regard dans le sien.

Floris jeta ses bras autour du cou de la maîtresse et s'accrocha à elle de toutes ses forces. Il ne desserrerait plus son étreinte. Elle se releva en le soulevant de terre, puis entreprit de le porter jusque chez lui. Heureusement, la maison se trouvait tout près. Ernestine les suivait, une main posée sur l'avant-bras du gamin.

— Ne pleure plus, Floris, répétait-elle, comme si ses plaintes lui déchiraient l'âme.

L'adolescente frappa à la porte des Simard. Quand Odélie ouvrit, elle fit d'abord entendre un «Oh, mon Dieu!» désespéré.

— Que s'est-il passé? réussit-elle à demander enfin.

Félicité passa la porte sans répondre, pressée de mettre Floris à l'abri du froid cinglant.

— C'est l'avorton des Malenfant, expliqua Ernestine, Sildor.

L'explication laissa d'abord la mère bouche bée.

— … Mais pourquoi faire ça à un enfant?

L'adolescente haussa les épaules, comme si elle jugeait inutile d'expliquer à une adulte combien la brutalité gratuite marquait la vie des enfants. Odélie prit son fils des bras de l'institutrice.

— C'est fini, mon bébé, maman va s'occuper de toi. Oh! Tu es tout mouillé.

— Il a baissé ma culotte, confia Floris d'une voix entrecoupée de sanglots.

La femme le berçait doucement dans ses bras, comme un bébé, en lui chuchotant des mots doux à l'oreille.

— … Nous allons rentrer, Odélie.

La maîtresse ressentait un malaise insupportable, comme si elle devait porter la culpabilité de cet incident. Un enfant placé sous sa garde avait été douloureusement maltraité sans qu'elle puisse le protéger. La mère acquiesça sans la regarder, ce qui ajouta à sa souffrance.

Dehors, machinalement, Félicité chercha la main de son assistante, et la serra.

— Je me sens tellement malheureuse, souffla-t-elle.

— Ce n'est pas ta faute, voilà des semaines qu'il cherchait une occasion de s'en prendre à lui. Cela devait arriver.

L'institutrice secoua la tête avec dépit.

— Je suis responsable… Je suis incapable d'exercer une quelconque autorité sur Sildor. Il me fait peur, en réalité.

Les paroles de l'inspecteur lui tournaient dans la tête. Son incompétence coûtait bien cher à son élève le moins apte à se défendre. Ernestine lui serra davantage la main pour la consoler.

— Je vais te reconduire chez toi, décida bientôt Félicité.

— Ce n'est pas nécessaire. Il ne me touchera pas.

— Deux de mes élèves ne se feront pas attaquer le même jour par ce sauvage.

L'adolescente lui pressa la main. Sans se concerter, elles accélérèrent le pas devant chez les Malenfant. Une lampe à pétrole éclairait la cuisine, des ombres passaient devant la fenêtre. Sur le perron des Richard, Félicité dit à sa compagne :

— Je me sauve maintenant. Je n'ai même pas fermé la porte, tout à l'heure.

— Tu entres avec moi. Jérémie ira te reconduire.

— Non, je ne veux pas déranger.

— Ma maîtresse ne se fera pas attaquer le même jour qu'un des petits.

Elle lui présentait un sourire attristé. Inutile de discuter. Dans la maison, une minute suffit à Ernestine pour informer son frère et sa mère de la situation. Sans que la demande soit formulée, le garçon de la maison récupéra ses bottes de cuir près de la porte pour les enfiler.

— Vous avez bien le temps de souper avec nous? demanda la mère.

— Non merci, madame. La porte de l'école est grande ouverte.

Après l'échange des souhaits de «Bonne soirée», l'institutrice refaisait le chemin en sens inverse, flanquée de son protecteur. Il présentait déjà une carrure d'homme, et l'assurance de celui qui connaît sa force.

— Vous êtes très gentil, remarqua-t-elle à mi-voix.

— Et vous aussi, avec ma sœur. Ça fait de vous une amie de la famille.

Elle eut envie de lui prendre le bras. Seule la crainte de voir son geste mal interprété la retint. Et si cela se trouvait, un paroissien s'apprêtait peut-être déjà à aller la dénoncer au curé Sasseville pour avoir marché sur le chemin public avec une personne de l'autre sexe à la nuit tombée.

L'école présentait des fenêtres toutes noires. Au milieu de la cour couverte de neige, elle paraissait bien isolée. Sur le pas de la porte, le jeune homme se tourna vers elle pour dire:

— Vous voilà arrivée, mademoiselle Drousson.

— Je ne sais pas si je peux vous demander…

— D'entrer pour voir si tout est en ordre? compléta-t-il.

Pareille visite était rigoureusement interdite par le règlement des écoles de Saint-Eugène, et ceux de toute la province, mais la peur lui tenaillait le ventre. Jérémie poussa la porte, entra dans l'appentis.

— Il y a quelqu'un ? demanda-t-il d'une voix forte.

Le silence lui répondit. Près de lui, Félicité dit à voix basse :

— La lampe est en haut.

— … Je vais aller la chercher. Le temps d'ôter mes bottes.

— Ce n'est pas la peine. Un plancher mouillé ne me gêne pas.

La clarté blafarde de la lune sur la neige permit au garçon de s'engager dans les marches. À l'étage, il remarqua la lampe sur le petit bureau, près de la cuvette réservée aux ablutions. Vu son habitude de fumer la pipe, il avait toujours des allumettes sur lui. Il prit le temps de l'allumer avant de redescendre, le luminaire à la main. L'institutrice se tenait dans l'embrasure de la porte ouverte, comme pour pouvoir prendre la fuite en courant.

— Tout va bien en haut, dit-il en la rejoignant.

— Sous le lit ?

— Sous le lit aussi. Je n'ai même pas vu de poussière. Nous allons faire le tour des lieux ensemble.

Le garçon commença par examiner les deux cabinets des latrines en plissant le nez, puis il fit le tour de la classe, se penchant pour voir sous les tables.

— Je suis bien ridicule de vous faire prendre toutes ces précautions, dit-elle enfin.

— Non, pas du tout. Je vais poser la lampe sur votre table, et vous fermerez derrière moi.

Elle tenait la lourde barre de bois dans les mains avant qu'il ne passe la porte.

— Je vous remercie, Jérémie. Vous êtes très gentil.

— Je suis heureux de vous rendre service. Bonsoir, mademoiselle Drousson.

— ... Bonsoir, dit-elle, manifestement craintive.

Il l'entendit barrer la porte dans son dos. À l'intérieur, l'institutrice refit le tour de l'école avant d'allumer un feu. Même si l'appétit lui manquait, elle tenterait d'avaler quelque chose.

Chapitre 15

Pendant toute la semaine suivante, Floris ne reparut pas à l'école. De leur côté, les Malenfant occupaient leurs places habituelles, le même air de bravade au visage. Personne n'osait leur reprocher quoi que ce soit, sauf peut-être Elzéar, à mots couverts. Visiblement, il souhaitait faire sortir Sildor de ses gonds pour aplanir leurs différends à coups de poing.

Chaque fois que ses yeux se portaient au bout du banc des petits, là où se tenait habituellement le garçon, Félicité ressentait un pincement au cœur.

Le samedi suivant, l'institutrice mit le cadenas sur la porte de l'école pour se rendre chez les Simard. Quand Odélie lui ouvrit, elle formula, un peu intimidée de la revoir dans ces circonstances :

— Je viens aux nouvelles. Comment va-t-il ?

— Mal. Entre, je vais mettre de l'eau à bouillir, répondit la mère, tendue.

Au bout de la cuisine, le poêle à bois répandait sa chaleur. La visiteuse se déchaussa.

— Prends une chaise, je reviens dans une minute.

Après avoir mis quelques feuilles dans sa théière, la jeune mère vint la rejoindre.

— Comment peut-on être si cruel pour le déshabiller et le rouler dans la neige?

— Moi non plus, je ne comprends pas. Il garde le lit?

— Oui, depuis lundi. Il a attrapé un très vilain rhume. Encore ce matin, son front était brûlant.

Les larmes montaient aux yeux de la mère. Elle se releva pour préparer la boisson chaude et se donner une contenance. Quand elle revint pour poser une tasse devant sa visiteuse, elle ajouta:

— Je me suis beaucoup inquiétée les premiers jours, mais il me semble remonter la pente.

— Et toi, maintenant, tu dois tout faire sans aide.

— Ce n'est pas bien compliqué, tu sais. Tu le vois, en plein après-midi, je suis à la maison. Mais si Phidias se trouvait ici…

Le sous-entendu donna un frisson à Félicité. Bien sûr, l'homme se serait rendu chez les Malenfant pour régler ses comptes. Sildor n'était pas le seul à pouvoir tendre un guet-apens sur le chemin public.

— J'ai tout de même descendu ça pour le laisser près de la porte. Il est chargé, tu sais.

Du doigt, Odélie désignait le fusil de calibre seize appuyé contre le mur.

— Pas avec du sel, mais du plomb, précisa-t-elle la mine sombre. Si cet animal enragé met le pied sur notre terre, je l'abats.

— … Je suis si triste, commenta Félicité, de ne pas avoir mieux surveillé les allées et venues de Floris.

— Voyons, ce n'est pas ta faute…

Pourtant, le ton de la mère semblait chargé d'un certain reproche. La pauvre femme devait rendre quelqu'un responsable de son malheur.

— Je peux le voir ? demanda l'institutrice.

— Oh, bien sûr ! Ça lui fera certainement plaisir.

La maîtresse de maison s'engagea dans l'escalier, la visiteuse sur les talons. À l'étage, sous le toit en pente, une cloison découpait deux pièces. Dans un lit étroit à gauche reposait un enfant pâle, visiblement fiévreux. Un pot de chambre se trouvait dans un coin, des vêtements pendaient à des clous au mur.

— Regarde la belle visite, mon grand.

— … Félicité.

Le sourire paraissait hésitant, mais le plaisir l'emporta bien vite.

— Tu vas mieux, j'espère, dit l'institutrice en s'asseyant sur le bord du lit pour lui prendre une main.

— Un petit peu.

— Je m'ennuie de toi, tu sais. Mon meilleur élève, le plus serviable.

— Quand il n'est pas trop fatigué, intervint la mère, je lui fais la lecture. Il ne faudrait pas qu'il oublie toutes ses leçons.

La conversation porta un moment sur les questions scolaires.

— Crois-tu pouvoir revenir en classe bientôt ? demanda Félicité.

— Non, jamais, répondit-il, buté.

— Voyons, tu aimes apprendre.

— Mais lui, il est toujours là.

Une quinte de toux souligna sa frayeur. L'idée de se retrouver encore devant son tortionnaire lui paraissait insupportable. Comme elle-même tolérait mal la présence de Sildor dans l'école, impossible pour Félicité de trouver les mots pour le rassurer.

Les deux femmes redescendirent après une demi-heure. Tout en chaussant ses mocassins, l'institutrice dit encore :

— La situation me rend tellement malheureuse.

— N'en parle plus. Mais demain, nous n'irons pas à l'église. Je veillerai sur lui.

— Bien sûr, je comprends.

Le silence s'appesantit dans la pièce. La visiteuse voulut prendre sa voisine dans ses bras, mais le visage d'Odélie semblait fermé. Elles se quittèrent sur un « Au revoir » peu convaincant.

Le dimanche 9 décembre, Félicité dut se résoudre à se rendre à l'église à pied. Une demi-douzaine de cultivateurs la dépassa sur le chemin de traverse sans l'inviter à monter. Certains n'avaient guère de place dans leur traîneau, les autres exprimaient ainsi leur hostilité. Ses bottines la protégeaient mal du froid et la neige lui mouillait les pieds. Elle devrait se rendre sans faute au magasin général pour acheter à crédit des couvre-chaussures, ou alors l'humidité les ruinerait totalement.

À l'église, elle se planta à l'arrière de la nef, à une ving-taine de pieds du confessionnal. En dépit de la colère, de la haine même, qui l'habitait depuis plusieurs jours, elle n'admettrait ces fautes devant personne ce dimanche. Elle se sentait plutôt des envies de justicière.

Quand le curé émergea du petit réduit, elle se précipita à ses côtés.

— Mademoiselle, je viens de terminer. La messe doit commencer dans trois minutes.

— Ce n'est pas cela. Je veux vous parler en privé.

— Alors tout à l'heure, au presbytère.

Elle donna son assentiment d'un geste de la tête, puis regagna le banc des institutrices. La cérémonie lui sembla durer une éternité. À la communion, elle demeura sagement assise, au risque d'attirer l'attention. Ses pensées figuraient à la liste des péchés mortels. Puis, une fois le *Ite missa est* prononcé, elle sortit d'un pas rapide, désireuse d'entrer la première chez le marchand général. Elle fut la troisième cliente, finalement. Son affaire réglée rapidement, elle s'assit sur un baril rempli de clous pour mettre les couvre-chaussures.

Son empressement lui permit d'atteindre le presbytère en même temps que son pasteur.

— Vous me paraissez bien déterminée, aujourd'hui, remarqua-t-il.

— Je dois absolument vous parler.

Quelques minutes plus tard, elle prenait place sur la chaise réservée aux visiteurs.

— Alors, quelle est cette urgence ?

— … Il y a un mois maintenant, je vous demandais de parler à Sildor Malenfant, car il se plaisait à maltraiter les petits.

— Je ne me souviens pas de ça, mais si vous le dites, je vous crois sur parole.

Le ton parut cassant, comme s'il se préparait à se défendre.

— Lundi dernier, il s'est attaqué de façon vicieuse à un garçon. C'est un pervers. Il l'a déshabillé pour le rouler dans la neige, et il voulait ensuite le jeter dans la rivière, près du petit pont.

— Vous voulez donc à nouveau que je le semonce.

— Ce qu'il a fait est criminel.

— Vous n'êtes pas arrivée à les séparer ?… Écoutez, des querelles de ce genre sont fréquentes. Les garçons sont comme de jeunes chiens désireux de mesurer leur force.

— Il a le double de l'âge de sa victime, cela ne tient pas du jeu. Nous sommes en plein hiver. Le petit a pris froid, hier soir il brûlait de fièvre. Ce matin, il n'a pas pu venir à la messe.

Le curé secoua la tête, comme si ce développement le navrait.

— Visiblement, vous avez du mal à diriger votre classe.

Un doute s'empara tout à coup de l'institutrice, elle se déplaça nerveusement sur sa chaise.

— Comment ça ?

— Vous prenez bien garde de nommer ce garçon. C'est le petit Simard, votre préféré.

— … Je n'ai pas de préféré.

— Le mensonge est un vilain péché, mademoiselle. Vous êtes allée pêcher avec lui, vous faites le trajet à l'église avec ses parents tous les dimanches, vous les avez reçus à souper.

À cette liste, la jeune femme comprit être sans cesse surveillée, comme si elle vivait sous la loupe des paroissiens.

— Ce sont mes voisins.

— Vous devenez une femme, une jolie femme ; ce gamin excite votre instinct maternel.

— Je prends soin de tous mes élèves de la même façon.

L'affirmation tira un petit rire à son interlocuteur.

— Vous vous rappelez le soin que j'ai mis à vous faire la lecture du règlement des écoles ? En vertu de celui-ci, vous devez traiter les enfants avec justice, égalité.

— Je vous assure…

— En affichant votre préférence pour le petit Simard, ou la petite Richard, vous avez suscité une jalousie bien naturelle. Vous êtes un peu la source de cette querelle.

Comment protester ? Elle-même multipliait les recommandations de discrétion au petit Floris. Peut-être le garçon se montrait-il un peu trop bavard, fier de la gentillesse de la maîtresse à son égard.

— C'est un vicieux. Il l'a déshabillé au milieu du rang, il l'a rendu malade. Si cela devenait sérieux, il en porterait la responsabilité.

— Ces événements sont survenus sur le chemin public. Les parents peuvent le dénoncer au juge de paix pour attentat à la pudeur, ou même coups et blessures, si ça leur chante. Cela ne regarde pas le curé, mais la justice.

— Vous ne ferez rien ?

Elle posait sur lui des yeux désemparés. Il soupira.

— Je parle à tous mes paroissiens quand l'occasion se présente pour les corriger de leurs fautes. En temps opportun, je verrai les Malenfant. Maintenant, si vous voulez me laisser, mes parents m'attendent pour le repas.

Au moins, cette fois il ne l'invita pas à dîner. En la reconduisant à la porte, il lui passa la main dans le dos, la laissa glisser jusque sur ses fesses. Était-ce à cause du tourbillon d'émotions qui la chavirait ou tout simplement de l'épaisseur du manteau, elle ne réagit pas.

— Félicité, dit-il d'un ton onctueux, fais un peu attention de ne pas montrer tes préférences. Cela crée toujours des difficultés, comme tu le constates aujourd'hui.

Le tutoiement passa inaperçu. Après un « Bonjour, monsieur le curé » à peine audible, elle sortit.

Le second dimanche de l'avent avait été célébré la veille. Il convenait d'allumer une autre des bougies décorant la couronne confectionnée de branches de pin.

— Auparavant, précisa Félicité, je dois vous dire un mot sur notre ami Floris. Il est toujours très malade. Savoir que cela résulte d'une action cruelle est désolant. Nous allons donc dire une prière pour son retour à la santé. Si vous voulez vous lever…

Les Malenfant mirent plus longtemps que les autres à quitter leur banc. L'institutrice regardait Sildor dans les yeux, le garçon la dévisageait sans afficher le moindre regret.

La jeune femme commença un *Je vous salue, Marie*. Seulement une douzaine de voix discordantes l'accompagnèrent. Le temps moins clément décimait l'effectif. Cela laissait présager d'une bien faible présence en classe aux jours les plus froids de février. Quand les élèves reprirent leur place, elle demanda :

— Qui veut maintenant allumer cette chandelle ?

Après avoir échangé un regard avec sa sœur, Hélas Malenfant voulut se lever. L'institutrice précisa :

— Cette semaine, nous allons confier cet honneur à une petite fille.

Avant que Louvinie n'ait le temps de se présenter à son tour, Félicité désigna la petite fille Marcoux. La leçon suivante porta sur la seconde venue du Christ sur terre pour le jugement dernier. Pour les cruels, les brutaux, les vindicatifs, elle fit miroiter la menace des flammes éternelles. Cela ne paraissait guère émouvoir les premiers destinataires de son prêche.

✽

Un peu après midi, un traîneau entra dans la cour de l'école. Le bruit des sabots attira l'attention de l'institutrice. Elle confia la classe à Ernestine, le temps de se présenter à la porte.

— Monsieur Richard, commença-t-elle, quelle surprise !

— Oh ! À mon âge, Jérémie conviendrait très bien.

Elle se détourna pour désigner la classe des yeux et lui signifier l'impossibilité de la chose en ces lieux.

— Je comprends, mademoiselle. Il paraît que vous n'avez plus rien pour chauffer l'école.

Léonidas Marcoux était venu lui porter une petite provision de bûches la semaine précédente, de quoi tenir dix jours, tout au plus, en faisant preuve de parcimonie.

Elle s'effaça pour lui permettre de voir le fond de l'appentis. Il ne restait presque rien.

— Je vous apporte trois cordes de bel érable.

— Comment cela ? demanda-t-elle, étonnée. Votre famille n'a pas à approvisionner seule mon école.

— Ne craignez rien, la commission scolaire nous a payés au coût du marché, y compris pour la livraison. Je vais remplir cet espace tout de suite, et mettre le reste derrière.

Le va-et-vient distrairait les élèves de leurs apprentissages, mais la jeune femme ne pouvait déplacer ces bûches toute seule.

— Allez-y, j'alimenterai le poêle pendant que la porte ouverte laisse entrer le froid.

Des exercices de calcul, que les enseignants réservaient à de pareilles circonstances, tiendraient les élèves occupés.

Ensuite, Jérémie prit son cheval par la bride pour le conduire à l'arrière de l'école. Le toit des latrines s'avançait de cinq ou six pieds au-dessus du sol. Cela gardait la provision de bois à l'abri des intempéries. Empiler les bûches sur trois rangs jusqu'à la hauteur de ses épaules lui prit une heure. Il monta ensuite sur son traîneau pour rentrer à la maison. De ce point d'observation, un détail retint son attention…

Le garçon sauta sur le sol pour aller frapper à la porte une nouvelle fois.

— Ah! Vous avez terminé. Je vous remercie, monsieur.

— Venez avec moi, je veux vous montrer quelque chose.

L'étonnement marqua le visage de l'institutrice.

— Mes élèves…

— Venez, vous devez voir par vous-même.

Elle accepta d'un signe de la tête, prit son manteau et demanda aux enfants de rester sages. Un instant plus tard, Félicité arrivait derrière la bâtisse.

— Montez à côté de moi sur la *sleigh*, vous ne verrez pas du sol.

Le garçon lui tendit la main pour l'aider.

— Vous voyez, d'ici on aperçoit le toit de l'appentis.

La surface de bardeau s'inclinait à quarante-cinq degrés. Une mince pellicule de neige la recouvrait toute.

— Mais… on dirait des traces de pas.

Les sourcils en accent circonflexe de la jeune femme exprimaient la plus grande perplexité.

— Quelqu'un a fait des travaux à la couverture récemment? demanda Jérémie.

— Non, pas du tout.

— Je vois…

Son compagnon affichait un air entendu.

— Mais cela n'a pas de sens, dit Félicité. Personne ne peut s'amuser à marcher là-haut. Si les enfants faisaient cela, je m'en apercevrais.

— Les traces conduisent directement à la petite fenêtre.

Félicité ouvrit la bouche, mais aucun son n'en sortit. À la fin, elle balbutia :

— Je vous remercie, Jérémie. Vous êtes très gentil.

— Au revoir, mademoiselle, et soyez sur vos gardes.

Elle regagna le sol, puis marcha tête basse vers la porte, les idées en bataille.

Quelqu'un était venu au moins une fois sur le toit de l'appentis. Comme aucune neige n'était tombée depuis trois jours, l'indiscrétion datait de peu.

L'obscurité tombait un peu après quatre heures, et avec la lampe allumée à l'intérieur, un voyeur pouvait l'espionner tout son saoul, la découvrant en sous-vêtements, ou pire, troussée pour sa toilette intime. Après avoir soupé, Félicité regarda dans le pot de grès où se trouvait la réserve d'eau potable. Elle ne suffirait pas pour mettre son plan en œuvre… Avec ses mocassins et son manteau, elle se rendit au puits pour en tirer un seau. Puis elle monta à l'étage. Les deux petites fenêtres en losange permettaient à la lumière de la lune d'entrer dans son logis.

Pendant une dizaine de minutes, elle s'abîma les doigts à arracher les clous retenant le châssis dans son cadre. Puis très lentement, elle versa l'eau sur le toit de l'appentis. Malgré le froid vif, elle dut effectuer trois allers-retours avant d'être satisfaite de son travail.

Remettre le châssis à sa place s'avéra plus facile. Vers neuf heures, Félicité éteignit sa lampe et se prépara pour la nuit à la lumière blafarde de la lune. Le sommeil tarda à venir, et il fut peu réparateur. Dans ses rêves, une tête ornée de cornes se détachait dans une fenêtre en losange.

Au lever, la jeune femme vit ses efforts de la veille récompensés. Le toit de l'appentis, sur une largeur d'un peu plus de deux pieds, était couvert d'une mince couche de glace bien visible.

Une fois dans la classe, un peu après six heures, son premier soin fut de préparer une bonne attisée. Puis elle sortit afin de détacher et disperser les glaçons pendant au rebord du toit abritant sa réserve de bois. Ils auraient paru incongrus. Elle s'éloigna jusqu'à l'orée du bois pour s'assurer que son piège était invisible depuis le sol.

Depuis neuf jours, Félicité dormait mal, certaine que quelqu'un l'épiait en secret. Elle passait ses soirées dans la classe, près du poêle, et en profitait pour se réchauffer avant la nuit. Puis elle se dévêtait et se lavait dans l'obscurité. L'anxiété l'amenait à se relever trois ou quatre fois pendant la nuit pour scruter l'orée des bois depuis sa petite fenêtre. Le matin, son premier souci était de faire le tour de la cour afin de chercher des traces de pas dans la neige. À deux reprises, elle versa encore des seaux d'eau sur le toit incliné.

Malgré ces soucis, elle poursuivait son enseignement en respectant soigneusement la planification inscrite dans son journal de classe. La tradition voulait que l'on fasse un examen public de son travail avant la relâche des fêtes. Aussi le mercredi 19 décembre, un peu avant une heure, huit traîneaux encombraient déjà la cour.

Les invités d'honneur arrivèrent les derniers. Le curé Sasseville découvrit l'institutrice en train d'échanger avec la quinzaine de parents présents. Enfin, avec certains parents. Soigneusement, elle évitait toute parole et tout contact visuel avec Tarrasine Malenfant. La grosse femme blonde se tenait dans un coin en compagnie de sa progéniture. Le pasteur, à son arrivée, se dirigea vers l'institutrice.

— Mademoiselle Drousson, je reconnais à peine l'endroit, lança-t-il.

— Je ne savais trop combien de personnes viendraient. De cette façon, les gens pourront s'asseoir, ou au moins s'appuyer.

Les tables se trouvaient rangées contre le mur, au fond de la classe. Les bancs formaient deux lignes parallèles, les plus bas, ceux des petits, devant, les autres derrière.

— Et voyez, vous et monsieur le président de la commission scolaire pourrez occuper ces chaises, au centre.

— C'est très bien.

Sasseville fit un tour complet sur lui-même pour saluer les enfants et les parents. Sa seule présence dans la salle réduisait les paroissiens au silence.

— Autant commencer tout de suite. Je crois que tout le monde est là, dit-il bientôt.

Le bruit d'une toux sèche dans l'appentis vint le contredire. Floris Simard, toujours pâle, entra dans la classe. Sa mère posait une main sur son épaule, comme pour le protéger. Ses yeux lourds de reproches se portaient sur le groupe compact des Malenfant.

— Ah! Comme je suis heureuse que tu puisses te joindre à nous, dit Félicité en s'approchant du garçon. Tu sais, je ne voulais confier à personne d'autre la lecture du petit compliment, à la fin.

L'enfant lui adressa un regard intimidé et esquissa un sourire. Sa mère et la maîtresse se saluèrent discrètement de la tête.

— Je suis content de voir que tu te remets de ce vilain rhume, dit le curé. Maintenant, mademoiselle Drousson, nous vous accordons toute notre attention, à vous et aux enfants.

Les joues rouges, un peu frissonnante de nervosité, Félicité se dressa sur la petite estrade.

— D'abord, j'invite les enfants à occuper les bancs du devant, et pour les plus grands, ceux juste derrière. Monsieur le curé, monsieur le directeur de la commission scolaire, ces chaises vous sont réservées. Monsieur le secrétaire-trésorier, monsieur le commissaire de l'arrondissement, si vous voulez vous asseoir à ma table, vous trouverez les copies d'une dictée, et aussi les solutions de divers problèmes mathématiques. Ces exercices ont été effectués pendant la matinée. Ils étaient adaptés aux progrès des élèves.

L'usage aurait voulu que ces tâches soient accomplies devant les parents, mais pour cela il aurait fallu placer les écoliers à leur table. L'espace et l'aménagement de l'école ne le permettaient pas.

— J'ai pensé que monsieur le curé pourrait désigner lui-même les enfants qui répondront à mes questions. Ainsi, vous saurez que je n'ai pas tout arrangé à l'avance. Voici trois listes : l'une contient les noms des débutants, la seconde ceux des intermédiaires, la dernière ceux des plus avancés.

Intimidée, la jeune femme lui tendit les feuilles de papier.

— Vous innovez, mademoiselle l'institutrice. Il est vrai que vous êtes la plus jeune employée de la commission scolaire.

Selon leurs sentiments respectifs à son égard, les parents percevraient là un reproche ou un compliment.

— Vous verrez, la procédure est très simple. Toutes mes questions viennent du *Guide de l'instituteur* approuvé par le Conseil de l'instruction publique, ou de manuels autorisés.

Comme pour les en convaincre, l'institutrice désigna les livres placés sur le bord de sa table. Elle prit celui du dessus qu'elle ouvrit à une page marquée par un bout de papier et commença :

— Pour les petits, voilà une première question : Comment connaîtrons-nous les choses que nous devons croire et pratiquer pour faire notre salut ?

L'abbé Sasseville consulta la liste, puis dit avec un petit sourire :

— Oh ! Pourquoi ne pas commencer avec le petit Simard, que nous sommes si heureux de voir sur le chemin du rétablissement.

Floris se leva, se tourna vers les parents pour dire d'une voix flûtée :

— Nous connaîtrons les choses que nous devons croire et pratiquer en recevant les enseignements de l'Église catholique par laquelle Dieu nous parle.

— Oui, c'est cela.

Chacun constatait que cette façon de faire se révélait efficace. Félicité s'en remettait au curé pour désigner l'élève qui répondrait à une question difficile ou facile. Personne n'oserait soupçonner le saint homme d'injustice. De son côté, Ernestine suivait attentivement le déroulement de l'examen. Sans surprise, elle se trouva désignée pour répondre aux plus complexes. Les Malenfant héritaient des plus faciles, comme les petits Marcoux. Le curé connaissait bien son monde et il était passé maître dans l'art de tisser ses relations. L'exercice obéissait aux rapports complexes entre les habitants de la paroisse, pour flatter certains et mettre en évidence l'ignorance des autres.

Des questions tirées du *Petit catéchisme*, Félicité passa aux exercices d'épellation, aux tables de multiplications, aux capitales des diverses provinces, aux problèmes mathématiques. Ernestine se trouva obligée de conjuguer le verbe « moissonner » au plus-que-parfait du subjonctif. Au grand plaisir de l'institutrice, elle se tira de l'exercice sans commettre une seule erreur.

— Maintenant, dit la jeune femme après plus d'une heure de ce jeu, nous allons passer à une période de lecture. Monsieur le curé, si vous le permettez, je vais à présent confier une tâche au président de la commission.

— Faites, faites. Vous êtes la maîtresse de cérémonie, aujourd'hui.

— Alors, monsieur Normand, voulez-vous me donner des nombres entre dix et quatre cent quarante-cinq ? C'est le nombre de pages du livre *Les Devoirs du chrétien*. Comme c'est difficile, je ne demanderai pas aux petits de participer. Monsieur Normand ?

— … Trois cent vingt-deux.

Ernestine fut la première à lire trois lignes à haute voix. Griphine buta ensuite sur tous les mots, Sildor n'y arriva pas. Les plus jeunes se livrèrent à un exercice identique dans un livre contenant des historiettes pieuses.

Après toutes les performances, plus ou moins réussies, des élèves, Félicité avait prévu une petite saynète de circonstance, reprenant un peu à son compte les habitudes du couvent de Saint-Jacques. De la laine teinte en noir sur le visage, Hélas Malenfant faisait un saint Joseph bien peu crédible, sous les yeux amusés de son curé. La petite Marcoux, un grand voile bleu sur la tête, représentait

Marie. Le couple erra bras dessus, bras dessous devant la classe, à la recherche d'une chambre dans une auberge de Bethléem. La femme accoucha bien discrètement dans une étable. Les bergers et les rois mages effectuèrent ensuite leur petite visite.

Les applaudissements nourris des parents apaisèrent un peu la nervosité de Félicité. Elle revint sur son estrade pour dire :

— Maintenant, le plus jeune élève de la classe, Floris Simard, va vous adresser un petit mot.

L'enfant la rejoignit, un peu tremblant, plus pâle qu'à son arrivée, un morceau de papier dans les mains.

— Monsieur le curé, monsieur… commença-t-il.

Énumérer les titres de tous les notables présents lui prit une minute.

— Bien chers parents, bien chers camarades, à la veille de cette période de réjouissance, je veux vous adresser en mon nom, au nom de mademoiselle Drousson et de tous les élèves de l'école numéro 3, nos meilleurs vœux pour la Noël, et une bonne et heureuse année 1884.

Il conclut avec un salut un peu mécanique, puis regagna sa place. À quelques exceptions près, les paysans applaudirent de bon cœur, de même que les notables.

— Monsieur le curé, reprit Félicité après une pause, vous voudrez bien dire le mot de la fin, et nous bénir.

Le prêtre quitta sa chaise pour regagner l'estrade, frotta ses mains l'une contre l'autre et commença :

— Avec une façon de faire un peu originale, mademoiselle Drousson nous a permis de constater les grands progrès de ses écoliers. Cela mérite des félicitations.

Le rouge monta aux joues de la jeune femme, une petite euphorie s'empara d'elle.

— Maintenant, si vous voulez vous recueillir.

Tout le monde baissa la tête en joignant les mains.

— Au nom du Père, du Fils et du Saint-Esprit...

La main dessina une croix dans l'air.

— Et maintenant, vous pouvez tous rentrer chez vous.

Les enfants, immobiles depuis trop longtemps, s'empressèrent d'aller mettre leur manteau et leurs bottes dans l'appentis. Une petite file se forma devant les latrines, la preuve que les nerfs de certains avaient été mis à rude épreuve.

De leur côté, les parents tinrent à dire un mot à leur curé. Tarrasine Malenfant se montra la plus insistante, se faisant même séductrice. La plupart vinrent féliciter la maîtresse d'école.

« Les représentants de la Commission scolaire de la paroisse Saint-Eugène ont assisté à l'examen des élèves de l'école numéro 3, tenue par Félicité Drousson. Ils ont été impressionnés par les progrès réalisés depuis l'embauche de l'institutrice. »

La jeune femme relisait les mots inscrits dans son journal de classe par Horace Tessier, le secrétaire-trésorier. Ils influenceraient favorablement l'inspecteur, lors de sa prochaine visite. Bien plus, ils lui procuraient une certaine assurance de voir son contrat reconduit pour la prochaine année.

— Vous devez être bien satisfaite, mademoiselle.

Le curé Sasseville se tenait tout près d'elle, comme pour lire par-dessus son épaule.

— Oui, très satisfaite. Il me reste juste à tout ranger.

De la main, elle désigna la classe en désordre, tout en s'éloignant un peu de lui.

— Laissez cela pour ce soir. Les élèves se considéreront comme en vacances demain et après-demain, puisque l'examen est passé. Les deux ou trois zélés qui viendront tout de même vous aideront à remettre le mobilier à sa place et à laver le plancher.

«Ernestine sera parmi ces écoliers, songea l'institutrice. Mais qui d'autre?» Elle acquiesça à la suggestion d'un signe de la tête.

Les commissaires avaient quitté les lieux en même temps que les parents. Seul le curé demeurait encore là. Sa carriole se trouvait toujours devant la porte. Le vieux Sasseville, immobile sur le siège avant, emmitouflé dans un lourd manteau de fourrure, semblait pétrifié de froid en l'attendant.

— Vous n'allez pas rester toute seule pendant ce long congé, mademoiselle. Venez passer quelques jours au presbytère. Vous serez au chaud et vous mangerez bien. Ma mère y verra.

Comme pour l'inciter à accepter, il posa sa main sur son épaule. Mal à l'aise, elle feignit d'aller vérifier le feu du poêle.

— J'irai passer Noël à Saint-Jacques, le jour de l'An aussi.

— Comment vous rendrez-vous là-bas?

— Ce n'est pas si loin.

— À pied? Mais vous allez crever de froid.

Elle se pencha en soulevant le rond pour contempler les braises rougeoyantes.

— Écoutez, proposa l'homme, je fais un marché avec vous. Mon père vous reconduira dimanche prochain si vous acceptez enfin mon invitation à souper.

La jeune femme le regarda, un peu désemparée.

— Cela devient un peu ridicule, ironisa l'ecclésiastique. Si je ne vous savais pas si bonne chrétienne, je croirais que vous soupçonnez votre pasteur d'avoir des intentions impures.

— Non, n'allez pas croire cela, monsieur le curé, protesta-t-elle en rougissant.

— Alors vous viendrez ?

Ses yeux exprimaient le plus grand désarroi, elle fit mine de parler, mais aucun son ne sortit.

— Ce souper aura lieu le soir de l'Épiphanie. Vous y rencontrerez les autres institutrices, le président de la Commission scolaire et le secrétaire-trésorier. C'est une tradition de la paroisse. Monsieur Tessier profitera de l'occasion pour remettre à chacune le premier versement du traitement annuel.

L'œil de l'ecclésiastique pétillait de malice. Il se dirigea vers la porte pour récupérer son manteau de lynx et coiffa le chapeau assorti.

— Mais vous ne m'avez pas répondu, mademoiselle, insista-t-il en la détaillant des yeux. Viendrez-vous ?

Elle s'avança vers lui en hésitant, puis articula :

— Oui, je serai heureuse de me joindre à vous.

— Bon, tout d'un coup je me fais moins l'impression d'être un pestiféré. Dimanche, tout de suite après la messe, mon père vous reconduira.

L'homme lui tendit la main, elle lui abandonna la sienne.

— Vous êtes décidément une charmante personne, mademoiselle Drousson, mais bien farouche. À bientôt.

Sur ces mots, il passa la porte. Félicité s'empressa de sortir sur le perron pour dire :

— Bonsoir, monsieur le curé.

Chapitre 16

La prédiction du curé se confirma. Seules trois petites filles se présentèrent à l'école le lendemain matin, dont Ernestine. Après avoir mis de l'ordre dans la classe, elles se regroupèrent autour d'une table et Félicité leur fit la lecture de contes de Noël. En leur disant au revoir, elle leur laissa entendre de rester à la maison le lendemain.

Et en effet, le vendredi 21 décembre, aucun élève ne se présenta. L'institutrice passa la journée à préparer les prochaines leçons, et à tourner en rond dans la pièce, sans oser sortir prendre l'air au cas où un commissaire viendrait s'assurer qu'elle se trouvait bien à son poste. Après souper, à la lueur de la lampe à pétrole, elle s'absorba dans un livre, l'un de ses manuels de classe. Il lui en aurait fallu des dizaines pour meubler ses soirées solitaires. Elle se trouvait condamnée à parcourir sans cesse les mêmes.

Un peu passé huit heures, des cris venus du chemin public attirèrent son attention. Quand elle eut l'impression qu'ils se rapprochaient, Félicité se leva à demi pour souffler dans le tuyau de verre du luminaire.

— Pourtant, je suis sûre d'avoir vu de la lumière, bredouilla bientôt une voix avinée à l'extérieur.

Certains paroissiens mettaient fin prématurément aux privations de l'avent pour s'adonner aux plaisirs de l'alcool frelaté.

— Hé! La maîtresse, es-tu là? hurla un autre.

La jeune femme s'approcha de l'une des fenêtres pour apercevoir des ombres noires qui se découpaient sur le décor enneigé. Ils étaient quatre, non, cinq jeunes paysans ivres au point d'avoir du mal à marcher droit.

— La belle, viens danser un peu avec nous, nous ne sommes pas méchants.

Cela se pouvait bien, mais Félicité n'entendait pas le vérifier. Après encore quelques minutes de cris et de blagues grivoises où une certaine maîtresse d'école tenait un rôle peu recommandable, ils s'éloignèrent enfin.

Elle n'osa pas rallumer sa lampe. Dans le petit logis de l'étage, toujours dans l'obscurité, elle se défit de sa robe, versa un peu d'eau dans la cuvette de faïence pour se débarbouiller. Puis elle se glissa sous ses couvertures, ses bas toujours aux pieds afin de se garder un peu plus long-temps au chaud. À minuit, le feu s'éteindrait dans le poêle au rez-de-chaussée. Ensuite, la température chuterait dans toute la bâtisse.

Le sommeil vint difficilement. Dans ses rêves, de nou-velles ombres noires envahirent la cour de l'école, toutes revêtues de soutanes, coiffées de barrettes.

— Viens danser, la maîtresse. Nous ne sommes pas méchants.

Sildor Malenfant trouvait lui aussi bien difficile de s'endormir, surtout quand la colère bouillait en lui. Dans son esprit, il passait en revue toutes les railleries, réelles ou imaginées, dont on l'accablait à l'école.

À la fin, le garçon se leva d'un bond et chercha ses pantalons pendus à un clou.

— Qu'est-ce que tu fais ? marmotta Hélas dans la couchette voisine.

— Tais-toi et dors.

Malgré la noirceur, il descendit l'escalier raide sans trop de mal grâce à la lumière de la lune que la neige reflétait. Il passa la porte. Nonobstant son lourd manteau doublé et une casquette fourrée de peau de lapin calée bas sur le front, le froid pinçait.

— La salope continue sans doute de vivre toutes les lumières éteintes, comme un siffleux dans son trou.

Debout au milieu du rang Saint-Antoine, Sildor tourna sur lui-même. Félicité ne se trouvait pas seule à économiser le pétrole. Chez les Richard, un luminaire brillait encore à une fenêtre. Partout ailleurs régnait l'obscurité.

Les errances nocturnes du garçon le conduisaient irrémédiablement du côté de l'école. Comme il s'y attendait, pas le moindre éclairage. Il s'attarda le long des murs de l'édifice, posa son front sur les vitres des fenêtres afin de voir dans la classe. Il arrivait à distinguer les bancs et les tables. À l'arrière, il longea l'appentis, puis la petite rallonge abritant les latrines. Le toit protégeant la réserve de bois s'élevait tout au plus à six pieds du sol. Il tenait sur des poteaux verticaux. Grimper là-dessus ne présentait aucune difficulté pour un adolescent robuste.

Une mince pellicule de neige couvrait les bardeaux. L'angle, très peu marqué tant au-dessus de cet abri que des latrines, devenait plus aigu sur l'appentis. Sildor monta en décrivant une diagonale, la main tendue pour se cramponner au rebord de la petite fenêtre en losange. Le visage près de la vitre, il aperçut le lit dans l'ombre, tout proche.

Ses deux pieds se dérobèrent alors et il dérapa vers l'arrière.

— Jésus-Christ !

Le juron s'étouffa quand le corps heurta la surface du toit, le côté droit du visage donna durement contre les bardeaux. Il glissa jusqu'au-dessus des latrines, puis de la réserve de bois, et finalement sur le sol gelé.

✦

Un bruit sourd réveilla Félicité en sursaut. Affolée, elle courut vers la petite fenêtre, ne vit rien d'abord, sinon la blancheur de la neige et la muraille noire de la forêt à cinquante verges.

Les pupilles de la jeune femme se dilatèrent assez pour distinguer l'espace étroit où toute la neige se trouvait balayée.

— Quelqu'un est venu sur le toit, se dit-elle tout bas, incrédule.

Même si elle avait encore versé de l'eau pour garder à son piège toute son efficacité, d'une certaine façon son esprit se refusait à admettre qu'un curieux venait l'es-pionner. Elle se frotta les yeux, toujours incertaine. À part la trace sur les bardeaux, elle ne voyait rien, ni personne. Elle crut avoir rêvé.

Tout à coup, elle distingua une tête nue. Puis tout le corps d'un garçon d'une quinzaine d'années… ou plutôt quatorze : Sildor Malenfant. Avec ce faible éclairage, impossible d'en être certaine, mais d'instinct elle connaissait l'identité du pervers. Il secouait la tête, abasourdi, se déplaçant avec une certaine difficulté.

La suite la laissa totalement interdite. Une ombre noire, vint du côté de la rallonge pour heurter brutalement le voyeur dans le dos. Sildor croula sur le sol, se tourna pour voir son attaquant. L'autre se laissa choir sur sa victime, la chevauchant à la hauteur de la taille, pour frapper en alternance les deux côtés du visage. Malgré la distance et la fenêtre, Félicité entendait les coups pleuvoir.

D'abord, elle voulut crier : « Arrêtez, ne vous battez pas ! » Le souvenir des fêtards, plus tôt dans la soirée, l'amena à se taire. Dans ces jeux d'ivrognes, seul le rôle de victime lui reviendrait. Le front à la vitre, elle se contenta de regarder.

L'assaillant se releva. Sildor trouva la force de se tourner sur le ventre afin de se protéger d'une nouvelle averse. Ce fut peine perdue, l'autre lui asséna de grands coups de pied dans les flancs. La victime réussit à se recroqueviller en position fœtale pour parer les blessures les plus graves. Mal lui en prit, car son adversaire en profita pour le viser aux testicules.

Dans son logement, Félicité crut entendre un « ploc ». Son propre bas-ventre se crispa. Dans la clarté blafarde, l'homme debout semblait parler à sa victime. Quand il se retourna pour marcher en direction du chemin public, elle remarqua qu'un foulard recouvrait tout son visage. Ce n'était pas vraiment une bataille, plutôt une exécution, celle d'un pervers. Et comme il convenait dans les circonstances, le bourreau portait un masque.

Le front toujours collé à la vitre, Félicité resta là, comme hypnotisée par la forme noire sur la neige blanche. Le garçon demeurait totalement immobile. Après de longues minutes, elle pensa : « Mon Dieu, il est peut-être mort ! »

S'il ne bougeait pas bientôt, le froid aurait raison de lui. À la fin, l'institutrice se résolut à lui venir en aide. Elle allait quitter son poste d'observation quand la forme remua un peu. Ce fut d'abord un pied, une jambe, puis tout le corps. Très lentement, Sildor réussit d'abord à s'asseoir, puis porta les mains à son visage. Après de longues minutes, il se mit debout et, courbé vers l'avant comme un vieillard, se dirigea vers le chemin public. Sa demeure se trouvait à un demi-mille. S'il ne l'atteignait pas, il crèverait de froid.

Félicité alla se réfugier sous ses couvertures. Grelottante, les yeux grands ouverts, elle attendit le lever du soleil.

Incapable de dormir, Félicité sortit du lit un peu après sept heures, se demandant si elle n'avait pas rêvé. Cette bataille pouvait-elle avoir eu lieu sous ses yeux ? Son manteau passé sur sa chemise de nuit, les mocassins aux pieds, elle sortit pour s'en assurer.

À une trentaine de pieds à l'arrière de la réserve de bois, les traces de sang levèrent ses derniers doutes. Le diamètre de la flaque rouge témoignait de la sévérité de la raclée. Avec la pelle, la jeune femme eut vite fait de gratter la neige souillée pour la jeter dans la rivière toute proche. Curieusement, elle craignait qu'on lui impute cet incident, comme si sa seule présence dans le rang entraînait ce genre de désordres.

Après un déjeuner sommaire, l'institutrice se vêtit de façon adéquate pour aller relever ses collets. À quelques reprises, elle les avait déplacés afin de chercher de meilleurs endroits. Ernestine disait peut-être vrai : un savoir ancestral la guidait dans la pose de ses pièges. Elle récolta deux lièvres ce matin-là.

— Finalement, dit-elle en enlevant un fil de métal enfoncé dans le cou d'une bête, la forêt me fournira de la viande pour l'hiver.

Elle s'en lasserait sans doute bientôt, mais l'addition à sa diète lui permettait de maintenir ses dettes à un niveau acceptable. Pour ne pas faire de victimes inutiles, étant donné qu'elle serait absente pendant deux semaines, Félicité prit soin de retirer toutes les boucles de laiton pour les glisser dans sa poche.

Cette prise lui donnait un prétexte pour visiter la ferme des Simard. Odélie vint répondre à ses coups à la porte.

— Bonjour, déclara joyeusement la visiteuse. Je viens te porter cela. Je deviens une trappeuse hors pair.

Elle lui tendait l'une de ses prises.

— Ce n'est pas la peine, j'ai tout ce qu'il me faut.

— J'en ai deux. Comme je pars demain, je vais le perdre si tu ne le prends pas.

Le visage de la paysanne n'arborait pas son sourire habituel. Le front barré d'un pli, le regard soucieux, elle mit longtemps avant d'offrir :

— Tu veux entrer une minute ?

Une fois à table, Félicité demanda :

— Tu es certaine de ne pas en vouloir un ? Je regretterais de l'avoir tué pour rien.

— Bon, j'accepte. Comme je n'ose pas trop sortir de la maison maintenant…

— Il ne va pas mieux ?

La triste mine de son amie ne pouvait s'expliquer autrement. L'état de Floris la tourmentait.

— Hier et aujourd'hui, la fièvre a repris de plus belle.

— À l'examen public, il semblait sur la bonne voie.

— Je n'aurais pas dû céder à sa demande, mais il tenait tellement à se présenter ce jour-là.

Odélie pensait alors qu'un retour à ses activités normales lui ferait du bien. Sa démarche avait eu le résultat contraire. Dès le soir, son front brûlait, sa respiration se faisait sifflante.

— Je suis tellement désolée…

La culpabilité rendait l'institutrice misérable.

— Sildor a-t-il déjà commis des agressions semblables par le passé ? demanda-t-elle. Je ne pouvais pas me douter…

— Je ne sais pas trop. Comme je n'avais pas d'enfant à l'école, personne ne me parlait de lui. Puis ils sont du haut du rang, nous du bas.

Le chemin de traverse devenait une frontière entre deux pays hostiles.

— Tout de même, tu habites la même paroisse.

Son interlocutrice, après une courte hésitation, se décida à lui confier :

— Il se racontait des choses sur eux, mais c'était il y a une dizaine d'années. J'étais jeune à l'époque, les grandes personnes s'arrangeaient pour que je n'entende rien.

— Il y a dix ans, dis-tu ?

— Environ. C'était peu après l'arrivée du curé Sasseville dans la paroisse. La femme Malenfant se comportait comme la meilleure chrétienne, toujours dans la sacristie ou au presbytère. Les gens se moquaient, car le mari se trouvait obligé de prendre soin des deux jeunes enfants.

Les confidences d'Ernestine lui revinrent en mémoire. Mais la paysanne paraissait réticente à aborder le sujet, et la visiteuse ne savait trop si elle souhaitait tirer la chose au clair.

— Tu comprends, plaida-t-elle encore, je ne pouvais deviner qu'il s'en prendrait à un petit. Il cherchait sans cesse querelle à Elzéar.

Chacune garda le silence. Le plaisir des conversations animées, comme au temps de la corvée d'écossage des haricots, semblait bien révolu. La visiteuse demanda bientôt :

— As-tu reçu des nouvelles de Phidias ?

— Deux petits mots. Les bûcherons ne sont pas des *écriveux*, et ils reviennent épuisés au *shack* après la journée de travail. De mon côté, je suis plus bavarde dans mes lettres.

Odélie marqua une pause, puis elle continua d'une voix blanche:

— S'il était là, ce petit salaud recevrait sa leçon.

La scène de la raclée s'imposa à l'esprit de l'institutrice avec une clarté troublante. Le mari de son amie aurait eu le motif le plus sérieux d'en arriver là.

— Il ne pourra pas revenir pour les fêtes?

— Tu veux rire! Le contremaître leur demandera sans doute de bûcher le jour de Noël et le Premier de l'an, et ils accepteront. Vois-tu, ils sont payés à la corde, et d'un autre côté s'ils passaient toutes les fêtes à ne rien faire, l'ennui les rendrait fous.

La jeune femme acquiesça de la tête. Elle aussi oubliait un peu sa solitude lorsqu'elle travaillait.

— Et toi, tu iras voir ta mère? demanda son hôtesse.

— Oui, je dois partir demain.

Félicité se réjouit que son interlocutrice ne demande pas qui la conduirait. Elle aurait été mal à l'aise de répondre.

— Bon, dit-elle en se levant, je vais rentrer maintenant. Je te souhaite un bon Noël, malgré les circonstances...

Quand elle fut sur le point de sortir, Odélie déclara:

— Je te remercie. Profite bien de ton congé.

La mère ne lui avait pas offert de monter voir Floris, et la visiteuse n'avait pas osé le demander. Un justicier avait pris sur lui de donner sa leçon à Sildor. Elle aurait parié qu'il s'agissait d'Elzéar. Mais pourquoi?

Les circonstances de cet incident paraissaient bien mystérieuses. L'adolescent pervers ne devait pas se vanter de ses séances de voyeurisme. Alors comment cet agresseur avait-il pu intervenir à cet instant précis, sinon en étant déjà sur place pour profiter lui aussi du spectacle? Les explications possibles se bousculaient dans l'esprit de Félicité.

Dans un grand sac de toile, Félicité put mettre la majeure partie de ses vêtements. Ils méritaient tous un nettoyage en profondeur, meilleur que ce que permettait le mauvais équipement disponible à l'école. Elle ne possédait même pas de planche à laver, et en acheter une paraissait au-dessus de ses moyens.

Avec son fardeau sur l'épaule, la jeune femme entreprit de se rendre à l'église à pied. Ses bottines et ses couvre-chaussures la protégeaient bien mal du froid. Sur le chemin de traverse, un joyeux tintement de grelots la força à quitter le centre de la route pour se tenir sur le bas-côté, dans deux pieds de neige.

— Mademoiselle Drousson, dit Léonidas Marcoux en tirant sur les guides pour arrêter son cheval, vous me paraissez lourdement chargée.

— Je vais passer les fêtes chez ma mère.

— Si vous pensez pouvoir loger derrière, allez-y.

Le prix reçu de l'inspecteur par son fils et le rôle de sa fille dans la saynète de Noël le réconciliait un peu avec cette employée exigeante. Puis ce jour-là, le commissaire allait à la messe sans sa femme parce qu'elle croulait déjà sous la tâche de préparer le réveillon de Noël. Son traîneau se trouvait moins encombré que d'habitude.

— Je vous remercie, monsieur Marcoux. C'est très aimable à vous.

Un des enfants alla se jucher sur la banquette à l'avant près de son père. La jeune femme se tailla une petite place à l'arrière avec le reste de la famille. Son bagage sur les genoux, elle atteignit l'église en quelques minutes.

Après de nouvelles expressions de reconnaissance au cultivateur, Félicité entra dans le temple plus tôt que prévu. Elle croisa le curé Sasseville devant le confessionnal. Le prêtre portait son étole, une ligne de paroissiens se formait déjà devant le petit réduit. Plusieurs entendaient accueillir la naissance de Jésus avec une âme immaculée.

— Mademoiselle, dit-il en s'arrêtant près d'elle, allez mettre votre bagage dans le traîneau, dans mon appentis. Assister à la messe avec ce sac paraîtrait trop étrange. Mon père vous reconduira tout de suite après. Mais auparavant, j'irai vous dire un mot.

La jeune femme fit comme on le lui conseillait avant de rejoindre ses collègues dans le banc mis à leur disposition.

Après le *Ite missa est*, les institutrices échangèrent leurs vœux sur le parvis de l'église. Félicité salua quelques habitants du rang Saint-Antoine et se dirigea vers le presbytère. Le vieux bonhomme Sasseville, son manteau de lynx sur le dos, se tenait bien droit dans le petit traîneau peint en rouge.

— Bonjour, monsieur, commença-t-elle. Vous êtes très gentil de me reconduire.

— Comment laisser une jolie fille comme vous se geler les oreilles sur le chemin en cette saison? Ce serait inhumain. Montez, mais nous allons attendre mon garçon.

Elle se retrouva près de lui sur la banquette étroite. Heureusement, les lourds vêtements d'hiver limitaient le contact entre les corps. Pendant de longues minutes, ils ne dirent mot. Avec le froid ambiant, chacune de leurs respirations s'accompagnait d'un petit nuage de vapeur. Toutefois, sous ses pieds, Félicité sentait une chaleur bienfaisante. Son conducteur avait eu la délicate attention de placer des briques brûlantes au fond du véhicule. Elle s'apprêtait à le remercier quand le curé Sasseville sortit de la sacristie pour venir vers eux.

— Mademoiselle, merci d'avoir attendu, commença-t-il.

Comme cette attention venait surtout du vieil homme, elle s'abstint de répondre.

— Savez-vous que le jeune Sildor Malenfant a été blessé, il y a deux jours ?

— … Voilà la première nouvelle que j'en ai.

Elle arrivait à dire ces mots en plongeant ses beaux yeux gris dans les siens.

— Que s'est-il passé ? demanda-t-elle.

— Ce n'est pas clair. Les voisins parlent d'une vilaine chute. Mais un garçon de cet âge ne se casse pas la gueule en glissant sur un rond de glace.

— Peut-être un accident en bûchant du bois de chauffage.

L'homme lui adressa un sourire amusé.

— Nos hypothèses se rejoignent presque. Moi, je songeais plutôt à l'œuvre d'un bûcheron.

La jeune femme ne broncha pas, bien que cette idée lui fût venue aussi.

— Savez-vous si Phidias est revenu du chantier ?

— Sa femme me disait hier que cela lui était impossible.

— Impossible… C'est vite dit. Certains jumpent juste pour le plaisir de vider une bouteille de whisky. Après la mésaventure de Floris, il a pu vouloir régler ses comptes.

Le bon prêtre donnait maintenant une nouvelle importance à cette « querelle d'enfants ». Il présentait un visage sévère, comme s'il croyait cette institutrice coupable d'une sombre machination.

— Peut-être Dieu lui a-t-il fait expier sa faute en plaçant un rond de glace sous ses pieds.

Après tout, cette hypothèse contenait une part de vérité.

— Vous croyez donc en un Dieu vengeur.

— Ou en un Dieu de justice.

Près d'elle, le vieux Sasseville émit un rire bref. Le prêtre lui-même s'amusa de sa répartie.

— Comme vous êtes une bonne chrétienne! Reposez-vous bien, mademoiselle Drousson, et revenez à temps pour notre petit souper du 6 janvier.

— Je serai là, monsieur le curé. Passez un joyeux Noël.

L'ecclésiastique inclina la tête. Son père prit cela comme le signal du départ. Il fit claquer les guides sur le dos du jeune poulain. La bête s'engagea tout de suite au trot, heureuse de bouger pour se protéger du froid.

Les sabots du cheval claquaient sur le sol durci. Le vent gela la peau des voyageurs en quelques minutes. Félicité avait les pieds au chaud, le reste au froid.

— La robe de carriole à vos pieds, ce n'est pas une décoration, marmonna son cocher. Couvrez-vous jusqu'au nez.

Elle remonta la peau du buffle pour se protéger tout le corps, ce qui lui procura une sensation délicieuse.

— Sous vos fesses, vous trouverez aussi un foulard, un casque de fourrure et même de quoi manger un peu. Car comme une bonne fille, je suppose que vous n'avez rien avalé depuis hier pour communier ce matin.

L'homme ne se trompait pas. Un peu confuse, la passagère le remercia :

— C'est très gentil à vous, monsieur Sasseville.

— Dans ce cas, le mérite revient surtout à la femme. Tout de même, j'ai porté le tout dans la *sleigh*.

La précision vint avec un sourire à demi édenté. En se pliant en deux, l'institutrice récupéra ces objets sous la banquette. Le chapeau, muni de couvre-oreilles, lui donnait un air étrange, mais ni son cocher ni le cheval ne s'en formaliseraient. La collation se trouvait dans un contenant de fer-blanc doté d'un couvercle.

— Vous remercierez donc aussi madame, dit la jeune femme en entortillant le foulard autour du bas de son visage.

— Je n'y manquerai pas. Personne dans la famille ne veut voir l'institutrice de l'école numéro 3 crever d'une fluxion de poitrine.

— On m'a dit que vous aviez déjà fait l'école, commença-t-elle.

— Il se dit beaucoup de choses, et pas toujours des faussetés.

— C'était il y a longtemps ?

— Quelle délicate façon de me rappeler mon grand âge. Comme je ne peux rien vous cacher, il y a plus de quarante-cinq ans, presque cinquante.

Le vieil homme devait donc aller sur ses soixante-dix ans.

— Il paraît que vous vous êtes plainte des tables, dans votre école, dit-il en la regardant de biais.

— Il se dit beaucoup de choses, et pas nécessairement des faussetés.

La réponse le fit rire.

— En 1835, je faisais la classe dans une petite pièce louée dans la maison d'un cultivateur. Quinze pieds par quinze. J'avais une chaise, les enfants de petits tabourets, comme ceux utilisés pour traire les vaches. Personne n'avait de table.

— Cela fonctionnait? Je veux dire, ils apprenaient quelque chose?

— Vous êtes une idéaliste. À vos yeux, les jeunes devraient lire couramment, écrire à peu près sans fautes, et compter assez pour faire leur bilan de fin d'année.

— … C'est pour cela que je fais ce métier.

— Dans votre rang perdu, les meilleurs suivront la messe dans leur missel. Si vous voulez aller plus loin, ils vous prendront pour une originale.

Parce que fondé, ce constat la déprima. Elle porta son attention sur la route. Le cheval gardait son allure, les lisses du traîneau glissaient sur la neige durcie avec un « sss » un peu endormant. Comme son compagnon paraissait bien disposé envers elle, Félicité osa demander encore:

— Vous venez de Saint-Eustache, n'est-ce pas?

— Décidément, les gens parlent beaucoup de moi.

— Vous venez bien de là?

— Oui. J'y suis né.

Malgré sa réticence apparente, comme toutes les personnes âgées il ne demandait au fond rien de mieux que d'évoquer son passé.

— Allez, posez la question qui vous brûle la langue.

— Vous avez été mêlé aux Troubles?

— Oui, ma belle, je compte parmi les anciens patriotes.

— Vous étiez dans l'église?

L'armée anglaise avait attaqué le temple à coups de canon, forçant ses occupants à fuir par les fenêtres. Souvent, c'était pour mourir au sol d'une balle ou d'un coup de baïonnette.

— Oui, dans l'église. J'ai eu de la chance : non seulement ils ne m'ont pas tué, mais j'ai fait le tour du monde aux frais de Sa Majesté la reine Victoria. La garce !

Félicité fut assez impressionnée pour ne pas remarquer le gros mot. Cet homme comptait parmi les exilés en Australie. Comme les autres, il était revenu pour reprendre le cours de sa vie, trouver une femme et fonder une famille.

— Vous ne le croirez peut-être pas, mais moi, père d'un curé, j'ai été excommunié, dans le temps.

Monseigneur Lartigue avait chassé de l'église de nombreux patriotes. La jeune femme le dévisagea, à demi effrayée.

— Pour une couventine comme vous, je dois paraître bien menaçant, se moqua-t-il.

— Pour l'heure, vous me tenez au chaud, vous m'avez nourri et vous me permettez de passer la Noël avec maman, réussit-elle à articuler.

La réponse toucha son compagnon. Avec sympathie, il ajouta :

— Eh bien, les religieuses vous ont laissé un peu de bon sens. Bénies soient les saintes femmes.

Pendant les milles suivants, sa curiosité satisfaite, l'institutrice demeura silencieuse. Le poulain du bonhomme Sasseville avançait rapidement. Au milieu de l'après-midi, le traîneau se rangeait sur le côté du presbytère de Saint-Jacques. En descendant, Félicité se pencha sur le vieil homme pour dire :

— Vous allez venir boire quelque chose de chaud, n'est-ce pas ?

— Sauf celle de mon fils, je ne suis pas très à l'aise dans ce genre de demeure. Vous savez maintenant pourquoi.

Puis en me pressant un peu, je mangerai ce soir le repas préparé par ma femme.

— Je vous rends donc ceci tout de suite.

Elle faisait mine d'enlever le chapeau de sa tête.

— Non, gardez-le pour le retour, et pour prendre l'air pendant le congé. Vous le ramènerez à l'Épiphanie.

— … Dans ce cas, il me reste encore à vous remercier de tout mon cœur.

L'homme parut sur le point de dire quelque chose, puis il changea d'idée. Il grommela plutôt :

— Ce fut une jolie promenade. Amusez-vous bien, jeune fille.

— Joyeux Noël à vous et à votre famille.

Son sac sur l'épaule, Félicité marcha vers l'arrière de la maison pour frapper à la porte de la cuisine.

Chapitre 17

— Enfin, te voilà ! se réjouit Marcile, qui afficha son plus beau sourire en lui ouvrant.

— Maman !

Les deux femmes s'enlacèrent de façon un peu empruntée car les effusions ne leur étaient pas habituelles. Puis la mère recula d'un pas pour regarder sa fille avec attention.

Elle l'aida à défaire les boutons de son manteau pour aller plus vite. Quand Félicité se retrouva vêtue de sa robe seulement, la mère l'examina à nouveau pour dire :

— Tu as maigri, je pense.

— Au contraire, j'ai profité pendant ces quelques mois. Heureusement, tu avais taillé ce vêtement un peu plus grand que nécessaire.

Même si Marcile avait du mal à en convenir, c'était vrai. Au bout du compte, cet exil ne semblait entraîner aucun dépérissement.

— Mets tes couvre-chaussures près de la porte, et assieds-toi là. Je prépare du thé, et ensuite tu me parleras de ton école et de tes élèves.

Félicité se livrerait à l'exercice de bonne grâce, mais en réservant à sa mère la même version édulcorée de son récit que dans ses lettres.

Un peu avant cinq heures, le curé Merlot émergea de sa chambre après une longue sieste. Il devait tenir de l'ours, les grands froids le faisant dormir. Il vint dans la cuisine, où la mère et la fille s'affairaient à préparer le repas du soir.

— Ma petite, je suis heureux de te revoir.

— Merci, monsieur le curé. Je me sens un peu gênée de vous encombrer de ma présence pendant tout ce long congé.

— Marcile m'assure que vous logerez sans mal à deux dans sa chambre. Puis je vois que tu es tout à fait disposée à l'aider un peu. Cette période de l'année amène toujours un surplus de travail.

En contrepartie du gîte et du couvert, le vieil abbé gagnait une fille de cuisine. Félicité acceptait de bonne grâce les termes de l'échange.

— Comment es-tu venue de Saint-Eugène, déjà? demanda le curé.

— Le bedeau a eu la gentillesse de me conduire.

— Ah! Et le bedeau, là-bas, c'est bien le vieux Romulus?

— Oui, le père de l'abbé Sasseville.

— Romulus, se rembrunit l'ecclésiastique.

Visiblement, ce nom lui évoquait quelqu'un de familier.

— Comment l'as-tu trouvé?

— Très serviable.

— Serviable?

La pointe d'incrédulité marquait la voix. «Il se méfie de l'ancien excommunié», se dit l'institutrice.

— Bon, je vais dans mon bureau un moment.

Les derniers mots s'adressaient à la ménagère. Elle saurait où aller le chercher une fois le repas préparé.

Félicité ne s'y était pas trompée, sa présence soulagerait sa mère d'un surcroît de travail pendant cette période de festivités. Toute la journée du 24, elle se trouva conscrite pour les préparatifs du réveillon. Le curé y avait invité des notables de la paroisse.

Tout de même, l'ecclésiastique ne la priva pas du plaisir d'assister à la messe de minuit. Un peu après dix heures, elle traversa la cour pour rejoindre l'église paroissiale. De nombreuses familles étaient déjà arrivées. Les cultivateurs les plus chanceux trouvaient une place dans une écurie voisine pour abriter leurs chevaux. Les autres se contentaient de poser une robe de carriole sur le dos des leurs, après les avoir attachés.

Cette arrivée précoce à l'église tenait surtout au désir de ces bonnes gens de se confesser. D'ailleurs, le curé avait recruté un prêtre du collège de l'Assomption pour l'aider dans cette tâche. À cause de son âge, il évoquait de plus en plus souvent la possibilité de s'adjoindre un vicaire.

Alors que leurs parents attendaient devant l'un des deux confessionnaux pour avouer leurs fautes, les enfants se dirigeaient vers le petit autel situé au fond de l'allée de droite. Juste devant, des paroissiennes dévotes avaient érigé une crèche. L'institutrice, comme d'autres adultes, se joignit à eux.

Saint Joseph et la Vierge, tout de plâtre, paraissaient plus crédibles que l'incarnation d'Hélas et de la petite Marcoux à l'école numéro 3, quelques jours plus tôt. Le bœuf et l'âne montraient des éraflures nombreuses, et le second se trouvait amputé de la moitié d'une oreille. Une religieuse du couvent voisin devait déjà chercher le moyen de lui en greffer une autre. Ces femmes montraient des trésors de débrouillardise. Les bergers ressemblaient à des cultivateurs pieux, et les moutons… à des moutons.

— Il est bien trop gros, la Vierge n'a pas pu accoucher de lui, ricana une voix près de l'institutrice.

La paysanne avait raison. Dans sa mangeoire remplie de paille, Jésus paraissait démesuré, en comparaison de la mère. Sous l'éclairage des nombreuses lampes à pétrole et des cierges, la grosse poupée de cire prenait une teinte jaunâtre un peu malsaine.

— Surtout si elle était vierge, ajouta une autre femme.

La remarque un peu sacrilège mit du rose aux joues de la maîtresse d'école. Même des paroissiennes semblaient souligner la fin des rigueurs de l'avent avec un verre d'alcool. Elle regagna l'arrière de l'église, songeuse. Ses pensées la ramenaient à l'école numéro 3. Normalement, ce matin, elle aurait demandé à un enfant d'allumer la dernière bougie de sa couronne, la rose, pour souligner le dernier dimanche avant Noël.

— Seigneur, invoqua-t-elle en se plaçant dans un angle, à l'arrière, toutes mes prières au cours de cette messe sont destinées à Floris, pour qu'il retrouve la santé.

Après la cérémonie religieuse, le curé Merlot enleva ses habits sacerdotaux en vitesse en adressant ses vœux de joyeux Noël à son petit escadron de servants de messe. Il ne voulait pas arriver trop longtemps après ses invités au réveillon.

Pourtant, ceux-ci se trouvaient en assez bonnes mains. Félicité était sortie très vite de l'église pour regagner le presbytère. Dans sa robe de laine bleue, un peu intimidée, elle accueillit d'abord le docteur Denis et sa femme, prenant les manteaux du couple pour aller les déposer dans une chambre. Le scénario se répéta à l'arrivée du notaire et du marchand général, accompagnés de leurs épouses respectives.

Malgré son empressement, le bon ecclésiastique se présenta le dernier. En lui remettant son capot de chat sauvage, il lui dit tout bas :

— Je te remercie, ma fille, tu es gentille. Où sont-ils ?

— Je suis heureuse de pouvoir vous rendre service. Tout le monde attend dans le salon. Devrais-je leur offrir quelque chose à boire ?

— Non, nous allons passer à table tout de suite. L'un de ces hommes saura certainement ouvrir une bouteille de vin.

Le dernier paletot se retrouva dans la garde-robe. Puis Félicité regagna la cuisine. Sa mère s'agitait près du poêle, les cheveux un peu en désordre et visiblement moins enthousiaste que son employeur au sujet de la tradition du réveillon.

— Je n'y arriverai pas, pesta la domestique.

— Tout ira bien, j'en suis certain.

Le commentaire venait du bedeau, resté au presbytère pour « aider ». Assis à la table, la preuve de son utilité attendait toujours d'être démontrée. Jusque-là, il paraissait surtout enclin à retarder les autres.

— La petite, tu veux venir à l'étable avec moi ?

Venue d'un autre que ce vieil homme, l'invitation aurait éveillé les soupçons de l'institutrice. Chez lui, elle en comprenait l'innocence.

— Nous avons à faire, vous le savez bien, le rabroua-t-elle.

— Mais je t'assure, la nuit de Noël, les animaux parlent entre eux, comme toi et moi.

Félicité souleva le couvercle de la soupière pour vérifier la température du contenu.

— Voyons, ce sont des légendes, ça.

— Je t'assure, je les ai entendus. Ils discutaient des prochaines récoltes.

Elle se priva de lui dire que l'abus des boissons enivrantes causait parfois des hallucinations de ce genre.

— Maman, dois-je servir la soupe tout de suite ? demanda-t-elle plutôt.

— C'est aussi bien. Tu poses la soupière au milieu de la table, et tu remplis les bols. Ça ira ?

— Je ferai mon possible pour ne rien renverser.

Même formulée avec un sourire, la remarque inquiéta un peu Marcile. Félicité, elle, s'engagea dans le couloir avec le lourd contenant de porcelaine dans les mains. La salle à manger donnait sur la rue. Deux élégantes lampes à pétrole procuraient un éclairage convenable dans la grande pièce. Posées sur la table, elles jetaient des ombres un peu fantomatiques sur les murs, derrière les convives.

— Vous n'avez pas eu envie de faire un arbre de Noël ? demandait le notaire comme la jeune femme arrivait.

— C'est là une tradition bien protestante, opina le curé, je préfère m'en tenir à nos usages ancestraux.

La remarque de l'ecclésiastique, formulée d'un ton amusé, amena tout de même le marchand général à se justifier :

— Dans le commerce, vous comprenez, nous n'avons pas le choix de sacrifier à cette nouvelle mode. Les clients me disent apprécier le sapin mis dans un coin du magasin.

— Vous n'y avez pas placé des bougies, j'espère.

Le prêtre redoutait davantage les incendies que la contagion protestante. La jeune femme se tint dans l'entrée de la pièce, le temps que les convives s'aperçoivent de sa présence.

— Ah, ma fille! dit Merlot en se tournant à demi, pose cela au centre de la table.

La soupière déposée à l'endroit prévu, Félicité prit le bol du vieil homme pour le remplir, puis fit de même avec ceux des autres convives. Le tout se déroulait dans une atmosphère décontractée, ce qui rassura la fille de table improvisée. Personne ne lui reprocherait son ignorance des convenances. Elle se serait bien vite sentie perdue devant les usages de la bourgeoisie.

Elle servait le docteur Denis, quand celui-ci l'interrogea :

— Ce genre de travail ne vous plairait pas plus que la tenue d'une classe au milieu des bois?

Quelques mois plus tôt, le curé Merlot s'informait de la volonté du médecin de recourir aux services d'une domestique dans l'espoir de placer sa protégée. L'idée paraissait encore cheminer dans l'esprit du professionnel.

— Malgré ma toute petite expérience, je me sens plus en confiance devant mes élèves que dans une cuisine. Puis l'orée du bois est tout de même à cinquante verges de mon école.

— Tu apprendrais sans doute très vite, remarqua le curé, mais il est vrai que ta mère fait très bien à manger. J'ai de la chance.

L'ecclésiastique se tourna vers le notaire assis à sa gauche pour demander :

— Cher ami, voulez-vous verser encore un peu de vin à la compagnie? Vous me donnerez juste une petite goutte.

La goutte représenta tout de même deux bons doigts dans le verre. Une fois la soupe servie, Félicité se tint immobile le long du mur, sans dire un mot. Merlot lui signifia du doigt de passer au second service. Elle démontra sa bien courte expérience de ce genre de travail puisque le marchand général faillit recevoir son reste de soupe sur la tête, lorsqu'elle le débarrassa.

Puis, avec son fardeau de porcelaines et de cuillères, elle marcha vers la cuisine.

— Je t'assure, Marcile, en ce moment même, tous les morts du cimetière sont sortis de leur tombe et ils assistent à une messe près de la grande croix, entendit-elle dans la bouche du bedeau ivre. Le vieux curé officie pour eux. Tu sais, Couture, celui qui était là avant Merlot ?

La femme se souvenait, même si le décès de l'ancien titulaire de la paroisse remontait au milieu des années 1850.

— Cesse de raconter des histoires de ce genre, dit-elle, tu me fais peur.

— Il n'y a pas de raison de prendre l'épouvante, ce sont nos anciens voisins. Tiens, si ça se trouve, ton mari est parmi eux. Ils vont aller se promener près des maisons où ils sont morts, puis bien sagement ils se coucheront au fond de leur fosse avant les premières lueurs du jour.

Marcile réprima un frisson, puis elle échangea un regard lassé avec sa fille.

— Je vais aller servir la volaille.

Elle échapperait ainsi à la suite de ce récit. Le plat de service et les assiettes s'entassèrent sur un petit chariot monté sur roulettes. Lorsqu'elle s'engagea dans le couloir, le bedeau reprit :

— Toi, la petite, tu me crois, au moins ? Les morts de la paroisse se trouvent présentement à la messe, dans le cimetière.

— J'ai fait mon catéchisme avec l'abbé Merlot, et jamais il n'a parlé de cela.

L'homme baissa le nez sur la tasse de porcelaine un peu ébréchée. Si elle avait contenu du thé à son arrivée, plus ou moins discrètement il y avait ajouté un peu du liquide d'une petite bouteille cachée dans sa poche.

— Tu sais, les curés ne savent pas tout, ou alors ils ne disent pas tout. La nuit de Noël est remplie de mystères et de merveilles. Pendant que tu t'occupes de nettoyer ces bols à soupe, pendant que tout le monde s'empiffre ou se saoule, dehors tout est magique. Tu le savais, toi, que cette nuit les montagnes s'ouvrent comme des coffres, et qu'on peut voir leurs trésors. De l'or, de l'argent, des diamants…

Le bedeau s'agitait, emporté par son récit. Avec une auditrice plus intéressée, il se serait perdu dans l'évocation de toutes les légendes qui, de la vieille France jusque dans la nouvelle, avaient voyagé avec les premiers colons. Félicité ne lui en laissa pas le loisir :

— Mais si ce que vous dites est vrai, vous devriez être dans les Laurentides en train de vous remplir les poches de toutes ces richesses, au lieu de me le raconter.

L'autre laissa échapper un grognement devant tant de scepticisme. Tant pis, cette gamine ignorerait tout des mystères de Noël, si elle le prenait de cette façon. Il se renfrogna, sans décider pour autant de rejoindre la solitude de sa masure. Mieux valait la compagnie des incrédules que pas de compagnie du tout.

Dans une cuvette de fer-blanc à moitié remplie d'eau, Félicité vida le contenu d'une bouilloire très chaude, puis entreprit de laver les bols. Cette avance leur permettrait, à elle et à sa mère, de se coucher à une heure raisonnable. Marcile revint bientôt dans la cuisine avec la soupière.

— Ils en ont pour quelque temps encore, avant les tartes. Nous irons ensemble ramasser les assiettes et les plats de service tout à l'heure. D'ici là, nous allons nous asseoir un peu et avaler quelque chose.

La domestique chercha dans le garde-manger pour en sortir une tarte aux pommes embaumant la cannelle.

— Celle-là, je l'ai faite pour nous.

— La vaisselle…

— Nous la terminerons tout à l'heure. Verse-nous du thé.

Le bedeau eut droit à une part de tarte, mais il couvrit sa tasse de la main pour éviter qu'on y ajoute quoi que ce soit.

— Ils ont l'air de s'amuser, devant, remarqua-t-il.

— Les messieurs se racontent des souvenirs de collège, tout en sortant un mot latin ici et là.

Des voix parvenaient jusqu'à la cuisine, mais les paroles demeuraient indistinctes.

— Bien sûr, tout ce beau monde est allé au collège, remarqua le vieil homme. Ils se plongent le nez dans de gros livres jusqu'à s'en abîmer les yeux.

Tout de même, le ton trahissait une pointe d'envie. À peine capable de tracer son nom, il soupçonnait ces vieux ouvrages de receler bien des histoires insolites. Le trio eut à peine le temps de manger le dessert avant que le son joyeux d'une clochette ne retentisse.

— Viens avec moi, demanda Marcile. Nous allons desservir. Le temps que l'on retourne avec le dernier service et le thé de ces dames, ils pourront fumer une pipe.

Félicité suivit sa mère, docile. Avec la fatigue d'une trop longue journée, la claudication de la ménagère se faisait plus marquée.

Vers trois heures du matin, après des pipées, des cigares et des cognacs pour les hommes, un doigt de sherry et un babillage ennuyeux pour les femmes, les notables quittèrent le presbytère.

C'est là que le bedeau se rendit enfin utile : un fanal à la main, il reconduisit les convives à leur domicile. Aucun n'avait pris sa voiture, la distance ne le justifiait pas. En rentrant dans sa propre cour, seul, le vieil homme leva son luminaire à la hauteur de ses yeux. Dans la légère poudrerie levée par un vent du nord-ouest, il l'aurait juré, le vieil abbé Couture disait une messe près de la grande croix du cimetière avec tous les paroissiens défunts autour de lui. Toute la congrégation prenait la forme d'ombres blanches.

La jeune femme se faisait discrète, soucieuse de ne pas troubler son hôte par sa présence. Levée avant le jour comme sa mère, elle passait ses journées dans la cuisine, sauf quand elle allait marcher un peu dehors. Aussi, le seul tête-à-tête avec le prêtre se déroula dans la rue Principale, lors d'une longue promenade de santé. Le couple improbable se rendit jusqu'à une extrémité du village en silence. Au retour, l'abbé Merlot demanda :

— Peux-tu me confier tes impressions sur ces premiers mois d'enseignement ?

— Tout se passe très bien. Les enfants sont gentils...

L'homme posa doucement sa main sur l'avant-bras de sa compagne.

— Je ne suis pas ta mère, tu sais. Voilà quarante ans que je confesse des institutrices. Je sais comment cela se passe dans les écoles. Cette première année n'est certainement pas parfaite.

— ... Le pire, admit la jeune femme après une hésitation, c'est la solitude. Les longues soirées dans une bâtisse vide, je ne connaissais pas cela. Au couvent, je me désolais parfois de n'avoir aucune intimité. Maintenant, j'en ai trop.

— D'habitude, les maîtresses habitent chez leurs parents. Elles sont rarement dans ta situation. Et dans ta classe ?

Félicité décida finalement de se livrer tout à fait. Après tout, elle lui avait déjà avoué toutes ses fautes, petites et grandes.

— Bien des enfants sont gentils, comme je le disais, mais certains sont de véritables brutes.

— Tous ces cultivateurs n'ont pas une vie facile. Ils manquent parfois de… savoir-vivre.

— Cela n'excuse pas la brutalité gratuite des plus grands envers les plus petits.

Le prêtre hocha la tête. Elle évoquait là une réalité familière. Les frustrations de l'un passaient souvent par les mauvais traitements infligés à l'autre. Presque dans un souffle, Félicité décrivit toute la scène entre Sildor et Floris.

— Ce garçon est un monstre, conclut-elle. Grippé, le pauvre petit n'est pas revenu à l'école depuis cet événement. Et aussi…

Tous les deux passèrent devant le presbytère sans penser à rentrer se mettre au chaud. Des paroissiens et des paroissiennes s'arrêtèrent pour dire un mot à leur pasteur. Une fois qu'ils furent seuls, le curé Merlot demanda :

— Et aussi quoi ?

— J'ai bien trop honte pour vous avouer cela.

— Voyons, tu peux me faire confiance.

À mots couverts, elle évoqua les traces sur le toit, la précaution de verser de l'eau sur le revêtement de l'appentis, la chute.

— Voilà qui est bien fait pour lui, maugréa le prêtre. Il s'est cassé le nez, j'espère.

— Quelqu'un est sorti de la nuit pour lui donner une terrible raclée, là sous mes yeux.

Le pasteur s'arrêta pour la regarder un instant.

— Que me racontes-tu là ?

— Ce garçon se relevait à peine de sa chute quand quelqu'un s'est précipité pour le battre.

— Dans quelle paroisse étrange vis-tu ? Un deuxième homme se trouvait sur les lieux ? L'autre faisait ses petites cochonneries devant témoin ?

La jeune femme écarquillait les yeux, comme si elle-même ne le croyait pas encore.

— Ton histoire n'a pas de sens, renchérit l'homme.

— Je vous le jure, monsieur le curé, plaida-t-elle.

— Qui était-ce ? Le second, je veux dire.

— Je ne sais pas. Il portait un foulard autour du visage.

Ils continuèrent en silence jusqu'à l'extrémité opposée du village. Merlot semblait perdu dans ses pensées. À la fin, il demanda :

— Tu t'es fait un amoureux, dans ce coin ?

— Non, je vous assure.

— Dans ce genre d'histoire, un père, un frère, ou alors un cavalier, peut régler son compte à un voyeur. Cela s'est vu dans notre paroisse, et plus d'une fois. Si ce n'est pas cela…

L'image de Samuel, fugace, passa dans l'esprit de la jeune femme. Mais non, ce bûcheron n'était pas son cavalier.

— J'ai pensé au père du petit garçon, mais il se trouve au chantier.

— Bien sûr, ce pourrait aussi être lui. Tu veux retourner là-bas ?

L'institutrice s'inquiéta. La réaction un peu horrifiée du prêtre donnait une dimension plus dramatique encore à la situation.

— Mais je ne peux pas faire autrement, c'est mon travail.

Merlot n'insista pas. De toute façon, la présence d'une jolie femme dans son presbytère, même pour quelques jours, devait déjà troubler certaines grenouilles de bénitier.

— D'habitude, dans les cas difficiles, les maîtresses se confient au curé. C'est souvent leur meilleur allié dans une paroisse.

De façon bien détournée, il amenait l'abbé Sasseville dans la conversation.

— Je lui ai demandé d'intervenir auprès de ce garçon, Sildor, très tôt après son retour en classe. Il a refusé. Et après l'altercation, il me rendait responsable de tout.

— Comment cela ?

— J'aime beaucoup Floris. Il est si gentil, si intelligent...

Le souvenir de l'élève couché dans son lit, fiévreux, lui fit monter les larmes aux yeux. Il lui fallut un instant avant de pouvoir ajouter :

— Selon monsieur le curé Sasseville, en affichant ma préférence, j'ai excité la jalousie dans la classe. Ce serait donc ma faute.

Le vieil abbé lui parut comme perdu dans ses souvenirs.

— À part cela, tu t'entends bien avec lui ?

— ... D'habitude, il se montre... aimable.

Le mot signifiait tout, ou rien. Le récit d'Ernestine lui traversa brièvement l'esprit. Non, répéter cela à ce vieil homme serait ridicule, sinon carrément scandaleux. Cette fois, les promeneurs montèrent l'escalier conduisant à la porte du presbytère. Avant d'ouvrir, Merlot dit encore :

— Si la raclée a été aussi sévère que tu le dis, au moins ce petit cochon va te laisser tranquille. Parfois, rien d'autre ne peut calmer ces pécheurs.

— Tout de même, quelle scène horrible. Elle ne me sort plus de la tête. Et tout ce sang sur la neige, au matin…

— Avec les grands froids, les sens de tout le monde se calmeront un peu. Notre hiver a cela de bon.

Quand la porte s'ouvrit, toute allusion à ces événements devint impossible. Un peu sceptique sur l'effet d'une chute du mercure sur les âmes des pécheurs, Félicité regagna la cuisine. Devant sa mère, un sourire de convenance revint sur ses lèvres.

— Tu as bien profité du grand air ? demanda Marcile.

— Oui, avec monsieur le curé, j'ai parcouru tout le village.

— Il est de bon conseil, écoute-le.

Au fond, sa mère n'était peut-être pas totalement dupe de la description si positive de la situation à Saint-Eugène.

Chapitre 18

La poupée de cire se trouvait toujours couchée dans le foin de la crèche, à l'église Saint-Eugène. L'heure de récolter des offrandes destinées aux pauvres de la paroisse était venue. Il s'agissait de la quête de l'Enfant-Jésus. Le vieux Romulus se trouvait donc à nouveau emmitouflé de peaux de lynx pour supporter le froid sibérien. Derrière lui, son fils et le marguillier en charge remontaient la robe de carriole sur leurs jambes.

— Comme d'habitude, nous allons commencer par le rang Saint-Antoine, le plus éloigné de l'église.

— Comme d'habitude, répéta le cocher d'un ton morne.

D'un coup de poignet, il fit claquer les guides de cuir sur le dos du cheval. Derrière eux suivait une autre voiture, celle-là avec une longue boîte à l'arrière, conduite par un autre membre du conseil de la fabrique.

Un vent d'ouest balayait le chemin de traverse. La neige resplendissait sous le soleil, au point de blesser les yeux. L'air glacé brûlait les poumons. La tournée des cultivateurs commença à l'ouest, dans le haut du rang, pour se poursuivre ensuite dans le bas. À onze heures, les deux traîneaux s'arrêtèrent sur le côté de la maison des Malenfant.

— Autant mettre la couverture sur le cheval, dit le curé en descendant. Ils sont nombreux ici, nous serons longtemps à l'intérieur. Le voir crever de la grippe serait trop triste.

Le vieil homme maugréa en s'exécutant, frustré par la longue attente à venir. L'autre cocher fit de même, d'aussi mauvaise grâce. La porte de la demeure s'ouvrit dès que Sasseville mit le pied sur la galerie.

— Monsieur le curé, commença Tarrasine, dites aux deux autres d'entrer aussi. Il arrive midi, vous allez manger avec nous. J'ai tout préparé.

Être reçu pour le dîner devenait aussi une tradition. Revenir au village aurait fait perdre bien du temps, et chaque année une paysanne se montrait fière de recevoir un homme d'Église à sa table. Celle-là y mettait juste un peu plus d'enthousiasme que les autres. L'ecclésiastique feignit de consulter son compagnon du regard, puis il dit :

— Nous ne voulons pas déranger, madame.

— Ce n'est pas un dérangement, mais un honneur, je vous assure.

Il n'en fallait pas plus pour le convaincre. En se tournant à demi, il lança :

— Messieurs, attachez vos chevaux et venez. Nous allons dîner ici.

En pénétrant dans la maison, les hommes furent assaillis par la chaleur ambiante. Le poêle consumait de grosses bûches d'érable depuis le matin.

— Enlevez tout ça, dit Tarrasine.

Joignant le geste à la parole, elle entreprit de défaire elle-même le nœud de la ceinture tissée de son pasteur. Les autres se débrouillèrent sans aide. Les lourds paletots et les couvre-chefs assortis atterrirent sur le lit de la chambre des maîtres.

— Vous allez nous bénir, monsieur le curé. À genoux, les enfants.

Comme un caporal avec son peloton, la paysanne aligna Griphine, Louvinie et Hélas. Le père se tenait un peu en retrait, mais lui aussi s'agenouilla sur le plancher de pin. Sasseville appela la bénédiction du Tout-Puissant sur tous les membres de la maisonnée. Ils se relevèrent bientôt.

— Maintenant, Maurice, tu vas servir une lampée de rhum à ces messieurs. Ils sont dehors depuis le petit matin.

Le chef de famille ouvrit une armoire pour en sortir une bouteille de grès brune et des tasses de fer-blanc. Comme tous les cultivateurs leur réservaient le même accueil depuis le matin, aucun des visiteurs n'était plus tout à fait à jeun. Assis autour de la table, chacun reçut sa part du cordial.

— Nous pourrons manger dans une demi-heure, assura la maîtresse de la maison. Vous sentez le rôti de porc?

Dans la pièce maintenant surpeuplée, cette odeur se mêlait à toutes les autres.

— Je ne vois pas votre grand garçon, remarqua le curé. Il ne se porte pas mieux?

— C'était une bien mauvaise chute, répondit la femme.

À force de répéter cette fable, tout le monde la reconnaîtrait comme véridique et la répéterait encore.

— Où se trouve-t-il?

— En haut, dans la chambre des gars.

— Je vais aller le voir. Dans son état, le priver d'une bénédiction serait trop cruel.

Toutes ces maisons paysannes se ressemblaient, aussi le pasteur n'avait besoin ni de guide ni de permission. Il gravit l'escalier étroit jusqu'au palier. L'espace était coupé en deux par un mur de planches rugueuses. Deux paillasses se trouvaient dans chacune des pièces. Sildor reposait sur l'une d'elles, un sous-vêtement de laine le couvrant des chevilles au cou pour tout vêtement.

— Ma foi, déclara le prêtre d'un ton amusé, pour ressembler à cela, tu as dû tomber à dix reprises en faisant bien attention d'atterrir sur le visage chaque fois.

Les yeux du garçon, enflés au point d'être réduits à des fentes étroites, prenaient une vilaine teinte violacée. Le nez un peu croche rappelait une pomme de terre. Surtout, une pièce de tissu malpropre lui soutenait la mâchoire.

— C'est cassé ? demanda le visiteur en affichant un peu plus de compassion.

— Oui.

Sildor bougeait bien précautionneusement sa mandibule, et même ses lèvres. D'une vilaine teinte bleutée et fendues en plusieurs endroits, elles devaient aussi le faire souffrir. Pourtant, il se faisait comprendre sans trop de mal.

— Le médecin est venu te voir ?

Cette fois, le grognement donné en guise de réponse s'avéra indéchiffrable. Le curé prit un tabouret dans un coin de la pièce et le posa tout près de la couche pour s'y asseoir.

— Je n'ai pas compris. Répète plus clairement.

— Le... ramancheur.

Ces paysans évitaient de dépenser. Au lieu de verser un dollar au médecin pour une visite à domicile, ils préféraient donner dix sous à un voisin se qualifiant de rebouteux. Au bout du compte, peut-être ne s'en trouvaient-ils pas plus mal.

— Le gars qui t'a fait cela t'en voulait beaucoup.

Sasseville remarqua la posture un peu tordue du garçon, les cuisses écartées. Les coups ne s'étaient pas abattus seulement sur le visage. Un grognement lui fit froncer les sourcils.

— Pardon ?

— ... Suis tombé.

— Ne me prends pas pour un idiot. Un type t'a arrangé comme ça. Tu vas me dire qui.

Dans les fentes étroites des yeux, il vit les pupilles se déplacer nerveusement.

— Ta famille a des raisons de parler d'une chute. Je peux même deviner lesquelles. Mais toi, tu vas me dire la vérité. Qui ?

— Sais pas.

— Cesse de mentir.

— Sais pas.

Le garçon avait tenté d'élever la voix, avec pour seul résultat de sentir la douleur irradier dans toute sa tête.

— Foulard, ajouta-t-il en faisant le geste de se couvrir le visage avec sa main.

— Il portait un foulard… Pour ne pas être reconnu ?

Sildor haussa les épaules, impatient. Les précautions de son assaillant ne meublaient pas ses réflexions. Lui aussi devenait fou à se demander plutôt : « Qui ? »

— C'est arrivé où ?

Le blessé fixait son interlocuteur, avec, sembla-t-il à ce dernier, une pointe de culpabilité dans les yeux.

— Où as-tu reçu cette raclée ? Tu aurais pu te faire tuer, à voir les dégâts.

— … cole.

— À l'école ?

Le prêtre ne cacha pas sa surprise. L'histoire prenait une tournure inattendue.

— Te voilà tellement enthousiaste pour la lecture que tu vas à l'école la nuit ? Car une attaque comme celle-là a bien eu lieu la nuit, n'est-ce pas ?

Le garçon regardait son interlocuteur avec des yeux un peu effarés. Pour deviner de cette façon, il lui fallait voir au fond de son âme.

— Monsieur le curé, nous allons manger bientôt, fit une voix depuis le rez-de-chaussée.

Sasseville se tourna pour dire d'une voix forte :

— Tarrasine, tu ne vas pas interrompre une confession, tout de même.

L'utilisation de ce terme donnait un tout autre sens à la conversation. Le garçon savait maintenant que dissimuler la vérité dans ce contexte confinait au sacrilège.

— Alors, mon petit, tu vas me dire ce que tu faisais sur le terrain de l'école, la nuit ?

L'autre le regarda tout en gardant le silence.

— Tu la trouves donc si jolie ? glissa le visiteur.

Le curé adopta un ton gouailleur, tout d'un coup :

— Cela montre que tu n'es pas aveugle. Tu vas donc t'exciter la nuit sur le terrain de l'école. Je suppose que c'est de ton âge.

L'ironie contenait quelque chose de blessant. Le grognement émis en guise de réponse tenait du juron. Le curé feignit d'y voir un assentiment.

— Bien sûr, tes visites nocturnes ne te conduisent à aucun résultat. Jamais elle n'ouvrira sa porte à un gamin comme toi. Les enfants ne lui disent rien. Enfin, pas dans le sens où tu aimerais. Tu te contentes de la regarder…

Le visiteur paraissait maintenant s'amuser beaucoup, alors que son interlocuteur le fusillait du regard.

— Or, la demoiselle s'est trouvé un défenseur. Quelqu'un qui cogne fort. Tu n'as vraiment aucune idée de son identité ?

Sildor grogna encore, le prêtre décida de prendre cela pour un « non ». Il faisait mentalement l'inventaire des jeunes hommes du rang. Le visage d'Elzéar lui vint à l'esprit. La rivalité entre ces familles lui était familière.

Puis il se souvint du baiser volé devant la porte de l'école. Le pauvre garçon étendu devant lui était peut-être la victime d'un rival énamouré, amateur lui aussi de promenades nocturnes autour du logis de l'objet de ses désirs. Trop pusillanime, Thaddée ne figurait pas parmi les suspects. Sildor était robuste, au moins assez pour prendre la fuite sans attendre d'être martelé de coups. L'autre devait être très déterminé.

— Bon, je vais aller dîner avant que le rôti ne refroidisse. Comme ta confession n'a pas été vraiment intelligible, ni complète, je ne te donne pas l'absolution. De toute façon, je ne porte pas mon étole. Souhaitons juste que tu ne meures pas en état de péché mortel avant d'avoir l'occasion de t'exprimer clairement de nouveau, ou alors nous tenterons une confession écrite. Ce serait un exercice amusant, non, pour un garçon qui aime autant l'école ?

L'allusion à la mort troubla l'adolescent. Son grognement ressemblait à un acte de contrition.

— Tout de même, le bon Dieu est juste. Tout à l'heure, je suis monté dans la chambre du petit Simard pour le bénir dans son lit. Lui et toi avez été victimes d'une brute trop forte pour vous. Alors je veux bien te bénir aussi.

La croix tracée d'une main dans les airs et les paroles en latin amenèrent le garçon à tenter de se redresser un peu dans son lit. L'effort lui tira une plainte douloureuse.

De retour dans la cuisine, l'abbé Sasseville se retrouva au bout de la table, à la place d'honneur. Si le chef de la famille souffrait de la lui abandonner, il ne le laissait pas trop voir.

— Si vous me le permettez, monsieur le curé, je vais vous servir moi-même, dit Griphine en tendant la main pour prendre son assiette.

Sa mère était occupée à réduire la pièce de viande en tranches. Vêtue de sa plus belle robe, la paysanne échangea un regard plein de connivence avec son aînée.

— Tu es bien gentille, ma grande, dit le prêtre. Comment ton frère arrive-t-il à se nourrir, arrangé comme cela ?

— On lui donne du lait, du bouillon. Mais déjà, il a maigri.

— C'est une pitié, lui si beau garçon, si bien bâti, intervint Tarrasine. Il va manger de la purée jusqu'au printemps…

Toute à son courroux, la mégère eut du mal à se maîtriser. Un long chapelet de malédictions pour l'agresseur lui tournait sans cesse dans la tête. Griphine quant à elle s'efforçait de présenter la meilleure figure possible à son visiteur de marque. Sa hanche effleura son épaule alors qu'elle posait l'assiette devant lui. Les marguilliers firent comme s'ils n'avaient pas aperçu le geste.

Une heure plus tard, après une dernière gorgée de rhum, les visiteurs remettaient leurs lourds manteaux puis serraient la main à toute la compagnie, même celle des enfants.

— Notre offrande est dans l'appentis, derrière, précisa Tarrasine.

— Je te remercie, fit le curé. Elle sera répartie entre les pauvres de la paroisse la semaine prochaine. Hélas va venir me montrer cela.

Le garçon ne se formalisa pas d'être ainsi mis à contribution. Sans dire un mot, il chaussa ses bottes et décrocha un paletot pendu à un clou.

Après tout ce temps dans une pièce surchauffée par le poêle à bois, l'air glacial piquait la peau. Le marguillier en charge regagna le traîneau pour se réfugier sous la robe de carriole. Son collègue accompagna le prêtre et l'enfant jusque dans l'appentis. Une boîte de carton contenait de la farine, du lard, une pièce de bœuf, des fèves. Le tout permettrait de nourrir chichement une famille démunie pendant une semaine.

— C'est bien, ça, commenta le prêtre alors que son compagnon prenait le fardeau pour aller le déposer dans la boîte du traîneau.

Quand il se retrouva seul avec l'enfant, Sasseville glissa:

— Ton frère a reçu toute une volée.

Hélas ne nia pas. Après tout, cet homme en noir parlait le latin, la langue de Dieu. Il devait tout savoir et mentir ne servait à rien, pensait l'enfant.

— Tu couches dans la même chambre. Tu sais quand c'est arrivé?

— Il est sorti, une nuit. À son retour, il a monté la galerie à quatre pattes, le sang lui pissait du nez et de la bouche. Mon père l'a monté en haut comme un bébé, dans ses bras.

À cette évocation, le garçon esquissa un sourire furtif. Son grand frère ne faisait pas dans la délicatesse, le voir ainsi diminué lui apparaissait un peu comme une revanche sur le hasard capricieux de l'ordre des naissances.

— Tu ne sais pas où il est allé? s'informa le confesseur, même s'il connaissait déjà la réponse.

— Il ne me dit jamais rien.

— Tu as hâte de commencer l'école? demanda-t-il en changeant abruptement de sujet.

— … Un peu.

Le ton manquait de conviction, mais l'enfant savait ce que le curé voulait entendre.

— Tu aimes ton institutrice, mademoiselle Drousson?

— Elle est gentille.

Hélas dit cela avec une certaine timidité, comme s'il craignait d'émettre une opinion malvenue dans sa famille.

— Oui, tu as raison, elle est gentille. Tu sais, si tu étudies bien, tu pourras être curé, comme moi.

— Je vais essayer, mais c'est difficile.

— Oui, mais c'est un bon métier. Je t'aiderai.

Sasseville contempla un moment son interlocuteur avant de déclarer :

— Bon, rentre à la maison. Moi j'ai encore un bout de chemin à faire. À bientôt.

— À bientôt, monsieur le curé.

La quête de l'Enfant-Jésus se poursuivit chez les voisins des Malenfant, les Richard. La venue de la délégation était attendue, là comme ailleurs, puisque le prêtre avait donné son itinéraire la veille, du haut de la chaire. La grosse dame ouvrit la porte à son pasteur et le salua avec un enthousiasme de circonstance :

— Monsieur le curé, quel plaisir de vous recevoir chez moi.

— Merci, tu es bien gentille.

Cette fois, ayant mangé, il entendait faire vite. Il entra avec le seul marguillier en charge. Ernestine se tenait bien droite dans sa meilleure robe, ses cheveux lavés de frais prenaient l'allure d'une couronne sur sa tête.

— Et voilà la meilleure élève de la classe, dit le visiteur. Tu dois avoir hâte de reprendre l'école, après les vacances.

Au ton moqueur, la remarque pouvait tout autant être reçue comme un reproche ou un compliment.

— Oui, monsieur le curé, répondit-elle prudemment.

— Et voici Jérémie, je pense.

Des yeux, il interrogeait la maîtresse de la maison.

— Vous avez raison. C'est mon plus jeune.

— Tu ne vas plus à l'école, toi ?

— Comme les plus vieux sont au chantier, expliqua la mère, il doit s'occuper de tout. Mais il sait très bien lire et écrire, vous savez.

— Bien sûr, bien sûr, c'est un trait de famille.

La précision intéressait médiocrement le saint homme. Il examina les gens présents avant d'ajouter :

— Vos deux aînés vous manquent certainement, remarqua-t-il.

— Ils doivent gagner, pour s'établir un jour.

— Aucun des deux n'a pu venir vous voir à Noël ?

— C'est trop loin, vous le savez bien. Aucun *bûcheux* ne reviendra avant le printemps.

Elle énonçait un fait connu de tout le monde. Ces pauvres hommes passaient les fêtes de fin d'année une hache à la main.

— Dommage que la chasse-galerie ne soit qu'une légende. Si un canot pouvait vraiment voler dans les airs, tous ces gaillards en profiteraient pour venir embrasser leur mère, et bien sûr leur douce amie. Vos garçons, surtout le plus âgé, Samuel, sont en âge de fréquenter pour le bon motif, n'est-ce pas ?

Plus la question lui tournait dans la tête, plus ce jeune homme lui paraissait le suspect idéal, dans la mésaventure de Sildor. N'importe lequel de ses paroissiens ferait un mauvais parti à un type susceptible d'espionner l'élue de son cœur pour la voir en petite tenue. Même des yeux, on ne pouvait caresser les trésors promis à quelqu'un d'autre. Par Dieu savait quelles voies mystérieuses, la rumeur de l'intérêt de Samuel pour la nouvelle institutrice était venue à ses oreilles. Mais les bûcherons ne revenaient pas à bord d'un canot volant, tous le savaient.

— Aucun de mes garçons n'accroche son fanal à la porte d'une maison, précisa la paysanne, mais ça ne saurait tarder.

En disant cela, elle pensait plus à Élie qu'à son aîné.

— Vous voulez bien nous bénir, monsieur le curé ? demanda-t-elle pour mettre fin à l'échange.

— Avec plaisir, madame.

Les deux enfants se mirent à genoux, la femme se contenta de baisser la tête. Après l'incantation latine, elle offrit :

— Vous prendrez bien un verre. Il doit me rester un peu de gin. Contre une mauvaise grippe, rien de meilleur.

— Non merci. Je soigne tellement ma grippe depuis ce matin que je risque d'avoir du mal à descendre de mon traîneau, tout à l'heure. Me faire porter par mon père pour entrer au presbytère ferait un mauvais effet pour un pasteur, vous ne trouvez pas ?

— Je me le demande. Malgré votre soutane, vous êtes un homme comme les autres, n'est-ce pas, monsieur le curé ?

La pointe d'ironie dans la voix irrita le prêtre.

— Si on excepte l'onction sacrée, vous avez raison. Mais cette onction ne s'oublie pas.

Une pause lui permit de retrouver sa bonne humeur. Il tendit la main en disant :

— Je vous souhaite donc le meilleur pour la prochaine année, madame Richard.

— À vous de même. Vous trouverez une boîte sur la galerie.

— Oui, je l'ai vue. Le bon Dieu vous récompensera de cette générosité.

L'homme tendit la main à Ernestine. Celle-ci hésita brièvement avant de lui abandonner la sienne.

— Une bonne année à toi aussi, ma petite, avec plein de succès scolaires, puisque cela semble correspondre à tes goûts.

— Merci, monsieur le curé.

Elle fut soulagée qu'il laisse enfin ses doigts. Sasseville ne vit pas la même hésitation chez Jérémie. À quinze ans, le garçon lui offrit une main large et calleuse. Le prêtre s'amusa à la serrer bien plus fort que ne le voulaient les convenances. L'autre exerça une pression au moins aussi puissante, un sourire amusé sur les lèvres.

— Voilà bien de la vigueur, pour un gars de ton âge.

— C'est de famille, comme la lecture et l'écriture. Nous avons tous des poignets de bûcheron.

— Je comprends pourquoi tu ne vas plus à l'école, tu es un homme. D'un autre côté, tu aimerais mademoiselle Drousson, justement parce que tu es un homme.

Jérémie gardait le même sourire moqueur, tout en continuant de serrer la main.

— Tu dois bien être de mon avis, n'est-ce pas ? C'est un beau brin de fille.

— Je ne sais pas, je ne vais pas en classe.

— Ni aux veillées ?

— Mon garçon est trop jeune pour ça, intervint la mère.

Le curé hocha la tête, puis baissa les yeux.

— Tu peux me la rendre, maintenant. J'en aurai besoin dimanche pour donner la communion.

L'adolescent ouvrit les doigts pour libérer la main.

— Alors, au revoir tout le monde, lança le pasteur en se tournant vers la porte.

Le marguillier en charge répéta les mêmes mots, les premiers depuis son arrivée dans la maison. Sur la galerie, il récupéra l'offrande de victuailles pour aller la mettre dans le traîneau.

Perplexe, Sasseville reprit sa place dans la carriole. Non seulement Jérémie possédait la force d'un homme, mais ses jointures portaient de nombreuses éraflures. Bien sûr, il pouvait se les être faites en manipulant du bois de chauffage…

Après les Richard, il restait encore une demi-douzaine de maisons à visiter. Un peu avant quatre heures, les hommes en eurent fini de cette corvée. Il ne restait qu'à rentrer au village. En approchant du chemin de traverse, le curé tapa sur l'épaule de son père pour dire :

— Passe par l'école.

En reprenant sa place, il remarqua le regard intrigué du marguillier en charge assis près de lui.

— Je suis commissaire. Je veux m'assurer que personne ne va faire des dégâts pendant l'absence de la maîtresse.

L'homme dissimula son ennui. Le commissaire de l'arrondissement s'occupait des vérifications de ce genre. À l'intersection, l'autre marguillier arrêta son cheval, intrigué, se demandant s'il lui fallait les suivre.

— Va porter cela au presbytère, cria l'ecclésiastique à son intention.

Mieux valait ranger certaines victuailles dans le hangar, et mettre à l'abri tout ce qu'un trop grand froid pouvait gâter. Quand le traîneau entra dans la cour de l'école, Sasseville constata d'abord l'absence de toute trace de pas suspects dans la neige. Il descendit pour aller vérifier l'état du cadenas sur la porte. Il se trouvait bien fermé. Les vitres du côté droit paraissaient intactes et l'entrée de l'appentis avait été barrée de l'intérieur.

À l'arrière, le prêtre ne vit rien d'anormal. Il s'éloigna un peu vers la forêt, remarqua la petite fenêtre en losange dans le triangle dessiné par la toiture. Elle se trouvait à quatre ou cinq pieds de la couverture de l'appentis. «C'est bien ce que je pensais, mon petit cochon. Tu ne venais pas à l'école la nuit pour réviser tes leçons, mais pour en prendre de nouvelles, en anatomie celles-là.»

En passant de l'autre côté de la bâtisse pour donner de la crédibilité au prétexte de l'inspection, il regagna la carriole.

— Tout est en ordre, jugea-t-il bon de préciser à son compagnon.

Sans doute lassé de geler sur son perchoir, le vieux Romulus fit claquer les guides sur le dos de son poulain en revenant dans le rang Saint-Antoine. Au tournant du chemin de traverse, le traîneau alla si vite qu'il glissa dangereusement vers la gauche. Les passagers durent se cramponner d'une main aux côtés du véhicule et, avec l'autre, caler leur chapeau de fourrure sur leur crâne.

Chapitre 19

La salle à manger du couvent de Saint-Jacques s'ornait d'images pieuses, de la Vierge surtout, et d'un grand crucifix noir portant un Christ de plâtre. Si l'élégance des lieux laissait à désirer, il n'en était rien du confort, irréprochable celui-là.

Lors de la messe dominicale de la veille, la directrice avait invité son ancienne protégée à se joindre au repas de la Saint-Sylvestre avec la communauté.

— Tu as moins de vingt élèves? dit une religieuse, un peu surprise.

— Et les jours de grand froid, je me demande si j'en aurai dix, admit Félicité.

— Et tous d'âges différents?

— Le plus jeune a sept ans et la plus vieille, quinze.

Isolées entre les murs de leur grande bâtisse, ces femmes semblaient découvrir le monde extérieur par le truchement de la visiteuse. Un peu comme si celle-ci revenait d'une exploration d'une contrée mystérieuse, même si toutes, enfants, étaient passées par une école de rang ou de village.

— Tu peux les regrouper selon l'âge?

— Pas vraiment. Je les divise en petits et en grands. Mais certains des petits sont très éveillés, alors que parmi les grands, on compte quelques élèves bien endormis. Les classer selon le niveau de connaissances conduirait à de curieux assemblages.

— Ce n'est pas comme ici, où les élèves d'un âge donné sont à peu près toutes au même point dans le programme, fit remarquer une religieuse maintenant satisfaite de ses conditions de travail.

Au fond, les questions ne servaient qu'à les confirmer dans leur choix de vie. Leur habit et les murs de pierre de la bâtisse les protégeaient si bien de toutes les menaces du monde.

— Et pour vous, demanda Félicité, tout se passe bien ? Vous devez être un peu soulagées de ne plus m'avoir dans vos jambes, lâcha-t-elle, amusée.

— Ne dis pas cela, corrigea une religieuse. Tu as toujours été si gentille.

L'institutrice la remercia d'un sourire.

— Les petites demeurent toujours aussi adorables, déclara une nonne à l'ample poitrine, dont les instincts maternels demeuraient inassouvis.

— Et les plus âgées ont toutes leur petit caractère, rappela une autre.

Jusqu'à huit heures, elles parlèrent boutique. La visiteuse eut l'occasion de décrire toute la bonne volonté et le charme de Floris, à tel point que, pendant la prière, les religieuses acceptèrent de dire dix *Ave* pour son prompt rétablissement.

Cet hommage à Dieu terminé, Félicité distribua ses vœux d'une année 1884 heureuse et sainte, puis elle se dirigea vers la sortie du couvent en compagnie de la directrice. À mi-voix, celle-ci demanda :

— Puis-je poser ma question ? Tu sais qu'elle me brûle les lèvres.

— Vous le pouvez, ma mère.

— As-tu pensé à ta vocation ?

Ces mots devaient être formulés, l'institutrice le savait bien. Cela ne signifiait pas pour autant que la réponse fût claire dans son esprit. Une fraction de seconde, le souvenir de Samuel Richard l'effleura.

— En vérité, j'ai passé les derniers mois dans une espèce de fièvre, tenaillée par l'urgence. Chaque soir, je pensais au lendemain matin, quand je me tiendrais devant ma classe.

La religieuse hocha la tête de haut en bas. Dans ce métier, chacune gardait un souvenir très vif de sa première année.

— En plus, il y avait la visite de l'inspecteur, l'examen public...

— Ces étapes se sont bien passées?

— ... Oui. Mais vous savez comment je me sens quand tout n'est pas parfait. J'en viens à prendre les compliments pour des reproches, et les reproches les plus anodins pour des catastrophes.

Elles se tenaient maintenant dans le petit hall, près de l'entrée principale.

— Alors? insista sœur Saint-Jean-l'Évangéliste.

— Je n'y ai pas vraiment pensé. Mais maintenant que je connais mieux les conditions du métier, je me promets de visiter tous les recoins de mon âme pour décider de ce que je veux vraiment pour le reste de ma vie.

— ... Dans ce cas, je te souhaite toute la lumière du Seigneur. Prie souvent, cela demeure le meilleur moyen de voir clair.

Un instant, elles demeurèrent empruntées, puis Félicité demanda :

— Ma mère, voulez-vous me bénir?

L'autre, surprise, voulut évoquer le curé Merlot. Le Premier de l'an, les pères bénissaient leurs enfants. Cela restait une prérogative bien masculine. Mais l'attitude recueillie de la jeune femme devant elle eut raison de ses hésitations.

— Je te bénis, ma fille, au nom du Père, du Fils et du Saint-Esprit. Que Dieu te garde et te préserve de tous les dangers, ceux du corps et de l'âme.

Ces mots touchèrent la visiteuse. Son « Merci, ma mère » vint dans un souffle. Elle ajouta d'une voix plus ferme :

— Je vous souhaite une bonne année.

Cette fois, de façon un peu précipitée, elle s'avança pour poser les lèvres sur la fraction de la joue laissée découverte par le voile.

— À toi aussi, Félicité, une bonne année.

Pour dissimuler son émotion, la femme lutta un peu avec les serrures et ouvrit la porte. La visiteuse disparut dans la nuit froide. Une fois l'escalier descendu, elle leva les yeux vers le ciel, contempla les étoiles, leur trouva une brillance exceptionnelle. L'une paraissait particulièrement scintillante.

Ni l'une ni l'autre n'avaient beaucoup de talent pour les adieux. Le dimanche 6 janvier, Marcile s'était levée tôt pour se rendre à la messe basse. De son côté, Félicité préférait la grand-messe. Elle la suivit debout à l'arrière du temple. Maintenant, après avoir mangé un peu, au milieu de la cuisine, son manteau sur le dos, elle ne savait trop quoi dire.

— Je te remercie encore pour les chaussures de feutre, commença-t-elle, mais tu n'aurais pas dû. Tu ne peux pas me donner tout ce que tu possèdes.

— Tu as vu un commandement de Dieu qui l'interdit ?

La jeune femme avait beau protester, ces bottines lui seraient très utiles sur le plancher glacial de son école, en février.

— Je ne pourrai jamais te remettre tout cela.

— Tu le remettras à ta fille dans vingt ans, et je me considérerai comme quitte.

Le bruit d'un attelage près du presbytère attira leur attention.

— Le voilà déjà.

La mère prit sa fille dans ses bras. Le bedeau les trouva enlacées. Touché, il s'éclaircit la voix avant de pouvoir articuler :

— C'est tout ton bagage, la petite ?

— Oui, la même chose qu'à mon arrivée, dit Félicité en se dégageant.

— Et ce curieux chapeau ?

— Un prêt, pour ne pas me geler la tête.

Le vieil homme prit le sac posé par terre et sortit de la pièce.

— Maintenant, je dois partir, balbutia l'institutrice. Je travaille demain.

— Alors, sauve-toi bien vite, sinon je ne serai pas en état de finir de préparer le dîner du curé.

Quand Félicité monta dans la carriole, son couvre-chef doublé de fourrure attira un long regard du cocher.

— On ne peut pas dire que ça t'avantage.

— Les oreilles gelées, je ne serais pas plus avancée.

— Me croiras-tu, j'ai connu un gars, dans le temps. Le pauvre s'est perdu dans la campagne, un soir d'hiver. Ses deux oreilles sont tombées par terre comme il entrait dans sa maison.

Si l'histoire devait rasséréner une jeune femme en pleurs, cela ne fonctionna d'abord pas. Mais le bedeau savait ménager ses effets. Lorsqu'ils sortirent du village, il ajouta sur le ton de la confidence :

— Et ces deux oreilles, son chien les a mangées !

Cette fois, elle ne résista pas. Un fou rire accompagna les pleurs. En essuyant son nez un peu morveux sur sa mitaine de laine, elle répondit :

— Parlez-moi un peu de ces montagnes qui montrent leurs trésors à Noël. J'aurais besoin de devenir riche pour payer toutes mes dettes à maman.

Son compagnon ne demandait pas mieux. Il connaissait assez d'histoires étranges pour occuper l'esprit d'une passagère pendant un voyage jusqu'à la lune.

Devant le presbytère de Saint-Eugène, le vieil homme tourna la tête pour dire à sa compagne :

— Te voilà rendue, ma belle. Tu es certaine de ne pas vouloir te rendre à l'école tout de suite ?

— Le salaire de mes quatre premiers mois de travail m'attend là-dedans, avec un souper.

— Il me reste donc à te souhaiter de ne pas avoir à faire ce dernier trajet au froid.

— Vous ne descendez pas pour vous réchauffer un peu ?

— Mes oreilles sont bien accrochées, puis j'ai ce qu'il faut, ici...

Le vieil homme frappa sur sa poitrine pour souligner la présence d'une petite provision de son élixir favori. Félicité sauta de la carriole pour prendre son sac à l'arrière de la banquette.

— Soyez prudent.

— Mon cheval marchera tout droit à la maison.

— Aussi, je voulais vous dire que vous racontez mieux que moi. Vous auriez fait un bon instituteur.

— Et toi, tu écoutes mieux que moi. Allez, bonne chance, moi, j'y vais.

Il entendit un «Merci» ému avant d'inciter son cheval à reprendre la route.

Félicité dut attendre environ une heure dans un petit salon chez le curé Sasseville avant que celui-ci se fasse entendre à l'autre bout du couloir.

— Je pense que votre collègue se trouve déjà là, mesdemoiselles. Je vois ses couvre-chaussures.

La vieille ménagère passa devant la porte du salon, puis elle fit le trajet en sens inverse chargée des manteaux des visiteuses. Le prêtre arriva accompagné des trois autres institutrices de la paroisse.

— Mademoiselle Drousson, vous serez la dernière à qui j'adresserai mes vœux de bonne année.

Elle se leva, regarda l'homme s'avancer vers elle avec une certaine appréhension. Il la prit par la taille et se pencha vers elle pour déposer des baisers bruyants sur ses joues.

— Alors, chère demoiselle, bonne année et le paradis à la fin de vos jours.

La jeune femme en resta figée, suffisamment longtemps pour qu'il ajoute :

— Mademoiselle, vous ne souhaitez pas à votre pasteur les félicités éternelles à la fin de son séjour terrestre ?

Le jeu de mots sur son prénom la décontenança encore un peu plus.

— Mes meilleurs vœux, monsieur le curé.

— C'est moins explicite que je ne le voulais, mais je m'en contenterai.

L'homme tourna sur lui-même pour regarder les trois autres femmes, un peu interloquées par la scène.

— Mesdemoiselles, prenez un siège, ne restez pas plantées là. Vous accepterez bien un verre de sherry.

Les trois plus jeunes femmes de cette assemblée en étaient à leur première soirée de l'Épiphanie au presbytère. La plus âgée accumulait toutefois une assez longue habitude de ces étranges rencontres.

— Je veux bien, dit-elle.

— Voilà une courageuse. Mademoiselle Drousson, ne craignez rien, ce n'est pas plus fort qu'un petit vin de cerise. Puis vous avez la permission de votre pasteur.

Intimidée, elle donna son assentiment d'un signe de la tête. Les autres acceptèrent aussi d'une voix timide. Le prêtre se dirigea vers une petite armoire, sortit une bouteille et quatre petits verres décorés de rouge. Comme un hôte parfait, il en apporta un à chacune de ses visiteuses, profitant de l'occasion pour effleurer leurs doigts.

— Vous, vous ne prenez rien, monsieur le curé? demanda l'une d'elles.

— Certainement pas. L'un de nous doit conserver toute sa tête, n'est-ce pas?

La pauvre institutrice rougit jusqu'aux oreilles… et pour se donner une contenance, avala sa boisson d'un trait.

Peut-être pour garder une distribution plus équitable des genres, le secrétaire-trésorier Tessier et le président de la commission scolaire Normand vinrent au presbytère sans leur épouse respective. Quant aux autres commissaires, ils brillèrent par leur absence.

— Passons à table, déclara l'abbé Sasseville peu après l'arrivée des deux hommes.

La salle à manger se trouvait décorée de branches de cèdre et de rubans rouges. Le couvert élégant, en porcelaine anglaise, témoignait du mode de vie aisé du maître des lieux.

— Mesdemoiselles, vous trouverez une enveloppe à votre nom dans votre assiette.

Le procédé permettait d'attribuer sa place à chacune. Comme il convenait, le prêtre occupa le bout de la table. Félicité se trouva immédiatement à sa droite, une autre jeune institutrice à sa gauche. Les deux hommes venaient ensuite, et finalement les dernières invitées.

— Vous pouvez vérifier, se moqua l'hôte, au cas où notre ami Tessier se serait trompé.

Les trois plus jeunes n'osèrent pas et posèrent simple-ment l'enveloppe près de leur verre à vin. Leur aînée quant à elle l'ouvrit avec ostentation, compta les billets de un et de deux dollars, et même les pièces de monnaie et rangea le tout dans une poche profonde sur le côté de sa robe.

— Comme tu vois, Horace, notre amie Célia ne fait plus confiance à tes talents en calcul. Cela signifie-t-il qu'elle met en doute l'honnêteté d'un homme de loi ?

Le notaire apprécia bien médiocrement l'humour grinçant. La vieille fille contempla son curé avec, sur le visage, un masque impassible.

— Je vais vous verser un peu de vin, enchaîna Sasseville. Ma mère devrait se manifester bientôt avec le premier service. Elle a passé l'après-midi devant ses fourneaux pour bien vous recevoir.

Quand l'homme se pencha sur elle, la bouteille à la main, Félicité précisa :

— Juste une goutte, monsieur le curé.

— Voyons, après votre longue route de cet après-midi, vous devez encore avoir froid. Cela vous réchauffera.

Il emplit son verre, fit de même pour les autres invités.

— Mademoiselle Drousson, demanda Tessier en se tournant vers elle, vous avez passé ce congé chez vos parents, je suppose.

— Chez ma mère, oui.

— Vous avez trouvé tout le monde en bonne santé, j'espère.

— ... Oui, elle allait bien.

La jeune femme se demandait si elle devait à son tour s'informer de la situation de la famille de son interlocuteur. La ménagère régla son dilemme en arrivant dans la pièce avec un petit chariot. La soupière posée dessus embaumait le bouillon de bœuf. Avec la louche, elle servit son fils d'abord, toujours occupé à emplir les verres. Puis elle demanda à Félicité :

— Passez-moi votre bol. Comme ça, je ne risquerai pas d'en verser sur vous.

L'invitée s'exécuta bien vite avant de remercier la mère du curé. Les autres convives suivirent son exemple. De retour à sa place, le prêtre prit sa cuillère en disant :

— Bon appétit, mes amis.

Puis il se tourna un peu vers la droite pour demander :

— Vous voulez bien vous servir, et ensuite me passer la corbeille de pain ? Je vais la faire circuler.

L'empressement de l'institutrice trahit sa nervosité. Pendant les deux premiers services, l'hôte anima seul la conversation, multipliant les questions aux dames présentes. Le verre de vin aidant, le rouge monta aux joues de deux des plus jeunes. Elles se firent bavardes en évoquant les divers rassemblements familiaux des deux dernières semaines. Félicité se gardait bien de faire autre chose que de tremper ses lèvres, elle maîtrisait mieux son débit, et pouvait se faire discrète. Quant à la plus âgée, ses réponses brèves, à la limite de la politesse, témoignaient combien se livrer à semblable cirque pour recevoir son salaire lui pesait.

La jeune domestique de la maison s'occupait de récupérer les assiettes sales, sous l'étroite surveillance de la vieille dame. Du coin de l'œil, la maîtresse de l'école numéro 3 la surveillait. Toute petite, un visage de souris souligné par un long nez pointu, elle pouvait avoir seize ou dix-sept ans. Son regard évitait soigneusement celui des convives, jamais un mot ne sortait de sa bouche.

Au dessert, l'abbé Sasseville prit sur lui de verser du thé à tout le monde en expliquant :

— Maintenant, ne mangez pas trop vite. Il y a un sou noir dans le gâteau. Ce serait dommage que quelqu'un s'étouffe.

Le prêtre entendait donc reprendre la tradition de la fête des Rois. Tout le monde prit sa fourchette en souhaitant ne pas être désigné par le sort. Félicité picorait dans son assiette. Cette précaution ne la préserva pas. Ses dents mordirent dans le petit disque de métal. L'idée de l'avaler et de ne rien laisser voir lui traversa l'esprit, mais cela lui parut imprudent. Elle porta la main à sa bouche, posa la pièce près de son assiette.

— Ah ! Mais nous avons une reine, s'exclama le curé en surveillant son geste.

— Tiens donc, railla Célia à son bout de la table. Quelle surprise…

La gagnante se demanda si l'homme avait pu porter son choix sur elle à l'avance, comme le laissait entendre cette invitée. Sa mère aurait pu marquer à sa demande l'endroit où elle avait enfoui la pièce avant la cuisson.

— Alors, Votre Majesté, voici votre couronne, dit l'hôte en se rendant vers le buffet.

Il revint avec un cercle de papier mâché d'un mauvais jaune doré orné de pièces de verre rouges et vertes, pour imiter les rubis et les émeraudes. En la lui posant sur la tête, il effleura ses cheveux avec ses doigts.

— Et maintenant, précisa Sasseville en reprenant son siège, notre souveraine de la soirée doit prononcer un discours.

Félicité se sentait d'autant plus intimidée qu'elle participait à ce genre de fête pour la première fois. Secouant la tête de droite à gauche, elle bredouilla :

— Non, je ne peux pas.

— Voyons, vous avez administré votre examen public de main de maître. Vous pouvez bien dire trois phrases à vos fidèles sujets.

Les signes de dénégation se poursuivaient.

— Allez, debout et un discours, insista son voisin en prenant son couteau pour frapper sur son verre.

— Oui, un discours, répéta la vieille fille placée en diagonale en frappant de la fourchette sur son assiette avec une vigueur étonnante.

Les deux autres institutrices jugèrent à propos de faire de même. Le prêtre se leva à demi et prit le bras de sa voisine pour lui faire quitter son siège. Les joues cramoisies de honte, elle céda et, debout, commença d'une voix hésitante :

— Je vous souhaite une bonne année, et la lumière du Seigneur tout-puissant sur vos vies.

Comme si elle tombait, elle retrouva sa chaise, les yeux rivés sur son couvert. À l'autre bout de la table, en diagonale, Célia commença à applaudir, un sourire moqueur sur les lèvres.

— Bien sûr, nous devons reconnaître que notre reine ne s'exprime pas comme Victoria, ricana le prêtre. Elle me rappelle plutôt Sa Grandeur l'archevêque de Montréal.

Lui aussi tapa des mains, bientôt imité de tous les autres. Après le dessert, Sasseville offrit un digestif. Il était neuf heures passées quand il déclara :

— Les meilleures choses ayant une fin, et ces quatre demoiselles devant reprendre le travail demain matin, nous allons devoir nous séparer. Mon père doit déjà avoir attelé son poulain pour vous reconduire.

Son regard fit le tour des institutrices. Visiblement, les messieurs rentreraient chez eux à pied. Félicité se leva la première avec empressement, toujours affublée de sa couronne.

— Non, pas vous, mademoiselle Drousson. Si trois femmes peuvent s'entasser sur la banquette de ma carriole, quatre n'y logeraient pas. Papa vous reconduira ensuite.

L'invitée n'appréciait guère l'idée d'un tête-à-tête avec l'ecclésiastique.

— Il y aura une place libre, précisa Célia en se levant. Je vais marcher un peu, l'air froid me fera du bien.

À la voir, chacun pouvait soupçonner le début d'une migraine, une digestion difficile ou alors un accès de mauvaise humeur.

— Tout de même, Félicité, vous attendrez, dit encore le prêtre. Je dois absolument vous parler.

Tous les convives se trouvaient maintenant debout. Dans le couloir, tout en revêtant leur paletot, ces gens échangèrent des salutations avec une gaîté factice. Les femmes reçurent des vœux de bon succès pour le reste de l'année scolaire. Dix minutes plus tard, le prêtre et Félicité se tinrent seuls devant la porte refermée.

— Laissez-moi vous retirer cela, et nous irons dans mon bureau.

L'homme lui enleva la couronne grotesque avec douceur, la voix maintenant très grave. Le soudain changement d'humeur bouleversa la jeune femme au plus profond de son âme. Cela laissait présager le pire.

Dans son bureau, Sasseville commença par poser un verre devant sa place et un autre devant la chaise réservée aux visiteurs. Puis il versa du cognac dans chacun d'eux. Félicité résolut de ne pas avaler une goutte.

— Je dois vous annoncer un affreux malheur, dit-il en appuyant les fesses sur son bureau, très près de son invitée.

Elle écarquilla les yeux, mais son esprit se refusait à imaginer quoi que ce soit.

— Le jeune Simard est mort il y a une semaine.

Ses grands yeux gris fixèrent son interlocuteur un instant, vides, comme si les mots perdaient tout leur sens.

— Il s'est éteint en soirée, le jour de la Saint-Sylvestre. Un départ paisible, semblable à celui qui s'endort.

— … Non !

Félicité se plia en deux, comme pour se mettre en position fœtale. Ses sanglots prirent la forme d'un grognement un peu animal. Le prêtre quitta son perchoir pour se pencher sur elle, entourer ses épaules de son bras.

— Là, là, ne vous mettez pas dans cet état. C'est un ange maintenant, près de Notre-Seigneur Jésus-Christ.

Il débitait les paroles habituelles, destinées à consoler les mères devant la perte d'un enfant. Baptisé, mais décédé avant sa première communion, c'était le paradis assuré. L'institutrice amorça un mouvement oscillant en protestant :

— C'est impossible, il a sept ans.

— Dieu seul choisit son heure pour venir nous chercher. Il souhaitait sans doute une âme pure pour orner le ciel.

— Taisez-vous ! cria la jeune femme.

Le timbre de sa propre voix la surprit et, d'une certaine façon, sa colère lui permit de se dominer.

— Dieu n'a rien à voir là-dedans. C'est la faute de ce monstre : Sildor Malenfant.

— Tout ce qui arrive est la volonté de Dieu.

— Dieu ne déshabille pas les enfants pour les rouler dans la neige. Je vous avais demandé d'intervenir longtemps avant… cet événement. Mais vous n'avez rien fait, osa-t-elle ajouter.

Le reproche amena le curé à serrer les dents. Il allongea le bras pour prendre le verre de cognac sur son bureau.

— Buvez cela. Vous pourrez retrouver vos esprits.

D'abord elle secoua vivement la tête de droite à gauche. Puis d'un geste vif, elle prit la boisson et l'avala d'un coup. L'alcool lui brûla la gorge, provoquant une toux sèche.

— Vous verrez, vous vous sentirez bientôt un peu mieux.

Le visage levé vers son interlocuteur, les yeux encore pleins d'incrédulité, elle le dévisagea longtemps.

— Dites-moi ce qui est arrivé.

— Vous allez vous faire du mal.

— Racontez. Je veux savoir.

Le prêtre allongea à nouveau le bras pour prendre le second verre et s'appuya sur son bureau. Un instant, il contempla le joli visage barbouillé de larmes.

— Les dimanches précédents, et à Noël, ni la mère ni le fils ne sont venus à l'église. Le jour de la Saint-Sylvestre, un peu après souper, un voisin est venu me chercher, de même que le docteur.

L'homme avala son cognac avant de poursuivre.

— D'après ce que j'ai compris, au matin l'enfant était fiévreux. À midi, il avait perdu conscience. Le médecin a parlé d'une pneumonie. Cela peut arriver, dans le cas d'une mauvaise grippe.

— L'autre l'a tué. Je vous l'avais dit, après, que Floris était très malade.

Cette fois, le ton de reproche toucha le pasteur, qui enchaîna avec douceur.

— C'était une inimitié comme il en arrive entre les enfants. J'ai même évoqué la cause de cette situation devant vous. La maladie est peut-être une conséquence malheureuse de cet incident, peut-être pas. Dieu donne à chacun de nous sa constitution. Certains sont robustes, d'autres malingres. Déjà la petite sœur de ce garçon est morte de la même maladie, et personne ne l'avait roulée dans la neige. Vous ne le savez pas encore? Près d'un enfant sur deux ne se rend pas à sa première communion, dans ce pays.

Bien sûr, la jeune femme connaissait cette grande fragilité de la vie devant les multiples dangers de ces parages. Elle laissa échapper un soupir désespéré.

— Racontez.

Le ton ne tolérait pas de réplique.

— Je vous l'ai dit, tout à l'heure. Il s'est endormi, sa respiration a cessé un peu après neuf heures.

Félicité sortait du couvent de Saint-Jacques à cette minute même. Le ciel d'un noir d'encre, tout piqueté d'étoiles, lui revint en mémoire. Elle songea que la plus scintillante d'entre elles devait être l'âme de Floris. Cette pensée la consola un peu.

— Les funérailles ont eu lieu le 2 janvier, compléta son interlocuteur.

— Son père y était?

— Je lui ai écrit moi-même. Il n'a pas pu venir. De toute façon, la lettre lui est parvenue après l'enterrement.

En cette saison, peut-être même ignorait-il encore la nouvelle. Le courrier vers les chantiers forestiers voyageait très lentement.

— Il reviendra bien vite auprès de sa femme.

Les pensées de l'institutrice allaient vers Odélie, à sa terrible solitude.

— Elle a besoin d'aide, ajouta-t-elle après une pause.

— Les Simard ont aussi terriblement besoin d'argent. Leur terre porte une hypothèque. Pour Phidias, le meilleur moyen d'aider sa femme est de continuer de gagner.

— Mais elle va devenir folle, isolée dans sa petite maison.

Le prêtre fit un mouvement caressant sur l'épaule de sa visiteuse.

— Une cousine est allée vivre avec elle, pour lui tenir compagnie et voir aux travaux de la ferme. Pendant un certain temps, elle ne pourra rien faire.

Cela, Félicité le comprenait très bien, la nouvelle l'avait elle-même atterrée.

— Je veux aller prier sur sa tombe.

— Vous allez vous faire du mal, répéta-t-il.

— Je veux y aller.

Au ton ferme de la jeune femme, l'ecclésiastique comprit que s'opposer ne donnerait rien.

— Je vais chercher votre manteau.

Restée seule, elle s'autorisa quelques sanglots.

Chapitre 20

Le froid vif agissait comme un coup de fouet. Sous les pas de Félicité, la neige crissait. Flanquée du prêtre, elle se tint bientôt debout devant un rectangle de terre fraîchement remuée, une blessure brune dans la neige blanche. Sur le monument de bois, personne n'avait encore ajouté le prénom de Floris.

L'institutrice garda un long silence. Les larmes gelaient sur ses joues à l'instant où elles quittaient la commissure de ses yeux.

— Pauvre petit ange…

Mieux valait l'imaginer sous cette forme, plutôt que comme un petit cadavre six pieds sous terre.

— Odélie a tellement insisté pour que nous l'enterrions tout de suite, dit le curé. Mon père n'arrivait pas à percer le sol gelé, des cultivateurs du rang Saint-Antoine sont venus l'aider.

Le vieux Romulus assumait la fonction de fossoyeur en plus de celle de bedeau.

— Mais tous les morts sont enterrés…

— Pas en cette saison. On place les corps dans un charnier jusqu'au printemps. Mais elle avait peur des rats.

L'information ajoutait à l'horreur de la situation. Félicité comprenait très bien le souci de la mère d'éviter cette dégradation supplémentaire au corps de son enfant. L'abbé Sasseville posa un bras sur les épaules de sa compagne. Cette fois, dans l'air glacé, ce geste lui fit du bien.

— J'ai tellement de peine, dit-elle. C'est un peu ridicule, mais il me semble qu'il était un peu le mien, aussi.

— Cette affection était partagée. Dans son délire, juste avant de partir, Floris prononçait votre nom.

Un sanglot secoua tout le corps de Félicité. La main dans son dos amorça un mouvement caressant.

— Venez maintenant, l'invita-t-il avec bienveillance.

La jeune femme esquissa un geste brusque pour exprimer son désaccord. Le prêtre prit son bras pour l'entraîner en direction du presbytère. À la fin, elle se laissa faire. Demeurer là ne servait à rien. De l'enfant sensible, enjoué, si désireux de bien faire, aucune trace ne subsistait.

De retour dans la grande maison, l'institutrice, muette, s'assit sur la chaise des visiteurs dans le bureau de son hôte. Après dix heures trente, un bruit à l'entrée attira son attention.

— Voilà mon père, lui dit Sasseville en quittant sa place. Je vais porter votre sac.

Il semblait un peu las de contempler sa mine défaite. Nul besoin de prolonger encore le face-à-face. Le bagage passa des mains du fils à celles du père.

— Essayez de vous reposer un peu, mademoiselle Drousson, lui conseilla-t-il en exerçant une pression des mains sur ses épaules.

Un frisson témoigna de sa crainte de retrouver la petite école isolée. Dehors, Romulus plaça le sac à l'arrière du traîneau et fit mine de l'aider à s'asseoir. Elle ne lui en laissa pas le temps. Tout de même, elle ne protesta pas lorsqu'il plaça la robe de fourrure sur ses jambes.

Le cheval s'engageait sur le chemin de traverse quand Félicité laissa tomber:

— Dieu est cruel, sacrifier comme ça un enfant.

D'un côté, elle souhaitait croire à ce petit ange maintenant à la droite de Dieu. L'image la rassurait tellement. De l'autre, tout son corps de femme se révoltait à l'idée d'un pareil gâchis. Sasseville avait eu raison avant Noël: ce garçon, elle l'avait vu un peu comme le sien.

Après un long silence, son compagnon commenta:

— Vous croyez vraiment que quelqu'un, là-haut, règle nos misérables vies ou décide de notre mort?

— Pas vous?

L'énormité de la suggestion amena la jeune femme à tourner les yeux vers son compagnon. Jamais elle n'avait entendu de doute formulé aussi clairement. Jusque-là, tous dans sa vie avaient offert la même certitude à ce sujet.

— Regardez autour de vous.

Elle garda son visage tourné vers celui de Romulus.

— Regardez la désolation autour de vous. Le sol gelé, les arbres décharnés, le ciel obscur. N'avez-vous pas l'impression que nous sommes seuls, totalement abandonnés dans ce désert glacé?

— Dieu est partout, de toute éternité. Nous voyons sa Création.

Les réponses venaient toutes seules. Elles formaient le prisme à travers lequel elle voyait le monde, la vie, la mort. Mais là, quelque chose sonnait faux.

— Regardez mieux, alors.

«Bien sûr, se dit-elle, ces révolutionnaires ont été excommuniés.» Que celui-ci vive maintenant dans un presbytère ajoutait à l'ironie de la situation. Comme elle craignait de voir ses certitudes ébranlées.

La carriole arrivée près de l'école, une nouvelle angoisse étreignit Félicité, comme si elle retrouvait un donjon. Romulus descendit pour porter son bagage jusqu'à la porte malgré ses protestations. Les doigts tremblants, l'institutrice tenta de mettre la clé dans la fente du cadenas.

— Laissez, je vais le faire.

L'homme prit le petit morceau de métal, échappa un juron devant la résistance du mécanisme. Puis il ouvrit.

— Je peux vous laisser, maintenant?

La question, et la délicate attention qu'elle dénotait, prit sa compagne par surprise. La perspective rassurante d'avoir de la compagnie la fit hésiter. Mais c'était impossible.

— Je vous remercie de m'avoir ramenée, monsieur Sasseville.

— Tentez de vous reposer…

La porte refermée dans son dos, debout dans la grande pièce lugubre, un frisson la saisit. Ses vêtements d'hiver sur le dos, elle fit une attisée. Afin de se procurer un peu de lumière, elle laissa la petite porte de fonte entrouverte. Elle s'abîma dans la contemplation des flammes, assise sur la chaise placée juste en face. L'idée de regagner son logement à l'étage lui paraissait insupportable.

Finalement, la jeune institutrice resta assise près du poêle une grande partie de la nuit, comme si la chaleur pouvait venir à bout de son profond chagrin. Quelques périodes de somnolence ne la reposèrent pas vraiment. Au petit matin, elle monta à l'étage avec une bouilloire d'eau chaude afin de se débarbouiller un peu, et rangea ses vêtements. À huit heures trente, appuyée sur le cadre de la porte, elle souhaitait la bienvenue à une dizaine d'enfants.

— Tu as appris la nouvelle ? chuchota Ernestine en passant près d'elle.

— Oui, je sais.

Discrètement, elle serra les doigts de l'adolescente, renouant ainsi avec une vieille complicité. Elzéar entra le dernier.

— Je parie que vous voulez que je rapporte de l'eau.

— Ce serait très gentil de ta part.

La tristesse dans la voix toucha le grand garçon.

— Ça me prendra du temps. Je devrai casser la glace à la surface du puits. Ne m'attendez pas pour commencer.

D'un signe de la tête, elle acquiesça. Deux heures plus tôt, elle s'était contentée de faire fondre un peu de neige pour ses propres besoins au lieu de se livrer à ce pénible exercice.

— Les enfants, débuta-t-elle d'une voix éteinte, nous allons commencer en disant une prière pour le repos de l'âme de notre ami Floris.

Parmi cette dizaine d'enfants, trois appartenaient à la famille Malenfant. Ils se recueillirent comme les autres, indifférents au regard accusateur que n'arrivait pas à dissimuler Félicité.

— Vous n'avez pas indiqué le nom du saint du jour au tableau, ce matin, remarqua Griphine à la fin de l'invocation.

Avec un peu de retard, et à contrecœur, elle ajouta :

— Mademoiselle.

— Non, ce matin je pensais revenir sur le massacre des Saints Innocents. Cela a dû se passer ces jours-ci, il y a 1884 ans.

L'allusion au sort de Floris passa peut-être inaperçue, mais la pointe d'ironie n'échappa pas à la grande fille. L'institutrice ajouta, les sourcils froncés :

— Mais je ne vois pas Sildor. Il n'est pas malade, j'espère.

— … Il a fait une mauvaise chute. Il va manquer quelque temps.

— Comme je suis triste d'entendre cela.

Par la suite, un peu machinalement, elle réussit à enchaîner les leçons d'une voix fatiguée, monotone. Si sa performance ne s'améliorait pas au cours des jours à venir, l'effectif risquait de fondre encore.

Un peu avant quatre heures, le peu de lumière qui filtrait des fenêtres interdisait les exercices d'écriture. Félicité renvoya les enfants à leur domicile, ne gardant qu'Ernestine avec elle.

— Tu sembles sur le point de t'effondrer, remarqua l'adolescente en mettant la bouilloire sur le poêle. Tu as du thé?

— Oui, dans l'armoire. Je n'ai pas vraiment dormi, la nuit passée.

La maîtresse se laissa choir sur un banc, exténuée.

— Je comprends. Moi aussi, cela m'a donné un choc, quand j'ai su.

La jeune fille chercha la théière et les tasses, pour disposer le tout sur la table des grands, la plus proche de l'appareil de chauffage. Félicité vint la rejoindre au bout du banc, heureuse de laisser sa compagne prendre l'initiative.

— Les voisins, qu'ont-ils dit sur le décès? Cela a dû faire jaser.

— Rien, sauf les commentaires habituels sur la fragilité de la vie. Des enfants meurent tous les hivers. Floris n'était pas le premier de la saison, tu sais.

Bien sûr, toujours le même fatalisme devant la mort: cela donnait à l'institutrice envie de crier.

— Mais Sildor est responsable, fit-elle.

Son interlocutrice réfléchit un instant avant d'exprimer le fond de sa pensée.

— C'est un garçon détestable, concéda-t-elle, nous le savons. Mais tous les enfants du rang sont déjà tombés à l'eau ou ont transpiré après un effort en plein hiver. Les plus chanceux n'attrapent même pas le rhume.

Ernestine s'absorba dans la préparation de la boisson chaude, comme si elle était l'aînée, et sa compagne, une élève touchée par un drame.

— De toute façon, dit-elle encore en posant bientôt une tasse fumante sur la table, nous ne verrons pas Sildor de sitôt. Il semble avoir fait une très vilaine chute.

Elles vidèrent leur tasse sans échanger une parole de plus. Un peu après cinq heures, Ernestine quitta son banc pour aller chercher son manteau dans l'appentis.

— Tu as quelque chose à manger? demanda-t-elle.

— Je saurai me débrouiller. Avec le froid, rien ne s'est gâté depuis le jour de mon départ.

— Essaie de passer une bonne nuit. Tu dois retrouver des forces.

De nouveau, l'écolière assumait le rôle de l'adulte.

— Parfois, le sommeil ne veut pas coopérer. De ton côté, prends garde à toi.

L'adolescente laissa entendre un rire joyeux en mettant son bonnet de laine.

— Tu sais, depuis la malchance de Sildor, le chemin public est un peu plus sûr. À demain matin.

Cela paraissait si vrai à l'institutrice qu'elle ne se leva pas pour mettre la barre de bois contre la porte.

Ses provisions se trouvaient dangereusement basses. Un bout de pain totalement gelé, vieux de trois semaines, lui lesta un peu l'estomac, une fois grillé sur le poêle.

Vers sept heures, la jeune femme revêtit son manteau pour sortir. En cette nuit bien fraîche, le vent soulevait une légère poudrerie. Les paroles du vieux Romulus sur l'existence de Dieu lui revinrent en mémoire, un immense sentiment de solitude s'empara d'elle.

La neige du chemin crissait sous ses mocassins. Chez les Simard, la lumière d'une lampe jaunissait la fenêtre de la cuisine. Félicité prit une grande inspiration en frappant à la porte. Une grosse femme d'une trentaine d'années vint ouvrir.

— Puis-je voir Odélie ?

— Elle est couchée.

— Je veux lui parler. Je suis l'institutrice.

Comme pour la convaincre, elle pointa le doigt en direction de l'école.

— Je devine qui vous êtes. Ça ne change rien, elle dort.

— Voyons, juste un moment. Je suis son amie.

L'autre la détailla des pieds à la tête, puis reprit d'un ton un peu plus amène :

— C'est elle qui ne veut pas vous voir.

La porte se referma sur ces derniers mots. Et des larmes perlaient tout au long des joues de la jeune femme immobile sur le perron.

Les semaines s'égrenaient lentement. Tous les jours, Félicité recevait une dizaine d'enfants. Avec un si petit effectif, elle prenait place à la table des grands et Ernestine, à celle des petits ; la classe se déroulait sur le ton de la conversation. Dans ces conditions, les progrès auraient pu être rapides, mais le cœur n'y était plus. Elle s'exprimait d'une voix lasse, ne reprenait même plus les impertinences de Griphine.

Le froid très vif ajoutait à son isolement. Même si elle mettait ses pièges le plus près possible de l'orée du bois, chacune de ses marches pour relever les collets prenait l'allure d'une expédition, sans compter que les prises se raréfiaient, comme si les lièvres eux-mêmes n'osaient plus sortir.

Février succéda à janvier sans que l'étau glacé se desserre. Les cultivateurs commençaient à regarder avec une petite angoisse les réserves de nourriture qui baissaient. Les fêtes donnaient l'occasion de faire bombance, ensuite arrivait trop vite le temps des privations. Le Mardi gras procurait une dernière chance de célébrer un peu avant quarante jours de jeûne.

Pour économiser l'huile, et aussi parce que relire sans cesse les mêmes livres scolaires ne lui disait plus rien, l'institutrice se mettait au lit à huit heures, les couvertures tirées jusque sous son nez, les yeux pourtant grands ouverts.

Comme deux mois plus tôt à la fin de l'avent, un bruit de voix lui parvint d'abord du chemin public, puis de plus près, dans la cour de l'école.

— Hé ! La maîtresse, tu nous donnes du rhum ?

Des éclats de rire accueillirent la demande. Félicité se leva, enfila son manteau sur sa robe de nuit pour descendre comme une ombre, ses chaussures de feutre aux pieds. En passant près du poêle, au rez-de-chaussée, elle constata que la fonte était à peine tiède. Dans une heure, elle grelotterait dans son lit.

Par les fenêtres à sa droite, elle aperçut des ombres noires, aux habits un peu étranges, clownesques même. Les visages n'étaient pas plus clairs. En s'approchant de la vitre, elle constata des traits assombris avec du noir de fumée, ou alors masqués par des foulards ou des pièces de carton couvertes de dessins.

— Faire semblant que la maison est vide, ce n'est pas bien, ça, mademoiselle l'institutrice. Tout le monde ouvre sa porte aux Mardi-gras.

— Nous voulons juste une petite gorgée et une danse avec vous, hurla une autre personne.

Cette intervention paraissait venir d'une femme, même si tous portaient le pantalon. En cette soirée, certains et même certaines bravaient les interdits sous le couvert d'un déguisement peu esthétique.

— Juste une petite goutte !

Il pouvait bien s'agir des mêmes individus venus un peu avant Noël, cette fois désireux de faire payer par d'autres le coût de leur ivresse.

— Sildor n'est tout de même pas sorti de son trou pour revenir ici, grommela-t-elle, excédée.

Elle posa son front sur la vitre pour essayer de reconnaître les personnages loufoques. Soudain, un visage grotesque apparut de l'autre côté de la mince paroi transparente. Des traits grossiers, comme enflés, enduits de suie.

Le hurlement de Félicité déchira le silence. Dehors, des éclats de rire répondirent.

— N'aie pas peur, la maîtresse. Allez, juste une petite goutte !

La jeune femme maintenant assise sur le plancher, sous la fenêtre, serrait les pans de son manteau sur sa poitrine. Elle craignit de les voir faire éclater les carreaux. Les jeunes gens s'époumonèrent encore un peu avant de finir par s'éloigner.

Toute la nuit, Félicité n'osa pas quitter le plancher ni mettre une bûche dans le poêle, de peur d'attirer l'attention.

Le lendemain, l'institutrice verrouilla l'école pour se rendre au village. Cette année-là, le mercredi des Cendres tombait le 27 février. Il s'agissait d'une fête d'obligation. Personne ne raterait le rendez-vous à l'église.

Comme il arrivait parfois depuis la fin décembre, le commissaire Marcoux la fit monter dans son traîneau, à l'arrière avec les enfants. Si le cultivateur se montrait charitable, il n'allait pas jusqu'à lui offrir de le rejoindre à la maison dès le matin pour lui éviter chaque semaine le trajet à pied vers le chemin de traverse.

Cette fois, avant d'ordonner à son cheval de se remettre en route, il se tourna vers elle pour lui faire remarquer :

— Mademoiselle Drousson, vous ne semblez pas dans votre assiette.

— Je pense avoir attrapé un vilain rhume. Les choses se replaceront d'elles-mêmes.

Le couple sur la banquette avant échangea un regard, puis la paysanne proposa :

— Si vous arrêtez chez nous tout à l'heure, je vous donnerai une bouteille d'un élixir maison fait à base de gomme de sapin.

La réponse de la jeune femme se perdit dans une toux sèche.

— Vous savez, c'est aussi bon que les toniques annoncés dans les journaux de Montréal.

— Je n'en doute pas, madame Marcoux. Je vous remercie, vous êtes très aimable.

Tous les paroissiens et les paroissiennes se retrouvaient dans le temple. Enfin, presque tout le monde. Comme chaque dimanche, la cousine d'Odélie assisterait à la messe. Mais la mère éplorée n'était pas reparue depuis les funérailles de son fils.

Malgré toutes les tentatives de l'institutrice pour lui parler, cette grosse femme revêche arrivait sans cesse à se défiler. Et lors de ses deux autres visites au domicile des Simard, elle ne s'était même pas donné la peine d'ouvrir après avoir levé un coin du rideau d'une fenêtre.

Avant la messe, l'abbé Sasseville bénit les cendres contenues dans un petit récipient d'argent. Puis les fidèles s'approchèrent de la sainte table. À genoux parmi ses collègues institutrices, Félicité adopta une mine recueillie.

— Souviens-toi, ô femme, que tu es poussière et que tu retourneras en poussière, marmotta le prêtre en effleurant le front sous le bonnet de laine, à la racine des cheveux.

Le célébrant n'avait pas fait un pas que Félicité fut prise d'une quinte de toux. Il la fixa du regard avant de reprendre le cours de la cérémonie. De retour à son banc, en regardant ses compagnes, la jeune femme réprima une envie de s'essuyer le front. Le prêtre appliquait la cendre généreusement, tout le monde arborait une tache de poussière grise sur la peau.

Pendant toute la messe, Félicité inquiéta ses voisins immédiats avec sa toux sèche, impossible à réprimer.

En quittant le temple, la jeune femme vit un garçon de huit ou neuf ans vêtu d'une soutane et d'un surplis descendant l'allée opposée à la sienne au pas de course. Si les fidèles fronçaient les sourcils, l'enfant investi d'une mission ne s'en souciait guère.

— Mademoiselle, dit-il en la rejoignant devant la grande porte, le curé veut vous voir à la sacristie.

— Mais pourquoi donc ?

— … Ça, il ne l'a pas dit, conclut le garçon avant de retourner d'où il venait.

Félicité le suivit, à la fois surprise et un peu inquiète de la requête. Jamais son pasteur n'avait demandé à la voir pour un motif heureux. Une porte à gauche d'un petit autel latéral lui permit d'atteindre la sacristie sans sortir dehors. Elle découvrit une demi-douzaine de garçons en train d'enlever leur aube. Ces servants de messe conversaient à voix basse, encore tout impressionnés de leur participation au mystère de la cérémonie religieuse.

— Ah ! Mademoiselle, merci d'être venue, dit le prêtre en faisant passer sa chasuble par-dessus sa tête.

Elle ne sut quoi répondre. Les invitations de son curé prenaient l'allure d'ordres formels. Elle ne voyait pas de raison de le remercier d'obtempérer. Avant d'en venir au fait, l'homme enleva son surplis, un vêtement de dentelle blanche.

— Venez avec moi, dit-il pour s'éloigner un peu des garçons.

À l'autre bout de la sacristie, où le prêtre célébrait parfois la messe pour une assemblée réduite, se trouvait un petit autel. Le couple se tint à sa droite.

— Je vous ai entendue tousser pendant toute la messe. Vous êtes malade ?

— Un simple rhume.

— Vos traits sont tirés, vous paraissez très fatiguée.

— Une nuit sans sommeil. Les Mardi-gras se sont montrés bien bruyants, hier, autour de l'école.

L'homme hocha la tête. Une jolie fille toute seule dans la petite bâtisse excitait les convoitises. Ces garçons si polis en temps normal pouvaient se montrer fort désagréables après quelques verres.

— Puis vous paraissez si triste.

Ces mots ainsi que la sollicitude perceptible dans la voix provoquèrent une montée de larmes.

— Vous savez bien pourquoi.

Le curé amorça un geste de réconfort mais s'interrompit en jetant un coup d'œil du côté des servants de messe. Il en restait encore deux en train de comploter à voix basse.

— Je peux demander au médecin de passer vous voir. Si la requête vient de moi, il ne vous demandera rien.

Le coût d'une visite à domicile pesait très lourd sur les ressources d'une institutrice, au point de devoir parfois se priver de soins. La sollicitude palpable dans la voix de son vis-à-vis la toucha.

— Ce n'est pas nécessaire. Madame Marcoux m'a offert un sirop de son invention, avec de la gomme de sapin.

— Ma mère fait le même, mais je ne prétendrai pas que la recette vient d'elle. Je pencherais plutôt pour une concoction héritée des Sauvages.

La toux plia l'institutrice en deux.

— Je suis sérieux, vous devriez voir un médecin, insista-t-il.

— Ce n'est pas la peine, je vous assure.

Pour souligner son refus, elle secoua la tête de droite à gauche.

— Je ne peux pas vous forcer, dit-il en haussant les épaules.

Comme il faisait mine de quitter les lieux, elle demanda :

— Monsieur le curé, une question encore. Odélie ne s'est pas présentée à l'église depuis… la tragédie.

— En effet. Elle ne se sent pas bien.

— Elle est malade ?

— Une langueur de femme. Elle n'a de goût pour rien, ne quitte pas sa chambre plusieurs jours d'affilée. Vous savez, c'est assez fréquent chez les mères qui perdent un enfant, surtout si elles n'en ont pas d'autre pour les forcer à sortir de cette torpeur.

Félicité opina. Elle-même ressentait ce genre de lassitude. Presque tous les matins, descendre dans la classe lui demandait un effort immense. Seule l'assiduité rassurante d'Ernestine la forçait à se présenter devant les enfants.

— Vous savez, elle refuse de me recevoir.

— Je suis le seul à la visiter, mais je ne peux pas dire que je me sente le bienvenu.

Son habit noir lui permettait toutefois d'imposer sa présence partout.

— Nous étions des amies, enfin, je le pensais.

— Écoutez, elle ne se trouve pas dans son état normal.

— … Vous ne pourriez pas lui dire un mot ? Pour moi, je veux dire.

Cette coupure dans les relations avec sa voisine lui pesait tellement. Cela ressemblait à un reproche ou, pire, à une accusation.

— Je lui en ai déjà glissé un mot. Mais comme je le soulignais l'autre nuit, au cimetière, Floris répétait votre nom dans ses derniers moments. Son attitude actuelle ressemble fort à un accès de jalousie maternelle.

— Voyons, ce n'est pas possible.

— Écoutez, je ne vois pas d'autre explication. Elle semble résolue à se couper de tout le monde jusqu'au retour de Phidias.

L'homme marqua une pause. Au départ des derniers servants de messe, il prit la liberté de caresser l'épaule de l'institutrice.

— Ne vous torturez plus avec cela. Vous ne pouvez rien y faire. Elle reviendra peut-être à de meilleurs sentiments.

— … Ou peut-être pas.

Il remua la tête, comme pour lui donner raison.

— Dans tous les cas, vous devriez faire attention à vous. Dormez, mangez à satiété.

— Le carême commence demain.

— Je vous dispense du jeûne. Dans votre état, ce genre de privation vous ferait du mal.

La compassion du prêtre la toucha. Elle esquissa un vague signe d'assentiment, puis se dirigea vers la porte en disant :

— Merci, monsieur le curé.

— Bonne semaine, mademoiselle. Dimanche prochain, faites un détour ici après la messe. Si vous n'allez pas mieux, nous reparlerons du médecin.

Un mouvement de la tête de bas en haut pouvait passer pour un engagement. Dehors, elle dut encore se rendre au magasin général afin d'effectuer quelques achats. Le curé l'avait retardée juste assez longtemps pour lui faire rater l'occasion de remonter avec les Marcoux. Une petite boîte de carton dans les mains, elle entreprit de parcourir le long mille la séparant de l'école.

Sur le chemin de traverse, les grelots joyeux d'un cheval derrière elle la forcèrent à se ranger sur le bord du chemin. Le traîneau des Simard passa près d'elle à une bonne allure.

— Madame ! cria-t-elle à la cousine pour attirer son attention.

Élever la voix lui valut une nouvelle quinte de toux. L'autre ne se retourna pas. Pendant tout le reste du trajet, ses achats lui parurent terriblement lourds.

Chapitre 21

La toux ne lui laissait aucun répit. Chaque accès lui poignardait la poitrine, ou le crâne. La décoction de gomme de sapin de madame Marcoux ne fit pas de miracle, mais au moins en allant la chercher elle put lui acheter des aliments. Bonne fille, Ernestine la fournissait d'un autre élixir où se mêlaient le thym, le miel et les fleurs de sureau. Si la boisson adoucissait une gorge mise à vif, la fièvre et la douleur dans les côtes demeuraient vives.

Après une journée très difficile, celle du lundi 3 mars, Félicité regrettait d'avoir encore repoussé la veille l'idée d'une visite du médecin. Mais, se disait la jeune femme, cette grippe finirait par passer comme les autres, ainsi que cette langueur tenace qu'elle ressentait depuis le jour de l'Épiphanie. Après un souper de pommes de terre et de beurre avalé sans plaisir, elle monta dès sept heures pour s'étendre dans son lit, tout habillée, ses chaussures de feutre encore aux pieds.

Une heure plus tard, elle se trouvait toujours dans la même posture, recroquevillée sur elle-même, un mouchoir roulé en boule dans sa main. Elle le portait à sa bouche à chaque accès de toux. Déjà, la chaleur ne montait plus du rez-de-chaussée. Lorsqu'elle allongea une main pour s'en approcher, le tuyau traversant la pièce lui sembla froid.

Avec difficulté, elle se souleva et réussit à s'asseoir pour aussitôt se laisser retomber sur sa paillasse.

— J'irai plus tard, quand je serai un peu mieux, se dit-elle.

Le timbre de sa propre voix, un peu éraillé, la surprit. Des yeux, elle surveilla la flamme chancelante de la lampe à pétrole laissée sur le petit meuble où se trouvaient le pot d'eau et la cuvette qu'elle utilisait pour faire ses ablutions. Elle ne bougea pas la tête avant de voir la petite luciole vaciller puis s'éteindre, faute de combustible.

La clarté de la lune permettait de distinguer les ombres des meubles dans la pièce longue et étroite. Le feu du poêle devait être mort des heures plus tôt. Félicité serrait la couverture contre son cou. Cela ne suffisait pas à la réchauffer. Des frissons secouaient tout son corps.

Une nouvelle fois, l'institutrice tenta de se lever pour aller faire du feu au rez-de-chaussée. Une nouvelle fois, le courage lui manqua. Descendre l'escalier et manipuler les bûches lui paraissaient au-dessus de ses forces. Elle se contenta de récupérer son manteau pour l'enfiler, le boutonner soigneusement et revenir sur sa couche.

Au matin, une main posée contre le mur pour prévenir une chute, elle descendit dans la classe, se laissa choir sur sa chaise et contempla le poêle de fonte. Y mettre un bout de papier, des éclats de cèdre ou de sapin, puis deux bûches d'érable lui parut demander un effort surhumain. Elle préféra attendre là, malgré la température depuis longtemps descendue sous le point de congélation.

Un peu avant huit heures trente, des coups contre la porte tirèrent l'institutrice de sa torpeur. Le visage d'Ernestine se découpa dans l'une des fenêtres. L'adolescente chercha à attirer son attention en frappant contre la vitre. Cette fois, Félicité se leva pour aller enlever la barre de bois de la porte de côté.

— Qu'est-ce qui se passe? demanda la grande fille en passant la première.

— Rien, je...

Les autres enfants entrèrent aussi, peu désireux de s'exposer encore au froid du petit matin.

— On gèle là-dedans, remarqua Griphine en marchant vers sa place habituelle.

— Alors fais une attisée, répondit Ernestine avec humeur. Ce sera plus utile que de te plaindre.

— La classe doit être chaude le matin, c'est écrit sur la feuille, là-bas.

De l'index, la pimbêche indiquait le règlement toujours épinglé sous le crucifix. Sa cadette, Louvinie, jugea plus à propos de chercher dans une boîte de quoi faire du feu. Quelques minutes plus tard, une chaleur bienfaisante se ferait sentir.

— Qu'est-ce qui se passe? demanda encore l'adolescente avec compassion en posant une main sur l'avant-bras de l'institutrice.

— Ce mauvais rhume...

L'autre détailla les traits tirés, les cernes sous les yeux.

— Je peux demander à Elzéar de se rendre au village pour dire au médecin de venir.

Déjà, le jeune gaillard s'occupait de refaire la provision d'eau. Maintenant, il assumait cette corvée comme si elle allait de soi.

— Cela ira mieux après une boisson chaude. J'ai encore un peu du sirop de ta mère.

— Voyons, tu es vraiment malade.

La remarque de la jeune fille trahissait son peu de confiance dans les remèdes de bonne femme. Félicité secoua la tête, puis se dirigea d'un pas hésitant vers l'estrade, son assistante à son côté. En reprenant son siège, elle demanda dans un souffle :

— Si tu veux commencer. Je vais me reposer encore un peu, puis prendre le relais.

Les sourcils froncés d'inquiétude, son manteau toujours sur le dos en attendant que le poêle réchauffe un peu la classe, l'adolescente commença en tapant des mains :

— Les enfants, nous allons dire une prière. Au nom du Père, du Fils et du Saint-Esprit…

Sur sa chaise, la maîtresse fit le signe de la croix comme les autres.

Les minutes passaient, Félicité ne faisait pas mine de reprendre sa tâche. Si les plus jeunes acceptaient sans mal les interventions d'Ernestine, les plus âgés accueillaient ses efforts avec des ricanements. Vers dix heures, des coups contre la porte de côté, suivis d'une entrée bruyante, firent sursauter l'institutrice et son assistante. « L'abbé Sasseville ! » pensa Félicité. L'imminence de sa visite, annoncée le dimanche précédent, lui était totalement sortie de la tête.

— Monsieur le curé…, balbutia Ernestine en se retournant vers l'intrus.

— Ne t'arrête pas en si bon chemin, répondit le prêtre. Tu étais si prise par ta leçon que tu ne m'as pas entendu frapper devant.

L'homme s'interrompit pour regarder dans la direction de la maîtresse. Toujours boutonnée jusqu'au cou dans son manteau d'hiver, celle-ci se tenait maintenant debout, une main sur la table de travail pour se soutenir.

— Mademoiselle Drousson! dit le prêtre en faisant un pas vers elle, soudainement préoccupé.

— Je l'ai trouvée comme ça tout à l'heure, glissa Ernestine. Elle a refusé qu'Elzéar aille avertir le médecin.

Sasseville dodelinait de la tête en écoutant ces explications. En la tenant par un bras, il incita Félicité à retrouver son siège, puis posa la paume de sa main sur son front. La jeune femme savoura le contact de la peau glacée, lui s'inquiéta de la trouver si brûlante de fièvre.

— Les enfants, dit-il en se tournant vers la dizaine de visages curieux, rentrez à la maison. Votre institutrice n'est pas en état de travailler.

L'étonnement se lut sur tous les visages, puis un à un, Elzéar en premier, ils se levèrent pour récupérer leur manteau. En répétant des «Bonjour, monsieur le curé», ils défilèrent devant l'ecclésiastique. Griphine ne pouvait s'en tenir simplement à la directive.

— Monsieur le curé, vous n'allez pas nous confesser aujourd'hui?

— Non, ma fille. Si tu as commis de grosses fautes au cours des quarante-huit dernières heures, essaie de ne pas mourir d'ici dimanche prochain.

Elle accueillit le commentaire avec une moue amusée, puis se dirigea vers la porte avec un mouvement exagéré des hanches.

— Voulez-vous que je coure au village pour avertir le médecin? demanda Ernestine.

Mais en y réfléchissant, elle conclut:

— Vous irez sans doute plus vite en voiture. Je resterai avec elle en attendant.

— Voilà qui est bien gentil à toi, répondit le pasteur. Mais dans cet état, elle doit être soignée dès que possible. Je l'emmène avec moi.

Félicité écarquilla les yeux, mais n'osa pas protester. Elle n'en avait plus la force.

— Tu sais où se trouve le cadenas? demanda encore le visiteur.

— Dans l'armoire, là, avec tout le reste.

— Tu prendras le temps de monter pour tout ranger, t'occuper de la vaisselle sale…Tu laisseras la clé chez Marcoux en passant. Maintenant, ma petite demoiselle, vous venez avec moi.

— Non, je vais attendre ici…

Résister ne servait plus à rien. Prenant son bras droit des deux mains, Sasseville tira avec une ferme douceur pour la faire mettre debout. À petits pas, il la conduisit vers la porte. Lorsqu'elle mit les pieds dehors, le froid redonna un peu de force à la malade, mais l'air semblait brûler ses poumons.

— Papa, nous allons faire de la place à cette jeune personne entre nous. Ce sera un peu serré, mais au moins elle sera au chaud.

Les deux hommes l'installèrent au milieu de la banquette et l'enroulèrent dans la robe de carriole. Depuis une fenêtre, vaguement soucieuse, Ernestine les regardait faire.

Félicité descendit du traîneau avec l'aide du curé, puis ses jambes se dérobèrent sous elle. Sans difficulté, l'homme la souleva dans ses bras en disant à son père:

— Va chercher le médecin et ramène-le ici.

— S'il n'est pas là?

— Il finira bien par revenir.

Puis l'abbé Sasseville grimpa les quelques marches du presbytère avec son fardeau et frappa du bout du pied dans la porte pour qu'on vienne lui ouvrir.

— Seigneur! dit la mère en le voyant.

Un peu plus loin dans le couloir, la jeune domestique sortait une tête préoccupée du cadre d'une porte.

— Il faut la conduire chez le médecin, dit la mère, inquiète.

— Papa est allé le chercher.

Sans attendre, l'homme se dirigea vers l'escalier et entreprit de se rendre à l'étage. La grosse femme lui emboîta le pas en continuant:

— Pourquoi l'amener ici, alors?

— Elle vit seule, elle ne peut même plus s'occuper d'elle.

— Alors tu comptes sur moi pour le faire!

Les yeux clos, soutenue par deux bras robustes, Félicité suivait ces échanges, affreusement embarrassée d'un côté, incapable de protester contre le constat sur son état de l'autre.

— Sur qui puis-je compter? Je ne peux pas la dévêtir moi-même.

La jeune femme, dans un sursaut de pudeur, se raidit à l'allusion. Sur le palier, il se dirigea vers la porte entrouverte d'une chambre et la déposa sur le lit.

— Vous voilà rendue, mademoiselle Drousson. Le médecin sera bientôt en mesure de vous examiner et de vous prescrire de quoi vous remettre sur pied.

— Ramenez-moi à l'école, souffla-t-elle d'une voix rauque. J'étais juste un peu fatiguée, tout à l'heure.

— Voyons, ne faites pas l'enfant.

Étendue sur le lit, Félicité se sentit ridicule. Elle réussit à s'asseoir, mais cette fois ce fut à la vieille femme d'intervenir pour la raisonner.

— Restez là, étendez-vous. Nous verrons bien ce que le médecin dira.

Sa faiblesse évidente touchait la vieille dame. Le prêtre sortit d'abord, ensuite ce fut au tour de sa mère. Elle ferma la porte derrière elle. L'institutrice s'attendit à entendre le bruit d'un verrou, comme si on la séquestrait. Le silence la rassura finalement. Couchée sur le dos, elle se convainquit que mieux valait accepter cette consultation pour en avoir le cœur net. «Mais je vais payer!» s'entêta-t-elle. Cela lui semblait le seul moyen de garder un peu de dignité.

Les murs de la pièce étaient peints en blanc et le mobilier se limitait à une chaise, un lit étroit et une commode. Sur cette dernière, un grand contenant en faïence et un pot à eau permettraient de faire une toilette sommaire.

Le simple fait de se trouver dans une maison confortable où habitaient d'autres personnes l'aida à se détendre assez pour fermer les yeux et perdre quelque peu la notion du temps. Le bruit d'une jointure frappant doucement contre le bois de la porte la tira de sa torpeur. Machinalement, sa main se posa sur son cou pour ajuster son manteau.

— Oui? articula-t-elle d'une voix faible.

— Mademoiselle, dit Sasseville en ouvrant la porte, voilà le docteur Cloutier.

L'ecclésiastique s'effaça pour laisser passer l'inconnu, puis referma. Félicité réussit à s'asseoir sur le bord du lit.

— Vous êtes la maîtresse de l'école numéro 3, n'est-ce pas? Celle qui vient de Saint-Jacques.

— Oui, c'est moi.

Il évalua d'abord son état du regard.

— Je ne veux pas faire le difficile, mais pour l'examen, vous devrez au moins enlever ce manteau.

Quand elle entreprit de défaire les boutons, une quinte de toux la força à se replier en deux.

— Votre état, ça dure depuis longtemps ?

— Deux semaines, admit-elle en se redressant.

Elle aurait pu dire depuis l'Épiphanie. En se levant pour se défaire de son manteau, elle chancela. Le praticien l'aida à le retirer et l'accrocha à un clou planté dans le mur à cet effet.

— Vous devez aussi détacher la robe, mademoiselle.

Elle se troubla alors. Aucun homme ne l'avait jamais vue en sous-vêtements, excepté le docteur de sa paroisse d'origine lors de la sévère coqueluche ayant marqué ses dix ans.

Pour lui rendre la chose plus facile, l'homme se tourna vers la commode et fit mine de chercher un instrument dans son sac. Félicité s'attaqua aux boutons de son col, puis changea d'idée pour défaire ceux de la taille. Après de nombreuses hésitations, elle ouvrit les pans de la robe de laine sur une camisole plus très propre. Même faire la lessive lui apparaissait maintenant une entreprise au-dessus de ses forces.

— Voilà qui est bien, observa le médecin avec satisfaction. Vous pouvez vous asseoir sur le bord du lit.

Debout devant la malade, l'homme plaça ses mains de chaque côté de la tête, chercha sous les oreilles du bout des doigts, suivit la ligne de la mâchoire, descendit sur le cou.

— C'est douloureux, ici ?

Il revint vers les nodules perçus plus tôt, exerça une légère pression.

— Oui, ça fait mal.

— Je vois. Donnez-moi votre poignet.

Le médecin sortit sa montre de son gousset et surveilla l'aiguille des secondes. Le pouls lui parut très faible et plutôt fuyant.

— Tournez un peu la tête vers la droite, la lumière du jour m'aidera à y voir clair, et ouvrez la bouche toute grande.

Plié en deux, les yeux plissés pour mieux examiner les muqueuses, le praticien commenta :

— Ce n'est pas très beau. Vous avez eu une vilaine infection de la gorge. Cela explique la toux sèche.

Comme pour lui donner raison, Félicité fut prise d'un nouvel accès, projetant des postillons au visage de son interlocuteur. Celui-ci ne perdit rien de sa bonhomie lorsqu'il sortit son mouchoir pour s'essuyer.

— Avaler doit être très douloureux depuis quelques jours. Toutefois, ce problème semble en voie de se résorber tout seul. Maintenant, je vais écouter vos poumons.

Le sac de cuir révéla un appareil étrange, deux tubes métalliques dont il mit les embouts dans ses oreilles. Puis l'homme promena un disque de métal poli sur le tissu de la camisole de laine, s'approchant dangereusement de la pointe des petits seins. D'émotion, la malade retenait son souffle.

— Respirez profondément, mademoiselle.

Elle y alla de si bon cœur qu'elle émit un sifflement.

— Quand vous toussez, il y a du mucus ?

Devant les yeux interrogateurs, il précisa :

— Une matière…

— Oui, monsieur.

— De quelle couleur ?

Moins fatiguée, elle aurait rougi tellement l'information lui paraissait intime.

— Brunâtre.

L'homme émit des « Hum ! Hum ! » mystérieux.

— Descendez votre robe sur vos bras. Je veux entendre à partir de votre dos.

Félicité fit tomber le vêtement bleu royal de ses épaules. Le stéthoscope se révéla moins intimidant sur cette partie de son corps.

— Vous pouvez vous rhabiller, mademoiselle.

Le docteur Cloutier rangea son instrument dans sa mallette de cuir.

— Je pourrai reprendre mes classes ? voulut-elle savoir.

— Certainement pas avant deux semaines, ma pauvre fille. Vous avez une infection des poumons. Votre respiration difficile tient à cela, votre immense fatigue aussi. Vos yeux sont si cernés… Vous arrivez à dormir ?

Il posait un regard plein de sympathie sur elle.

— Non, pas vraiment. La toux, puis…

L'homme posa une main douce sur son front, pour le trouver brûlant.

— Là-bas, toute seule…, poursuivit-elle. Je n'ai pas l'habitude d'être isolée.

D'un mouvement de la tête, le docteur lui indiquait qu'il l'écoutait tout en fouillant de nouveau dans son sac.

— Je vais vous laisser quelque chose pour vous aider à dormir, un sirop pour la toux aussi. Mais surtout, vous devez vous reposer. Ne quittez pas le lit tout au long de la prochaine semaine. Ces derniers jours, vous arriviez à vous nourrir décemment ?

De la tête, elle lui fit signe que non. Même préparer ses repas prenait l'allure d'une corvée insurmontable.

— Gardez le lit, avalez des aliments qui vous feront reprendre vos forces. Je repasserai vous voir dans quelques jours.

— Mais l'école…

— Je verrai cela avec le curé. Présentement, vous ne pouvez pas vivre seule.

L'homme sortit en lui recommandant : «Reposez-vous bien.» Félicité regarda la porte se refermer puis, totalement épuisée par les dernières minutes, elle s'allongea sur le lit. Pour ne pas salir la courtepointe, elle fit toutefois en sorte de laisser pendre ses bottines de feutre au-dessus du vide.

Dans le salon, au rez-de-chaussée, le curé attendait que le praticien redescende. Comme sa mère devinait que sa routine des prochains jours serait bouleversée, elle se tenait dans un coin avec une mine réprobatrice.

— Ah! docteur, vous voilà, dit le prêtre en se levant à l'entrée du professionnel. Alors?

— Une très vilaine grippe certainement, plus probablement une pneumonie. Je lui ai laissé de quoi calmer sa toux, et aussi un produit pour l'aider à dormir.

— … Une pneumonie? C'est grave, ça.

— Plutôt, oui.

Le médecin se tenait au milieu de la pièce, l'air un peu embarrassé.

— Dans son état de faiblesse, elle ne peut retourner tout de suite dans son école. Dans le rang Saint-Antoine, il y a certainement une fille un peu plus grande qui serait disposée à la soigner. Cet arrangement a souvent cours, quand l'institutrice passe l'hiver toute seule.

— Personne ne s'est proposé. Mais maman voudra bien en prendre soin pendant quelques jours.

Des yeux, l'ecclésiastique consultait sa mère. Le professionnel hésita un peu puis opina.

— C'est très généreux à vous, madame, dit-il en se tournant vers la ménagère.

— Dieu n'a-t-il pas dit : « Aimez-vous les uns les autres » ? fit-elle.

Le ton trahissait un humour grinçant. Le visiteur affecta de ne rien remarquer.

— Le mieux serait de lui mettre une serviette imbibée d'eau froide sur le front, à moins que vous ne possédiez l'une de ces petites poches en caoutchouc...

— Nous en avons une.

— Tant mieux. Mettez-y de la glace, cela fera baisser la fièvre. Il faudra lui servir des bouillons, des potages. Elle doit refaire ses forces, mais l'état de sa gorge doit rendre la déglutition bien douloureuse.

— Nous allons en prendre soin, intervint le curé. Après tout, en tant qu'institutrice, la pauvre petite tombe sous la protection de la paroisse. Bon. Il est presque midi. Vous accepterez de manger avec nous ?

— Non, je vous remercie, mais je dois bien avoir encore deux ou trois malades dans ma salle d'attente. Puis ma femme a préparé le repas. Je vais partir tout de suite.

— Dommage. Dans ce cas, ce sera pour la prochaine fois, concéda l'hôte. Combien de temps lui faudra-t-il pour se remettre ?

Le médecin parut un peu embarrassé par la question.

— Ça, je ne sais pas. Gardez-la au lit, le corps bien au chaud, du froid sur le front... Je viendrai la voir dans quelques jours.

L'homme s'était dirigé dans le couloir après avoir incliné la tête en direction de madame Sasseville. Devant la porte, en mettant son paletot, il précisa encore :

— Elle est maigre comme un lièvre de mars, épuisée par le manque de sommeil. À vrai dire, son état m'inquiète un peu.

Le prêtre hocha la tête, serra la main tendue et se sépara du professionnel sur un «Au revoir». Il revint dans le salon et sortit une bouteille du buffet.

— Philomire, l'apostropha la vieille femme, tu ne vas pas recommencer !

— Voyons, maman, si on la renvoie là-bas, elle va crever. Le docteur a été clair.

Son fils n'affichait plus son côté paillard, mais une réelle sollicitude. Elle secoua la tête, dépitée, puis entreprit de monter l'escalier de son pas lourd.

Chapitre 22

La porte de la chambre s'ouvrit sans bruit. Félicité reposait sur le dos, encore habillée. Laïse Sasseville se résolut à lui secouer l'épaule doucement. La jeune femme se réveilla en sursaut.

— La petite, tu vas enlever cette robe et te mettre sous les couvertures. Je reviens dans un instant.

L'institutrice voulut protester, dire encore qu'elle désirait rentrer chez elle, mais l'autre n'attendit pas et sortit. Mieux valait s'abandonner, faire ce qu'on lui disait. Après s'être levée péniblement, elle se déboutonna, fit glisser le vêtement sur ses épaules et le laissa tomber sur le plancher. Quand la porte se réouvrit, elle le récupéra bien vite pour cacher sa poitrine. La vieille dame lui jeta un regard amusé.

— Ne te donne pas cette peine pour moi. Enlève le reste et mets ça.

Elle lui tendait une chemise de nuit.

— Tu es un peu plus petite que la fille, ça devrait aller.

— Je… je la mettrai tout à l'heure.

— Une vraie couventine.

La voix contenait une certaine dérision, mais aussi une sympathie croissante.

— Dans un instant, tu auras du bouillon de poulet. Essaie de ne pas tout renverser sur toi. Sous le lit, tu trouveras le pot de chambre…

— Ce ne sera pas nécessaire, je peux aller dehors.

— Ici, c'est plutôt dans le hangar attenant à la maison. Les curés sont délicats, ils ne veulent pas se montrer en jaquette au milieu de la nuit en cas d'urgence. Pour le moment, contente-toi du pot. T'en fais pas, je n'aurai pas à m'en occuper moi-même.

Comme la vieille dame faisait mine de quitter la pièce, Félicité dit très vite :

— Madame… Je vous remercie. Je sais que je vous cause bien des ennuis.

L'autre se retourna pour la toiser longuement, puis prononça dans un souffle :

— Mais nous savons toutes les deux que ce n'est pas ta faute. Essaie de te reposer, ajouta-t-elle avec une nouvelle douceur dans la voix.

Elle sortit sans se retourner.

Vêtue de la seule chemise de nuit, les couvertures relevées jusque sous le menton, l'institutrice garda ensuite les yeux ouverts, attentive aux moindres sons dans le grand presbytère, qui pourtant restait silencieux. Ses occupants devaient se trouver à table, à cette heure.

Un petit coup contre la porte la fit sursauter. Puis la poignée tourna, la jeune fille au visage de souris apparut dans l'embrasure, les bras chargés d'un plateau. Félicité tâcha de se mettre en position assise dans le lit, puis dit à la domestique immobile et un peu embarrassée :

— Le mieux est de le poser sur mes genoux.

Avec un sourire crispé, l'autre obéit. À la vue du bouillon avec ses morceaux de poulet et la tranche de pain abondamment beurrée, l'institutrice sentit à quel point elle était affamée.

— Je vous remercie, et aussi pour cela.

Des doigts, la jeune femme désigna le vêtement sur son dos. L'autre posait des yeux intrigués sur elle, comme si elle ne comprenait pas.

— La chemise de nuit. C'est à vous, je pense.

Son interlocutrice fit oui de la tête, un sourire aux lèvres.

— Je n'ai jamais entendu votre nom. Vous pouvez me le dire ?

— … Rosine, répondit-elle d'une voix à peine audible.

— Rosine… C'est joli. Je suis désolée de vous donner un surplus de travail.

Le regard vide de l'autre lui fit conclure que son esprit vagabondait un peu. Toutefois, elle savait se rendre utile dans la maison. Elle ramassa les vêtements laissés sur la chaise en balbutiant :

— Lavage.

Une fois seule, Félicité avala une cuillerée du bouillon et grimaça à la douleur dans sa gorge. Tout de même, le liquide un peu chaud lui fit du bien. Le pain passa plus difficilement, mais il lui fallait reprendre des forces.

Le simple fait de manger l'épuisa. Après avoir posé le plateau sur le plancher, tout près du lit, elle se recroquevilla sous les couvertures, prise d'une quinte de toux chargée de mucus.

❖

— Tu l'entends ?

Laïse Sasseville se tenait à l'entrée de la pièce de travail de son fils. L'homme leva les yeux de son bréviaire pour répondre :

— Difficile d'y échapper quand personne ne fait de bruit dans la maison.

Depuis l'étage leur parvenait le son d'une toux râpeuse, chargée.

— Il ne faudrait pas qu'elle nous crève dans les pattes, dit la vieille femme.

— Voyons, selon le médecin…

— Le médecin a vu lui aussi que c'était grave.

L'ecclésiastique se rappela la mine soucieuse, les derniers mots prudents. Il reprit avec une certaine ferveur :

— Elle est toute jeune.

— La vie ne paraît pas bien accrochée à son corps. On dirait qu'elle hésite encore entre ce monde et l'autre.

La vieille femme affectait de connaître beaucoup de choses, celles de l'en deçà comme celles de l'au-delà. Ses yeux d'un gris très pâle semblaient porter de l'autre côté du monde.

— Tu vas prendre soin d'elle ? demanda l'homme, cette fois avec une pointe de réelle anxiété dans la voix.

— Tu sembles y être attaché.

La nouveauté du sentiment ajouta aux craintes de la vieille femme. Leurs yeux tinrent une conversation muette où les appréhensions de chacun se rejoignaient.

Comme si son état suivait la courbe descendante du soleil dans le ciel, tout l'après-midi Félicité ressentit un étau de feu se resserrer sur sa poitrine. Alors que les ombres s'allongeaient sur le plancher, sa fatigue s'accentua. Vers six heures, la ménagère du curé entra dans la chambre et ferma derrière elle pour venir poser ses grosses fesses sur le bord du lit. Elle mit la main sur le front de la malade.

— Où as-tu mis le sac de glace ?

En dépit de son grincement, la voix trahissait une sympathie croissante.

— Il a glissé par terre, de l'autre côté. De toute façon, il était tout chaud.

Plus tôt, la jeune domestique avait arraché des glaçons pendant au toit pour les casser en petits morceaux et les mettre dans la poche de caoutchouc.

— La fille n'est pas bien fiable. Je lui avais demandé de remettre des glaçons dans l'après-midi. Pour elle, plus tard veut aussi bien dire dans cinq minutes ou dans cinq ans.

Malgré le commentaire, le ton demeurait sans reproche, plutôt affectueux même. Comme si la lenteur de cette jeune employée s'inscrivait dans l'ordre immuable des choses.

— Je vais m'en occuper dans un instant. Tout à l'heure, elle te montera un peu de lapin. Ça se digère sans mal.

— Je ne pourrai rien avaler.

— Tu ne dois pas te laisser aller.

— Ce n'est pas cela. Ma gorge…

La malade désigna de ses doigts son cou, en esquissant le geste de serrer.

— Rien ne passera.

— Si tu ne manges pas, ton corps va s'affaiblir.

L'institutrice regardait la ménagère de ses yeux fiévreux. Elle semblait se désoler de ne pouvoir obtempérer à la recommandation.

— Bon, je vais voir si je peux te soulager un peu. Je reviens dans une minute.

Laïse contourna le lit de son pas pesant et se plia en deux en soufflant pour récupérer la bouillotte tombée sur le plancher. Restée seule, Félicité s'abandonna à une nouvelle quinte de toux. Rosine fut la première à revenir, une lampe à pétrole dans une main, la bouillotte remplie de glace dans l'autre.

— Il faut mettre ça sur la tête, expliqua-t-elle comme si l'usage de cet équipement faisait mystère.

— Oui, je sais, répondit la malade en se tournant sur le dos.

Le contact froid du caoutchouc sur son front lui fit un bien immédiat. Les yeux clos, elle entendit la porte se refermer.

L'intermède dura une minute, ou une heure, Félicité n'aurait pas su le dire. La vieille madame Sasseville se tenait près du lit quand elle ouvrit les paupières.

— Tu vas enlever ça. Je vais faire sortir la chaleur.

De la main, la ménagère désignait son propre corsage.

— Je ne peux pas.

La voix mal assurée et le mouvement de recul de l'institutrice lui tirèrent un ricanement.

— Tu ne vas pas encore jouer à la couventine avec moi. Je n'ai rien d'une mère supérieure.

De la main, elle tira la couverture vers le bas, découvrant la poitrine de la jeune femme jusqu'à la taille.

— Détache la chemise et ouvre-la grand.

Le vêtement, très lâche, se fermait au col avec un ruban. Quatre petits boutons venaient ensuite. Les yeux sur la ménagère, elle les défit. Laïse avait déposé le pot à eau et la cuvette de faïence bleu et blanc sur le sol. Sur la surface dégagée de la petite commode, elle étendit une pièce de lin usée, partie d'un vieux drap.

— C'est de la moutarde sèche, expliqua-t-elle en réponse à une question muette, et de la fécule de maïs.

À la lumière de la lampe à pétrole, elle étendait la poudre jaunâtre sur le linge. Puis elle mit la main dans le pot et aspergea un peu d'eau pour faire une pâte. Quand elle fut satisfaite du résultat, elle prit la mouche de moutarde et vint vers le lit.

— Maintenant, écarte la chemise, vite.

Félicité ne résista pas. Des deux mains, elle découvrit une poitrine étroite et maigre, ornée des deux pointes roses des seins.

— Voilà, ne bouge pas.

Elle étendit la pièce de tissu contre la peau. La maîtresse sentit tout de suite la chaleur intense, presque brûlante. Des yeux, elle surveillait les mains rugueuses, épaisses, en train de disposer le linge bien à plat sur elle.

— Tu es jolie.

La remarque la prit totalement au dépourvu, au point de lui faire oublier la sensation étrange contre la peau.

— Pas besoin de me regarder comme ça, je ne vais pas te manger.

Le mélange de moutarde et de fécule de maïs lui procurait une chaleur étrange. Elle contemplait la mixture jaunâtre.

— Ça va faire sortir la fièvre de ton corps. Tout le mauvais, toutes ces humeurs qui pourrissent la vie. C'est comme une purgation, ou un lavement.

Pendant quelques minutes, la ménagère évoqua de vieux principes de médecine, venus à elle par les confidences de dix générations de matrones. Ensuite, levant un pan du vieux drap, elle examina le sein un peu rosi.

— Comme un bébé…

— Pardon ?

— Ta peau, on dirait celle d'un bébé. Douce et fragile.

Le caractère intime de la remarque la dérouta. Une quinte de toux l'amena à se plier en deux, ce qui lui épargna de trop réfléchir à la situation déconcertante où elle se trouvait. Avec précaution, la ménagère roula la pièce de tissu, soucieuse de ne rien tacher. La peau était d'un rose soutenu.

— Tu peux cacher tes trésors, maintenant.

Sans attendre, Félicité attacha les boutons et noua le ruban autour de son cou. Laïse Sasseville replaça la faïence et le pot d'eau sur la commode.

— Tu veux que je t'en verse un peu ?

La malade acquiesça, prit la tasse des deux mains pour la porter à ses lèvres. Le liquide soulagea temporairement sa gorge irritée.

— La mouche t'a fait du bien ?

— Oui, oui, je crois. C'est curieux, d'un côté, ça chauffe, de l'autre, j'ai moins chaud.

— Le mal est sorti, un peu du mal au moins. Nous recommencerons.

La jeune femme donna son assentiment d'un signe de tête.

— Maintenant, tu vas avaler quelque chose.

— … Je vais essayer.

L'affection si rugueuse de la vieille femme la touchait et l'effrayait tout à la fois. De toute façon, son état de faiblesse la forçait à s'abandonner à cette volonté plus forte que la sienne.

— Quelque chose de doux, pour faciliter un peu le passage.

Ses doigts désignèrent la gorge. La malade accepta.

❖

Félicité perdit une nouvelle fois la notion du temps. Dehors, le vent soufflait, soulevant des volutes de neige. Elle songea à son petit logement au-dessus de la classe. Comme il devait y faire froid, maintenant. Et le lendemain matin, les élèves ne viendraient pas à l'école. Elle se faisait l'impression de déserter.

Un bruit contre la porte attira son attention. L'abbé Sasseville entra, un plateau dans les mains.

— Me voilà affecté au service, commença-t-il avec un sourire attendri.

En fait, après un échange de mots aigre-doux, il avait presque arraché le goûter des mains de sa mère.

— Vous n'auriez pas dû vous déranger.

— Voyons, je tiens à bien traiter notre visiteuse de marque. Vous savez que Sa Grandeur l'archevêque de Montréal a couché dans ce lit?

L'information perturba la malade plus que de raison.

— Même si je ne l'ai pas vu en chemise de nuit, je suis sûr qu'il était bien moins charmant que vous.

Félicité s'était redressée dans son lit. Son vêtement collait un peu trop à sa poitrine. Elle croisa les bras en baissant les yeux. Sauf cet homme, et sa mère un peu plus tôt, personne ne faisait attention à son corps. D'une certaine façon, elle découvrait qu'elle en avait un.

— Ne bougez pas, je vais le déposer sur vos cuisses.

Pour le maintenir en équilibre, elle dut y mettre les mains. Le prêtre approcha la chaise du lit pour s'installer près d'elle.

— Maman affirme que tu dois commencer par avaler le miel. Selon elle, cela va tuer l'infection dans la gorge.

Dans les circonstances, le tutoiement parut tout naturel à la malade. Un petit bol contenait le liquide ambré que la vieille dame avait pris soin de faire chauffer légèrement. Comme si elle était une enfant, le prêtre prit l'initiative d'approcher une cuillerée de sa bouche. Incapable de protester, Félicité s'abandonna à la situation et desserra les lèvres pour accepter l'intrusion.

— Tu arrives à avaler sans douleur ?

À nouveau, la familiarité du « tu ». Assise dans un lit dans cette tenue légère, difficile de s'accrocher aux règles habituelles de bienséance. Son vis-à-vis, affublé d'une robe noire et d'un col romain empesé, réglait de toute façon les existences des autres. Lui seul à Saint-Eugène avait le pouvoir de tracer une ligne entre le convenable et le condamnable.

— C'est doux pour la gorge, répondit-elle dans un souffle.

— Je suis content que cela te soulage un peu.

Sa sincérité n'échappa pas à la malade. Ouvrir la bouche pour accepter l'intrusion venait plus naturellement. Le prêtre se penchait sur elle et Félicité ressentait une curieuse puissance émanant de lui.

— Selon ma mère, il faut traiter la chaleur avec le chaud, c'est pour ça qu'elle a appliqué sur ton corps une mouche de moutarde. Pour faire sortir le mauvais. Enfant, j'ai eu droit à ce traitement pour les plus petites fièvres.

L'imaginer à dix ans, étendu sur le dos, le mélange de moutarde sèche et de fécule de maïs sur la poitrine, ajouta à son émoi. Cela lui donnait une autre dimension, plus accessible.

— Cela t'a fait du bien ?

— Oui, je pense. Je me sens un peu mieux.

Une toux brève rappela combien était superficielle l'amélioration de son état.

— J'en suis heureux. Je me suis un peu inquiété pour toi, tu sais.

L'homme ramassa le reste du miel avec la cuillère, pour la lui présenter.

— Cela ne t'a pas brûlé la peau, j'espère.

Les yeux de la jeune femme s'égarèrent un moment en direction de la porte fermée. Un bref instant, l'idée de prendre la fuite lui revint.

La suite ne s'avérait pas moins troublante.

— La tienne doit être très douce, très sensible…

Sasseville écarta le petit bol puis approcha l'assiette du ventre de la malade. Des deux mains, elle maintenait toujours le plateau en équilibre, le haut de son corps rejeté vers l'arrière contre la tête du lit.

— Cette omelette ne doit plus être très chaude, mais elle est bien baveuse. Essaie d'en avaler un peu.

Avec la fourchette, il lui présenta un petit morceau. Docile, elle desserra les dents. La déglutition lui tira une grimace.

— C'est bien, ma petite. Tu verras, tu te sentiras mieux, après.

La douleur lui faisait monter des larmes à la commissure des yeux. Elle s'astreignit pourtant à manger une grande part du contenu de l'assiette, surtout pour se soumettre à la volonté de cet homme. Quand elle oubliait sa soutane, son trouble prenait une autre dimension.

— Tu aimerais boire un peu de thé? Il doit être tiède, après tout ce temps.

Félicité eut envie de réclamer une boisson glacée pour éteindre le feu dans sa gorge, mais n'osa pas. Sasseville se leva pour poser le plateau près de la porte, sur le plancher. Il revint avec la tasse à la main, glissa sa paume droite sous la nuque de la malade pour lui soulever un peu la tête.

— Comme ça, ce sera plus facile.

Il approcha la tasse de ses lèvres et l'inclina doucement, comme il l'aurait fait avec un très jeune enfant. Le geste contenait une délicatesse touchante. Il lui permit de boire à petites gorgées. Quand il se redressa, elle avait terminé la boisson à peine tiède.

— Cela t'a fait du bien, j'espère.

Un hochement de la tête lui répondit.

— Je vais demander à la fille de laisser un verre d'eau fraîche à ton chevet, pour la nuit.

— Rosine.

L'homme la regarda avec un sourire amusé, comme étonné qu'elle connaisse le prénom. Cette délicatesse pour les autres le séduisait, lui qui se faisait si volontiers caustique.

— Oui, Rosine. Tu sais, quand nous sommes seuls, tu peux utiliser mon prénom aussi. Le « monsieur le curé », pour quelqu'un qui te nourrit à la cuillère, paraît un peu ridicule, tu ne trouves pas ? Je m'appelle Philomire.

Félicité ne savait que penser de l'intimité se développant peu à peu entre eux. D'un côté, elle se sentait rassurée et fascinée par la présence de son bienfaiteur, mais aussi tellement vulnérable face à cet homme qui bousculait radicalement sa vision des choses, de la religion. Une nouvelle quinte de toux la prit, comme pour témoigner de son immense confusion. Elle se tourna un peu sur le côté pour soulager la douleur dans son flanc.

— L'effort pour manger t'a un peu fatiguée, je pense. Allonge-toi comme il faut.

Des deux mains, il la prit aux hanches, pour l'aider à glisser sur le matelas. Quand elle fut bien à plat sur le dos, la tête au centre de l'oreiller, il remonta doucement les couvertures jusque sous son menton.

— Repose-toi bien, dit-il une paume sur son front. Tu es encore un peu fiévreuse. Je vais te faire monter de la glace.

Puis il se pencha sur elle, posa les lèvres à la racine de ses cheveux.

— Tu verras, demain cela ira mieux.

Les yeux toujours sur elle, il se dirigea vers la porte, laissant à d'autres le soin de récupérer le plateau et la bouillotte.

Avant de replonger dans le sommeil, Félicité regretta d'avoir auparavant associé certains gestes et attitudes de l'ecclésiastique à de la vulgarité. Aujourd'hui, ses attentions, sa douceur envers elle ne témoignaient à ses yeux que d'une grande bonté. Sa perspective changeait, dans cette grande maison silencieuse. La vie recelait donc autre chose que des couvents aseptisés et des écoles construites à l'orée du bois.

Un peu comme la veille, après une journée somme toute passable, Félicité subit un accès de fièvre un peu après l'heure du souper. En venant récupérer le couvert, Rosine la trouva grelottante au point de claquer des dents. Au pas de course, elle dévala l'escalier pour aller en avertir sa patronne.

La première réaction de Laïse fut de jurer entre ses dents. En passant devant la porte du bureau de son fils, elle l'entrouvrit pour dire, en cachant mal son angoisse :

— La petite ne va pas bien. Tu devrais aller chercher le médecin.

— C'est grave ?

— Justement, ce n'est pas moi, le docteur. Lui, il te le dira.

L'inquiétude sincère marquant le visage de son fils l'incita à poursuivre d'un ton plus amène :

— Cet après-midi, elle faisait un peu de fièvre. Selon Rosine, elle claque maintenant des dents.

— J'y vais tout de suite.

L'homme quitta son siège avec empressement, courut plus qu'il ne marcha vers la porte. « Seigneur, songea la vieille femme, il a l'air vraiment amoureux ! » Ses appétits charnels, difficiles à dominer, avaient par le passé été lourds de conséquences… Le voir s'enticher comme un collégien lui faisait redouter le pire : il perdrait toute prudence.

— Que va-t-il nous arriver, maintenant ? bougonna-t-elle en s'engageant dans l'escalier.

Elle alla voir la malade, recroquevillée sous les couvertures en position fœtale pour préserver sa chaleur.

— Comment te sens-tu ? demanda la vieille femme en lui mettant la paume sur le front.

— Très mal. Je meurs de froid.

Et pourtant, sa peau se révélait brûlante. Laïse entreprit de lui frotter le dos d'une main énergique. Cela la réchaufferait peut-être un peu. Bientôt, Rosine, curieuse, passa son visage de souris dans la porte.

— Tu vas aller dans la cuisine faire bouillir de l'eau, lui dit Laïse.

La domestique parut suffisamment dépassée pour qu'elle ajoute :

— Mettre le canard sur le poêle, tu sais faire ça, voyons. En remontant, tu apporteras la bouillotte avec toi.

Une petite lumière s'alluma dans l'œil de la jeune fille.

— Avec de la glace dedans ?

— Non, pas de glace, tu mettras de l'eau chaude dedans.

La nouveauté la laissa quelque peu interdite.

— Va vite. Elle est malade.

Ces mots agirent comme un signal. L'instant d'après, elle dévalait l'escalier, toute à sa mission. Pendant ce temps, Laïse continuait sa friction énergique. L'institutrice s'abandonnait, maintenant à moitié étendue sur le ventre. Alors que le docteur Cloutier entrait dans la chambre, le curé Sasseville sur les talons, Rosine revenait avec une bouillotte brûlante.

La vieille femme s'écarta, et, comme un habitué déjà, le docteur plaça son sac de cuir noir sur la commode pour en sortir un thermomètre.

— Sortez, commanda-t-il d'une voix qui n'admettait pas la réplique.

Philomire entraîna Rosine avec lui. Quand Laïse voulut les suivre, Cloutier l'arrêta :

— Non, pas vous, ce sera plus convenable.

Ce serait donc devant témoin que Félicité subirait l'outrage de se voir troussée pour subir l'intrusion honteuse. Heureusement, la maladie la rendait maintenant indifférente aux événements. Ses frissons cédaient déjà devant une bonne suée, sa tête semblait se trouver entre un marteau et une enclume.

— Plus de 102, presque 103, déclara le docteur après avoir récupéré son instrument.

Chez une adulte, une telle fièvre pouvait conduire à la mort. Il retourna la jeune femme sur le dos, fit signe à Laïse de s'approcher.

— Vous allez défaire sa chemise. Je veux entendre ses poumons.

Voir une femme nue ne le gênait guère, mais défaire lui-même les vêtements lui aurait paru tout à fait choquant.

Avec ses mains rugueuses, un peu maladroites, elle entreprit de détacher les boutons. Félicité protesta faiblement.

— Non, ce n'est pas nécessaire…

— Ne fais pas l'enfant, il faut te soigner.

L'institutrice n'eut plus la force de se rebeller. Le bout du stéthoscope parcourut la poitrine gracile, alors que le médecin laissait échapper des «Hum! Hum!». Un pli profond au milieu du front donnait un sens dramatique à ses onomatopées.

— La respiration est laborieuse, mais il importe surtout de faire baisser la fièvre. Le mieux serait de lui mettre un sac de glace sur le front.

— J'ai fait monter de l'eau chaude…

— Non, jamais dans son état. De la glace, toujours de la glace. Si cela ne suffit pas, vous pourriez même l'asseoir dehors.

La vieille femme s'étonna de cette idée; décidément, la médecine lui paraissait bien mystérieuse.

— Maintenant, je vais lui donner un peu de quinine. C'est un fébrifuge. Vous pouvez me trouver un verre d'eau?

Laïse en était à retourner le mot «fébrifuge» dans sa tête, lui trouvant l'allure d'une incantation, lorsqu'elle rejoignit Philomire et Rosine dans le couloir.

— Va chercher un verre d'eau, dit-elle à la seconde.

— Chaude?

— Non, pas chaude, nous n'avons plus besoin d'eau chaude, semble-t-il.

La domestique présenta des yeux effarés. La ménagère s'apprêtait à répéter sa demande autrement. Son fils lui évita cette peine.

— Je vais m'en occuper.

Sans tarder, en relevant sa soutane sur le devant pour ne pas s'emmêler dedans, il descendit. La vieille femme retrouva un ton plus doux pour dire encore :

— Rosine, tu peux retourner à la cuisine pour te reposer.

— Elle ?

En étirant le cou, elle tentait d'apercevoir l'invitée de la maison.

— Le docteur s'en occupe. Retourne en bas. Ça ne donne rien de camper au milieu du passage.

Philomire revenait déjà avec un verre à la main. Sans demander la permission, il entra dans la chambre et examina d'abord Félicité. Maintenant, une pellicule de sueur mouillait son visage. Cloutier lui prit le verre des mains pour le mettre sur la commode. Il y vida le contenu d'un petit sachet. La poudre blanche se dissipa tout de suite dans le liquide. Il plaça ensuite la chaise tout près du lit pour y prendre place.

— Maintenant, mademoiselle Drousson, avalez ça. Vous en tirerez le plus grand bien.

Sa main droite vint se poser sur la nuque de la jeune femme pour l'aider à relever un peu la tête, alors qu'il lui plaçait le verre sur les lèvres. Félicité accepta quelques gorgées, déglutissant avec peine. Elle grogna faiblement quand elle en eut assez.

— Buvez tout. Le médicament vous aidera, puis vous devez éviter de vous déshydrater.

Avec ténacité, le médecin réussit à lui faire tout avaler à petites gorgées, la laissant se reposer un peu entre chacune.

— Maintenant, essayez de dormir, dit-il en se levant.

Des pieds et des mains, l'institutrice repoussait maintenant les couvertures. Elle se retrouva bientôt exposée à la vue, les boutons de sa chemise toujours défaits.

— Je vous laisse trois autres doses de quinine. Vous lui en donnerez une dans quatre heures, les autres ensuite, à la même fréquence.

Sasseville accepta les sachets de papier au creux de sa main.

— Et ensuite?

— Je repasserai demain dès le matin.

Pareil empressement témoignait de sa préoccupation face à l'état de la malade.

— Comme je le disais à votre mère tout à l'heure, il faut faire baisser la fièvre. Mettez-lui de la glace sur le front, à la limite frottez-lui le corps avec de la neige. Elle doit retourner sous les 100 degrés au plus vite.

— Je vais tout de suite en chercher.

Le prêtre prit la grande cuvette de faïence sur la commode et descendit en vitesse. Cloutier se pencha sur la malade pour lui murmurer des mots d'encouragement, puis il quitta la pièce. Laïse le suivit dans le couloir.

— Comment va-t-elle?

— J'étais inquiet lors de ma dernière visite. Maintenant, je le suis encore plus. Faites baisser la fièvre.

La recommandation prenait l'allure d'une prière.

Félicité se trouva rapidement encore plus mal. La transpiration lui mouillait les cheveux et le visage. La chemise lui collait sur le corps. À demi consciente, elle agitait la tête de droite à gauche en disant:

— Sildor, laisse-le tranquille. C'est un petit garçon.

Dans son délire, elle revivait le triste événement ayant entraîné la maladie de Floris, sa mort même.

— Ne gigote pas comme ça, répétait Laïse. Je dois te mettre de la glace sur le front.

Philomire était revenu avec le grand bol rempli de neige et de morceaux de glace arrachés au toit de la galerie. Ceux-ci remplissaient maintenant la bouillotte. Il se tenait au bout du lit, visiblement préoccupé. Il prit une serviette de toile accrochée au mur pour la mettre dans la neige maintenant à moitié fondue, la tordit ensuite pour en extraire la majeure partie de l'eau et s'approcha du lit pour la placer sur la poitrine de la malade.

— Que fais-tu là ?

— Ce que le docteur a dit : je veux faire baisser sa température.

La vieille femme s'écarta un peu pour lui permettre de s'occuper de Félicité. Philomire frottait maintenant toute la poitrine menue. La jaquette de lin se trouva mouillée, laissant voir les seins à travers le tissu. Le froid avait saisi Félicité. Elle entrouvrit ses yeux gris pour les poser sur son pasteur. Puis elle les referma en s'abandonnant à ses soins.

À plusieurs reprises, le prêtre trempa la serviette dans la neige fondue pour reprendre son traitement. Il essuyait délicatement le visage pour en enlever la sueur, descendait sur le cou, puis sur la poitrine offerte entre les pans de la chemise de nuit. Parfois, il posait la pièce de tissu sur le front.

De son côté, Laïse lui humectait les mains, les pieds, s'attardait aux jambes. Le lit se trouvait trempé de sueur et d'eau. Mais Félicité ne s'agitait plus, elle ne délirait plus. Tout au plus fixait-elle un regard fiévreux sur l'homme qui se pressait à son chevet.

Pas une fois il ne songea à lui donner l'extrême-onction, ou à parler de confession. Ç'aurait été admettre que la maladie pouvait emporter l'institutrice. Et à cela, il ne se résolvait pas.

Chapitre 23

Tôt le matin, le docteur Cloutier revint au presbytère, tellement certain de devoir signer un certificat de décès qu'il négligea de prendre son petit sac de cuir avec lui. Il dut frapper trois fois à la porte avant que Romulus, les cheveux en bataille et les bretelles lui battant les fesses, ne vienne ouvrir.

— Ah! Vous voulez vous joindre aux autres aux côtés de notre Lazare en jupons. Montez, moi, je retourne à mon lit.

L'usage du nom de Lazare leva un peu l'inquiétude du praticien. Il prit l'escalier pour trouver Laïse, Rosine et le curé au pied du lit. Les draps, la couverture et l'oreiller avaient dû être changés à deux reprises pendant la nuit. Maintenant, Félicité reposait sur le dos, pâle, les cheveux sales et emmêlés, mais les yeux ouverts et le visage affichant une meilleure mine. Elle tourna la tête dans sa direction lorsqu'il entra dans la pièce.

— Docteur, votre petite poudre a fait des miracles, déclara le curé avec bonne humeur. Ou alors c'est la neige de Saint-Eugène. Je craignais qu'elle ne s'enrhume encore tellement elle en a eu sur le corps, mais ce matin, elle n'a même plus mal à la gorge.

Près du lit, le médecin se pencha pour lui toucher le front, qu'il trouva tiède.

— Vous portez-vous aussi bien que le dit votre hôte?

— … Oui, je crois.

Les yeux demeuraient cernés, la voix faible, les lèvres un peu craquelées.

— Je vais mettre tous ces gens-là dehors pour que vous vous reposiez. Dans une heure, je viendrai vous ausculter.

La jeune femme donna son assentiment. En se relevant, Cloutier chassa les curieux. Même s'il devait maintenant refaire le même trajet pour récupérer son sac, il se trouvait bien satisfait de pouvoir laisser le certificat dans sa poche.

Le temps s'égrenait lentement. Le jour et la nuit, les périodes de sommeil et d'éveil alternaient sans que Félicité en ait tout à fait conscience. Le mercredi 5 mars, elle reprit vraiment contact avec la réalité. En fin d'après-midi, elle regarda s'assombrir la fenêtre, toujours couchée. Elle ne se levait pas encore, Laïse devait voir à tous ses besoins avec l'aide de Rosine.

La jeune domestique entra dans la chambre avec un plateau.

— Le temps de manger ! déclara-t-elle vivement.

Au fil des jours, elle se faisait un peu plus bavarde. La présence d'une personne de son âge dans la maison représentait une heureuse diversion.

— Vas mieux ?

— Un petit peu.

La malade parvint à se redresser sans aide et réussit à s'adosser contre la tête du lit, l'oreiller tassé sous les reins et le repas posé en travers de ses cuisses. Il lui semblait que, depuis son arrivée dans cette maison, elle n'ingurgitait que des bouillons et des soupes. Comme sa gorge ne lui faisait plus mal, elle aurait apprécié une alimentation plus consistante. Elle se languissait de tenir de nouveau sur ses jambes.

Debout au pied du lit, Rosine la regardait porter les cuillerées à sa bouche. Cette observation de ses moindres gestes devenait gênante.

— Tu es née à Saint-Eugène? demanda l'institutrice.

L'autre secoua la tête pour dire non, soudainement moins assurée.

— Alors d'où viens-tu?

Deux yeux un peu effarés lui répondirent.

— Moi, je suis née à Saint-Jacques, dit Félicité pour l'encourager.

— Pas moi.

— Alors, de quel endroit?

— Par là.

Rosine fit un geste vague de la main. L'institutrice comprit qu'elle ne le savait sans doute pas.

— Tu vis chez les Sasseville depuis longtemps?

Son interlocutrice fronça les sourcils, comme si elle cherchait désespérément le sens à la question dans les replis de son cerveau.

— Tu as déjà habité avec d'autres personnes?

De la tête, elle répondit cette fois en faisant non.

— Qui étaient tes parents?

Rosine préféra battre en retraite, laissant l'invitée de la maison finir son repas en solitaire. Félicité repoussa le plateau au bout du lit lorsqu'elle eut terminé. Soulevant les couvertures, elle mit les pieds sur le plancher. Le bois lui parut très froid, sa tête tournait un peu à cause de l'effort.

— Je pense qu'il est encore un peu tôt pour cela, déclara Laïse depuis l'embrasure de la porte.

— J'aimerais me rendre à…

Même incomplète, la phrase ne faisait pas mystère. L'usage d'une bassine de fer-blanc lui paraissait de plus en plus gênant.

— Tu penses vraiment pouvoir descendre l'escalier? se moqua-t-elle affectueusement. Allez, recouche-toi comme une bonne fille. Je vais te la donner.

La vieille femme récupéra le contenant aplati sous le lit, son invitée l'accepta en rougissant.

— Moi, je vais te débarrasser de ça.

Laïse, au moins, la laissait seule dans ces moments. Rosine n'avait pas toujours cette délicatesse. Elle sortit avec le plateau dans les mains.

La soirée passa lentement. Le curé Sasseville vint s'asseoir pendant une heure sur la chaise près du lit. Tout en donnant à Félicité des nouvelles de la paroisse, il lui toucha d'abord la main, la prit ensuite tout simplement dans la sienne. Le geste agita l'esprit de la malade au point de lui faire perdre le fil de la conversation.

Puis elle se rassura. Cet homme s'était démené pour la maintenir en vie, elle en gardait un vague souvenir. Il ne voudrait certainement pas lui faire du mal maintenant. Autant l'habit ecclésiastique la gênait parfois, surtout lors de geste d'affection physique, autant toute son éducation lui disait de lui faire confiance. Il ne pouvait se tromper. Avec l'onction, le Seigneur l'avait choisi. Il devait lui insuffler la sagesse, lui faire distinguer le bien et le mal.

Un mélange de reconnaissance et de confiance aveugle l'amenait à s'abandonner aux initiatives de son sauveur.

— Demain, déclara-t-il bientôt, je vais monter une chaise berçante. Maman m'a dit à quel point tu es pressée de quitter ce lit.

— Merci. Je suis certaine que cela m'aidera à récupérer.

— Comme tes forces ne sont pas revenues, je te prendrai dans mes bras pour t'y déposer.

Cette perspective mit le rose aux joues de la malade. Puis son hôte souleva la main pour y poser les lèvres. Un autre motif la conduisait à accepter les gestes tendres de son pasteur, même si elle ne pouvait le définir clairement. Ses doigts dans la paume chaude et forte, l'impression que l'homme lui faisait un rempart contre les aléas de l'existence, puis le simple désir d'être touchée, caressée, appréciée. Toutes les petites remarques entendues depuis l'été dernier prenaient un sens nouveau, lui procuraient un plaisir trouble.

— Repose-toi. À demain.

Interdite par le baiser sur le front, elle réussit enfin à articuler comme l'homme sortait :

— Bonne nuit, monsieur le curé.

Quand la porte fut refermée, Félicité remonta les couvertures jusque sous son menton comme pour se cacher. Dès qu'il s'éloignait, les enseignements des religieuses lui revenaient en mémoire.

Un peu plus tard, Laïse vint éteindre la lampe et lui demander si elle avait besoin de quelque chose. Dans l'obscurité, les yeux ouverts et les oreilles attentives au moindre bruit, elle essayait de discerner les mouvements de tous les membres de la maisonnée.

Un léger craquement des marches de l'escalier ou du plancher du couloir la plongeait dans un mélange d'appréhension et d'étrange excitation. Ne plus être seule, surveiller autre chose que le va-et-vient des souris. Et surtout les visites, les sous-entendus, les regards appuyés. Ce qui l'horripilait un mois plus tôt, elle l'espérait maintenant. Après tout, l'affection du prêtre lui semblait si douce…

Comme à son habitude, le samedi 8 mars, le curé Sasseville entreprit une promenade à travers le village de Saint-Eugène, s'arrêtant dans tous les établissements publics, de la forge au magasin général, afin de converser avec les habitants. Cela lui fournissait l'occasion d'apprendre les nouvelles «profanes» de la paroisse : la patte cassée du cheval d'Ovide, le toit des Tremblay laissant passer l'eau, le retour inopiné du chantier du jeune Poitras, pris d'un ennui soudain. Ces bons sentiments pour ses parents risquaient de laisser en souffrance le compte assez rondelet de la famille chez le seul marchand des environs.

L'ecclésiastique aimait tout savoir. Le confessionnal l'informait sur la vie intime de chacun, les indiscrétions entre voisins lui révélaient le reste. Son trajet se termina comme d'habitude au bureau de poste.

— Madame, commença-t-il, j'espère que tout va pour le mieux chez vous.

— Je ne peux pas me plaindre, monsieur le curé. Ma santé demeure bonne…

— Tout comme vos affaires.

Ces derniers mots s'accompagnèrent d'un sourire entendu. Le bureau de poste disputait à la boutique de forge le titre de lieu privilégié où échanger les nouvelles, d'autant plus que plusieurs personnes venaient chercher les journaux acheminés depuis Montréal. Elles n'hésitaient pas à lire les grands titres à haute voix pour des voisins moins fortunés, infortune qui tenait à la modestie de leurs ressources financières ou au fait qu'ils n'avaient pas eu la chance d'apprendre à lire.

— J'ai la clientèle la plus fidèle de la paroisse, après la vôtre au rendez-vous dominical, bien sûr.

Au moins une demi-douzaine de personnes s'attardait en permanence sur les lieux. Tout en parlant, la bonne dame s'était penchée pour prendre un abondant courrier dans le casier réservé au prêtre. Elle lui tendit trois journaux roulés serrés et quelques lettres.

— Au début de la semaine, dit la femme à mi-voix, j'ai entendu dire que la nouvelle institutrice logeait chez vous.

Le ton de la confidence suffit à inciter toutes les personnes présentes à interrompre leurs conversations pour tendre l'oreille.

— Lundi quand je me suis présenté à l'école pour ma visite mensuelle, je l'ai trouvée à demi morte. Je l'ai tout de suite emmenée au presbytère, où ma mère a généreusement accepté de lui venir en aide. Vous savez, ses parents ne vivent pas ici.

— Je sais, ils sont de Saint-Jacques. Mais elle était si malade ?

— Une pneumonie, selon le docteur Cloutier. Il est venu la voir quatre fois déjà.

Les badauds écoutaient sans vergogne. Ces nouvelles feraient le tour de la paroisse avant l'heure du souper, ce serait le sujet de conversation le lendemain sur le parvis de l'église, avant et après la messe. Aussi le prêtre en donnait-il la version la plus juste.

— Je ne pensais pas que son état était si sérieux, commenta la maîtresse de poste.

— Son école sera fermée quelque temps. Le médecin lui interdit de quitter le lit pour les jours à venir. Maman est vraiment une sainte de s'en occuper comme si elle était sa propre fille.

L'hommage à l'auteure de ses jours fut souligné de murmures admiratifs.

— Comme c'est dommage. Le sérieux de sa maladie, je veux dire, remarqua son interlocutrice. Dans ce cas…

Laissant la phrase en suspens, la femme se pencha pour récupérer deux enveloppes dans un casier.

— Cette semaine, elle a reçu ces deux lettres. Je me demandais si…

— Bien sûr, je vais les lui remettre. Avoir des nouvelles de sa famille lui fera du bien.

Les enveloppes passèrent d'une main à l'autre. Après avoir salué la maîtresse de poste, le curé échangea quelques mots avec les badauds, puis regagna son presbytère.

La messe du lendemain fut l'occasion d'annoncer ce que tout le monde savait déjà : l'école numéro 3 était fermée depuis lundi, et elle le resterait jusqu'à ce que le médecin autorise mademoiselle Drousson à reprendre le travail.

Si la plupart des enfants reçurent la nouvelle avec bonheur, les contribuables quant à eux commencèrent à calculer leurs pertes. Ils payaient pour dix mois d'enseignement. Chaque jour manqué devrait leur être rendu. Seule Ernestine se désola du sort de son amie. Elle aurait voulu lui rendre visite au presbytère après la messe, mais sa mère le lui avait formellement défendu :

— Non, ma fille, tu ne mettras pas les pieds dans cet endroit toute seule.

Cet interdit avait été promulgué d'un ton cassant : passer outre lui vaudrait des conséquences cuisantes. Elle rejoignit donc docilement son frère et sa mère à la fin de l'office religieux.

Au retour de la messe, le curé Sasseville consacra de longues minutes à recevoir quelques paroissiens désireux d'avoir avec lui une conversation privée. Il expédia les conseils moralisateurs sans les envelopper de considérations théologiques comme il l'aurait fait dans le cadre de confessions. Juste avant de dîner, le moment ne prêtait guère à de longues réflexions pieuses, surtout qu'il se privait de déjeuner afin de pouvoir communier tous les dimanches.

Après le repas, l'estomac bien rempli, il monta l'escalier afin de rendre visite à sa protégée. Il la trouva avec un plateau sur les genoux.

— Si tu en as terminé, je vais te débarrasser.

Il posa le tout sur le plancher, près de la porte, à l'extérieur de la chambre, puis il ferma. L'instant d'après, il plaçait la chaise tout contre le lit, de façon à se trouver bien près de l'institutrice. Elle le regardait s'approcher avec un plaisir suspect, qu'elle préférait ne pas analyser.

— Tu me sembles manger d'un meilleur appétit, commença-t-il.

Le tutoiement durait depuis plusieurs jours. Si son interlocutrice ne s'en formalisait plus, elle n'arrivait pas à lui rendre la pareille.

— Je n'ai plus mal à la gorge, aussi votre mère me propose une alimentation plus variée.

— Elle s'arrangera bien pour te voir reprendre des forces.

Il n'ajouta pas : « Afin que tu quittes les lieux au plus vite. » Pourtant, cela devait être la préoccupation première de la vieille femme. Les inclinations de son fils lui apparaissaient comme une grande menace à la paix et à la prospérité de la famille.

— Je suis sûr que tu seras bientôt sur pied. Je profite de l'occasion pour te remettre cela.

Il chercha dans la poche de sa soutane, puis lui tendit une enveloppe.

— C'est de maman, dit Félicité en regardant l'adresse de retour.

— Dans ce cas, ouvre-la tout de suite !

Alors qu'elle déchirait l'enveloppe avec fébrilité, il promena longuement les yeux sur la jeune poitrine devant lui. La chemise de nuit ayant perdu un bouton, le col béait un peu, laissant voir un triangle de peau blanche sûrement très douce. Le tissu de lin un peu usé drapait d'une façon exquise les deux seins. De sa chaise, il apercevait sous cette transparence les pointes plus foncées.

L'institutrice, absorbée dans sa lecture, ne prêta pas attention à cet examen. Elle prenait l'habitude de porter un vêtement aussi léger et ne se préoccupait plus guère de sa mise ; et même, le regard appuyé lui plaisait, maintenant.

— Maman se porte bien, confia-t-elle. Elle me raconte toutefois que les religieuses du couvent ont toutes été touchées plus ou moins gravement par la grippe.

— Ces saintes femmes s'exposent à la contagion, compte tenu de leur métier.

Félicité hocha la tête. Il en allait de même pour elle. Son travail la mettait en présence de nombreux enfants et il s'en trouvait toujours au moins un qui couvait, souffrait ou se remettait d'une maladie infectieuse.

— Tu ne la laisseras pas dans l'incertitude. Tout à l'heure, je t'apporterai du papier et de quoi écrire.

L'autre acquiesça, murmura un « Merci ».

— Mais, chère jeune fille, tu ne m'avais pas dit que tu avais un cavalier, dit-il en refouillant dans sa poche.

— Je n'en ai pas, protesta-t-elle.

Une nouvelle fois, le rose colora ses joues.

— Quand un gars parti au chantier écrit à une fille, c'est qu'il s'agit de sa douce amie.

Un sourire ironique sur les lèvres, il lui tendit la seconde missive. Félicité aperçut le nom de Samuel Richard sur le rabat et se troubla encore plus. C'était la troisième lettre qu'il lui envoyait depuis celle de décembre.

— Je la lirai plus tard, murmura-t-elle.

— Voyons, ne fais pas ta mauvaise fille. J'aime avoir des nouvelles de tous mes paroissiens. Tu m'en priverais ?

Cela valait un ordre strict. Elle glissa son pouce sous le rabat pour le déchirer, puis sortit une feuille arrachée à un cahier d'écolier.

— Chère mademoiselle, lut-elle à haute voix. J'espère que ma lettre vous trouvera un peu mieux que la dernière fois. J'ai trouvé très triste la mort de Floris. C'était un petit garçon trop fragile pour vivre avec des voisins comme les Malenfant…

La phrase lui mit les larmes aux yeux. Comme les premières, la lettre se trouvait bien construite, claire. Bien sûr, ce grand garçon accordait une importance mitigée à l'orthographe, mais ce petit défaut se trouvait compensé par de bien belles qualités.

— Nos paroissiens exilés là-bas pour travailler se portent bien ? intervint Sasseville pour l'inciter à abréger ce passage.

— … Oui, oui. Tout au plus me signale-t-il quelques rhumes.

Recrutés par le même contremaître, ces bûcherons partageaient la même cabane construite de billes de bois. Dans la cambuse, Phidias avait annoncé le décès de son fils à des voisins de Saint-Eugène.

— Tant mieux. Nous avons eu notre lot de malheurs, cette année. Ce garçon, c'est ton bon ami ?

La jeune femme hésita avant de répondre, de plus en plus mal à l'aise :

— Non, pas vraiment.

— Tu entretiens donc une correspondance avec quelqu'un qui te laisse indifférente ? Car tu lui écris aussi, n'est-ce pas ?

Le long silence embarrassé valait une réponse positive.

— Seigneur ! Peux-tu me dire pourquoi tu éprouves de pareils scrupules ? Nous parlons là de la chose la plus naturelle du monde. Dieu a voulu diviser sa Création en deux sexes, et celle-ci se perpétue par leur union. Je ne t'apprends rien, j'espère ? Dans ton couvent, vous enseignait-on comment un veau, un poulain ou un cochon arrive au monde au printemps ?

Les questions confinaient à la raillerie. Félicité, intimidée, garda le silence. Si elle savait, cela tenait à ses premières années dans une ferme. Toutefois, elle croyait ces connaissances bien insuffisantes pour les appliquer à la complexité des relations humaines. Parmi ses compagnes, nombreuses étaient celles qui arriveraient au soir de leur mariage complètement ignorantes de la tournure que prendraient leurs rapports intimes pour les années suivantes.

— C'est la même chose dans le cas des hommes et des femmes, précisa Sasseville comme s'il suivait le cours de ses pensées.

Il prit une pause pour laisser l'institutrice assimiler ce qu'il lui disait. Sa réserve témoignait de sa complète innocence, perçue par le prêtre comme un attrait supplémentaire ; tous ces jeux amoureux seraient pour elle une découverte.

— Toi et le jeune Richard, vous êtes en âge d'avoir des enfants. Dieu l'a voulu ainsi au moment de la Création. Il a même voulu que ce soit si agréable qu'aucune personne normale ne puisse résister à la tentation. Pas même toi. Tu es comme toutes les autres, tu en as envie.

Le souffle manqua à la jeune femme. Depuis des années, elle avait entendu des religieuses, et aussi l'abbé Merlot lors de ses visites au couvent, faire l'apologie de la chasteté. Braver ces interdits éloignait de Dieu et laissait libre cours à des pulsions animales. Jamais elle n'en avait douté.

Et là, alors qu'elle était dans un lit, vêtue d'une chemise de nuit plus révélatrice que de raison, un autre représentant de Dieu évoquait ces mêmes pulsions d'une tout autre manière, comme étant l'expression saine du plan du Tout-Puissant pour l'humanité. Il ouvrait une porte devant ses yeux, mais elle concevait bien mal ce qui l'attendait au-delà.

— Alors, reprit Sasseville, si Samuel Richard n'est pas ton bon ami, tu aimerais qu'il le soit. C'est pour cela que tu lui écris.

— … Je ne sais pas ce que je veux, articula-t-elle en retenant ses larmes. Je suis si ignorante de ces choses. Jamais on n'en a parlé devant moi.

Elle faisait exception de ses compagnes du couvent, qui évoquaient les garçons à mots couverts pour ensuite pouffer d'un rire nerveux. Mais pour elle, la vie s'écoulait entre les religieuses et le bon abbé Merlot.

— Décidément, ironisa le prêtre, les religieuses font de curieuses éducatrices. Tu es sortie de là en connaissant le programme académique sur le bout des doigts, mais en ignorant être une femme.

La main de Sasseville se posa doucement juste en haut de son genou. Il agissait de façon si assurée qu'elle interpréta ce comportement comme un aspect normal du rôle d'un conseiller spirituel. Après tout, en ce domaine, il la guidait aussi.

— Mais la nature suit son cours, malgré ton ignorance. Tu rêves de voir ce garçon devenir ton amoureux, n'est-ce pas ?

La main exerça une légère pression sur la cuisse. Heureusement, l'épaisseur de la couverture enlevait beaucoup de son intimité à ce contact.

— Je ne sais pas vraiment. Peut-être.

— Depuis son départ au chantier, as-tu pensé à lui ?

— Parfois.

Le prêtre était convaincu que « souvent » aurait été plus juste.

— Et en pensant à lui, que voyais-tu ?

Devant les grands yeux gris effarés, l'homme précisa :

— Tu te souviens de lui lors de la soirée chez Odélie, ou quand tu lui as fait la bise sur le perron de l'église… ?

Les derniers mots laissaient deviner que l'énumération pourrait se faire plus insidieuse. Mieux valait répondre sans tarder.

— Pas le bec, mais ce jour-là, oui, quand il est monté avec les autres dans la voiture… Si grand, si fort.

La main amorça un mouvement caressant sur sa cuisse. L'audace du geste, l'intimité de la chambre, la légèreté du vêtement, l'allusion à ce garçon : tout se combinait pour provoquer chez elle une fièvre nouvelle, étrangère, plus enivrante que le vin de cerise d'Odélie.

— Rien que cela ? Son départ ?

Elle fit timidement oui de la tête. De vraies rêveries de couventine. Elle ne savait rien. Sasseville serra la cuisse, puis enleva sa main en se levant.

— Je vais à côté mettre mon étole, et je reviens te confesser. Tu l'as vu, avec cette pneumonie, mieux vaut se tenir toujours prêt. Ensuite, tu communieras.

— Mais je viens de manger.

— Comme pour toutes les personnes dans ton état, je te dispense du jeûne.

L'homme disparut quelques instants. Sa chambre se trouvait de l'autre côté du couloir. De retour avec l'ornement religieux autour du cou, il s'assit et commença ses incantations en latin. Félicité devint plus pâle. Maintenant elle devrait répondre à ses questions en toute franchise, sous peine de se voir refuser l'absolution.

La convalescence suivait son cours. Félicité passait maintenant la majeure partie de la journée dans une chaise berçante placée dans la chambre à son intention. Toutefois, elle ne se risquait pas encore dans l'escalier.

Les visites du curé se poursuivaient aussi, en matinée et en après-midi, pour quelques minutes à peine. Il se montrait de plus en plus affable, toujours disposé à descendre lui chercher à boire, à manger ou à lire. Et devant tant de sollicitude, elle se sentait de mieux en mieux en sa compagnie. Elle se trouvait même heureuse des confidences équivoques formulées lors de sa confession. Il n'ignorait plus rien de ses pensées secrètes, et cette intimité à sens unique lui donnait l'impression d'un rapprochement.

En soirée toutefois, l'ecclésiastique s'attardait longuement, un peu comme s'il venait « veiller » avec elle. Mais le fait qu'ils soient seuls dans une pièce heurtait les convenances. Les fréquentations devaient se dérouler devant témoins, habituellement une mère revêche, soucieuse que les sujets de conversation demeurent des plus chastes, et les corps à trois bons pieds de distance au moins.

Si ces visites empruntaient un peu au rituel des fréquentations, leur caractère en différait par contre beaucoup. L'homme portait un col romain amidonné tandis que la fille se trouvait en chemise de nuit. Elle était le plus souvent étendue sur le lit, et lui sur une chaise droite placée tout près. Et plus encore, le prêtre fermait toujours soigneusement la porte derrière lui.

Le mardi 11 mars, le scénario se répéta. Le curé vint occuper la chaise un peu après sept heures. Comme Félicité tenait un livre aux pages un peu froissées, il demanda :

— Tu aimes ?

— C'est très…

La jeune femme ne savait trop quel qualificatif employer. *Une vie*, de Guy de Maupassant, venait tout juste de paraître en volume. Il s'agissait justement de l'histoire d'une jeune fille sortie du couvent à dix-sept ans. Son hôte le lui avait abandonné après en avoir parcouru les cinquante premières pages.

— … indécent, risqua-t-elle finalement.

— Cela change certainement de ce que tu lisais chez les religieuses. J'ai pensé que le sujet t'intéresserait. Toi, tu as choisi de faire l'école, insista le prêtre, mais imagine que tu te sois mariée avec un Julien, à la place.

Elle rougit à cette suggestion. La succession des amours coupables de l'héroïne enfiévrait son imagination.

— Ce livre est interdit, j'en suis certaine.

Les adultères ne gagnaient pas les suffrages des censeurs ecclésiastiques.

— Tu as raison, il figure à l'Index. Mais débarrassé de cela – du doigt, il désigna son col romain –, quand on demande à voix basse des lectures un peu moins recommandables à un commis de librairie, tu serais surprise de voir tout ce qu'on découvre.

— Alors, je ne devrais pas le lire.

— Voyons, je croyais que c'était convenu : je t'enseignerai ce dont tu n'as pas entendu parler au couvent. Cela comprend aussi quelques lectures pour te faire connaître un peu la vie.

En réalité, cela n'avait pas été « convenu ». Le prêtre s'était arrogé cette mission après l'étrange confession du dernier dimanche.

Ses coudes sur le bord du lit, il était penché vers elle, les yeux bien près de ses seins qu'il lorgnait sans s'en cacher.

La jeune femme fit mine de remonter la couverture. Posant sa paume droite sur le dos de sa main, il arrêta son geste.

— Ne fais pas l'enfant. À ton âge, ces situations sont bien naturelles.

Ce mot revenait souvent dans sa bouche. Comment trouver normal le fait d'avoir la tête de son confesseur à huit pouces de sa poitrine offerte sous une chemise de nuit trop mince ? Elle demeura tout de même ainsi, la main sur son ventre, celle du curé par-dessus.

— Ce livre est à l'Index..., répéta-t-elle.

— Mais ton pasteur te permet de lire des livres défendus, surtout s'il est là pour te guider entre le bien et le mal.

Il lui exposait des conceptions qui entraient en conflit avec son éducation passée. Mais il devait savoir, convenait-elle, après un séjour au grand séminaire de plusieurs années.

— À mes yeux, renchérit-il, tu as certainement assez de maturité pour réfléchir et te faire une opinion sur ces questions.

Et comme pour prouver ce qu'il avançait, sa paume quitta la main sur son ventre pour se poser sur son sein, lourde et chaude. Félicité inspira longuement, comme si l'air lui manquait tout à coup. Des pensées contradictoires se bousculaient dans son esprit, les unes lui donnant envie de hurler, les autres de s'abandonner à toute une gamme de sensations et d'émotions nouvelles.

Combien de fois lui avait-on dit de fuir les mauvais touchers ? Même se laver devait se dérouler avec d'infinies précautions. Pendant la toilette, même sa propre main devenait suspecte. D'un autre côté, il lui fallait faire une confiance totale aux personnes affublées d'une soutane. Aussi ferma-t-elle les yeux quand elle perçut un mouvement sous sa couverture, sentit une main sur sa cuisse, séparée de sa chair par le mince obstacle de la chemise de nuit.

— Tu es une magnifique jeune femme, bien plus merveilleuse à mes yeux que toutes les héroïnes des romans français.

La paume, toujours sur le tissu de la chemise de nuit, se déplaça à l'intérieur de la cuisse.

— Tu sais que je suis un homme, malgré mon habit.

La jeune femme muette, les yeux clos, la bouche entrouverte, ne retrouvait pas son souffle, comme au pire moment de sa pneumonie. Mais cette fois la sensation était délicieuse.

— Je ne peux pas m'en empêcher. Si Dieu m'a mis sur ton chemin la semaine dernière en me permettant de te sauver la vie, il avait certainement un dessein pour toi, pour nous deux.

Le prétexte irréfutable d'une intervention providentielle lui permettait aisément de satisfaire ses appétits. Sasseville sentait la chaleur de la cuisse contre sa main gauche, celle du sein dans la droite. Il songea à les glisser sous le tissu, pour apprécier directement la douceur de sa peau, mais cela aurait peut-être rompu la magie du moment et provoqué chez elle un sursaut de pudeur.

Sa paume remonta un peu. Le côté de sa main donna contre l'entrejambe. Félicité geignit, frémit, mais ne protesta pas. Le bout des doigts s'égara un peu, pour reconnaître les poils, une fente. Le tissu devenait moite.

Du bout de l'index et du majeur, le prêtre remonta un peu, accentua la pression tout en lui imprimant un léger mouvement circulaire. Sa compagne serra un moment les cuisses, l'empêchant de continuer son exploration.

— Tout cela est naturel, ma belle. Détends-toi et accepte le cadeau du bon Dieu à ton intention.

La voix était douce, insidieuse. Dans une situation moins compromettante, elle lui aurait certainement rappelé celle du serpent du paradis terrestre.

— C'est péché, réussit-elle à souffler.

— Dans cette paroisse, je décide de ce qui est bien et de ce qui est mal, et je donne l'absolution pour laver l'âme des fidèles.

Une position idéale : lui faire commettre la faute et ensuite la confesser. Car même s'il tentait de convaincre sa paroissienne qu'il n'y avait là rien de mal, elle revenait sans cesse aux valeurs inculquées au couvent. L'absolution s'ajoutait donc à ses stratégies de séduction.

Félicité laissa sa tête retomber vers l'arrière, ses jambes s'écartèrent par à-coups. Du bout des doigts, Sasseville palpa longuement la jonction de celles-ci, toujours à travers le tissu, puis il concentra son attention sur le haut de la fente. La jeune femme fut parcourue d'un grand frisson, son corps se raidit, une plainte sortit de sa bouche.

Une fois la tension retombée, devinait le prêtre, elle risquait de s'insurger contre son geste. Il retira ses mains, non sans se donner la peine de constater du pouce la moiteur au bout de son index et de son majeur. «Quelle chaleur dans le sang!» songea-t-il. Le conflit intérieur de Félicité, oscillant entre la pudeur et le désir, la lui rendait encore plus séduisante. Seule la peur de la voir s'en scandaliser l'empêcha de porter ses doigts à son nez.

— Tu vois, c'est le cadeau que nous fait le Seigneur.

Un peu plus, et il prononçait une action de grâce. Sa compagne gardait les yeux fermés, la respiration un peu haletante, de la sueur sur le front, le rouge au cou et aux joues. L'envie lui prit de la prendre dans ses bras, de la serrer contre lui. Il se l'interdit.

— Maintenant, repose-toi, Félicité. C'est une bonne fatigue, tu dormiras bien.

L'homme se leva, fit un pas en direction de la porte.

— Je veux me confesser, dit une voix derrière lui.

— Tu sais, cela peut attendre… C'est ainsi que Dieu nous a créés.

Machinalement, il revenait à ses arguments du dimanche précédent.

— Je veux me confesser.

Quelle étrange situation. Elle lui ferait maintenant le détail de ses sensations, de ses émotions alors qu'il les lui présenterait comme la chose la plus naturelle du monde. Plus étonnant encore, il le ferait en toute sincérité.

— Bon, d'accord. Alors je reviens tout de suite avec mon étole, dit-il en continuant vers la porte.

Si elle gardait l'impression d'un ouragan faisant rage en elle, Félicité reprenait tout de même des forces. Toutefois, Laïse ne la laissait pas encore manger à la table avec les autres, plus parce qu'elle désapprouvait l'intimité partagée avec son fils que pour une raison de santé.

Une nuit, n'en pouvant plus d'imposer à Rosine la tâche ingrate de disposer de ses déjections, Félicité quitta son lit pour se rendre aux latrines. Les planches glaciales sous ses pieds lui firent regretter de ne pas avoir pris avec elle ses chaussures de feutre. Elle trouva sans mal l'accès à la bâtisse servant aussi d'écurie. Une fois soulagée, elle entendit le rire d'une jeune femme. Dans l'embrasure, elle vit Rosine debout, éclairée par un rai de lumière venu d'une pièce placée à l'écart. Surtout, elle remarqua les deux mains de Romulus posées sur les fesses de la domestique.

— Reste encore un peu. En cette saison, je déteste dormir seul. Il fait trop froid.

— Non, non, trop tard.

— Voyons, une jeunesse comme toi n'a pas besoin de sommeil.

Un nouvel éclat de rire résonna dans le hangar, mais elle se dégagea de ses bras pour regagner la maison. Le vieil homme la regarda courir pour regagner sa chambre. Un long moment, il demeura devant la porte du réduit où il passait le plus clair de son temps, les yeux tournés vers ses chevaux. Il aimait loger près d'eux.

Félicité craignit de le voir venir vers les latrines. Heureusement, ce ne fut pas le cas. Il retourna à son lit, et l'institutrice, les pieds totalement glacés, au sien. Claquant des dents, recroquevillée sous ses couvertures et l'esprit en pagaille, elle mit du temps à s'endormir.

Le dimanche matin suivant, le curé Sasseville décréta que sa protégée ne se trouvait pas encore assez bien pour aller à la messe. Son expédition pieds nus vers les latrines lui avait valu bien des reproches, mais au moins une paire de chaussons à peu près à sa taille se trouvait maintenant près de son lit.

La solitude recommençait à lui peser ; la collection de romans du curé, figurant pour la plupart à l'Index, ne suffisait pas à la tenir occupée. Au souper, pour son plus grand plaisir, on l'invita à manger à table avec les autres. Philomire avait dû invoquer son statut de chef de famille pour convaincre sa mère tellement elle résistait à l'idée.

Félicité pénétrait d'un pas hésitant dans la salle à manger un peu après six heures. Elle se retrouva à la droite du prêtre, juste en face de Romulus. Quant à Laïse, elle se tenait à l'autre extrémité de la table, en face de son fils, mais bien loin de lui.

— Ah ! Ça me fait plaisir de te voir vêtue d'une robe, s'amusa le prêtre.

Pourtant, il avait apprécié au cours des derniers jours la légèreté de sa chemise de nuit. La remarque lui valut une grimace de la part de sa mère.

Rosine commença le service. L'institutrice la suivit des yeux lorsqu'elle versa la soupe dans l'assiette du vieil homme. Celui-ci articula un « Merci » bien neutre, lui sembla-t-il. Le prêtre disait sans doute vrai : sous un discours voué à la chasteté, tout le monde se livrait à la même activité. La terre n'en tournait pas moins, la vie continuait.

Pendant toute la durée du souper, Félicité se sentit scrutée par Laïse, un peu comme elle l'aurait fait avec un insecte trouvé dans sa salade. Sa grande sympathie, exprimée alors que sa vie se trouvait menacée, n'existait plus. Aussi la jeune femme accueillit le dernier service avec soulagement, et refusa d'aller prendre le thé au salon en plaidant la fatigue, qui n'était d'ailleurs pas totalement feinte. Le prêtre obtint que Rosine lui monte une boisson chaude dans sa chambre.

Pendant deux bonnes heures, la jeune femme put s'absorber dans la lecture de *Madame Bovary*. Décidément, son protecteur entendait lui faire lire toutes les histoires de couventines jetées dans une vie d'amours illicites. Un coup léger contre la porte attira son attention, le visage du prêtre se découpa dans l'embrasure.

— Tu viens ?

— Je ne sais pas, j'ai peur.

— Nous en avons longuement parlé déjà. Viens.

Il s'agissait pour elle de traverser le couloir. À la fin, elle céda. La chambre de son hôte était la plus grande de la maison, et elle ne témoignait pas d'une existence ascétique : un lit trop large pour une personne seule, un fauteuil couvert de peluche, une bibliothèque riche en livres à l'Index. L'homme aimait y prendre ses aises.

— Assieds-toi, dit-il. J'ai pensé te monter un petit verre de vin, juste pour te détendre.

De la main, il lui désignait le bord du lit. La boisson se trouvait sur la table de chevet.

— Tout cela est si étrange pour moi. Vous savez, monsieur…

— S'il te plaît, appelle-moi Philomire, quand nous sommes seuls.

Si elle arrivait maintenant sans trop de mal à le tutoyer, l'usage du prénom lui semblait tout à fait inconvenant.

— Je ne comprends pas toutes ces choses-là.

Elle parlait de l'étrange relation développée au cours des derniers jours.

— Pourtant, c'est simple, je t'ai tout expliqué. Les prêtres sont des hommes comme les autres. Si Dieu leur demande le célibat, il doit tout de même leur permettre de se… soulager. Aussi la Providence met sur leur chemin d'excellentes chrétiennes qui les accueillent comme des hommes. Ce faisant, ces femmes les aident à accomplir le travail de Dieu.

Comme ce sermon paraissait étrange à Félicité ! Dans toutes les paroisses, y compris à Saint-Jacques, de bonnes chrétiennes aidaient en effet leur pasteur de leur mieux. Mais jusque-là, elle avait pensé que leur rôle se limitait à placer des fleurs dans le chœur, à tout nettoyer, à préparer un goûter à diverses occasions pour des sociétés religieuses. Cela allait-il jusqu'à… servir de femme à leur pasteur ?

— N'aie pas mauvaise conscience pour ça, dit-il en se penchant pour l'embrasser sur la bouche. Tout cela est très bien, je te le jure. Tu n'auras à en rougir devant personne, pas même devant Dieu.

La jeune femme détourna un peu la tête pour se dérober à ses lèvres.

— Si je pars pour la famille ?

Cette crainte aussi hantait son esprit. Et formuler cette inquiétude à haute voix, c'était déjà accepter les privautés qui allaient suivre.

— Ne te fais pas de souci pour cela. Tu sais, les curés sont instruits, ils savent éviter ces petits… inconvénients.

Elle lui abandonna finalement sa bouche, se raidit à peine quand une main empauma son sein.

Chapitre 24

Malgré la distance bien limitée à parcourir, ce fut sur des jambes un peu flageolantes que Félicité effectua le tra jet la séparant de l'église le dimanche suivant. Ses collègues lui jetaient des regards à la fois curieux et réprobateurs.

— Vous avez été très malade, selon les rumeurs, remarqua Célia à voix basse.

Le ton de la vieille fille contenait une once de soupçon.

— Le médecin a parlé de pneumonie.

L'information amena l'institutrice à froncer les sourcils. L'une des plus jeunes demanda, après un silence :

— C'est vrai, tu habites au presbytère depuis le début ?

— Je ne pouvais même pas me déplacer jusqu'au poêle pour me faire à manger.

— Normalement, les parents s'occupent de leurs enfants, pas les curés.

Le commentaire de la plus âgée fit ricaner quelqu'un dans le banc juste derrière. Sans se retourner pour identifier l'importun, Félicité haussa un peu la voix pour dire :

— Si je ne pouvais descendre l'escalier pour me nourrir, je pouvais encore moins me rendre à Saint-Jacques.

La répartie calmerait peut-être un peu les commères. Elle ferait bien vite le tour du village. L'entrée du prêtre dans le chœur, encadré par les servants de messe, ramena les maîtresses au silence. Félicité s'absorba dans son missel. Elle s'autorisa à s'asseoir lorsque les autres se mettaient debout ou à genoux pour une durée un peu trop longue.

Lors du prône, le curé annonça les diverses activités des sociétés religieuses. Puis il enchaîna :

— Mes très chères sœurs, mes très chers frères, j'ai le plaisir d'annoncer qu'après une grave maladie, mademoiselle Drousson sera à même de reprendre son travail d'institutrice. Tous les parents du rang Saint-Antoine pourront envoyer leurs enfants à l'école dès demain matin. Avec la température plus clémente, j'espère qu'ils seront nombreux à le faire.

Curieux, les paroissiens se retournèrent pour regarder dans sa direction. À la communion, l'hésitation de sa démarche attira quelques commentaires. Elle reçut l'hostie les yeux mi-clos, dans une attitude de sincère recueillement.

Même à la fin du mois de mars, le petit matin se révélait froid, et surtout très humide. Félicité serra le col de son manteau contre sa gorge en mettant le pied sur la longue galerie du presbytère. Le vieux Romulus se trouvait déjà là, assis sur la banquette de son petit traîneau rouge. Depuis la scène qu'elle avait surprise, l'homme la mettait mal à l'aise.

— Je vous remercie de bien vouloir me reconduire, monsieur Sasseville. Avec la neige fondante, je serais arrivée à l'école les pieds mouillés.

— La promenade permettra à mon poulain de prendre un peu l'air.

— Mais il est si tôt.

— Tôt ? Voilà bien deux heures que je suis au travail, petite, ricana le bedeau.

Se faire conduire ainsi dans le rang Saint-Antoine bouleversait les convenances. Le règlement des écoles lui interdisait de se trouver seule avec un homme dans une voiture. Cela valait-il pour le père du curé ? Le trajet prit à peine plus de dix minutes au petit trot. Quand le traîneau entra dans la cour de l'école, Félicité ressentit un petit serrement au cœur. Son retour l'effrayait un peu.

— Nous aurions dû aller prendre la clé chez monsieur Marcoux, remarqua-t-elle.

— Je l'ai avec moi. Philomire s'est chargé de la récupérer lors d'une réunion de la commission scolaire.

Le bedeau prit le temps de mettre la robe de carriole sur le dos de son cheval, puis il s'attaqua au cadenas rouillé. La résistance du mécanisme le fit jurer un peu, puis il parvint à ouvrir. Les tables, les chaises, les bancs, tout se trouvait à sa place. Une légère odeur de moisi flottait dans la classe.

— Je vais faire du feu, décida Romulus. Ça tuera l'humidité.

— Vous êtes très gentil. Je ne sais comment vous remercier.

— Au lieu de dire des sottises, monte donc à l'étage vérifier si tout est en ordre.

Un demi-sourire rendait les mots moins sévères. Félicité regagna son logement pour trouver l'endroit impeccable. Elle l'avait laissé sens dessus dessous à son départ. Ernestine avait tout rangé.

Depuis trois semaines, la jeune femme portait les mêmes vêtements, ou alors ceux de Rosine lors des lessives. Attentive aux moindres bruits pour ne pas être surprise, elle se changea. Quand elle descendit, le feu crépitait dans le poêle de fonte. L'odeur de bois brûlé se répandait dans la classe.

— J'ai eu un peu de mal, grommela Romulus. Demain, j'apporterai des vieux journaux pour allumer.

— J'espère que je pourrai les lire avant de les sacrifier. Ces livres-là, je les connais par cœur.

Le vieil homme s'approcha de la tablette accrochée au mur pour lire les titres.

— De mon temps, cela représentait une riche bibliothèque. Mais je comprends que le contenu laisse à désirer. Il te manque du Voltaire et du Rousseau pour te libérer la tête de toutes ces bondieuseries.

Elle ne se rebiffa pas, les noms de ces auteurs lui étaient encore inconnus. Les religieuses du couvent de Saint-Jacques ne se donnaient pas la peine de prêcher contre les mauvaises lectures, tellement était grande leur certitude qu'aucun livre dangereux n'atteindrait jamais les mains de leurs protégées.

— Tu as beau dire, continua-t-il en regardant les tables alignées, ça te fait une plus belle classe que la mienne, dans le temps.

Un petit visage coiffé d'un bonnet de laine se découpa dans l'une des fenêtres.

— Voilà Ernestine, déclara l'institutrice avec un plaisir évident.

Elle se dirigea vers l'appentis pour enlever la barre de bois bloquant la porte de côté.

— Te voilà, ma grande. Je suis heureuse de te voir!

Tout de même, elle n'osait ouvrir les bras pour l'y accueillir.

— … Moi aussi. Tu es guérie?

— Je vais mieux, en tout cas. Mais mes forces ne sont pas toutes revenues, tu devras m'aider.

L'adolescente donna son assentiment d'un sourire. Elle achevait de déboutonner son manteau et l'institutrice l'aida à l'enlever. Elle allait l'accrocher au mur quand la jeune fille la retint pour glisser son bonnet dans la manche.

La chevelure frisée se montrait tout aussi indisciplinée que d'habitude.

Le visage d'Ernestine se durcit à la vue du bedeau dans la classe.

— La provision d'eau va là-dedans? demanda Romulus en pointant le contenant de grès.

— Oui. Tous les matins un élève s'en charge…

— J'y vais. Tu as une hache?

— Dans l'appentis.

Le vieil homme récupéra l'outil, puis se dirigea vers la margelle du puits.

— Qu'est-ce qu'il fait ici? demanda l'adolescente à voix basse, visiblement agacée.

— Il a eu la gentillesse de venir me reconduire, puis d'allumer le poêle.

Le bruit d'une porte dans l'appentis mit fin à l'échange. Félicité alla saluer les enfants Marcoux. Au cours des minutes suivantes, elle reçut ses plus fidèles élèves, ceux qui se trouvaient là en janvier et en février. Dans la cour, elle pouvait voir le vieux Sasseville casser la glace sur la margelle avec la tête de la hache, déplacer les planches et regarder dans le trou. Au mouvement de ses lèvres, elle devina quelques jurons. Il arriva tout de même à récupérer de l'eau avec le seau. À son entrée dans l'école, il croisa Elzéar.

— Me voilà remplacé par un nouveau, ricana le grand adolescent. Dis, tu as déjà marché au catéchisme?

Romulus le toisa des pieds à la tête avant de dire avec humour:

— Quand je faisais la classe, j'apprenais aux enfants à vouvoyer les adultes.

Le garçon lui adressa un sourire amusé mais jugea plus prudent de ne rien répondre. De toute façon, l'arrivée des Malenfant lui donna un autre sujet de moquerie.

— Sildor, railla-t-il, viens me montrer ton joli visage. Dans le rang, tout le monde dit que tu as embelli.

Le nouveau venu fixait le sol, peu désireux d'un affrontement avec son rival. Le bedeau alla vider son seau dans le contenant de grès.

— Comme convenu, je viens te chercher à quatre heures ? demanda-t-il à l'institutrice.

— Plutôt quatre heures et demie, dit-elle. Les journées allongent.

Il donna son assentiment d'un mouvement de la tête. Ernestine, troublée, le regarda sortir. Le tutoiement et l'allure de propriétaire du bedeau dans l'école provoquaient chez elle un grand questionnement.

Dans la cour, Romulus trouva Elzéar toujours occupé à tenter de faire sortir Sildor de ses gonds. Il y mettait d'autant plus de cœur qu'il savait ne rien risquer. L'éclopé présentait un visage amaigri, aux muscles relâchés, sur une carcasse visiblement affaiblie.

— Le jeune, va-t'en en classe. Je suis sûr que la maîtresse t'attend pour commencer.

Après un dernier sourire ironique, l'adolescent fit ce qu'on lui disait. Le bedeau contempla l'autre garçon, poussa même l'audace jusqu'à lui prendre le menton entre deux doigts pour lui faire pivoter la tête.

— Une fameuse chute, mon gars. J'espère que la raison en valait la peine.

Les os de la mâchoire s'étaient ressoudés un peu de guingois. Les dents du bas ne s'alignaient plus tout à fait avec celles du haut. Le préjudice ne serait pas qu'esthétique.

La douleur viendrait le hanter régulièrement, et mastiquer lui poserait un petit problème.

— C'était un accident, grommela-t-il.

Le mouvement des lèvres révéla des incisives cassées. D'autres dents manquaient maintenant tout à fait.

— Je souhaite ne jamais rencontrer un accident capable de cogner aussi fort. Cela t'a certainement mis un peu de plomb dans la tête. Dommage, les traces t'accompagneront toute ta vie.

Le visage du garçon se durcit.

— Va-t'en en classe, maintenant.

Romulus regagna son traîneau. Son poulain eut droit à quelques mots d'excuse pour la longue attente.

Sildor hésita un peu, puis il regagna la porte de côté. Pour retrouver sa place, il devait passer devant l'estrade de l'institutrice. Elle le regarda dans les yeux, silencieuse, surprise de ne plus ressentir la moindre frayeur. Elle laissa à l'adolescent le temps de s'asseoir, puis reprit :

— Comme je le disais, la sainte du jour est sainte Catherine de Suède. Sur la carte, vous voyez ce petit pays coloré en rose, tout au nord ? C'est la Suède.

Pour le leur montrer, elle tendait le doigt, dressée sur le bout de ses orteils, une jolie silhouette un peu plus fine que trois mois plus tôt.

Malgré son souffle plus court et la fatigue venue plus tôt, la journée se déroula plutôt bien. À midi, le goûter préparé par Laïse Sasseville lui permit de refaire ses forces. Ernestine se tenait près des plus jeunes, attentive à apporter son aide aussi souvent que nécessaire.

À la fin de l'après-midi, le soleil allongeant les ombres dans la pièce, elle salua les enfants et leur donna rendez-vous pour le lendemain matin. Le dernier n'était pas encore parti que son assistante sortait le balai de l'appentis pour nettoyer la place.

— Cela s'est bien passé, commenta-t-elle.

— Oui, je suis assez contente. J'avais un peu peur…

La pause dura un instant, puis elle confia dans un souffle :

— Je n'ai pas pensé à lui une seule fois.

Ernestine la fixa de ses grands yeux bleus interrogateurs.

— Floris… Avant d'être malade, quand je regardais vers la gauche, je le voyais assis là, au bout de la table.

D'une certaine façon, la disparition de son petit fantôme lui faisait l'impression d'une trahison, la sienne propre. Sa vie à elle continuait. La maladie qui avait fauché le garçon, elle était passée au travers.

— En tout cas, Gueule-croche ne fera plus peur à personne.

L'adolescente ne gaspillait pas sa sensibilité en s'émouvant du sort de Sildor. Elle croyait en une justice immédiate, décisive, improvisée dans la pénombre d'une nuit glaciale.

— Il est… sérieusement amoché, ajouta Félicité. Attends-moi, je vais chercher mon manteau.

— Tu vas quelque part ?

Ernestine la regarda, surprise.

— Je retourne passer la nuit au presbytère. Je ne me sens pas encore assez forte pour rester seule.

L'autre baissa les yeux pour ne pas révéler sa déception.

— J'aurais pu rester ici, si tu me l'avais demandé.

— Tu es très gentille, mais ta mère compte sur toi. Je reviens.

Félicité gravit l'escalier. À son retour, son manteau sur les épaules, elle découvrit son assistante boutonnée jusqu'au cou, son bonnet sur la tête.

— Je vais partir tout de suite, déclara-t-elle en mettant la main sur la poignée de la porte.

— Tu seras là demain ? J'ai besoin toi.

— Bien sûr. Bonne soirée.

Elle sortit sans attendre la réponse et quitta les lieux d'un bon pas. Dans la cour de l'école, elle dut s'écarter pour laisser passer le traîneau de Romulus.

Comme ses collègues, Félicité tenait entre ses mains jointes un bouquet de petites branches de cèdre. L'avant-veille, lors d'une longue promenade en forêt, elle en avait fait la cueillette. Ce dimanche, depuis le chœur, l'abbé Sasseville procéda à la bénédiction des rameaux.

Ensuite, escorté par une douzaine de servants de messe, il s'engagea dans l'allée centrale de l'église. Le saint homme mimait l'entrée triomphale de Jésus à Jérusalem. Les paroissiens agitaient leurs rameaux sur son passage. Arrivé à l'arrière du temple, il tourna vers la droite et remonta par l'allée latérale. Sa protégée secoua ses branches de cèdre avec un enthousiasme suspect quand il fut à la hauteur du banc des institutrices. Sa voisine immédiate, Célia, braquait sur elle un regard assassin, que le curé ne remarqua pas.

À nouveau, Romulus la ramena à l'école numéro 3 le lundi matin. Ernestine arriva peu après, les sourcils froncés, une moue désapprobatrice sur les lèvres. Elle avait croisé le bedeau sur son chemin.

— Veux-tu faire du feu dans le poêle ? fit la voix de l'institutrice depuis le petit logement, en haut. Je vais récupérer les anciens rameaux.

En descendant, une branche desséchée à la main, elle expliqua :

— Comme ils sont bénis, mieux vaut ne pas les laisser traîner. Nous les brûlerons.

L'adolescente se trouvait encore pliée en deux, une feuille de journal chiffonnée dans une main et quelques éclats de sapin dans l'autre.

Félicité se dirigea vers les latrines avec de petits rameaux. Selon les croyances populaires, les élèves pourraient y faire leurs besoins protégés de la foudre, des ouragans et des incendies. Dans la classe, elle en glissa un plus grand sous le corps du Christ en bronze, sur le bois de la croix.

— Je vais en mettre un aussi à l'arrière de la salle. Ce sera plus prudent.

Son assistante ne commenta pas. Elle soufflait sur les flammes naissantes par la petite porte laissée ouverte. Quand elle ajouta les rameaux desséchés, le feu monta dans un crépitement.

Après quelques minutes, les deux amies s'éloignèrent de l'appareil de chauffage. À la fin, lasse de faire grise mine, Ernestine en vint à exprimer sa préoccupation :

— Vas-tu rester là-bas encore longtemps ?

L'institutrice se troubla un peu devant le reproche sous-entendu.

— Je suis ici tous les jours assez tôt pour ouvrir l'école à temps, je la ferme après quatre heures trente en cette saison. Mon travail est effectué correctement.

Sa réplique ressemblait à un plaidoyer de défense.

— Justement, cela prouve que tu es en santé, maintenant. Tu peux revenir vivre ici.

— … Je me sens encore bien faible. Sans toi, tu le sais bien, je n'y arriverais pas.

Les derniers mots, tout à fait vrais, visaient à flatter l'adolescente. Elle ne se laissa pas adoucir.

— Tu n'as rien à faire là-bas. Quand reviendras-tu ?

Félicité se mordit la lèvre inférieure avant de céder :

— Je reviendrai probablement en haut le 14 avril, le lundi de Pâques.

Ernestine esquissa son premier sourire depuis son arrivée. Du bruit dans l'appentis mit fin à la conversation. Elzéar venait accomplir sa corvée au puits. De son côté, Félicité avait pleinement conscience de la cause de son malaise : renouer avec la solitude, c'était aussi s'éloigner de son amant. Cette éventualité lui pesait.

Le Vendredi saint, tout le monde devait cesser le travail, y compris les élèves et les institutrices. Depuis la veille déjà, Félicité se trouvait au presbytère. Elle devinait que la grande maison lui manquerait la semaine suivante. Elle trouvait là un luxe qui ne lui était plus familier depuis son départ de chez l'abbé Merlot, à Saint-Jacques.

Quand la visiteuse logeait en ces murs, Laïse évitait de se rendre au salon pour ne pas la croiser. Aux repas, elle se tenait toujours au bout de la table, un air maussade sur le visage. La présence de la jouvencelle risquait de valoir des ennuis à son fils. De sérieux ennuis. Même si elle devinait que la jeune femme n'avait pris aucune initiative dans cette histoire, elle lui en voulait pour cette menace pesant sur la famille.

De son côté, le vieux Romulus regardait la visiteuse avec un air amusé, comme s'il pensait: «Il faut bien que jeunesse se passe.»

Peu après un dîner de carême, du bruit se fit entendre à la porte d'entrée, celui d'un poing ou d'un pied contre le bois. Le vacarme se poursuivit jusqu'à ce que Rosine quitte la cuisine pour aller ouvrir, craintive.

— Où est-il? Je veux lui parler tout de suite.

Dans le salon, Félicité reconnut la voix tonitruante de Tarrasine Malenfant. La domestique se réfugia dans le mutisme, comme la plupart du temps avec des étrangers.

— Où est-il? rugit encore la visiteuse.

Puis elle enchaîna après une pause:

— Ôte-toi de là. Je vais le trouver moi-même.

Les pas lourds dans le couloir se rapprochèrent. Bientôt, la paysanne se dressa dans la porte du salon, silencieuse, étouffée par sa propre haine envers l'institutrice qui, elle, aurait souhaité se fondre dans le fauteuil, devenir invisible.

— Qu'est-ce que c'est que ce vacarme? demanda l'abbé Sasseville en descendant l'escalier.

Après les repas, même ceux du carême, il aimait bien s'étendre un peu. Pour lui, en quelque sorte, c'était dimanche tous les jours. Quand il aperçut la paysanne, il vint dans l'entrée du salon pour lui prendre le bras et l'entraîner avec lui sans ménagement. Son invitée respira de nouveau normalement quand l'autre eut disparu.

Le prêtre poussa la visiteuse jusque dans son bureau et claqua la porte derrière lui.

— Qu'est-ce qui te prend, de venir faire du scandale ici ?

— Tu me demandes ça ? La salope joue à la grande dame dans ton boudoir. Mais moi, tu ne m'as jamais permis de m'asseoir dans l'un de tes fauteuils rembourrés.

Le prêtre s'abstint de lui dire que la seule place qui lui convenait, c'était penchée sur sa table de travail, les jupes troussées et ses grosses fesses à l'air.

— Ce que moi ou mademoiselle Drousson faisons ne te regarde pas.

— Mademoiselle. Tu lui donnes du « mademoiselle », à elle.

Elle criait si fort que tout le monde devait l'entendre dans la maison.

— Cela ne te regarde pas. Mes relations avec mes paroissiennes demeurent privées, tout comme le secret de la confession.

— Avec moi, tu mettais pas de « mademoiselle » ou de « madame ». C'était seulement : « Place-toi là et laisse-toi faire. »

Jusque-là, elle se contentait très bien du rôle que le curé lui donnait. Une inquiétude nouvelle amena l'homme à dire :

— Tu dois garder le silence. Tu as promis.

— Mais ça, c'était avant que tu me remplaces par cette « demoiselle ».

Un ricanement d'hyène souligna le dernier mot.

— Quand tu la touches, siffla-t-elle entre ses dents, elle doit bien faire un signe de croix ou dire le *Je vous salue, Marie* ?

Le prêtre eut envie de lui étaler la main sur la figure. Dix ans plus tôt, ses charmes rustiques avaient retenu son attention. Il ne voyait plus en elle que grossièreté et sottise.

— Sors d'ici tout de suite. Je ne veux plus te voir, sauf à la messe ou au confessionnal.

Ils se défièrent du regard un long moment avant qu'elle ne lui jette à la figure d'une voix grinçante :

— Crois-tu que ton évêque aimerait apprendre ce que tu fais avec elle ?

Sasseville serra les mâchoires, réprimant difficilement un accès de violence.

— Menaces-tu ton curé ?

Les yeux enflammés de Tarrasine valaient un incontestable « oui ».

— Ton attitude tient du blasphème. Tu ne recevras plus la communion avant de t'en être confessée à moi. Je te donnerai l'absolution seulement si je sens chez toi le ferme propos de ne jamais recommencer.

Aux yeux de tous, cela vaudrait un anathème lancé du haut de la chaire. Un total ostracisme s'ensuivrait.

— Tu as tort de me rejeter comme ça. Je ne me laisserai pas faire !

Sasseville la prit par le bras pour la pousser vers le corridor, puis jusqu'à la porte.

— Tu vas le regretter ! tonna-t-elle encore.

Sur ces mots, elle quitta le presbytère. Le prêtre se dirigea vers le salon et s'arrêta dans la porte. Il regarda longuement l'institutrice, mais ne prononça pas un mot.

Un peu avant trois heures, les paroissiens convergeaient vers une église silencieuse. Les cloches ne se feraient pas entendre avant le lendemain. En ce jour, le temple se parait des couleurs du deuil. Tout le monde affichait la même tristesse, comme pour la mort d'un proche.

En prenant place dans le banc des institutrices, Félicité entendit sa jeune collègue du rang Saint-Paul demander à la plus âgée :

— Tu le savais, toi, que si on entaillait les érables aujourd'hui, il coulerait du sang ?

— Tu devrais demander ça à notre amie. Avec son brevet académique et ses « fréquentations », elle connaît certainement la religion mieux que moi.

— Oui, c'est vrai, chuchota la jeune femme d'un air entendu. Il paraît aussi que si une mère désire que son nouveau-né ait des cheveux bouclés, elle doit les couper aujourd'hui. Ensuite, l'enfant frisera toute sa vie.

L'autre esquissa un sourire amusé en se promettant d'essayer un jour. L'arrivée de Sasseville dans le chœur leur imposa le silence. Les quatre maîtresses se dirigèrent ensemble vers la sainte table pour la communion. Félicité ne s'aperçut pas avant de s'agenouiller que Tarrasine Malenfant lui avait emboîté le pas. Sa présence près d'elle à la sainte table lui apparut comme un danger.

Le prêtre et son enfant de chœur se déplaçaient de gauche à droite. Ils referaient bientôt le trajet dans l'autre sens pour présenter l'hostie à une nouvelle fournée de paroissiens. Félicité ferma les paupières et entrouvrit la bouche avec un air de recueillement que Sasseville, arrivé à sa hauteur, trouva tout à fait exquis. Depuis quelques semaines, ce sacrement représentait pour eux une caresse intime.

À ses côtés, Tarrasine Malenfant dévisageait Félicité, les yeux brûlants de haine. L'ecclésiastique poussa le servant de messe vers la gauche, passa sans s'arrêter, puis s'occupa de la paroissienne suivante.

La paysanne ne bougea pas, attendit que le prêtre revienne vers elle en parcourant la sainte table dans l'autre sens. De nouveau, il lui refusa l'hostie. Quand elle se releva, sa décision était prise.

Chapitre 25

Le silence des cloches au cours des jours saints précédents s'expliquait par leur absence. Elles se trouvaient à Rome. À la messe du samedi suivant cette période de repos, comme ragaillardies elles carillonnaient d'un son nouveau. Puis au souper, les paroissiens rompaient avec le carême. Les repas seraient copieux et en soirée les hommes renoueraient avec leur flacon de gin tandis que certaines femmes y mouilleraient aussi leurs lèvres. Et neuf mois plus tard, la paroisse ferait récolte de plusieurs nouveaux chrétiens.

Le même laisser-aller se remarquait aussi chez les Sasseville. Après avoir partagé une tranche de bœuf avec les siens, le prêtre récupéra deux bouteilles dans le buffet, servit un petit verre de liqueur aux deux femmes et un whisky à lui et à son père. Un peu plus tard, Félicité fut la première à monter, plaidant devoir ménager ses forces.

Le trio familial ne disait mot quand le curé fit mine de se diriger aussi vers l'escalier, Laïse laissa tomber depuis sa chaise :

— Ça va durer encore longtemps ?

— Je ne sais pas ce que tu veux dire, maman, répondit son fils d'une voix neutre.

— Avec cette fille. Tu as eu ce que tu voulais, maintenant, fais-la partir.

Cette recommandation lui fit se rendre compte à quel point la jeune femme comptait dans sa vie. Elle se distinguait des autres par un mélange de pudeur et de droiture. Elle incarnait pour lui «une belle âme».

— Elle a encore besoin de moi.

— Tu es vraiment prêt à perdre tout ça pour elle?

De la main, Laïse avait désigné la pièce d'un mouvement circulaire. Elle parlait effectivement de tout: la cure, le statut de notable, le respect dû au représentant de Dieu et à ses proches, la vie confortable.

— Où vas-tu chercher une idée pareille?

Puis il quitta la pièce sans se retourner. À l'étage, le scénario habituel se répéta. En poussant la porte de sa chambre, il découvrit sa jeune maîtresse étendue sur le lit, vêtue seulement d'un surplis richement brodé. Cela faisait penser à une chemise de nuit particulièrement coquine, comme celle d'une nouvelle mariée.

— Cette tenue te va tellement mieux qu'à moi. Tu es vraiment un cadeau du bon Dieu.

L'autre esquissa un sourire timide. Les jeux de l'amour continuaient de la déchirer. D'un côté, le désir lui tenaillait le ventre. De l'autre, l'éducation des dix-sept dernières années lui instillait un doute, un sentiment de culpabilité, cela malgré toutes les paroles rassurantes de son pasteur.

Philomire se plaça au pied du lit pour mieux la regarder, tout en commençant à défaire un par un les petits boutons ronds ornant le devant de sa soutane. De cet endroit, il distinguait sans mal l'extrémité rose des seins. L'un d'eux pointait même un peu entre les fils de la broderie. Plus bas, les poils faisaient une tache sombre, un petit triangle de vison.

— Quand je te regarde, je ne doute pas de la générosité de Dieu. Lui seul a pu placer sur mon chemin une femme aussi magnifique que toi.

Si au moins il n'invoquait pas Dieu sans cesse! L'émoi de Félicité monta d'un cran, sa tête tourna, comme sous l'influence d'un vin capiteux.

❖

Son étole posée autour du cou sur une chemise de nuit écrue lui donnait un air étrange. Il avait beau lui expliquer qu'il ne s'agissait pas d'une faute, Félicité, maintenant étendue sous les couvertures, tenait à recevoir l'absolution sans délai. La pénitence, quant à elle, attendrait bien jusqu'au lendemain. De toute façon, Philomire les lui faisait bien légères.

Après avoir rangé son ornement sacerdotal, le prêtre revint vers la couche en demandant:

— Tu veux bien rester un peu avec moi? Nous avons si peu l'occasion d'un tête-à-tête.

D'habitude, elle s'empressait de retourner dans la petite chambre de l'autre côté du couloir. Mais cette fois, Félicité n'avait pas bougé. Elle aussi tenait à avoir une conversation avec lui.

— Cet après-midi, j'ai tout entendu. Elle criait si fort.

Sasseville fit semblant de ne pas comprendre, puis admit finalement dans un soupir:

— Tu veux parler de Tarrasine?

Elle hocha gravement la tête, sans oser formuler la question qui lui brûlait les lèvres.

— Je te l'ai expliqué déjà, commença-t-il gravement. Les prêtres sont des hommes comme les autres, ils ressentent les mêmes besoins.

Il s'assit sur le bord du lit, tendit la main pour lui caresser le ventre.

— Alors avec elle?…

— Dieu l'a envoyée à moi. À confesse, elle se plaignait que son mari ne l'approchait plus, elle me parlait de ses envies…

Encore un peu, et il prétendrait avoir agi pour lui rendre service.

— Tu comprends, n'est-ce pas ?

Elle fit oui d'un mouvement de la tête, même si elle démêlait encore très mal les notions de plaisir, d'amour, de culpabilité et de pardon.

— Peut-elle vraiment te nuire ?

La menace d'en référer à l'évêque lui tournait dans la tête.

— Non. Tu sais, elle disait tout cela par jalousie. L'été dernier, c'était fini avec elle depuis des mois. Je ne sais comment Tarrasine en était venue à le croire, mais elle pensait que Griphine… prendrait sa place auprès de moi.

L'homme hésita sur les derniers mots. Sa jeune compagne connaissait encore des accès soudains de vertu. Ces derniers ne le rebutaient pas totalement ; ils donnaient plutôt une couleur particulière à cette aventure.

— Tu aimerais… avec Griphine ?

Sa jeune compagne choisit de ne pas se souvenir des quelques gestes impudiques entre l'adolescente et son pasteur, lors des visites de ce dernier à l'école. Lui ne la sermonna pas sur le vilain péché de jalousie qu'il voyait poindre à travers cette remarque. Il lui sembla même percevoir en elle une certaine colère.

— Voyons, elle ne te va pas à la cheville, cette petite idiote.

Félicité prit la comparaison comme un compliment. Elle se tut, troublée à la fois par la conversation et la main caressante sur son ventre.

— … Et Hélas ?

Les confidences d'Ernestine lui revenaient en mémoire. Malgré son cynisme habituel, Sasseville accusa le coup.

— Il s'agit d'un accident.

La jeune femme tourna les yeux vers la petite boîte cylindrique posée sur un guéridon, près du lit. Il lui avait certifié que cette «protection» était sûre, bien plus que son scapulaire, pour empêcher la famille.

— Mais changeons de sujet. Tu me fais me sentir vingt ans plus jeune.

Quand il se pencha sur elle pour l'embrasser, elle se demanda si l'on pouvait recevoir deux fois l'absolution dans la même journée.

Le lendemain matin, Félicité sortit du presbytère un peu avant sept heures, une bouteille à la main. Un ruisseau coulait à un demi-mille du village. Dans les champs, elle aperçut de nombreuses silhouettes se dirigeant dans la même direction.

Près du cours d'eau, elle s'accroupit pour y plonger la main. Le froid lui coupa le poignet. Au creux de sa paume, elle recueillit un peu de liquide pour le porter à ses lèvres.

— Bon Jésus, protégez-moi.

Boire de l'eau de Pâques directement là où coule la source constituait une garantie de bonne santé pour l'année à venir. Après la maladie des derniers mois, elle s'accrochait vivement à cet espoir. Son étrange relation amoureuse lui procurait un nouvel appétit de vivre.

Avec précaution, elle se pencha pour emplir sa bouteille. Tout au long de l'année, le liquide se conserverait toujours potable, ou du moins tout le monde feindrait de le croire.

Une gorgée, ou alors une application sur la partie atteinte, faisait, paraissait-il, disparaître les maladies de la peau, les troubles de la vue, et divers autres maux.

Les yeux de Félicité se portèrent machinalement vers l'est. Au-dessus du boisé masquant l'horizon, un rayon de soleil pointait. Très lentement, l'astre éclatant se révéla à sa vue.

Convaincue de la toute-puissance de Dieu, et de ses représentants sur terre, elle se dirigea vers le presbytère.

Le lendemain après-midi, la mort dans l'âme, l'institutrice regagnait son logement au-dessus de l'école. Laïse Sasseville, heureuse de la voir quitter les lieux, lui avait donné une provision de repas préparés.

Toute la soirée, elle tenta de s'absorber dans la lecture d'un roman tiré de la bibliothèque du curé. Mais le cœur n'y était pas. Chaque craquement de la vieille bâtisse, chaque coup de vent contre les fenêtres lui ramenaient les craintes éprouvées au début de son séjour en ces lieux. Pour l'avoir abandonnée pendant quelques semaines, la solitude lui devenait insupportable.

Comme il convenait aux sévères locaux du Département de l'instruction publique, il y faisait sombre, même en plein midi. Gédéon Ouimet, un petit homme grassouillet au visage souligné par une barbe grise, lisait son courrier. Personne ne soupçonnait l'extraordinaire quantité de lettres reçues tous les jours par ce service. Heureusement, un commis les ouvrait pour les parcourir rapidement.

Il répondait aux requêtes les plus simples, puis plaçait les autres sur le bureau de son patron.

Ces dernières étaient nombreuses : des plaintes d'institutrices à propos d'un retard dans le versement de leur traitement, des demandes d'une circulaire ou d'une copie de la loi par des secrétaires-trésoriers, puis l'extraordinaire correspondance qu'engendrait le choix de l'emplacement d'une nouvelle école. Dans ces paroisses où survenaient bien peu de grands événements publics, les questions les plus triviales prenaient des dimensions extravagantes.

Mais surtout, il y avait les lettres des contribuables. Écrire à un haut fonctionnaire du gouvernement provincial représentait un accomplissement en soi, pendant des années la réponse faisait l'objet d'une lecture publique lors des veillées.

Ce mercredi-là, le commis fut désarçonné devant un mot anonyme. Il alla frapper timidement à la porte de son patron.

— Monsieur Ouimet, pouvez-vous jeter un coup d'œil sur ceci ?

Le jeune homme lui tendait une page arrachée à un cahier d'écolier. Dessus, quelqu'un avait tracé quelques lignes avec un crayon.

— On dirait l'écriture d'un enfant de première année, commenta le surintendant. Et pas très doué, en plus.

— Compte tenu du sujet, je doute fort que cela vienne d'un écolier.

Le vieil homme fronça les sourcils, déchiffra avec peine « la maîtresse d'école… » Puis il leva les yeux pour dire :

— Je n'y arrive pas, monsieur Girard.

— Il faut presque prononcer les syllabes à voix haute. Autrement, on s'y perd.

— Alors, vous allez le faire pour moi.

Comme le commis avait examiné le texte pendant de longues minutes, il n'eut aucun mal à s'exécuter.

— «La maîtresse d'école numéro 3 couche au presbytère depuis longtemps. On dit par ici qu'elle sert de femme au curé.»

Le secrétaire s'arrêta et leva la tête en rougissant.

— Je m'excuse, monsieur, mais c'est vraiment écrit ça.

— Je vous crois. Vous comme moi, nous sommes incapables d'inventer des horreurs pareilles.

Rasséréné, le jeune homme continua:

— J'ai vérifié dans nos listes, l'enseignante s'appelle Félicité Drousson. L'inspecteur l'a identifiée comme la titulaire de l'école numéro 3 de Saint-Eugène, lors de sa dernière tournée.

— Mais le correspondant ne donne aucun lieu…

— La lettre a été oblitérée à Saint-Eugène.

Le surintendant remarqua, après un silence:

— Bien sûr, ce n'est pas signé.

— Non, monsieur.

Comme son employeur paraissait ignorer l'existence de cet endroit, il crut utile de préciser:

— C'est dans le district de l'inspecteur Leclerc. J'ai vérifié, le Bureau d'examinateurs de Joliette a accordé un brevet à une dénommée Drousson l'été dernier.

Ouimet branla la tête. Une histoire de ce genre venait sans doute d'un esprit malade. Ces débordements arrivaient, parfois.

— Vous avez certainement regardé aussi comment Leclerc l'a notée, l'automne dernier.

L'employé devint rose de fierté. En effet; il avait eu cette bonne idée.

— Il lui a donné une très bonne note. Même si cette jeune femme enseigne dans une école de rang, elle a un diplôme académique.

Recruter une personne trop compétente pour le poste sortait aussi de l'ordinaire. Les institutrices des écoles de rang se distinguaient d'habitude par un bien mince savoir, pas par des mœurs débridées.

— Au cours des derniers mois, nous n'avons reçu aucune autre communication étrange de cet endroit?

— Rien du tout, monsieur.

Oui, cette missive venait certainement d'un esprit enfiévré, pensa monsieur Ouimet. Une lettre anonyme ne requérait de toute façon aucune réponse.

— Vous allez mettre ce bout de papier dans un endroit fermé à clé, et vous n'en parlerez à personne.

— Bien sûr, monsieur. Ne croyez-vous pas que nous devrions avertir ce curé de cette dénonciation, ou même son évêque?

— Grands dieux, non, je vous le défends. Enterrez ça très loin, pour que personne ne mette la main là-dessus.

L'autre s'inquiéta un peu. Sa dernière proposition ruinait le compliment tacite reçu un peu plus tôt.

— Oui, monsieur. Je m'excuse d'avoir évoqué…

— Allez cacher cette horreur, et ne dites plus un mot.

Le ton plus amène rassura un peu l'employé. Toutefois, à l'avenir il se montrerait plus circonspect face à ce qui touchait à l'église.

Le premier jour de mai réconcilia tout à fait Félicité avec sa petite école. Avant le début de la classe, elle s'appuya contre le mur extérieur, les yeux clos, le visage offert aux rayons du soleil. Ernestine s'approcha pour l'avertir :

— C'est l'heure, déjà.

L'institutrice lui adressa son meilleur sourire.

— Tu as raison. Ce matin je me sens comme une marmotte qui a dormi tout l'hiver. Tu peux sonner.

Depuis quelques semaines, l'assistante faisait résonner la cloche de laiton tous les matins. Quelques instants plus tard, les écoliers s'alignaient devant la porte, eux aussi un peu déçus de devoir s'enfermer dans une classe.

— Les enfants, vous savez quel mois commence aujourd'hui ?

— Le mois de mai, dit l'un des petits Marcoux.

— Oui, tu as raison. Et le mois de mai, c'est le mois de…

Il fallut un instant avant que l'un d'eux se souvienne du sermon du dimanche précédent.

— Marie !

— Voilà. Alors si vous êtes d'accord, au lieu de dire la prière dans la classe, nous irons nous recueillir près de la croix de chemin.

Un « oui » joyeux, formulé par quelques voix, lui répondit. Le sourire des autres valait un assentiment. L'exercice pieux le cédait toutefois en importance au plaisir d'une marche au grand air.

— Alors suivez-moi. En nous rendant là-bas, nous allons dire des *Je vous salue, Marie* à haute voix. Ernestine, tu vas ouvrir la marche.

L'adolescente accepta d'un signe de la tête, puis s'entoura des plus petits pour regagner le rang Saint-Antoine. De sa voix un peu basse, elle commença la prière. Les autres suivirent son exemple.

La croix se trouvait au-delà du chemin de traverse, sur une parcelle de la terre des Malenfant. Elle s'élevait à une dizaine de pieds. Bientôt, quelqu'un devrait remettre une couche de peinture blanche et relever le petit enclos délimitant l'espace de prière. Sur la pièce de bois transversale, on avait accroché les instruments de la Passion de Jésus : des clous, un marteau, une paire de pince, et même une couronne d'épine confectionnée avec des rosiers. Bien sûr, personne n'avait sacrifié un outil à cet usage. Ceux-là étaient grossièrement taillés dans des morceaux de bois.

— Comme vous le savez tous, commença Félicité, Marie était la mère du petit Jésus. Alors elle peut intercéder…

Le mot difficile ne dirait rien à la plupart.

— Je veux dire, elle peut parler à Jésus à votre place. Alors si vous voulez quelque chose, vous la priez, elle. Elle va en parler à son garçon. Comme celui-ci l'aime beaucoup, il ne peut rien refuser à sa maman…

Pour tous ces élèves, pareille vie de famille paraissait idyllique. Chez eux, l'amour s'exprimait plus rudement.

Dans sa cuisine, Tarrasine Malenfant se tenait près d'une fenêtre. Par la croisée ouverte, elle distinguait les mots des prières prononcées par une quinzaine de voix, de même que des chants religieux.

— Toi, ma salope, grogna-t-elle, tu ne viendras pas jouer les saintes nitouches sur ma terre.

Rageusement, elle chercha dans une armoire un vieux cahier de Sildor avec quelques pages encore vierges, et un bout de crayon. Puis, immobile, elle chercha longtemps les bons mots.

— La Drousson va encore au presbytère toutes les semaines…

Un bout de langue entre ses lèvres crispées, elle traçait les lettres avec difficulté. Le commis devrait encore mobiliser ses talents de déchiffreur. Et cette fois, elle mettrait son nom en appuyant si fort que le papier se déchirerait un peu.

Chapitre 26

Romulus affichait une grande ponctualité dans son rôle de cocher, pourtant le 2 mai il ne se présenta pas à l'école numéro 3. Cela n'inquiéta pas Félicité outre mesure. Elle se concerta avec Ernestine pendant près d'une heure afin de préparer les activités de la prochaine semaine. Un peu avant six heures, l'institutrice plaça le cadenas sur la porte de côté, puis entreprit de regagner le village à pied.

L'obscurité venait plus tardivement et, malgré le fond de l'air encore frais, le trajet jusqu'au presbytère représentait une marche agréable. Quand elle s'engagea sur le chemin de traverse, elle aperçut une voiture venant en sens inverse. Bientôt, elle reconnut les silhouettes de Phidias et d'Odélie Simard. Une émotion étrange l'envahit, faite de plaisir et de crainte. Depuis décembre, elle n'avait plus croisé sa voisine.

Lorsque le cabriolet arriva à sa hauteur, Félicité les héla :

— Comme je suis contente de te voir, Odélie ! Tu parais aller mieux.

La paysanne tourna la tête dans la direction opposée, son mari laissa son cheval continuer. Puis, finalement, d'un geste de la main sur son avant-bras, elle l'arrêta en disant :

— Attends un moment.

À une trentaine de pieds, l'institutrice essuyait quelques larmes au coin de ses yeux avec la manche de sa robe. Puis elle vit Odélie sauter sur le sol et marcher vers elle.

— Comment vas-tu? demanda timidement Félicité en faisant trois pas dans sa direction.

— Tu vas le rejoindre? l'apostropha l'autre, acide.

Les mots jetés ainsi la désorientèrent.

— … Que veux-tu dire?

— Là, maintenant, tu vas rejoindre le curé.

Le ton contenait tout le mépris du monde. Félicité s'était arrêtée à quelques pieds de sa voisine. Elle remarqua le visage un peu amaigri, mais surtout très dur. Le sourire, la gentillesse d'antan n'avaient pas reparu.

— Je me rends au presbytère, oui.

— Dire que l'automne dernier, tu jouais à la jeune couventine effarouchée. Comme j'ai été idiote de te croire.

— Je ne comprends pas…

— Avec tes grands yeux innocents, l'air totalement perdu au cours de la soirée…

Elle faisait bien sûr allusion à la fameuse soirée «à clencher», pendant laquelle la jeune femme avait consommé son premier alcool, et senti sur sa peau les lèvres de deux hommes. Ce souvenir paraissait lointain, maintenant.

— En plus, tu m'as volé l'affection de mon enfant.

Le souvenir tira une larme à Odélie. Elle secoua la tête de droite à gauche, comme pour chasser la tendresse déjà éprouvée envers Félicité.

— Je ne peux croire à tant de méchanceté, insista la paysanne.

— Mais ce n'est pas vrai. J'aimais beaucoup Floris, mais jamais je n'ai voulu… me mettre entre toi et lui.

— Et maintenant, tu sers de femme au curé. Comme je me suis trompée…

L'institutrice se raidit, sentit la colère monter en elle, mais ne sut comment répondre à l'accusation.

— Passer de couventine innocente à putain du curé…

Les yeux de l'institutrice se mouillèrent, mais maintenant la rage se mêlait au chagrin. Comment son amie pouvait-elle se révéler si cruelle?

— Au moins, tu n'auras plus besoin de voler les fils des autres, il va te mettre enceinte.

— Tu sais, c'est puissant, les curés, rétorqua-t-elle d'une voix blanche. S'ils veulent éviter la famille, ils savent comment s'y prendre.

Odélie sembla un peu interloquée. Peut-être rêvait-elle de connaître l'un de ces moyens, plutôt que d'enterrer ses enfants l'un après l'autre. Les yeux de Félicité se portèrent sur Phidias. Comme il s'était engagé à ne pas faire la drave, il était rentré chez lui depuis quelques jours déjà. Son visage exprimait son désappointement d'assister à une scène semblable.

— Je ne sais pas comment les curés s'y prennent, commenta la paysanne, mais ça ne m'intéresse pas. Ne viens plus frapper à ma porte.

L'institutrice ne s'étant plus rendue chez sa voisine depuis janvier, la précision ne visait qu'à la blesser.

— Je n'irai pas, ne crains rien.

Elle pivota sur elle-même pour reprendre sa marche vers le village. Les pas du cheval reprirent.

Ses séjours au presbytère la mettaient tout de même mal à l'aise, maintenant qu'aucun motif médical ne pouvait les justifier. Surtout, cette rencontre avec sa voisine, la veille, lui laissait un souvenir cuisant. Peu de temps auparavant, elle aurait pourtant partagé ce jugement sévère.

Trois mois plus tôt, elle regardait les prêtres comme des saints de passage sur terre, indifférents aux appétits humains. Et elle-même s'imposait un véritable ascétisme. Il lui avait fallu une pneumonie pour lui déciller les yeux. Frôler la mort ainsi ressemblait à une nouvelle naissance. Son innocence était maintenant chose du passé. Ou à tout le moins elle le pensait.

L'avant-midi du samedi s'écoula lentement. Dans le grand salon un peu austère, calée dans le meilleur fauteuil, elle parcourut les journaux de la semaine écoulée. Le curé recevait des publications de Montréal. Toutes les heures au moins, Rosine se glissait dans la pièce en silence et se plaçait devant elle, les deux mains réunies dans le dos.

— Oui, qu'est-ce qu'il y a ?

— Vous voulez du thé ?

— Non merci. Mais tu es gentille de me l'offrir.

La jeune domestique se réjouissait encore de la présence d'une personne de son âge dans la grande bâtisse. Incapable d'entretenir de véritable conversation, offrir d'apporter quelque chose en tenait lieu.

À midi, Félicité passa dans la salle à manger. La table se trouvait toujours bien garnie, la viande figurait au menu de presque tous les repas. Au lieu de se mettre au bout, comme il en avait l'habitude, Sasseville laissa cet honneur à son père. Le vieil homme accepta d'incarner le rôle de chef de famille en affichant un sourire en coin.

— Vous ferez quelque chose, cet après-midi ?

Non seulement la soutane de son garçon ne lui inspirait aucun respect particulier, mais il feignait de trouver tout à fait naturelle la présence d'une jeune femme dans la maison.

— J'ai une réunion de la commission scolaire à deux heures, alors Félicité pourra lire tout à loisir.

Ce qui plut à cette dernière. Tous ces ouvrages interdits lui enfiévraient l'esprit. Bien sûr, songeait-elle, son amant devait connaître ceux-ci pour mieux en combattre l'influence. Elle croyait aussi que ces lectures alimentaient les désirs de l'abbé.

Plus que les ouvrages de philosophie, trop abscons pour elle, les romans français retenaient toujours son attention. Combien sœur Saint-Jean-l'Évangéliste se serait morfondue de la voir avec un roman d'Hugo, de Flaubert, de Maupassant ou même de Zola à la main.

« Non, se dit-elle, la sainte femme aurait bien d'autres motifs de préoccupation, si elle savait. » La directrice du couvent, le curé Merlot, plus encore sa mère : toutes ces personnes ne comprendraient pas.

— Tu devrais laisser tomber la commission scolaire, déclara Romulus. Tu as bien assez à faire avec la cure.

— J'aime être au courant de tout. Puis la paroisse ne compte pas beaucoup de personnes capables de lire couramment.

Le vieil homme hocha la tête. Le curé entendait diriger tous les aspects de la vie paroissiale, pas nécessairement pour conduire tout ce petit monde au ciel. À l'autre bout de la table, la vieille madame Sasseville se leva pour ramasser les assiettes. Comme dans toutes les familles, la mère interrompait son repas pour faire le service.

Un peu avant deux heures, des hommes se présentèrent à la porte du presbytère, arrivant les uns après les autres. Le président Nicéas Normand fut le premier à entrer. Il se trouvait encore dans le couloir, à discuter avec son hôte, quand le notaire Tessier frappa à son tour.

— Entre, Horace, l'invita Sasseville. Plus vite nous serons à la tâche, plus vite nous pourrons revenir à nos occupations habituelles.

Dans le salon, Félicité entendait les voix sans vraiment prêter attention aux mots prononcés. Elle terminait son survol des journaux. Sans réfléchir, elle traversa le couloir pour se rendre dans le bureau de son hôte afin de choisir un nouveau roman.

— Mademoiselle Drousson, quelle surprise de vous trouver ici ! déclara le notaire en la fixant.

La jeune femme s'arrêta pour répondre d'une voix hésitante :

— Bonjour, monsieur Tessier. Monsieur Normand…

— Notre jeune amie se trouve encore en convalescence, expliqua le prêtre en se frottant les mains. Après cette grave maladie, il convient d'en prendre soin.

— Assurément, rétorqua le professionnel, pourtant bien peu convaincu. La pneumonie est si souvent fatale.

— Justement, renchérit Sasseville. Nous ne voudrions pas perdre notre meilleure institutrice. Un jour, il faudra bien lui confier l'école du village.

Les yeux de Nicéas Normand s'assombrirent. Visiblement, jamais il n'avait pensé à une promotion de ce genre.

— Et maintenant, messieurs, si vous voulez m'accompagner dans la salle à manger.

Les visiteurs acceptèrent l'invitation. Au passage, l'institutrice décela chez eux une expression mi-amusée, mi-réprobatrice. La jeune femme alla finalement dans le bureau du curé. Elle en sortait quand on refrappa à la porte. Comme personne ne se manifestait, elle se dévoua pour ouvrir.

— Mademoiselle Drousson, je suis surpris de vous voir ici, commença Léonidas Marcoux.

Sans le savoir, il reprenait les mots de Tessier. Félicité rougit. Elle reconnut derrière son voisin les deux autres commissaires.

— Les autres sont déjà dans la salle à manger. Je vais vous conduire.

Le trio lui emboîta le pas, les yeux rivés sur sa silhouette.

✺

Peu de temps après la messe, le curé Sasseville entassait de quoi manger dans un grand panier d'osier, sous le regard réprobateur de sa mère.

— Le sol sera encore tout humide, commenta la vieille dame. On ne va pas dîner sur l'herbe en cette saison.

— Au contraire, le soleil brille, le temps est doux. Puis cela devrait te rassurer, on ne risque pas de rencontrer quelqu'un.

Le ton railleur indisposait encore plus Laïse que le comportement imprudent. Elle observa Félicité, debout dans un coin de la pièce, les mains jointes devant son ventre. Dans les moments de grand malaise, elle adoptait cette posture apprise au couvent. Pour éviter de s'emporter, la mère préféra quitter la pièce.

— Elle a raison, commenta la jeune femme. Je ne veux pas risquer de prendre froid. Je tousse encore, parfois.

— Tu te portes très bien, au contraire. Nous étendrons une robe de carriole, l'humidité ne la traversera pas. Nous pourrons même nous y étendre.

Sur les derniers mots, l'homme lui adressa un clin d'œil appuyé. Il en venait toujours à ce genre de rapprochement, quelle que soit l'activité proposée.

— Allez, viens, cesse de faire mauvaise figure.

D'une main, l'homme prit le panier d'osier, de l'autre, il poussa gentiment sa compagne vers le couloir.

— Je n'aime pas cela. On va nous voir, protesta encore l'institutrice.

— Ah! Voilà ce qui te tracasse! Le regard de ces paysans.

Le dernier mot contenait un certain mépris. Pourtant, les personnes les plus éduquées des villes se montreraient au moins aussi sévères pour ses accrocs à la morale, sans doute beaucoup plus même. Au moins, ses voisins cultivateurs se faisaient une idée juste des exigences de la nature. Dans ce milieu, personne ne pouvait le condamner sans appel.

— Nous allons seulement manger dehors. Peux-tu me dire en quoi cela peut être plus répréhensible que de nous attabler dans le presbytère ?

— Hier, leurs regards valaient la plus claire des condamnations.

Félicité faisait allusion aux commissaires et au notaire Tessier.

— Voyons, ils regardaient simplement la plus jolie fille de la paroisse. Je le sais, tu penses bien. Je les confesse depuis des années.

Le curé se mentait un peu à lui-même. Au cours des dernières semaines, les pécheurs se faisaient un peu plus rares à la porte de son confessionnal. Comme ses ouailles continuaient de fréquenter l'eucharistie, elles allaient sans doute confier leurs fautes à des collègues des paroisses voisines depuis que la rumeur circulait.

Toutefois, cet homme ne pouvait se résoudre à se cacher entre quatre murs, et encore moins à se priver de la charmante compagnie de cette institutrice. Parfois, au coucher, il se demandait s'il était véritablement amoureux ou s'il s'agissait d'une passade. S'en lasserait-il comme des autres ? Cela lui semblait peu probable ce jour-là. Dans ses rêves les plus fous, il s'imaginait en faire sa compagne. Cette pensée l'amena à dire, en passant la porte :

— Les protestants ont peut-être raison, après tout.

Sa compagne se troubla. Il ne formulait pas cette remarque pour la première fois.

— Tu ne peux pas vraiment vouloir dire cela...

L'homme dissimula mal son agacement.

Comme prévu depuis le matin, Romulus avait attelé son poulain à la voiture d'été. L'animal agitait la tête avec impatience. Les guides attachées à un piquet l'empêchaient de se dégourdir les pattes.

Une fois assis sur la banquette, l'ecclésiastique plaça son panier derrière, puis il tendit la main pour aider l'institutrice à monter. Elle le rejoignit avec un peu de mauvaise grâce. La résurgence de sa pudeur l'empêcherait de bien profiter de la journée. Les courroies bien en mains, il signifia au cheval de se mettre au pas d'un claquement de la langue. Ils arrivaient sur la route principale quand Félicité osa répéter :

— Tout à l'heure, tu ne pouvais être sérieux.

— Au sujet des protestants ? Je parlais de cette idée de forcer les prêtres au célibat...

Lui évoquait une vie de couple, sa compagne craignait qu'il ne reconnaisse la moindre qualité à la fausse religion.

— Ce n'est pas normal, insista-t-il. Dieu ne nous a pas faits comme ça. S'Il le voulait, en nous appelant au sacerdoce, il nous rendrait impuissants, comme ces porcs que l'on castre. Mais non, il nous laisse avec tous nos appétits. Les ignorer, c'est lui faire injure.

Ces préoccupations théologiques échappaient à la jeune femme. Elle se trouvait simplement déchirée entre les exhortations à la chasteté entendues au couvent et en chaire, et le comportement de cet homme de Dieu.

— Non, enchaîna l'autre, ce n'est pas normal. Personne n'est en mesure de se plier à la règle. Les autres font comme moi. Seulement, ils sont plus hypocrites.

Ou plus prudents, aurait dit Laïse.

Il avait déjà entretenu Félicité de l'aventure d'un prêtre, l'abbé Chiniquy, torturé par son amour des femmes. Converti au protestantisme pour laisser libre cours à ses penchants, marié, il s'était réfugié aux États-Unis de nombreuses années auparavant avec une poignée de fidèles. Parfois, Sasseville se demandait s'il aurait l'audace de faire de même.

— Nous allons où, comme cela ? demanda la passagère.

Elle préférait changer de sujet, tellement ces idées la troublaient.

— Il y a un petit coin sablonneux, près de la rivière du Chêne. Tu verras, c'est très joli.

Lui aussi désirait échapper un peu à ses interminables questionnements.

Le front collé contre la vitre d'une fenêtre, Célia avait surveillé le passage de la voiture. La colère, ou peut-être la jalousie, lui rongeait les tripes.

— Voulez-vous manger tout de suite ? demanda une vieille femme dans son dos.

L'institutrice du village ne résidait pas à l'étage de son école, comme ses collègues. Elle préférait prendre pension chez une bonne chrétienne, une veuve dont les seules préoccupations concernaient ses fins dernières.

— Si vous pouvez attendre une petite heure, madame Fauteux, j'aimerais écrire une lettre, auparavant.

— À quelqu'un de votre famille ?

— Non, au Département de l'instruction publique. Je désire avoir une copie de la dernière circulaire.

L'autre opina, un peu rassurée sur sa propre mémoire. Personne ne se trouvait dans la vie de sa jeune compagne, qui comprenait seulement l'école, l'église et elle-même. Le soir, elles enchaînaient les rosaires pour passer le temps.

— Allez écrire votre lettre, je mettrai votre assiette dans le réchaud.

Célia monta l'escalier pour retrouver sa chambre sous les combles. Assise à une petite table, elle chercha une feuille de papier, une plume d'acier et de l'encre. Contrairement à Tarrasine, elle savait aligner les mots et produire un texte compréhensible.

«Monsieur le surintendant de l'éducation», commença-t-elle d'une belle écriture ronde.

Il est de mon pénible devoir de signaler une situation absolument scandaleuse qui souille la paroisse de Saint-Eugène. Une jeune institutrice nommée Félicité Drousson loge au presbytère depuis plusieurs semaines [...].

La première feuille ne suffit pas à exposer toute l'horreur de la situation, il lui en fallut une seconde. Elle mangea ensuite avec appétit, heureuse d'avoir agi pour mettre fin au scandale.

Le mois de mai apportait avec lui une température plus douce et mettait du vert au bout des branches des arbres. Si sous le couvert de la forêt on trouvait encore des amoncellements de neige, le printemps l'emportait définitivement sur la mauvaise saison. Toutefois, le temps restait froid au petit matin.

Félicité, debout sur le perron de la petite école, respirait à pleins poumons. De tous ses malaises de l'hiver, il ne subsistait rien. Au contraire, son corps paraissait gagner une nouvelle plénitude, celle qui vient aux jeunes filles devenues femmes.

Les premiers élèves arrivés sur les lieux ne s'empressaient plus d'entrer dans la grande salle. Eux aussi profitaient des rayons du soleil. Leur nombre augmentait un peu. Quelques braves des extrémités du rang reprenaient l'habitude de parcourir le trajet à pied. Les plus jeunes s'aventuraient de nouveau sur le chemin de l'école, compensant un peu l'absence de ceux qui marchaient au catéchisme.

À huit heures et quart, Elzéar entra dans la cour, dépassant de plus d'une tête la plupart des enfants présents. Ernestine avait pris l'habitude de faire un bout du trajet avec lui. Un peu goguenard, il demanda en s'approchant :

— Avons-nous besoin d'une provision d'eau ce matin ?

— À moins de convaincre tout le monde de cesser de boire, oui.

— Je m'en occupe. Je peux mettre aussi un peu de bois dans le poêle, si vous le voulez.

— Non, avec ce temps, nous ferons faire des économies à la commission scolaire.

Le garçon approuva de la tête, puis se dirigea vers la margelle du puits. Près de l'institutrice, Ernestine s'appuya contre le mur pour présenter elle aussi son visage au soleil.

— Il a hâte aux prochains examens publics, remarqua-t-elle. Ce sera pour lui la fin des études.

— De toute façon, il connaît déjà tout ce qu'il veut savoir, conclut Félicité. À moins qu'il ne se passionne pour les conjugaisons rares ou la liste des fleuves de l'Asie, je ne peux rien lui apprendre de plus.

— Il se passera de pouvoir montrer du doigt le fleuve Yangtsé sur la mappemonde. L'automne prochain, il montera au chantier pour se faire bûcheron. Dans trois ou quatre ans, il achètera une terre. Son aîné occupera celle de son père.

L'institutrice eut un petit sourire amusé, puis demanda :

— Il te raconte ses projets quand vous faites route ensemble ?

— … Oui. C'est un bon garçon, même s'il joue un peu au fanfaron.

— Tu as raison, c'est un bon garçon.

Tandis qu'il passait près d'elles avec son seau d'eau, Elzéar eut droit à des sourires amusés. Intrigué, il les rendit tout de même de bonne grâce.

L'arrivée de Griphine, Sildor et Hélas ramena les deux compagnes au sérieux. L'aînée du trio présentait depuis des semaines un visage hostile à l'enseignante, voire un peu arrogant, celui d'une adversaire sur le point de l'emporter. Aucune des démarches de sa mère auprès du Département de l'instruction publique ne lui était inconnue.

Sildor de son côté gardait souvent les yeux au sol, ou alors jetait des regards furtifs derrière lui, comme si un bourreau risquait de sortir de l'ombre pour lui faire un mauvais parti.

— Celui-là a beaucoup changé, observa Félicité.

— L'idée de se trouver une promise à la face aussi croche que la sienne doit le déprimer un peu.

L'assistante de la maîtresse ne perdait rien de son côté caustique. Avoir été la voisine immédiate du garçon depuis l'enfance semblait avoir laissé un lourd héritage de conflits latents.

— D'un autre côté, Griphine paraît bien satisfaite d'elle-même, remarqua l'institutrice. Je me demande bien pourquoi.

L'adolescente devait certainement imaginer le jour où le scandale chasserait l'étrangère de la paroisse, et où elle pourrait enfin prendre sa place à l'école, et peut-être au presbytère. Ernestine résolut de ne pas apporter cette précision à sa compagne. La vie des grandes personnes – et elle mettait sa maîtresse dans le lot –, lui paraissait trop complexe pour qu'elle se mêle de ces turpitudes.

— Tu as appris la nouvelle ? demanda-t-elle plutôt. Non, tu ne peux pas savoir. Samuel est revenu du chantier hier après-midi. Il a passé des heures assis dans la cuve de fer-blanc pour se décrotter. Maman lui a coupé les cheveux court.

Sans doute les lui avait-elle lavés précédemment avec de l'huile à lampe. Ce produit avait la réputation d'être impitoyable contre les poux de la tête, et même ceux du corps, dans le cas des bûcherons s'étant un peu attardés dans les « mauvais lieux » de Hull.

— Je suis contente qu'il soit revenu en bonne santé, dit Félicité.

— Maintenant, il pourra rendre des visites. Il est très présentable, malgré ses cheveux longs comme ça.

Des doigts, l'adolescente désignait une longueur d'un pouce, tout au plus.

— Oui, je devine qu'après des mois dans la forêt, il doit avoir hâte de renouer avec ses amis de la paroisse. Bon, sonne tout de suite, nous avons quelques minutes de retard.

Ernestine donna un coup de poignet, la cloche qu'elle tenait à la main depuis cinq minutes tinta joyeusement. La douzaine d'élèves abandonna les conversations pour marcher vers la porte. Sildor arriva l'un des derniers, les

yeux baissés. Griphine dévisagea l'institutrice avec inso-
lence en passant près d'elle.

Félicité se braqua, mal à l'aise. L'écolière affichait un air
de victoire. Pouvait-elle avoir reçu l'assurance de prendre
en charge l'école en septembre prochain ? Félicité gardait
en mémoire les menaces formulées par la paysanne en
furie. Elle sentait qu'un danger imminent planait sur elle
et son amant.

Son assistante entra la dernière, encore étonnée que la
nouvelle du retour de son frère aîné ait été accueillie aussi
froidement.

La table des petits, à gauche de l'estrade, se trouvait
plus occupée que d'habitude ce jour-là, et celle des grands,
à droite, ne comptait que trois écoliers. Tous les autres se
trouvaient au catéchisme.

Comme tous les matins, les enfants prirent connaissance du nom écrit au tableau : sainte Angèle de Foligno.

— La fête de sainte Angèle a eu lieu hier, le 4 mai. Je
voulais vous entretenir d'elle, car son histoire diffère de
celle des autres saintes présentées jusqu'ici. Elle a d'abord
été mariée et mère de famille…

Au fil des jours, les élèves s'étaient fait présenter une
bonne quantité de vierges et de martyres, toutes exécutées
selon les méthodes les plus grotesques. Entendre parler de
quelqu'un mort de façon naturelle les rassérénait un peu :
la sainteté ne se trouvait pas toujours au-dessus d'un bûcher
ou sous le tranchant d'une hache.

— Une fois devenue veuve, sainte Angèle a rejoint le
tiers ordre, où elle s'est distinguée par une vie pieuse et de
nombreuses extases.

Heureusement pour Félicité, personne ne demanda le sens de ce mot. Le concept aurait paru un peu étrange à ces enfants de paysans.

— Elle a vécu à Foligno. Cette ville est située en Europe, dans un pays ayant la forme d'une botte. Quelqu'un peut me dire lequel ?

— … L'Italie, risqua Hélas.

Le territoire comptait tellement de bienheureux et de béatifiés que, depuis septembre, tout le monde s'était familiarisé avec sa forme singulière.

— Exactement, dans la région de l'Ombrie. Vous savez, parfois les gens se moquent des personnes très pieuses. Si cela vous arrive, vous pourrez invoquer sainte Angèle.

Ces enfants ne s'exposaient pas vraiment à ce genre d'éventualité, aucun ne s'empressa de prendre l'information en note.

— Maintenant, les petits, Ernestine va réviser avec vous les premières pages du catéchisme. Pendant ce temps, je dirai encore un mot sur sainte Angèle aux plus grands.

Compte tenu du faible nombre de ces derniers, Félicité avait pris l'habitude de s'asseoir à leur table. Ainsi, elle pouvait leur parler à voix basse sans trop distraire les plus jeunes. Avec eux, elle ne se souciait plus guère de mettre les garçons d'un côté et les filles de l'autre. Les deux Malenfant se plaçaient côte à côte, dos au mur. Elzéar quant à lui se tenait un peu à l'écart, à califourchon sur le banc pour pouvoir tantôt voir le tableau noir et l'estrade, tantôt se pencher sur ses cahiers.

L'institutrice s'installa près de lui, faisant face à la fenêtre.

— On peut aussi invoquer sainte Angèle après le mariage, quand la belle-famille, les parents de notre nouvel

époux, ou de notre nouvelle épouse, se montrent désagréables.

— Vous voulez dire que je prierai sainte Angèle si ma
belle-mère tente de tout régenter dans ma maison, et elle
va se calmer ?

Elzéar lui adressait un sourire amusé, tout en jetant un
coup d'œil à la table voisine. L'institutrice eut la certitude
qu'il pensait à madame Richard, la mère d'Ernestine.

— Ou alors elle te donnera la patience de l'endurer.

Le garçon remua la tête d'un air entendu, comme si
cette hypothèse lui paraissait la plus probable.

— Je pense aussi que vous êtes assez âgés pour que je
puisse évoquer un sujet plus… délicat. Il convient de prier
sainte Angèle pour résister à la tentation de commettre le
péché d'impureté.

Ces mots venaient à voix encore plus basse, comme il
convenait. Ces trois-là avaient déjà marché au catéchisme,
fait leur première communion, leur confirmation et pour
deux d'entre eux même leur communion solennelle. Le
curé Sasseville les avait certainement entretenus déjà de ce
péché capital.

— Tu dois la prier souvent, souffla Griphine entre ses
dents.

L'institutrice ne réagit pas sur le coup, feignant de
n'avoir rien entendu. Mieux valait se taire, se disait-elle.
Toutefois, la sourde colère qui sommeillait en elle depuis
longtemps s'intensifia. Elle ne savait plus la contenir… La
cruauté de tous les Malenfant et leurs manigances depuis
septembre dernier lui revenaient à l'esprit, et c'est sur cette
adolescente aux courbes trop généreuses que l'accès de
rage devait éclater.

— … Qu'est-ce que tu as dit ?

Sans s'en rendre compte, elle avait élevé la voix. La relancer était une erreur. Déjà, de l'autre côté de la pièce, Ernestine tournait la tête, affolée devant l'imminence de l'esclandre, et tous les enfants faisaient de même.

— S'il faut prier sainte Angèle pour éviter l'impureté, rétorqua Griphine avec un sourire insupportable, tu dois le faire souvent, depuis que tu vis au presbytère.

Sans réfléchir, d'un mouvement vif, Félicité se souleva pour lui flanquer une gifle retentissante en plein visage. Le bruit éclata dans la salle de classe. Les conséquences de ce geste fatal lui apparurent trop tard. L'adolescente lui avait habilement tendu un piège. En cédant à sa colère, elle avait plongé vers lui tête première, comme les lièvres dans ses collets. Lever la main sur un élève donnait un nouveau motif aux commissaires de la renvoyer !

Comprenant finalement comment sa rivale l'avait si habilement manipulée, Félicité perdit tout le poli venu de ses dix années au couvent. Il ne restait qu'une colère blanche, qui enveloppait les complots, l'ironie, les insultes à peine déguisées, et le sort réservé à Floris.

Griphine se trouvait maintenant debout dos au mur, hors de portée des coups.

— Va-t'en chez toi, je ne veux plus te voir ici, ragea la maîtresse.

— Pourquoi ? Parce que je dis la vérité ? Tout le monde sait que tu couches avec le curé. Personne dans la paroisse n'a d'autre sujet de conversation depuis des semaines.

Sildor émit un ricanement. Sa sœur réglait ses comptes pour lui. Même Elzéar arborait un sourire moqueur. Ses dernières semaines à l'école promettaient d'être distrayantes.

— Ce que tu dis là est sacrilège, gronda Félicité.

Aux motifs de sa colère s'ajoutaient maintenant le désir de défendre son amant, et sa peur pour lui.

— Pas autant que ce que tu fais, toi, couchée dans son lit.

Les images de scènes ayant eu lieu dans la chambre confortable du presbytère tourbillonnèrent dans la tête de la maîtresse et emportèrent avec elles le peu de retenue et de rationalité qui lui restait.

— Tu dis cela parce que tu aimerais bien t'y trouver, dans ce lit. Chaque fois qu'il vient ici, tu te tortilles le… cul comme une chienne en chaleur !

Pour la première fois de sa vie, elle utilisait le mot de trois lettres pour décrire une partie de l'anatomie féminine. Jusque-là, le mot « derrière » à lui seul la faisait rougir jusqu'aux oreilles. Les joues en feu, les muscles du cou tendus, elle s'abandonna, bouillonnante.

— Tu te comportes comme cela parce que ta mère t'a montré. Car ce lit, elle a déjà été dedans, non ?

Ernestine ouvrait de grands yeux effarés. Son regard se porta sur Hélas. Elle se sentit coupable d'avoir formulé ses soupçons à haute voix l'automne précédent. De son côté, le garçon suivait l'échange, ses sourcils noirs froncés.

— Va-t'en, continua Félicité d'une voix rauque. Disparais, et amène tes semblables avec toi. Autrement, je raconterai où Sildor a fait sa fameuse chute.

Le duel de regards chargés de haine se poursuivit un instant. Puis Griphine se dirigea vers la porte de côté. Pour cela, elle devait passer près de son adversaire. Elle s'arrêta pour la toiser, puis cracha :

— Profite bien de ton école. Tantôt, ce sera la mienne.

Puis elle alla jusqu'à la table des petits pour empoigner Hélas par la main. Le garçon se laissa prendre en remorque, soumis. Avant de passer dans l'appentis, elle se retourna pour dire encore :

— Tu ne vas pas rester ici, avec cette chienne?

Les mots firent sursauter Sildor. Depuis un moment, il se répétait: «Elle sait.» Une honte bien tardive l'envahit. Il rejoignit les autres. Quand les trois Malenfant furent sortis, Félicité eut l'impression de s'éveiller d'un terrible cauchemar. Le souvenir des paroles prononcées lui tordit le ventre. Une main devant la bouche, elle courut se cacher dans les latrines.

Chapitre 27

Les Malenfant rentrèrent chez eux légèrement après neuf heures. Tarrasine toisa ses enfants un peu penauds.

— Que faites-vous ici ?

— … Elle nous a chassés de l'école.

Griphine paraissait maintenant un peu tracassée par les conséquences de ses paroles.

— Comment ça, vous chasser ? Elle n'a pas le droit. On la paie pour faire la classe à tous les enfants du rang.

— Elle a dit que tu avais couché dans le lit du curé, répéta Hélas d'une voix blanche.

Malgré son jeune âge, bien peu des mystères de la vie lui étaient inconnus. Toutes ses questions de la dernière année trouvaient maintenant leur réponse.

— Elle a dit ça ?

Tarrasine ouvrait des yeux surpris, comme si elle n'en croyait pas ses oreilles. Puis une cruauté joyeuse envahit ses traits.

— La salope a mis son cou sur la buche comme un poulet qu'il faut tuer, ricana-t-elle, et je vais frapper d'un grand coup de hache. Elle ne sait pas encore combien j'ai de force dans les bras, mais elle va l'apprendre.

La paysanne faisait mine de tordre quelque chose avec ses grosses mains rugueuses.

— Griphine, va me chercher de quoi écrire. Vous autres, disparaissez.

Les garçons ne se le firent pas dire deux fois. Lorsqu'elle trempa la plume dans l'encrier, Tarrasine avait un énorme pli au milieu du front. Elle tenait sa revanche, mais elle ne savait pas encore si elle la dirigerait contre une jeune institutrice un peu trop jolie, ou contre l'occupant du presbytère.

Un peu après dîner, elle attelait un vieux cheval noir à une voiture. Elle n'avait pas jugé utile de mettre son mari au courant de sa démarche. Celui-ci ne se préoccupa nullement de savoir pourquoi les enfants ne retournaient pas en classe l'après-midi. Depuis des années, moins il posait de questions, mieux il se portait.

Le cheval parcourut la distance le séparant du village au pas. Au bureau de poste, la préposée l'informa d'une voix affable :

— Madame Malenfant, vous avez fait tout ce trajet pour rien, j'en ai peur. Aucune lettre n'est arrivée pour vous.

— Pas de réponse à la dernière ?

Elle n'écrivait pas assez souvent pour que l'autre ait à fouiller dans ses souvenirs.

— Non, rien du tout.

Près du comptoir, la cliente sortit une enveloppe de sa poche pour la mettre sous le nez de l'employée du gouvernement.

— Cette lettre, vous la trouvez bien adressée ?

L'enveloppe portait les mots : «Monsieur le surintendant de l'instruction publique, Édifice du gouvernement, Québec». La première lettre ne portait comme destinataire que le nom de la ville. La maîtresse de poste avait pris sur elle d'ajouter la précision.

— Tout me semble parfait.

— Mais il ne m'a pas répondu…

— Ces gens sont très importants, ils ont beaucoup à faire.

La paysanne imaginait mal ce à quoi s'occupaient les gens du gouvernement.

— La lettre a pu se perdre, souffla Tarrasine.

— Ça, j'en doute, madame, car tous les employés prennent grand soin du courrier. Mais si vous voulez être certaine qu'elle se rende bien, vous pouvez faire un envoi recommandé. Dans ce cas, la lettre sera remise en mains propres au surintendant, et il devra signer un registre... Mais c'est plus cher.

— Tant pis. Recommandez-la.

Les mots faisaient penser aux prières pour demander une faveur à Dieu. La fermière surveilla tout le travail d'écriture que demandait la procédure et vit sa lettre rejoindre les autres dans un grand sac de toile.

Après les salutations d'usage, Tarrasine retrouva sa voiture. Elle s'arrêta en plein milieu de la rue en passant devant le presbytère, songeuse.

— Toi, mon cochon, tu ne profiteras pas de ta garce bien longtemps, maugréa-t-elle tout bas.

Les guides de cuir claquèrent avec rage sur le dos de la bête.

Toute la journée, l'institutrice avait fonctionné comme un automate. Pouvoir enseigner ainsi, dans un état second, témoignait de la maîtrise de son métier acquise au cours des derniers mois. Quand les écoliers furent partis en fin d'après-midi, même Ernestine ne voulut ni discuter ni passer le balai, tellement la scène du matin la bouleversait encore. Jamais on ne pardonnerait à son amie d'avoir ainsi perdu la maîtrise de ses gestes et de ses paroles. D'un autre côté, elle ne savait trop comment la réconforter. Prendre la fuite lui parut le plus facile.

Une fois seule, la tempête fit rage dans l'esprit de Félicité. Le sol se fissurait, se dissolvait sous ses pieds. Il lui faudrait ajouter la colère à la liste de ses péchés. Elle constatait à présent que les Malenfant s'étaient ligués pour lui nuire. La mère et la fille avaient conjugué leurs efforts pour lui enlever l'école et la protection du prêtre alors que Sildor s'était improvisé tortionnaire de son élève préféré, en plus de faire croître son angoisse par ses séances de voyeurisme. Elle subissait les effets d'une haine farouche, où se combinaient esprit de famille et désirs inassouvis.

Quels fins stratèges, pensait-elle; ou alors s'agissait-il de la simple expression de leurs instincts mauvais? Leur victoire, c'était deux minutes de colère pendant lesquelles elle avait commis l'irréparable. En un instant, elle avait passé outre à toutes les sages recommandations contenues dans le *Cours de pédagogie* de l'abbé Langevin. Aucune commission scolaire ne pouvait pardonner pareil débordement.

Sauf peut-être quand son amant siégeait au conseil. Cette nuit-là, elle ne trouva pas le sommeil: elle vit les ombres s'allonger dans son grenier, les ténèbres profondes envahir la pièce, puis la lumière revenir au petit matin. Tout ce temps, elle songeait au sort qui l'attendait et à sa prochaine rencontre avec Philomire.

— Tu crois qu'ils vont me chasser?

Le plus grand désarroi marquait les traits de la jeune femme, les yeux gonflés d'avoir trop pleuré. Depuis son arrivée au presbytère, cette question lui brûlait les lèvres, mais elle ne put la formuler qu'après dix heures, une fois dans la grande chambre.

Il savait déjà, une âme charitable était venue tout lui raconter, sans doute un père scandalisé par le récit entendu dans la bouche d'un écolier. Pareil truchement laissait deviner une version plus horrible encore des faits survenus. Tous les jours depuis qu'on lui avait appris la nouvelle, Sasseville s'était en fait posé la même question : les commissaires la renverraient-ils à la prochaine occasion ?

La tête contre sa poitrine lui faisait penser à celle d'une enfant démunie, incapable de vivre dans le monde des grands. La pitié l'amena à dire :

— Mais tu es déjà à l'emploi de la commission scolaire pour la prochaine année.

Pourquoi préciser qu'en réunion le conseil des commissaires pouvait mettre fin au contrat en prétextant de la moindre broutille ? Or, cette fois-ci, les cultivateurs disposaient d'un motif solide : l'immoralité. La jeune femme n'était pas dupe :

— Cela n'engage personne, sauf moi. Toutes les raisons sont bonnes pour renvoyer une institutrice en cours d'année, mais si je me dérobais, je serais poursuivie pour rupture de contrat.

— Tu oublies que je fais partie des commissaires, moi aussi. Je ne laisserai pas ma bonne amie être exclue du village. Que ferais-je sans toi ?

Ces paroles lui réchauffèrent le cœur. Elle se rassura en pensant que personne ne s'opposerait à la volonté du curé. Son prestige lui permettait de s'imposer.

— Tu sais, continua-t-il en lui caressant le dos de sa grande main, le mieux dans ces cas-là est de tout nier en regardant ton interlocuteur dans les yeux. À la fin, les affirmations faites avec la plus grande assurance deviennent vraies.

Pareille théorie aurait dû l'inquiéter, car elle s'appliquait en toutes circonstances, y compris dans les rapports amoureux. Félicité choisit plutôt d'y voir une prédiction. La tension se relâcha en elle. Il la protégerait. Elle en arriva même ensuite à pouvoir s'abandonner à ses désirs.

De tous les habitants de Saint-Eugène, Horace Tessier était celui qui recevait le courrier le plus abondant. Outre les envois effectués pour des raisons professionnelles, il fallait compter encore l'avalanche de circulaires, de rapports, de directives et d'accusés de réception venus du Département de l'instruction publique.

À son retour à la maison, il plaça la missive recommandée du surintendant Ouimet au milieu du sous-main ornant sa table de travail, hésitant à l'ouvrir. La rumeur publique enflait dans le village, au point d'accaparer la moitié des conversations. Que des bonnes âmes se soucient de faire savoir leur indignation à Québec ne pouvait surprendre.

— Dans quel guêpier elle nous met, celle-là !

Car, comme Ève au paradis terrestre, toutes les jeunes femmes se révélaient des tentatrices et les hommes, leurs victimes. Un coupe-papier lui permit de fendre le rebord de la lettre. Le feuillet ne contenait que quelques mots tracés d'une écriture élégante :

En raison de rumeurs très inquiétantes provenant de votre localité, nous croyons important de surseoir à la seconde visite d'inspection des écoles. Nous vous demandons plutôt de vous rendre à Joliette afin de planifier avec monsieur Leclerc la suite à donner à cette malheureuse affaire. Nous vous demandons une absolue discrétion…

Il jeta la missive sur la table, poussa un long soupir.

— Nous voilà donc avec une « affaire » sur les bras.

Même le mot, vague à souhait, faisait penser à quelque chose de malpropre. Mieux valait régler la question sans attendre. L'irritation bien visible sur son visage, il sortit de la maison et marcha d'un pas vif vers l'atelier du forgeron. La porte en était ouverte, afin de laisser sortir un peu la chaleur engendrée par le feu de charbon.

— La roue sera prête quand ? interrogeait un cultivateur.

— Pas avant mardi.

— Si tard ? J'ai besoin de ma voiture, moi.

— Demain c'est dimanche, je n'y toucherai pas avant lundi.

Le client secouait la tête pour la forme. En réalité, il n'avait nulle part où aller, mais il convenait de laisser l'impression d'être un homme occupé. Pourtant, il se tourna vers le nouveau venu pour dire :

— Bonjour, monsieur le notaire.

— Bonjour, monsieur Gagnon.

Le professionnel ajouta « Nicéas », afin de l'inclure dans l'échange poli. Comme le paysan ne bougeait pas, les mains dans les poches et sur le visage le plaisir anticipé d'entendre « des nouvelles », même les plus anodines, Horace dut ajouter :

— Je dois parler au président de la commission scolaire.

— Ah ! lança le paysan. C'est donc ça, votre grand secret. Tout le monde le sait. Les gens vont bientôt en jaser dans tout le comté.

Lui-même entendait faire sa part dans ces échanges. Après quelques secondes d'un silence embarrassé, il se résolut enfin à quitter les lieux.

— J'ai reçu cette lettre tout à l'heure, dit Tessier en sortant la feuille de papier de sa poche pour la tendre à son interlocuteur.

— Si tu veux me la lire, commenta l'homme en levant ses deux mains noircies de charbon.

Bien sûr, des empreintes de doigts sur un document destiné aux archives feraient mauvaise impression. Surtout, même s'il savait lire, le forgeron butait sur les grands mots de ces gens importants. Prudent, il se donna la peine d'aller fermer la porte de l'atelier, soupçonnant que son dernier client viendrait tendre l'oreille.

— Le surintendant nous avertit que l'inspecteur ne viendra pas ce printemps.

— La visite devait avoir lieu ce mois-ci.

— Dans dix jours. Il me demande plutôt d'aller voir Leclerc à Joliette.

— Que va-t-il se passer ?

Le ton trahissait sa colère face à l'intrusion d'étrangers dans les affaires de la paroisse.

— Tu connais la loi comme moi. Dans les affaires de moralité, cela peut conduire à une enquête.

— On n'a qu'à la mettre dehors. Elle va s'en aller, et on n'en parlera plus.

— J'aimerais bien, mais nous avons renouvelé son contrat.

Voilà bien ce qui embêtait le plus le notaire Tessier. Puisqu'elle n'avait pas reçu de la commission scolaire un avis lui disant le contraire trois mois avant le terme de l'entente, l'institutrice se trouvait réengagée. Aucun des commissaires n'avait osé soulever la question de ce renouvellement devant le curé. Ces hommes se confessaient à lui depuis des années. Cela lui conférait un pouvoir implicite sur leur vie.

— Mais si on écrit maintenant à la maîtresse et qu'on ferme l'école lundi, elle ne fera pas de problème.

— Vous pensez ? D'abord, il faudra un vote des commissaires à une réunion spéciale convoquée dans les règles. Et malgré cela, elle-même pourrait demander une enquête.

Nicéas Normand n'appréciait guère le cours que prenaient les choses. La décision de la renvoyer devait être prise à la majorité. Mais même si rallier trois voix devenait possible, les commissaires en désaccord, de même que l'institutrice, pouvaient toujours demander la venue du surintendant dans la paroisse pour tirer l'affaire au clair.

— Elle n'osera pas !

— Elle ose déjà pas mal. Engager ce genre de procédures ne nuira pas plus à sa réputation.

Le forgeron s'approcha de son feu, touilla les charbons rougeoyants le temps de se redonner une contenance.

— Que faut-il faire ? demanda-t-il.

Les décisions se prenaient finalement toutes par les deux personnes les plus instruites du village, soit le notaire et le curé.

— Je dois avertir les autres de l'arrivée de cette lettre. Je vais convoquer une réunion spéciale pour mercredi ou jeudi prochain.

— Les deux soirs me conviennent.

— Je vous ferai signer la convocation un peu plus tard.

Tout de même, il convenait de respecter le protocole, le forgeron étant le président de la commission scolaire.

Le jeudi suivant, les commissaires arrivèrent devant le presbytère un peu avant sept heures. Aucun n'avait voulu faire face au curé seul à seul, aussi ils avaient convenu d'entrer tous ensemble. Le notaire frappa à la porte. Sasseville vint ouvrir lui-même, comme il le faisait toujours les soirs de réunion.

— Ah! Messieurs, je vous attendais. Entrez, entrez!

Le prêtre affichait son air jovial habituel, en forçant tout de même un peu la note pour donner le change.

— Nous avons un temps splendide, continua-t-il. Les semences doivent être bien avancées.

Du regard, le prêtre interrogeait Léonidas Marcoux. Celui-ci dut s'éclaircir la voix avant de répondre:

— Oui, ça va bien. J'aurai fini la semaine prochaine.

Ses yeux évitaient ceux de son interlocuteur.

— Suivez-moi. Vous prendrez bien un petit verre pour digérer.

La proposition venait à chaque réunion, et chaque fois les commissaires acceptaient. Si le curé l'offrait, cela ne pouvait porter à mal.

— Non merci, dit Nicéas Normand. Ce sera très court.

Du moins, le forgeron l'espérait de tout son cœur.

— Ah! Vous ne m'en voudrez pas de me servir, tout de même?

— Non, bien sûr que non, monsieur le curé.

L'ecclésiastique les précéda dans la salle à manger. Une bouteille de gin et des verres se trouvaient déjà au milieu de la table.

— Assoyez-vous.

Lui-même prit place sur une chaise placée sur le côté, laissant les extrémités au président et au secrétaire-trésorier.

— Vous êtes sûrs que vous n'en voulez pas ? demanda-t-il, la bouteille à la main.

Tessier songea spontanément au serpent tentateur du paradis terrestre. Tout le monde déclina l'offre. Pour la première fois, le prêtre trahit sa nervosité en se servant une rasade plus généreuse que d'habitude.

— J'ai convoqué cette réunion, commença le forgeron d'une voix empruntée, parce que nous avons reçu une lettre du Département. Monsieur le notaire va nous la lire.

D'un porte-document, Tessier avait sorti les outils de sa fonction : un gros cahier relié de toile rouge où il colligeait les procès-verbaux, un encrier et une plume. Avec tous les yeux fixés sur lui, il retrouva l'enveloppe, en sortit la lettre pour commencer :

— C'est daté du 8 mai dernier, il y a tout juste une semaine. Voilà : « En raison de rumeurs très inquiétantes provenant de votre localité, nous croyons important de surseoir à la seconde visite d'inspection des écoles. Etc. Etc. »

L'homme limita sa lecture à une phrase et replia la feuille de papier. Parmi les commissaires, seul le curé était susceptible de la lui demander pour la parcourir des yeux. Il ne le fit pas afin d'empêcher que la conversation ne porte sur la question de la moralité, préférant prendre une gorgée de sa boisson.

— La lettre ne dit pas pourquoi ? interrogea-t-il plutôt.

— On indique seulement que le surintendant désire avoir plus d'informations.

Tessier tenait à garder secrète sa visite prochaine à Joliette afin d'échapper aux efforts de l'ecclésiastique pour le dissuader.

— Je suppose que notre ami Leclerc veut profiter d'un petit congé, ricana Sasseville.

Personne autour de la table ne renchérit sur les aises que prenaient ces gens importants.

— … Alors, conclut Nicéas Normand, l'inspection n'aura pas lieu.

Les autres commissaires, sauf le curé, firent mine de se lever, un peu surpris d'avoir été convoqués pour en apprendre si peu. Tessier dévisagea le forgeron, les sourcils froncés. Celui-ci se racla la gorge avant de reprendre :

— Je veux maintenant déposer une motion pour mettre fin au contrat de mademoiselle Drousson.

La suggestion amena les cultivateurs à se consulter du regard.

— Mais pourquoi donc ? demanda le curé d'une voix candide.

Le silence s'étira, puis le secrétaire-trésorier s'avança :

— La seule personne qui fait l'objet de rumeurs, parmi les institutrices, c'est elle.

— Vraiment ? Je n'ai rien entendu. À quel sujet ?

Des yeux, il interrogea les commissaires. Ceux-ci semblèrent soudainement tous fascinés par le centre de la table. À la fin, ce fut Marcoux qui se prononça :

— Les gens parlent de sa moralité. En mal.

Le sujet serait finalement abordé, au grand déplaisir de l'ecclésiastique.

— Mais ces histoires datent de l'automne passé, et ce sont des peccadilles. La veillée, le petit bec à Samuel Richard, ce n'est rien. Je peux me porter garant de sa bonne moralité, je vous assure.

Son ton jovial et son assurance en imposaient. Les vérités les plus solennelles sortaient de la bouche de cet homme. Personne n'osa plus rien ajouter. Le notaire rappela finalement :

— Une proposition a été faite par monsieur le président. Quelqu'un veut-il l'appuyer ?

Un nouveau silence s'abattit dans la pièce.

— Moi, intervint finalement Léonidas Marcoux.

Les autres se raidirent. Il leur faudrait maintenant prendre position.

— Quelqu'un demande-t-il le vote ?

Si personne n'ouvrait la bouche, Félicité Drousson se trouverait sans emploi dans quelques jours.

— Moi, se décida Sasseville.

Ses yeux noirs faisaient le tour des personnes présentes. Nicéas Normand sembla tout à coup se souvenir de son rôle de président.

— Qui est en faveur de la motion ?

Marcoux leva la main en défiant son pasteur des yeux. Il fut le seul.

— Qui est contre ?

Le curé leva la sienne, tout en fixant ses paroissiens l'un après l'autre. Tour à tour, ils se décidèrent enfin à lever la leur.

— … Une voix en faveur de la proposition, trois contre, conclut Tessier d'un ton rauque. La proposition est rejetée.

Seul le tic-tac de la grande horloge dans la pièce voisine se fit entendre. Le notaire adressa un signe de la tête à son vis-à-vis.

— Il n'y a pas d'autres sujets à l'ordre du jour. La réunion est terminée.

Cette séance s'avérait la plus courte depuis des années, la plus dramatique aussi. Les hommes se levèrent lentement, comme abasourdis. Dans le couloir, Sasseville retrouva son entrain et un sourire de circonstance pour dire :

— Au moins, nous pourrons profiter de ce qui reste de cette belle soirée.

Près de la porte, il tendit la main à chacun en les appelant par leur nom. Même Léonidas Marcoux accepta de la serrer dans un « Bonsoir, monsieur le curé » à peine audible.

❦

Après le départ des cinq visiteurs, le curé Sasseville prit la bouteille de gin et son verre pour retourner dans son bureau. La boisson à la main, il fixait sa table. Le bréviaire en occupait le centre.

— Qu'est-ce que tu vas faire ?

Le son de la voix le fit sursauter. Sa mère se tenait dans l'embrasure de la porte, une silhouette noire, courte et large.

— Que veux-tu que je fasse ? Les gens parlent, mais ils ne savent rien. Bien mieux, ils ne veulent pas savoir.

— Tu sais que ça peut aller loin. Déjà il y a dix ans…

L'angoisse de la vieille dame tenait au précédent, avec une autre jeune fille. Mais cette fois, les conséquences semblaient plus redoutables : Philomire paraissait vraiment amoureux.

— Tu n'as pas dans la tête d'abandonner tout ça pour ses beaux yeux, tout de même. Il n'existe pas de meilleure situation.

Elle parlait de leurs conditions d'existence. Le curé y avait pensé, justement. Félicité pouvait amener un homme à commettre ce genre de folie. Mais c'était compter sans sa lâcheté. Son confort lui tenait plus à cœur que la plus charmante créature du comté.

— Crains-tu de tout perdre ? demanda-t-il. Voyons, au pire, ils me changeront de paroisse. Un nouveau presbytère, une réputation toute neuve. Peut-être sur la rive sud du fleuve.

Un peu plus et il affirmait que le changement lui serait bénéfique. Pour la première fois, malgré ses appréhensions et les nombreuses frasques de son fils, elle eut vraiment honte de lui. Une part d'elle-même souhaitait le voir se comporter comme un homme et respecter ses sentiments comme ceux de sa compagne. Au lieu de cela, il se préoccupait de pouvoir continuer à jouir d'une existence paisible.

— Tu le prends vraiment comme ça?

— Comment veux-tu que je le prenne? J'ai passé huit ans au séminaire pour devenir prêtre. Ensuite, il y a eu les études de théologie. J'ai consacré les vingt dernières années à ce ministère. Ce n'est pas pour les beaux yeux d'une…

— Ne dis rien de plus, l'interrompit-elle. N'ajoute pas à la saleté de la situation.

Alors qu'elle s'apprêtait à partir, l'homme déballa sur un tout autre ton:

— Ce sont tous des hypocrites. Que penses-tu qu'ils font, quand ils sont bandés comme un barreau de chaise? Des oraisons? Il m'arrive assez souvent de confesser des collègues. Avec moi ils doivent avoir moins honte. Si tu les entendais…

À ses yeux, les fautes des autres allégeaient les siennes.

— Parmi ceux-là, tu en as vu beaucoup héberger une fille dans leur presbytère? L'évêque ne peut pas faire autrement que réagir, maintenant.

— Mais Sa Grandeur l'archevêque de Montréal ne donnait sans doute pas sa place il y a trente ans.

— Ça n'a rien à voir, et tu le sais. Tu l'as amenée vivre ici. Le scandale est public.

Cette nuance faisait toute la différence. Les fautes commises en toute discrétion entraînaient des remontrances bien discrètes elles aussi, et des sanctions si légères qu'elles n'en étaient pas. Mais une transgression faite aux yeux de tous s'expiait publiquement aussi.

— Ils vont étouffer l'affaire.

Le prêtre parlait à la fois des autorités diocésaines et du surintendant de l'instruction publique. Personne ne se risquerait à écorcher la réputation de l'église catholique.

— Mais elle était encore ici samedi et dimanche passés.

— Seule là-bas, elle serait morte.

— Pas il y a cinq jours!

Ce que la vieille femme n'admettait par contre pas, c'est que la petite institutrice lui était devenue chère. Sauver une vie créait des liens.

— Puis tu imagines, si elle se trouve grosse.

— J'ai fait attention.

— Tes précautions ne sont pas efficaces, si je me souviens bien de l'allure du petit coq noir dans un poulailler de blonds…

— De toute façon, si elle était enceinte, tu pourrais lui faire passer ça.

La femme serra les dents. De petites naïves venaient parfois la voir en larmes pour l'implorer. L'existence de cette compétence particulière passait apparemment d'une oreille de femme à une autre.

— Et à elle, tu y penses?

Le curé baissa la tête. Bien sûr il y pensait, pour se rappeler un corps mince et frais comme la rosée. La simple évocation de ce souvenir lui amena l'une de ses raideurs. Sa mère le perça à jour tout de suite:

— Quand tu y penses, c'est avec ta queue.

En sortant, l'idée qu'elle était la première responsable de ce gâchis lui traversa l'esprit. Après tout, elle acceptait de ruiner une vie innocente pour ne pas perdre la grande maison, la nourriture plus que suffisante, les marques de respect exprimées tous les jours.

Ce besoin de stabilité, aussi omniprésent chez Philomire, ne rappelait en rien Romulus. Lui avait eu le courage de faire face aux canons de l'ennemi pour une chimère, et avait vu le monde entier sans jamais douter une seconde de ses convictions.

Après l'affrontement verbal du début du mois de mai, jamais les aînés de la famille Malenfant ne revinrent en classe. Une fois terminée l'obligation de marcher au caté-chisme, Louvinie se présenta en compagnie de son frère Hélas sans apparemment se sentir mal à l'aise. Au cours de la première semaine de juin, Félicité les accueillit en faisant la meilleure figure possible, en les regardant dans les yeux. Elle agissait ainsi avec tous les paroissiens, en n'admettant aucune faute et en ne rougissant devant aucune accusa-tion. Pourtant, tout le monde savait. Odélie y avait fait allusion au beau milieu du chemin de traverse. Mais cela allait dans l'autre sens aussi : compte tenu des visites assi-dues de la robuste paysanne au presbytère, chacun recon-naîtrait une part de vérité aux accusations jetées au visage de Griphine.

Ces raisonnements la rassuraient à demi seulement. Depuis mars, à la messe les regards horrifiés des femmes et concupiscents des hommes l'atteignaient comme une brûlure. Les premières voyaient en elle un être abject et les seconds, la tentatrice, digne fille d'Ève.

Ses moments de lucidité ne duraient pas. Pour ne pas devenir folle, elle en revenait toujours à donner foi aux arguments spécieux de son amant.

Le vendredi 6 juin, malgré ses angoisses, Félicité s'attarda pendant une heure après la classe en compagnie d'Ernestine, afin de préparer le dernier examen public. L'annulation de la visite de l'inspecteur l'avait soulagée d'un exercice toujours éprouvant. Dans moins de trois semaines aurait lieu le rendez-vous avec les parents.

— Cette fois, dit-elle, chacun des petits devrait pouvoir lire à haute voix.

— Les *Devoirs du chrétien*? demanda Ernestine, penchée sur ce livre.

L'adolescente retrouvait le ton de la camaraderie avec Félicité. Cette amitié lui valait toutefois bien des remontrances de la part de sa mère.

— Dans l'un des livres scolaires, répondit la maîtresse, je trouverai des passages un peu plus joyeux et moins rebutants pour les parents. Tiens, pourquoi pas dans le livre d'agriculture dont je leur fais la lecture?

Son rôle dans ce domaine se limitait en effet à lire à haute voix le contenu d'un petit opuscule, de préférence le vendredi après-midi, quand le niveau d'attention baissait dangereusement.

— Oui, cette lecture conviendra mieux. Les habitants vont au moins reconnaître quelques mots. Cela pourrait tout aussi bien être des extraits du missel.

Ce livre étant le seul qui soit un peu familier à ces gens, savoir en lire des paragraphes représentait à leurs yeux un apprentissage utile, alors que l'école leur paraissait souvent un moyen coûteux d'occuper les enfants pendant la mauvaise saison.

— C'est entendu, conclut l'institutrice, nous demanderons à chacun de lire un extrait du petit manuel d'agriculture, et un autre de leur livre de messe. Gardons les *Devoirs du chrétien* pour les plus grands.

Chaque fois que Félicité prononçait le mot «nous» lorsqu'il était question du contenu à aborder ou d'un exercice à donner, Ernestine ressentait une joie profonde. Oui, elle était vraiment devenue l'assistante, prenant une place grandissante depuis janvier dernier. Avec un plus grand effectif, elle se serait sentie autorisée à demander à la maîtresse une partie de son salaire. Cela se faisait souvent dans les écoles de village, plus populeuses.

Son plaisir fut de courte durée. Le pas d'un cheval dans la cour ramena la morosité sur son visage.

— Tu vas encore chez lui?

Le reproche implicite atteignit Félicité au cœur.

— Rester seule dans cette école me pèse de plus en plus. Le souvenir de Floris, l'attitude d'Odélie, ma plus proche voisine…

Ernestine n'écoutait plus. La mort du gamin lui paraissait être devenue un prétexte utile, dans ces circonstances.

— Puis c'est mon seul ami ici… à part toi, bien sûr.

L'hésitation blessa l'adolescente. Elle disputait au curé les attentions de la maîtresse.

— Nous nous reverrons lundi, dit-elle.

Comment pouvait-elle ajouter «Bon samedi» ou «Amuse-toi bien»? Ernestine quitta son banc pour se diriger vers la porte.

— Profite bien de ces jours de repos, lui recommanda Félicité.

Quand elle franchit le seuil, Romulus Sasseville se mit de côté pour la laisser passer.

— Tu es bien pressée, bougonna le vieil homme. Pas même le temps de me saluer.

Ernestine ne répondit rien, ne se retourna pas. Maintenant il lui tardait de regagner le chemin public. Quand le vieil homme arriva dans la classe, Félicité rangeait les livres et les cahiers dans l'armoire.

— Je monte et je reviens tout de suite, dit-elle au nouveau venu.

— Non, aujourd'hui, tu ne viens pas avec moi.

La jeune femme se retourna pour regarder le vieux visage taciturne.

— Tu ne mettras plus jamais les pieds au presbytère, continua-t-il.

— Pourquoi ? murmura-t-elle, sous le choc.

Romulus contempla la jolie fille dans sa robe grise, celle qui l'avantageait le plus.

— Tu n'es pas sérieuse… Avec tout ce qui se raconte, surtout depuis ta petite colère devant les Malenfant…

Après avoir travaillé si fort pour la faire entrer dans sa vie, le curé pouvait-il l'en chasser sans même avoir la décence de lui parler directement ? C'était une lâcheté de plus à mettre à son débit.

— Ils le méritaient, le garçon, la fille, tous les deux. Vous savez d'où il est tombé, le salaud ?

Du doigt, la jeune fille avait désigné son grenier. Mais ce petit accroc aux bonnes manières n'intéressait plus personne.

— Je ne me laisserai plus faire, je ne me tairai plus.

Peut-être s'imaginait-elle que Sasseville la couvrait encore d'un pan de sa soutane pour la protéger. Romulus en voulait à son fils de lui avoir abandonné le rôle de lui ouvrir les yeux.

— Tu sais que je t'aime bien, petite ?

Félicité hocha la tête après une longue hésitation. Lors de tous ces trajets en voiture, sa présence le plus souvent muette était devenue une source de réconfort pour elle.

— Je vais te donner un conseil, écoute-moi bien. Le mieux que tu as à faire, maintenant, c'est de te sauver, assez loin pour pouvoir te présenter comme une Anne Tremblay, ou une Dubois, peu importe, sans risquer de te voir contredire.

Elle écarquilla les yeux, tentant en vain de dire quelque chose.

— Sinon, au cours des prochains jours, ils vont te dévorer vivante. Ce sont des loups, mon fils comme les autres. Pour éviter les reproches, il faut une coupable à ces gens.

La tête de la jeune femme tourna un peu. Une main appuyée au bord de sa table de travail, elle se laissa choir sur la chaise.

— Mais je n'ai rien fait de mal. Philomire, je veux dire monsieur le curé...

— N'ajoute rien. Dans la paroisse, et même dans toute la province, je serai toujours le seul à te croire, avec Laïse. Mais les autres...

Il posa sa grosse main osseuse sur son épaule, et la serra doucement.

— À cause des dénonciations, ils sont forcés d'agir. Ils ne te feront aucun cadeau, et tu seras seule.

Philomire Sasseville aurait eu toutes les raisons de partager l'opprobre, mais il ne le ferait pas. L'horreur de cette trahison l'amena à se raidir, à vouloir combattre.

— Je parlerai, dit-elle après un long silence. Ils verront bien que je n'étais pas seule dans cette histoire.

Toutes les explications possibles de cette situation désastreuses se bousculaient dans son esprit. Elle conclut tristement que Philomire, conforme en cela à la première image qu'elle avait eue de lui, avait tout du séducteur opportuniste et rien de l'amoureux attentionné. Il avait eu besoin de quelqu'un pour assouvir sa faim, elle se trouvait là, disponible, vulnérable. Il avait transformé cette vérité triviale en volonté divine, l'émaillant de confessions. Sœur Saint-Jean-l'Évangéliste le lui avait pourtant répété, en l'exhortant à la vie religieuse : tous les hommes ne pensaient qu'à « ça ». Et maintenant, il en avait fini d'elle.

Tout en gardant la main sur son épaule, Romulus la laissa réfléchir tout son saoul. Une vérité pénible s'imposait difficilement à l'esprit ; la vie lui avait au moins appris cela.

— Ils ne te laisseront pas parler, conclut-il quand elle leva ses yeux mouillés vers lui.

— Personne ne peut me forcer à me taire !

— Et même si tu parles, personne ne t'écoutera. Contre un prêtre, tu es contre toute l'église catholique. Ils te briseront.

À cette évocation, le vieillard revivait l'indignation des libéraux de 1837 à l'égard de tous les pouvoirs arbitraires, de toutes les oppressions. À cette époque, il n'avait pas encore rencontré Laïse, ni eu un fils promis à la prêtrise.

— Je parlerai, dit-elle encore, butée.

À la colère succédaient doucement la douleur de l'abandon et le désespoir.

— Je suis venu en ami. Pour éviter qu'ils ne te fassent du mal, il faut fuir, vite et loin. Je peux te donner de quoi tenir un peu, en attendant que tu trouves du travail.

L'homme fit mine de mettre la main à sa poche.

— Vous venez pour eux ! Ils vous ont dit de venir me voir, de me payer pour que je disparaisse.

Ce « ils » bien vague désignait tous ceux qui souhaitaient étouffer l'affaire. L'autre ne broncha pas.

— Ils m'ont dit de venir, c'est vrai. Mais je le fais pour un seul motif, t'aider un peu parce que je t'aime bien.

Elle retint seulement qu'il était en service commandé.

— Je peux revenir demain et te conduire vers le sud, insista-t-il, jusqu'à la gare la plus proche. De là, tu pourras aller à Montréal ou Québec, et te trouver une place dans une manufacture. Tu seras aussi bien payée qu'ici.

Même le *Journal de l'instruction publique* convenait que les institutrices catholiques gagnaient moins qu'une domestique, malgré tous les avantages.

— Je peux être là avant le lever du soleil. Personne ne nous verra.

Il lui offrait une fuite discrète pour lui épargner la douleur d'une dénonciation publique, mais aussi pour éviter bien des embarras à son fils. Tout doucement, les yeux fixés sur la table, Félicité secoua la tête de droite à gauche.

— Penses-y bien. Ils vont te faire du mal.

Le silence dura un long moment. Romulus se sentait de plus en plus honteux de remplir cette mission. Il reporta sa main à la poche de sa veste. L'institutrice leva la tête pour lui montrer son regard désespéré, les larmes sur ses joues.

— Si vous avez la plus petite estime pour moi, ne me montrez pas un seul dollar. Je ne suis pas à vendre.

Le vieil homme dut détourner les yeux pour ne plus voir cette souffrance.

— Le surintendant de l'instruction publique s'en mêlera-t-il?

— Tu connais la loi… Si tu ne te sauves pas, il viendra dans la paroisse.

Une main glacée se serra sur le cœur de Félicité. Le visiteur ajouta:

— Le bonhomme a sans doute déjà demandé à l'archevêque de Montréal ses conseils sur la façon de conclure cette triste affaire.

L'institutrice hocha la tête. Au couvent, les élèves étaient fascinées par le sort réservé aux sorcières. Elle se faisait l'impression d'être l'une d'elles. Et Tarrasine serait la première à entasser du bois pour préparer le bûcher.

— Tu vas faire comme je te dis, insista le visiteur.

La tête baissée fit un autre léger mouvement de droite à gauche. L'homme, immobile, finit par dire d'une voix étranglée :

— Tu ne dois rien avoir de côté pour les prochains jours… Laïse t'envoie des provisions.

Il attendit encore un peu pour lui donner la chance de changer d'idée. Quand il vit les épaules secouées par un sanglot, il laissa la boîte de provisions sur le plancher de l'appentis. Il ferma la porte derrière lui en évitant de croiser les yeux de la jeune femme affligée, cela lui aurait fendu le cœur.

Chapitre 28

Félicité, affalée sur sa chaise, mesurait toute l'ampleur de la trahison. Elle regagna finalement son logis, la boîte de victuailles dans les bras. La gentille attention tombait pile. Sans elle, elle en aurait été réduite au jeûne, ou condamnée à se présenter au village le lendemain pour faire quelques achats.

La gorge nouée par l'émotion, elle n'en profita pourtant pas ce soir-là. Étendue tout habillée dans son lit, elle fixa le plafond jusqu'à ce que la nuit le dérobe à sa vue. Mille fois, elle se dit que la fuite valait mieux que la honte. Et mille fois, elle se répondit :

— Mais je n'ai rien fait de mal, il me l'a dit. Pourquoi ne le leur explique-t-il pas ?

Et chaque fois, ces mots lui faisaient prendre conscience de sa profonde naïveté. Toute la journée du lendemain, le même dilemme la tortura. Fuir, c'était admettre sa culpabilité. Et coupable, elle l'était. Mais à mesure que la cruelle manipulation de son amant devenait de plus en plus évidente à ses yeux, cette injustice la révoltait. Si la comparution avait lieu, au moins la faute du curé deviendrait évidente.

Et elle s'obstinait à se considérer comme la moins coupable des deux.

Le dimanche 8 juin, Félicité enfila sa belle robe grise pour se rendre à l'église. Sans surprise, aucun cultivateur ne lui offrit de monter dans son véhicule sur le chemin de traverse. Peut-être l'auraient-ils tous fait si aucun membre de leur famille ne s'était trouvé avec eux. La présence d'une femme impure dans la paroisse devait les émoustiller…

Quand le couple Simard passa près d'elle, Phidias fouetta son cheval pour ne pas donner à son épouse l'occasion d'une nouvelle scène. L'institutrice se planta sur le bord du chemin pour les regarder s'éloigner. Désormais, elle serait seule. Peut-être toute sa vie, si l'étiquette de mauvaise femme lui collait à la peau. Rageusement, elle essuya ses larmes sur la manche de sa robe et se remit à marcher.

Elle arriva à l'église alors que la cérémonie était sur le point de commencer. Ainsi, elle s'épargna l'obligation de se mêler aux paroissiens. Seuls quelques retardataires la fusillèrent du regard. Dans le temple, elle remarqua que les trois institutrices se tenaient épaule contre épaule à son banc, tassées du côté de l'allée pour ne lui laisser aucune place.

Quand elle fit mine de se glisser pour aller au fond, Célia siffla comme un serpent :

— Tu n'as pas d'affaire dans l'église, putain.

Combien la vieille fille devait se gausser de sa supériorité morale, maintenant. Tout autour, des deux côtés de l'allée, les mères détournaient la tête de leurs enfants pour les empêcher de la regarder.

La tête basse, Félicité dut se retirer à l'arrière. Condamnée à entendre la messe dans l'angle formé par la grande boîte du confessionnal, un peu dissimulée aux regards, elle pensa à sa mère. L'abbé Merlot voudrait sans doute la chasser de son presbytère. Cette histoire la tuerait. Pourrait-elle au moins lui donner sa version des faits ? La jeune femme secoua la tête. La faute existait, elle en gardait la trace entre ses jambes. Il ne restait rien à défendre.

L'abbé Sasseville monta en chaire, un air assuré sur le visage. Avec à-propos, il décida d'entretenir les fidèles du grave péché de l'impureté, destructeur des âmes et des familles.

Son regard noir parcourait les bancs, comme pour défier ces gens de l'inventiver. Ce serait sa défense : profiter du caractère sacré de son habit pour tout nier crânement, et menacer des flammes éternelles ceux qui voudraient le confondre. Et chacun affecterait de le croire, tellement était grand l'ascendant de ces représentants de Dieu.

Après avoir fustigé le mal et loué la vertu, le prêtre changea de ton pour enchaîner avec les informations de la paroisse. En plus de l'horaire des associations pieuses et du décès d'une personne âgée, Félicité apprit que la messe du prochain dimanche serait chantée pour le repos de l'âme du petit Floris Simard, une attention payée par ses parents.

Puis l'ecclésiastique n'exprima aucune hésitation en déclarant :

— Vu les rumeurs persistantes sur le comportement de l'une des institutrices de la paroisse, monsieur le surintendant de l'instruction publique viendra faire enquête dans trois jours, le mercredi 11 juin. D'ici là, l'école numéro 3 demeurera fermée.

Dès le mot « rumeurs », Félicité, le souffle coupé, les oreilles bourdonnantes, se recula pour s'appuyer au mur. Plus de trois cent cinquante visages se tournèrent vers elle, la plupart haineux, les autres moqueurs.

Il la trahissait du haut de la chaire, devant la communauté rassemblée. Si elle resta là après ce coup au cœur, c'est qu'elle doutait trop de la force de ses jambes. Cela lui permit de voir le prêtre casser sa grande hostie, en enfourner les morceaux dans sa bouche, puis avaler un peu de vin avec un naturel parfait.

Félicité surveillait tous ses gestes. Elle n'entendit pas les portes s'ouvrir et se refermer tout près, elle ne vit rien d'autre que l'officiant s'approcher de la sainte table flanqué d'un servant de messe.

Des paroissiens quittèrent leur banc; les autres, des hommes surtout, les yeux mi-clos pendant l'interlude, pensaient déjà à la pipée dont ils profiteraient dans les dix minutes suivantes. Les communiants revenaient les mains jointes, la mine recueillie, certains d'aller au ciel si leur décès survenait inopinément.

— Si lui le peut, moi aussi, grommela-t-elle.

Bravache, la jeune femme sortit de sa cachette pour s'avancer dans le temple. Le sang battant à ses tempes, l'esprit embrouillé comme si elle avait abusé du vin, elle n'entendit aucun des « C'est scandaleux » ou paroles du même genre, et ne remarqua même pas le visage irrité des ligueurs du Sacré-Cœur ou des membres du tiers ordre décidés à prendre la pécheresse à bras-le-corps pour la jeter dehors.

Elle arriva à la sainte table comme des enfants de Marie et des dames de Sainte-Anne se relevaient. Elle se trouva bientôt à genoux sur la planche de bois, glissa les mains sous le drap blanc qui servait à ce que l'hostie ne touche pas à la peau.

Le curé avançait vers elle. Le regard oblique, elle le voyait sur sa droite. Elle entendit distinctement un premier *Corpus Christi*, puis un second. Son tour arrivait. C'était à elle. Les ongles fichés dans le bois de la balustrade tellement elle était crispée, les yeux grands ouverts sur son amant, elle ouvrit la bouche, la tête un peu penchée vers l'arrière.

— Passe tout droit, grogna le prêtre en poussant un peu le servant de messe.

Après avoir communié lui-même, l'abbé Philomire Sasseville lui refusait ce sacrement. Publiquement, il la désignait ainsi comme seule coupable. Plus aucun paroissien ne douterait, désormais. Il en était à sa seconde trahison.

Figée, Félicité le vit encore donner le pain bénit aux deux paroissiens à sa gauche. Lorsqu'elle se leva enfin, ce fut pour courir vers l'arrière de l'église, vers les grandes portes, dans un claquement de talons.

Quand elle ouvrit pour mettre le pied sur le parvis, l'air un peu frais lui fit du bien. Aveuglée par ses larmes, elle buta contre un corps solide. Elle reconnut Samuel Richard. Un instant, ils demeurèrent immobiles, les yeux dans les yeux. Elle eut le temps de voir les traînées humides sur ses joues.

En fait, dès l'allusion du curé à des rumeurs, il était sorti pour dissimuler son émotion. Et là, il ne pouvait supporter la présence de celle qui en était la cause. Il tourna les talons, dépité, pour s'éloigner.

Félicité recevait un autre coup au cœur. Ce garçon l'avait aimée.

L'inspecteur d'école Isidore Leclerc avait annoncé sa visite par une lettre la semaine précédente. Il arriva devant la maison de Léonidas Marcoux un peu avant deux heures. Il n'eut pas à frapper, la porte s'ouvrit devant lui. Toujours affublé de son habit du dimanche, l'homme l'attendait.

— Monsieur, dit le fonctionnaire la main tendue, je suis heureux de vous voir, même si les circonstances ne sont pas des plus agréables.

— Ça me le disait aussi, déplora l'autre en lui écrasant les doigts dans une poigne solide, dès que je l'ai vue l'été passé. C'était pas une fille pour la paroisse.

Malgré le reproche, le timbre de la voix exprimait une certaine sympathie pour cette petite demoiselle.

— Nous n'allons pas parler de ça sur votre perron, murmura le visiteur.

— Pas dans la maison non plus, à cause des enfants.

— Alors une promenade sur le chemin public?

— Ça jase déjà trop dans la paroisse. Allons là-dedans, si vous n'avez pas peur de vous salir.

Le cultivateur désignait le petit hangar où il remisait ses instruments aratoires.

— Je suis prêt à courir ce risque, ricana l'autre.

Dans la petite bâtisse, le soleil traversait tous les interstices entre les planches des murs.

— Avec cette histoire, nous serons la risée de tout le comté, dit Marcoux.

— Je vous rassure tout de suite. Le surintendant est résolu à traiter cette affaire le plus discrètement possible. Alors, pour ne pas avoir à poser de questions trop précises à l'enquête, il m'a envoyé à la recherche de la vérité. La réputation de la paroisse ne souffrira donc pas trop.

Le paysan opina, satisfait.

— Et comme vous êtes le commissaire de l'école numéro 3, que vous logez à cinq cents pieds de celle-ci, vous la connaissez, cette vérité.

L'autre hésita un peu avant de répondre d'un hochement de la tête.

— Mademoiselle Drousson vous a-t-elle semblé être une bonne institutrice?

— Les enfants l'aimaient, pour sûr.

— Mais vous, monsieur Marcoux?

— Elle a fait la capricieuse, vous l'avez vu à votre dernière visite. Malgré tout, oui, c'était une bonne maîtresse. Les enfants savent bien lire, maintenant. Bon, elle a manqué quasiment un mois…

— Justement, d'après vous, était-elle vraiment malade ?

La réponse à cette question méritait une certaine prudence.

— Le médecin l'a vue un bon quatre fois, à ce qu'on dit.

Quand un malade de la paroisse nécessitait autant de visites à domicile, il ne survivait habituellement pas. Leclerc nota mentalement d'aller voir le praticien avant de rentrer chez lui.

— Selon les petits, elle était en train de crever, compléta l'homme.

— Et elle est demeurée au presbytère tout ce temps pour se faire soigner ?

— Elle n'est pas seulement restée pendant sa maladie. Après, elle partait le vendredi soir de l'école pour revenir le dimanche. Le bedeau la charriait d'une place à l'autre. Vous savez, le bedeau, c'est son père, au curé.

— … Oui, je sais.

Cela aussi paraissait fort mal.

— Et d'après vous, il s'est passé quelque chose entre la maîtresse et Sasseville ?

L'homme se signa avant de dire :

— Ça, personne ne le sait, sauf eux.

L'inspecteur choisit d'abandonner le sujet pour l'instant.

— Si j'ai bien compris, elle a admis en classe qu'elle servait de femme au curé.

Le paysan se gratta la tête, puis sortit une courte pipe de sa poche. Tasser le tabac dans le fourreau et allumer lui laissa le temps de mettre ses idées en place.

— C'est pas tout à fait ça. J'ai questionné les enfants. Elle a rien admis. Griphine Malenfant a commencé…

— Mais mademoiselle Drousson a laissé entendre que d'autres personnes jouaient ou désiraient jouer ce rôle.

La nuance sémantique perdit complètement le paysan.

— Et elle a dit ça en utilisant des mots grossiers, ajouta Isidore.

— Ah! Tortiller le cul, elle a dit. Ma fille n'arrêtait pas de le répéter…

— Cette fois, je veux entendre votre opinion franche, monsieur Marcoux. Est-ce possible qu'il se soit passé des choses entre monsieur le curé et l'institutrice?

Le temps de réfléchir à la question, le bonhomme enfuma la petite construction avec sa pipe.

— Ce que je dis là, ce sera jamais répété?

— Sauf au surintendant. Je suis ici à sa demande.

— Et même à la confesse, vous direz rien?

— Comme ni vous ni moi ne commettons de péché, car je tiens pour acquis que vous ne mentirez pas, le sujet ne demande aucune absolution pour nous.

Présenté si prudemment, l'engagement ne parut pas bien rassurant au commissaire. D'un autre côté, médire d'un voisin ou d'une voisine, à la campagne, constituait une activité prisée.

— Avec la petite, je sais pas. Mais pas loin d'ici, juste de l'autre côté du chemin de traverse, il y a une famille de bons catholiques. La mère allait au presbytère très souvent jusqu'à l'été dernier. C'est une famille de blonds. Ils ont tous les cheveux blonds, sauf un, qui a les cheveux noirs, les yeux noirs. Vous l'avez peut-être remarqué pendant vos visites. Le curé semble s'intéresser pas mal à ses progrès.

Oui, Leclerc l'avait remarqué. Son interlocuteur tirait maintenant sur sa pipe avec une satisfaction évidente.

— Vous voulez dire que le curé et cette dame…

— Non, ne me faites pas porter ce péché-là. J'ai dit que dans une famille de blonds, il y avait un petit noiraud. C'est rare.

Le visiteur aurait aimé une réponse plus affirmative, mais tout de même, ce genre de remarque valait mieux que les lettres envoyées à Québec.

— Vous ne pouvez rien me dire de plus ?

— Je ne vois rien, dit l'autre en secouant la tête.

Leclerc se leva, ayant soudainement besoin de se trouver au grand air. Ses vêtements sentiraient le tabac pendant une semaine. Avant de partir, il serra la main du commissaire en disant :

— Je vous remercie, monsieur, de m'avoir parlé si franchement.

— Y a pas de quoi, rétorqua l'autre.

Comme Leclerc s'apprêtait à donner au cheval le signal du départ, le commissaire leva la main en disant :

— Ah, monsieur l'inspecteur ! Il y a peut-être quelque chose. Vous l'avez sûrement compris, mais au cas où… la mère du petit noiraud, c'est aussi celle de la fille qui se tortille le cul.

— Je m'en doutais un peu, oui. Merci de me le préciser.

Le cultivateur se dirigea vers la maison pour faire son somme dominical. Décidément, il devait faire un bon conteur lors des interminables veillées d'hiver, pensa le visiteur.

Torturée par l'envie de prendre la fuite, Félicité s'enferma plutôt dans l'école numéro 3, des bancs de bois obstruant les deux portes. Elle osait à peine sortir pour refaire sa provision d'eau. Le reste du dimanche et toute la journée du lundi s'écoulèrent bien vite, chaque minute la rapprochant du jour fatidique. La nuit, tous les sens à l'affût, elle s'endormait tard, pour se lever avec les premiers rayons du soleil.

Le mardi matin, une voiture entra dans la cour de l'école. L'œil dans la fenêtre en losange de l'étage, elle reconnut Isidore Leclerc. L'inspecteur lui avait pourtant accordé sa sympathie à chacune de leurs rencontres.

— Pourquoi venir me narguer ? se dit-elle.

Prudemment, elle descendit au rez-de-chaussée, se cacha dans l'appentis afin de ne pas être vue par les fenêtres. Un poing donna contre la porte avant. Après un long silence, l'homme frappa de nouveau.

— Mademoiselle Drousson, ouvrez-moi.

L'institutrice, immobile, retenait son souffle comme si elle craignait de trahir sa présence en respirant. Dehors, le visiteur frappa encore, puis résolut de se présenter à la porte de côté. Au passage, il colla son visage dans chacune des trois fenêtres, sans la voir.

Félicité entendit encore des coups, cette fois tout près d'elle. Elle contempla la barre placée en travers de la porte et supputa les chances que l'autre arrive à l'ébranler. Pour cela, il faudrait de véritables coups de butoir.

— Mademoiselle Drousson, je sais que vous êtes là, c'est fermé de l'intérieur.

L'institutrice s'était placée dos au mur, nul ne pouvait la voir depuis les fenêtres.

— Je voudrais vous expliquer un peu comment cela se passera. Je ne pense pas que les commissaires vous en aient parlé.

Il savait que ces lâches s'étaient dérobés à leur devoir. La pauvre fille avait appris la tenue de l'enquête à la messe du dimanche. Ce détail n'augmentait pas son respect pour le curé de la paroisse. Après tout, on assisterait à la condamnation de l'innocente alors que le nom du coupable ne serait pas prononcé.

— Le surintendant se présentera ici demain. Je dois vous parler.

Elle demeura muette, incapable de faire face à l'inspecteur, de voir le mépris, peut-être le dégoût dans ses yeux. Leclerc comprit son trouble, appuya la main contre le bois pour dire, cette fois un peu plus bas:

— Demain, le surintendant Ouimet sera là à onze heures. Le président Normand et le commissaire Marcoux viendront aussi, de même que Tessier. Les autres, je ne sais pas.

Félicité pariait sur leur absence, en particulier celle de son amant.

— Cela ressemblera à une procédure judiciaire. Vous avez déjà vu un procès?

En l'absence de toute réponse, le visiteur supposa que non.

— Le surintendant va présider. Il va d'abord écouter les personnes qui se sont plaintes de votre comportement. Il interrogera ensuite les commissaires. Puis il entendra les personnes susceptibles de s'exprimer en votre faveur. Aurez-vous des témoins à faire entendre?

L'institutrice apprenait là qu'on l'autoriserait à se défendre. À un peu plus de vingt-quatre heures d'avis, elle n'avait pas le temps de rallier des appuis. Elle songea à sa mère… Puis elle comprit qu'il était absurde de soumettre la pauvre femme à un exercice pareil. Si quelqu'un pouvait mourir de honte, c'était bien la ménagère du curé de Saint-Jacques. Demander l'aide de l'abbé Merlot se révélerait tout aussi vain. Le vieux prêtre saurait témoigner de sa vertu de couventine, mais il ne savait rien de la dernière année.

— Mademoiselle, reprit Leclerc après un long silence, m'entendez-vous ? Des gens viendront-ils vous aider ?

En disant ces mots, l'inspecteur saisissait tout l'odieux de la situation. En ne l'informant pas plus tôt de la procédure, le surintendant la privait de la possibilité de se défendre. Cette jeune femme devrait faire face à la cruauté de l'exercice sans avoir eu le temps de se préparer, ni de se relever du choc. Le fonctionnaire comptait probablement même sur la surprise et la honte pour l'empêcher de parler.

Moins jeune, plus expérimentée, un peu plus riche aussi, Félicité se serait présentée avec un avocat. Celui-ci aurait tôt fait d'amener Ouimet à reculer, tellement sa cliente se révélait privée des moyens de préparer une défense. Mais voilà qu'elle serait seule et terrorisée.

— Je vous laisse une lettre du surintendant reprenant ce que je vous ai dit.

Peu fier de son propre rôle dans cette histoire, il laissa finalement tomber :

— Je suis désolé, mademoiselle… Bonne chance.

L'institutrice attendit d'entendre les pas du cheval s'éloigner avant d'entrouvrir la porte pour récupérer l'enveloppe. Datée d'une dizaine de jours plus tôt, on la lui remettait la veille de la procédure.

L'institutrice se réfugia dans son logis. Elle se tint longuement devant la petite fenêtre en losange donnant sur le chemin public, comme si les porteurs de mauvaises nouvelles devaient se succéder.

Vers six heures, la gorge nouée, elle eut du mal à avaler quelque chose. Elle s'alimentait par devoir, en quelque sorte, pour ne pas laisser son corps s'épuiser comme l'hiver précédent. La soirée passa à une vitesse folle. Le lendemain, son destin serait scellé.

À dix heures, elle s'étendit tout habillée sur son lit étroit, les yeux ouverts sur le vide. Passé minuit, elle ne dormait pas encore. Le bruit sec d'un poing contre le bois la fit sursauter. Elle ne bougerait pas de là, même si en bas on défonçait.

— C'est moi, Félicité. Ouvre.

La jeune femme se redressa, laissa Romulus Sasseville s'abîmer les jointures contre la porte avant de se résoudre à descendre. La bouche contre les planches, elle l'avertit :

— Cessez ce vacarme. Vous allez ameuter tous les habitants du rang.

— Ouvre. Je veux te parler.

— Je ne peux pas. Le règlement m'interdit de faire entrer un homme dans l'école. Philomire m'a expliqué tout cela, l'été dernier.

La pointe d'autodérision dans la voix surprit le vieil homme.

— Ne fais pas l'idiote. Demain, ce sera l'enfer pour toi. Ouvre, prépare ton bagage, dans quelques heures tu seras à la gare.

— Je reste ici !

Pourtant, une voix dans sa tête lui criait de prendre la fuite.

— Je vais te donner un peu d'argent.

L'abbé Sasseville se montrait disposé à lui remettre une partie des dîmes reçues des paroissiens pour s'épargner la publicité sur ses mœurs.

— Vous perdez votre temps. Je ne bougerai pas. Laissez-moi dormir.

Romulus voulut défoncer la porte pour la mettre de force dans sa voiture. Le souvenir de la grosse barre de bois, de l'autre côté, l'en dissuada. Quant à faire éclater les carreaux d'une fenêtre pour passer par là, son âge ne lui permettait plus pareil exercice, il risquait de s'estropier.

— Allez, sauve-toi avant que tout ce cirque ne commence.

— Laissez-moi tranquille.

La voix se brisa sur le dernier mot. Le vieil homme n'ajouta plus rien et regagna sa voiture en secouant la tête.

Félicité passa la nuit à descendre l'escalier en courant pour se rendre aux latrines ; la peur envahissait son corps. Le matin la trouva pâle, affaiblie, les yeux cernés. Elle s'attarda pourtant à faire sa toilette, puis à neuf heures, dans sa robe grise, elle enleva les barres des deux portes, puis prit place sur sa chaise, résolue à attendre stoïquement la suite des événements.

Passé dix heures, une première personne plaça son visage contre l'une des fenêtres.

— Elle est là, commenta le curieux.

Ensuite, cent fois peut-être, l'institutrice vit des figures derrière les carreaux, reconnaissant des paroissiens, parfois des voisins. Toutefois, personne n'osa entrer avant l'arrivée des messieurs de la ville.

Chapitre 29

Dans les faits, un seul homme venait de Québec, mais il s'agissait d'un personnage éminent. Politicien d'abord, Gédéon Ouimet avait été premier ministre conservateur au cours de la décennie précédente. Depuis des années, il remplissait une fonction à la fois moins exposée et plus sûre, celle de surintendant de l'instruction publique. Il s'agissait d'une nomination à vie. Pour lui, finis les aléas du suffrage.

D'habitude, les officiels en mission dans une paroisse logeaient au presbytère. Or, ce visiteur de marque souhaitait éviter tout contact avec le curé Sasseville, tellement le personnage le dégoûtait. Face à lui, sans doute n'aurait-il pas pu dominer sa colère. En conséquence, le curé de Saint-Alexis lui avait offert le gîte. Cela forçait l'inspecteur à l'imiter afin de se tenir au service du grand homme.

— Vous croyez qu'elle voudra causer un scandale? l'interrogea ce dernier. Enfin, je veux dire un scandale plus grand que celui que nous avons sur les bras.

— Je ne pense pas, répondit Leclerc.

La même question et la même réponse revenaient sur toutes les lèvres. L'inspecteur passa sa colère en faisant claquer les guides sur le dos de son cheval. Puis il dit encore:

— Tout de même, c'est un peu étrange de tenir cette procédure dans l'école même de la maîtresse.

— Cela ne peut se faire à l'église. Dans la plupart des paroisses, il n'y a pas de meilleure salle. Puis cela se déroule au milieu des parents des élèves. Ces gens peuvent témoigner, entendre les arguments. C'est pratique.

Surtout, la fautive, ou le fautif parfois, voyait ses turpitudes exposées au milieu des siens. C'était le début de sa punition.

Ils venaient de s'engager sur le chemin de traverse. Ouimet se tordait le cou afin de continuer à regarder le clocher de l'église de Saint-Eugène. Le mot d'ordre de l'archevêque de Montréal continuait de lui tourner dans la tête : éviter à tout prix que l'affaire ne s'ébruite.

« Quant à ce prêtre, s'il y a une once de vérité dans cette histoire, l'église saura bien rendre justice », avait affirmé l'archevêque. Exprimer un doute à ce sujet aurait été sacrilège, aussi l'ancien politicien s'était tu.

En s'engageant dans le rang Saint-Antoine, le vieil homme raidit le dos et s'assura de la correction de sa mise. Venu rendre la justice dans ce trou perdu, il se devait de faire bonne impression. Sa précaution se montra justifiée quand la voiture s'engagea dans la cour de l'école.

— Tous ces gens…, commença-t-il.

— Ce sont des paroissiens curieux. Ils viennent au spectacle, comme lors des exécutions à la prison de Montréal.

Ouimet jeta un regard menaçant sur son compagnon, une façon de lui signifier que les inspecteurs ne se trouvaient pas nommés à vie, eux. Les remarques grinçantes ne seraient pas tolérées.

Tout autour de l'école étaient rassemblées une bonne centaine de personnes, en majorité des hommes. Parmi les calèches, les cabriolets, les chariots et les charrettes, la voiture du nouveau venu trouva sa place. Le surintendant descendit, petit homme rondelet aux cheveux blancs et à la barbe poivre et sel. Le melon sur le sommet du crâne, il se dirigea vers l'école. Les gens s'effaçaient devant lui pour le laisser passer. Sa présence faisait cesser les conversations.

Près de l'entrée principale de l'école, le président Normand s'approcha, visiblement impressionné, engoncé dans son habit de noce devenu trop petit.

— J'ai empêché les gens d'entrer, Votre Honneur, bafouilla-t-il une fois les présentations faites.

Le pauvre s'emmêlait dans les titres. Le visiteur méritait celui d'Honorable à cause de son passé de premier ministre, mais lui attribuer celui de juge était une erreur. La confusion lui étant familière, il ne s'en formalisa pas.

— Vous avez bien fait. Les autres commissaires sont-ils présents ?

— Seulement celui de cet arrondissement. Les autres ne jugeaient pas leur présence utile. Puis dans le cas de monsieur le curé…

— Celui-là ne viendra pas, précisa l'inspecteur. Et voilà justement monsieur Marcoux.

Le cultivateur ne s'était pas donné la peine de s'endimancher. Pour faire un sale travail, les habits de tous les jours lui convenaient très bien. Leclerc attira ensuite l'attention du secrétaire-trésorier. Celui-ci se permit d'échanger un peu avec le visiteur pour bien montrer qu'au moins en regard de l'éducation ils appartenaient au même monde. Il réussit à glisser une citation de Cicéron en latin pour souligner sa connaissance des humanités classiques.

— Si vous le voulez, je pourrai prendre des notes, spécifia-t-il, car je vois que vous n'avez pas de greffier avec vous.

— Je vous remercie, monsieur, rétorqua l'autre, mais Leclerc suffira à la tâche.

Le notaire fronça les sourcils, surpris de se voir sup-planter par un homme n'ayant aucune connaissance du droit, mais il s'en tint là. De son côté, Ouimet ne voulait pas laisser trop de traces de cette journée. L'inspecteur se trouvait bien averti de rédiger un compte-rendu laconique.

Le maire de la localité réussit à se faire présenter à l'illustre personnage. Ce dernier profita de l'occasion pour demander :

— Tenez toutes ces personnes à distance. J'aimerais dire un mot en privé à cette jeune demoiselle.

Puis, flanqué de Leclerc, il poussa la porte. Depuis quelques minutes, Félicité se tenait debout au milieu de la classe, les deux mains jointes à la hauteur de sa taille pour les empêcher de trembler.

— Mademoiselle Drousson, je présume ?

Ouimet fut un peu déçu de se trouver devant une jolie jeune femme timide, réservée, et visiblement terrorisée. Il l'aurait préférée arrogante et vulgaire pour se faciliter la tâche.

— C'est moi, monsieur le surintendant.

L'homme ne lui présenta pas la main, comme la bien-séance l'exigeait lors d'une rencontre avec une inconnue, et elle ne prit pas l'initiative de le faire.

— Vous savez, mademoiselle, vous pourriez éviter un moment très désagréable en remettant tout de suite votre démission. J'ai justement un texte avec moi, très discret quant aux motifs. Si vous y apposiez votre signature…

L'homme tendit la main vers l'inspecteur, celui-ci cherchait la lettre dans son porte-documents.

— Et par le fait même, je perdrai mon brevet d'ensei-gnement, compléta Félicité.

— … Oui. Mais comme je vous l'ai dit, au moins il ne sera pas nécessaire d'étaler les causes.

— Dans ces conditions, je me dois de refuser.

Derrière le visiteur, Leclerc secouait la tête et articulait un «Acceptez» muet.

— Ce serait une erreur.

La voix du surintendant contenait une pointe de menace.

— Je veux faire ce travail depuis que je sais lire. J'ai réussi l'examen avec une bonne note, monsieur Leclerc pourrait en témoigner. Dans votre lettre, dont j'ai pris connaissance hier, vous parlez de rumeurs au sujet de ma moralité sans les préciser…

L'homme se raidit devant ce qu'il percevait comme un reproche implicite.

— Dans les circonstances, je préfère entendre ces reproches, avec l'assurance que, si je ne suis pas totalement innocente, je suis la moins coupable, dans cette histoire.

Le surintendant ne put s'empêcher d'admirer la franchise de cette femme, et la justesse de son propos. Comme il se trouvait en service commandé, il poursuivit cependant:

— Je regrette que vous refusiez mon offre; elle visait à vous protéger, je vous assure. Soyez toutefois certaine que je ne vous en tiendrai pas rigueur. Je m'efforcerai de traiter cette affaire au mieux de vos intérêts.

Ouimet la quitta des yeux pour examiner la pièce. Ces écoles de rang présentaient souvent une allure bien misérable.

— Cet aménagement ne permettra pas de recevoir tous ces gens, dehors, commença-t-il par dire à son compagnon. Avec les membres de la commission scolaire, vous verrez à le modifier. Par exemple, nous pourrions mettre une table de ce côté et sortir les autres dehors.

Leclerc s'empressa de faire comme on le lui disait.

— Mademoiselle, s'informa le fonctionnaire en se tournant vers l'institutrice, vous logez à l'étage, je suppose?

— Oui, monsieur.

— Montez quelques minutes, le temps de tout mettre en place. Nous vous ferons signe quand ce sera prêt.

Les mains toujours réunies devant elle, les jambes flageolantes, elle obtempéra.

Quand Félicité descendit de son logis, elle trouva l'aménagement de la classe totalement bouleversé. Sur la petite estrade, le surintendant occupait la place d'honneur, car il devait présider ce curieux tribunal. À sa gauche, placés dos au mur, les membres présents de la commission scolaire se tenaient derrière une table. Comme le banc sur lequel ils s'esseyaient avait été prévu pour des enfants, ils se trouvaient plutôt bas.

À la droite du fonctionnaire, une autre table permettait à Isidore Leclerc et à l'accusée de prendre place. Ces deux-là seraient bien à leur aise, personne ne leur tiendrait compagnie. Les deux autres tables avaient été sorties dehors, les bancs restants alignés au fond de la classe. Quelques paroissiens les occupaient.

Félicité distingua Tarrasine Malenfant assise au premier rang, près d'Odélie Simard. De simples badauds emplissaient l'arrière de la classe. Les six fenêtres distribuées de part et d'autre de la bâtisse étaient grandes ouvertes. Des femmes, mais surtout des hommes, se tenaient tout près, pressés les uns contre les autres, afin de ne rien perdre du spectacle.

— Mesdames, messieurs, commença le surintendant d'une voix forte et mesurée, celle d'un homme rompu aux campagnes électorales les plus chaudement disputées, nous sommes rassemblés ici afin de faire enquête sur des rumeurs persistantes circulant sur le comportement de mademoi-selle Félicité Drousson, enseignante à l'école numéro 3 de la commission scolaire de Saint-Eugène.

L'entrée en matière s'accompagna d'un bruissement de voix. Les personnes les plus proches des fenêtres répétaient les propos tenus aux malchanceux condamnés à ne rien voir ni entendre.

— Notre attention, enchaîna le fonctionnaire, a été attirée par quelques lettres adressées au département, cer-taines signées, d'autres pas.

« Je suis ici aujourd'hui à cause de gens si lâches qu'ils n'ont pas osé signer leurs dénonciations », se dit l'institu-trice. Ses yeux se portèrent sur Tarrasine Malenfant.

— Mais avant de demander à ces dénonciateurs de s'exprimer, nous allons entendre le témoignage de Nicéas Normand, le président de la commission scolaire.

Le forgeron se leva, engoncé dans son vieil habit.

— Vous pouvez rester assis, monsieur. En un endroit pareil, le décorum d'une cour de justice paraîtrait un peu... pompeux.

L'hésitation avant le dernier mot provoqua un petit rire.

— Monsieur Normand, reprit le surintendant, depuis quand mademoiselle Drousson se trouve-t-elle à votre service ?

— Son contrat a été signé l'été dernier, elle est arrivée dans la paroisse seulement au début de septembre.

— Personne ne la connaissait, ici ?

— Non, elle vient de Saint-Jacques.

La question contenait une pointe de reproche pour l'imprudence du procédé. Embaucher une étrangère, c'était courir le risque de faire un mauvais choix. Le forgeron prit le parti de s'en défendre :

— Son brevet témoignait de sa compétence et elle avait les lettres de recommandation habituelles. Son curé la présentait comme une personne très convenable.

— Était-elle aussi compétente que le brevet vous le laissait croire ?

L'homme échangea un regard avec l'institutrice, de l'autre côté de la pièce.

— Oui. D'ailleurs, monsieur l'inspecteur lui a donné une bonne note, l'automne dernier.

Isidore Leclerc branla doucement la tête, comme pour lui donner raison. La plume à la main, il colligeait soigneusement tous les mots prononcés depuis le début de la procédure.

— Donc, vous n'aviez rien à lui reprocher sur le plan professionnel ?

— … Pas au début. Tout semblait bien aller.

— Mais ensuite ?

Le président de la commission marqua une hésitation. On en venait déjà à la délicate situation.

— Après l'Épiphanie, elle a fait la classe quelques semaines, puis elle a déserté l'école.

— J'étais malade, intervint Félicité d'une voix hésitante. Une pneumonie.

Ouimet tourna vers elle des yeux sévères, puis précisa :

— Mademoiselle, vous aurez l'occasion de vous exprimer un peu plus tard. D'ici là, n'interrompez pas les témoins, je vous prie.

Docilement, elle hocha la tête. Ses accusateurs devaient parler les premiers. Personne ne viendrait la défendre ensuite.

— Monsieur Normand, continuez.

— Après un mois, les enfants ont dû rentrer à la maison, à cause de cette supposée maladie.

— Selon vous, elle se portait bien ?

— Ça, je ne sais pas. Je ne suis pas médecin.

Le doute était tout de même semé dans les esprits des personnes présentes.

— Pendant combien de temps l'école a-t-elle été fermée ?

— Un bon trois semaines, au plus froid de l'hiver.

Cette fois, ce fut au surintendant de marquer une hésitation.

— Pendant ce temps, elle habitait toujours dans le logis, au-dessus de cette classe ?

— … Non, au presbytère.

— Quand les leçons ont repris, elle a regagné l'école ?

Depuis que ce sujet retenait l'attention, un complet silence régnait dans la petite bâtisse. Le fonctionnaire semblait marcher sur un fil de fer, convaincu de choir à la première maladresse.

— Non, monsieur. Elle arrivait le matin, repartait le soir.

— Alors, où habitait-elle ?

— Toujours au presbytère. Et quand elle s'est réinstallée en haut, le samedi et le dimanche, elle retournait au village.

Cet homme insinuait que le comportement des deux protagonistes était entaché d'immoralité. Mais personne ne se risquerait à l'évoquer à haute voix.

— Et comment les gens ont-ils réagi à ces événements ? commença Ouimet. Je veux dire, à l'arrêt des classes et au fait qu'elle… déserte son logis.

— Les contribuables paient des taxes pour avoir une école ouverte du début septembre à la fin juin. Certains étaient fâchés de ne pas en avoir pour leur argent.

Le fonctionnaire approuva de la tête, comme si cette réaction allait de soi.

— Avez-vous autre chose à nous apprendre, monsieur Normand ?

— Non, je ne vois pas.

Ouimet opinait du chef, comme si ce témoignage avait jeté un éclairage parfait sur toute cette affaire.

— Je vous remercie. Nous allons maintenant entendre monsieur Léonidas Marcoux, commissaire de l'arrondissement numéro 3.

À son tour, le cultivateur fit mine de se lever mais garda sa place après un signe du président du tribunal.

— Monsieur, pouvez-vous confirmer quand mademoiselle Drousson est arrivée dans cette école ?

— Au début de septembre dernier.

— Comment l'avez-vous trouvée ?

— Capricieuse !

Le qualificatif amena un ricanement dans la classe.

— Que voulez-vous dire par là ?

— Elle n'aimait pas les tables et les bancs, demandait toujours plus de bois de chauffage, se plaignait des murs de l'école mal renchaussés…

— Mais pour sa façon de faire la classe ?

— Elle avait de la misère à faire tenir les plus grands tranquilles. Pour le reste, elle faisait du bon travail. Mes jeunes ont appris à lire…

— L'hiver dernier, ils n'ont pas dû faire de si grands progrès.

— Ah ! ça non. Mais elle était vraiment malade comme un chien. Ils me l'ont dit.

— Vos enfants paraissent vous informer de tout ce qui se passe à l'école.

— Le sujet m'intéresse.

Le ton contenait assez d'humour pour faire rigoler la salle. Une pointe d'impatience passa sur le visage de Ouimet.

— Alors ils vous ont certainement rapporté les paroles scandaleuses tenues par l'institutrice au début du mois de mai.

— … Oui, je suis au courant.

— Des mots horribles.

Marcoux fit oui de la tête, un peu agacé par cette façon de tourner autour du pot.

— Ces mots, insista le fonctionnaire, étaient contraires aux sages prescriptions de la pédagogie, de la justice, de la bienséance et de la pudeur.

L'énumération n'ébranla pas outre mesure son interlocuteur.

— Des mots cochons, oui.

— Vous pouvez me les rapporter ?

— Ça a commencé avec les accusations d'une élève à propos de sa présence au presbytère…

— Nous connaissons déjà ce fait. Moi, je veux savoir ce que l'institutrice a dit.

Le surintendant ne voulait pas voir l'échange d'accusations scabreuses répété en public. La sanction contre Félicité devait porter sur un autre motif que l'impureté. L'Église n'en sortirait pas souillée…

— Bien… elle a dit à l'écolière que celle-ci voulait… coucher avec le prêtre.

On entendit distinctement les « Oh ! » des spectateurs.

— Vous voulez dire que mademoiselle Drousson a formulé en classe une accusation épouvantable, à savoir que l'une de ses élèves souhaitait… entretenir un commerce charnel avec le curé ?

Même si cette façon de présenter les choses lui paraissait bien alambiquée, le commissaire approuva d'un geste de la tête.

— A-t-elle dit cela devant tous les autres élèves, à voix haute, pour que tous entendent ?

— En tout cas, les miens ont entendu.

Le surintendant braqua des yeux sévères sur Félicité. La jeune femme présentait un visage très pâle, des yeux craintifs.

— A-t-elle dit autre chose que vos enfants vous ont rapporté ?

— Que la mère de la fille faisait la même chose.

— Elle a lancé à haute voix, à une écolière, que sa mère commettait le péché d'impureté avec le curé ?

— C'est ça.

Gédéon Ouimet pouvait s'arrêter là. Ces simples accusations proférées en classe, devant les élèves, suffisaient pour retirer le brevet de l'institutrice. Pourtant, il semblait désirer enfoncer le clou.

— Nous allons maintenant entendre madame Odélie Simard.

Félicité crut que son cœur allait cesser de battre.

La paysanne se leva en hésitant. Comprenant son manque de familiarité avec ce genre de procédure, le surintendant dit en montrant du doigt :

— Allez vous asseoir près de monsieur Tessier.

Odélie prit la place désignée, presque en face de l'institutrice, de l'autre côté de la classe. Elle gardait les yeux baissés, comme si l'échange d'un regard risquait d'affaiblir sa résolution. De son côté, Félicité semblait maintenant écrasée par le chagrin.

— Madame Simard, pouvez-vous évoquer pour nous une conversation troublante tenue avec mademoiselle Drousson?

— ... Sur monsieur le curé?

— Sur ce que l'institutrice a dit au sujet des curés.

Cette précision évitait de pointer trop directement en direction du presbytère de Saint-Eugène. Surtout, elle témoignait du fait que le surintendant entendait ce discours pour la seconde fois.

— Elle a dit que les prêtres pouvaient éviter la famille.

— Elle faisait allusion à la possibilité que des prêtres connaissent charnellement des femmes?

— Oui. Elle a dit qu'ils peuvent éviter d'avoir des enfants.

Les curieux retenaient leur souffle, désireux d'en savoir plus. Gédéon Ouimet entendait les décevoir.

— Je vous remercie, madame Simard. Vous pouvez reprendre votre place.

Odélie se leva lentement, comme si elle souhaitait ajouter quelque chose. Le surintendant considérait quant à lui que la procédure causait déjà un scandale assez grand.

— Mademoiselle Drousson, souhaitez-vous répondre à mes questions? Vous pouvez garder le silence, si vous préférez.

— Non, je veux répondre, formula-t-elle d'une voix blanche.

Le fonctionnaire lui en fit reproche d'un regard sévère. Cet entêtement ajoutait au caractère spectaculaire de l'affaire.

— Très bien, mademoiselle Drousson. Vous ne niez pas avoir résidé au presbytère au cours de l'hiver dernier ?

— Non, puisque c'est vrai. J'étais très malade, je ne pouvais rester seule. Le docteur Cloutier pourrait vous le confirmer.

— Il n'est pas nécessaire de le détourner de son travail pour l'amener ici. Je reconnais que vous avez été malade, tout le monde s'en est rendu compte dans la paroisse.

Ces mots rassérénèrent Félicité. Qu'on la prenne pour une menteuse l'horripilait.

— Mais quand vous avez été en mesure de reprendre votre enseignement, vous avez continué d'habiter là-bas.

— J'étais encore très faible. Trop pour prendre soin de moi… Je veux dire préparer mes repas, faire ma lessive.

— Alors la ménagère du curé vous est généreusement venue en aide.

— Oui, c'est ça.

Ouimet donnait un aspect moins sulfureux à la présence de la jeune femme dans la grande bâtisse voisine de l'église.

— Madame Sasseville a bien pris soin de vous, n'est-ce pas ?

— Sans elle, je n'aurais pas survécu.

— Et pour profiter de ses soins, vous restiez au village, même après avoir repris les classes.

Félicité lui donna raison. Plutôt que la concupiscence, la générosité du curé et de sa famille se trouvait mise en évidence pour gagner la faveur des bons catholiques.

— Pouvez-vous me confirmer les faits rapportés par monsieur Marcoux, c'est-à-dire votre accusation envers l'une de vos élèves d'entretenir des désirs coupables pour le curé ?

La gorge trop nouée pour émettre un son, elle approuva de la tête.

— Vous avez aussi dit à cette écolière que sa propre mère entretenait une relation illicite avec son pasteur. C'est bien le cas?

Une seconde fois, elle le reconnut en hochant la tête.

— Et vous avez fait cela devant tous les autres élèves.

— ... Oui.

Les mots se bousculaient dans la tête de la jeune femme, mais aucun ne passerait jamais ses lèvres.

— Pouvez-vous confirmer que la conversation évoquée par madame Simard a bien eu lieu?

Le corps de Félicité parut s'affaisser, perdre de sa densité. Dans un sanglot, sa tête s'agita de haut en bas plusieurs fois.

— C'est bien, mademoiselle, je n'ai pas d'autres questions.

L'homme préférait mettre fin à la torture.

Dans un véritable palais de justice, l'accusée se serait retirée dans un cachot, et lui-même dans une suite de pièces. En ces lieux, il devait improviser.

— Maintenant, vous pouvez monter à l'étage pendant quelques minutes. Monsieur Leclerc ira vous chercher pour le prononcé de la sentence.

Quant au surintendant, il se voyait dans l'obligation de détruire la vie de cette jeune femme sous les yeux de tous ces paysans.

Chapitre 30

Isidore Leclerc plaça les notes prises au cours des témoignages sous les yeux de son supérieur. Celui-ci les regarda à peine, puis se mit à rédiger. Trouver le ton juste et en dire suffisamment, sans être trop explicite, lui causaient quelque difficulté. Les paysans s'amusèrent de le voir tracer des lignes fiévreusement, pour les biffer ensuite d'un geste impatient.

Après une demi-heure, Ouimet désigna le plafond de la main à Leclerc. Celui-ci avait le douteux privilège d'aller chercher la condamnée. L'issue de ce mauvais procès ne faisait aucun doute. Félicité pénétra dans la classe à petits pas, les yeux rivés sur le plancher. Comme elle s'arrêtait devant la petite estrade sur laquelle siégeait son juge, le surintendant lui dit:

— Mademoiselle, regagnez votre place.

Par cette attention, il souhaitait moins lui éviter la station debout que de ne plus l'avoir sous les yeux. Les spectateurs poursuivaient des conversations murmurées. Faute d'un maillet, il frappa du plat de la main sur la surface de la table.

— Aujourd'hui, le 10 juin, je me suis transporté à l'école numéro 3, en la paroisse de Saint-Eugène, pour enquêter sur certaines rumeurs rapportées au cours des dernières semaines par des contribuables, et ce, en présence des paroissiens intéressés...

Ouimet nomma les commissaires, le secrétaire-trésorier, les deux autres témoins, précisa leur fonction, résuma leurs paroles et fit lecture de sa décision.

— Attendu que les témoins ont établi sans contradiction aucune, 1° que ladite institutrice, Félicité Drousson, a accusé une paroissienne d'entretenir un commerce illicite avec monsieur le curé, cela devant trois des enfants de cette dame, ses élèves, et devant l'ensemble des écoliers ; 2° que, toujours en classe et devant les enfants, elle a accusé une élève d'entretenir des pensées impures envers le curé ; 3° qu'elle a affirmé devant Odélie Simard des choses que la morale réprouve, toujours à propos des prêtres ; 4° que lors de son interrogatoire, mademoiselle Drousson a confirmé la véracité de chacun de ces faits…

Ouimet fixa un instant ses petits yeux bruns sur l'institutrice, comme pour la défier de dire le contraire.

— … je conclus que mademoiselle Drousson s'est rendue indigne de pratiquer le métier d'institutrice, car elle a été un objet de scandale pour ses élèves. Son brevet pour les écoles académiques lui sera retiré.

Cette fois, la pauvre jeune femme ne put réprimer un sanglot. Ce serait sa seule protestation publique contre le sort qu'on lui réservait.

— Je tiens à préciser que je n'accorde aucune foi aux potins qui circulent sur le curé de la paroisse, comme le feront toutes les personnes raisonnables.

Comme il n'avait pu conclure cette affaire en toute discrétion par la démission ou la fuite de la maîtresse, la précision lui vaudrait certainement la mansuétude de l'archevêque de Montréal.

— J'ordonne aussi 1° que la commission scolaire mette fin à l'engagement de ladite institutrice lors d'une réunion spéciale tenue aujourd'hui même à cette fin ; 2° que la totalité de son traitement annuel soit versée à mademoiselle Drousson…

Cet élément de la sentence prit les commissaires présents et le secrétaire-trésorier par surprise. Le fonctionnaire entendait les punir pour ne pas avoir résolu promptement et discrètement ce problème.

— … 3° que la commission scolaire dote l'école numéro 3 de tables et de bancs avec dossiers, conformément aux directives du Département de l'instruction publique 4° que l'entretien de ladite école soit fait avec diligence afin de protéger les enfants des rigueurs de l'hiver. Le défaut de se plier à ces exigences entraînera la perte de la subvention provinciale pour les écoles, comme le prévoit la loi. L'inspecteur Leclerc s'assurera que ces aménagements soient réalisés d'ici le début des classes, en septembre prochain.

Gédéon Ouimet adressa un petit sourire en coin aux hommes assis à sa gauche. Les contribuables du rang Saint-Antoine, presque tous sur les lieux, commençaient déjà à calculer combien il leur en coûterait d'avoir forcé le grand homme à faire le trajet depuis Québec.

— J'enjoins également aux commissaires de trouver une remplaçante qui complétera la présente année scolaire.

Le surintendant conclut en disant que la commission scolaire assumerait tous les frais de déplacement et de séjour des deux personnes venues faire enquête. Heureusement pour elle, aucune des parties n'avait eu recours à un avocat. La facture serait modeste.

— Ceci met fin à cette affaire, dit-il en plaçant le feuillet tout raturé sur la table. Que chacun rentre chez soi.

Le visiteur fit semblant de s'absorber dans ses papiers, le temps que les curieux comprennent ses derniers mots.

Les têtes disparurent des fenêtres, le bruit des bancs remués s'éleva. Ces gens en avaient pour vingt ans au moins à parler des étranges événements de cette journée, malgré leur frustration de ne pas avoir su si les protagonistes de l'affaire « l'avaient fait » ou pas.

À la fin, il ne resta plus que la jeune femme pliée en deux dans sa douleur, les deux commissaires et le secrétaire-trésorier.

— Mademoiselle, dit ce dernier en s'approchant de Félicité, pouvez-vous me rendre les clés de l'école ?

Toujours sur l'estrade, le surintendant entendit. Il ordonna d'un ton peu amène :

— Il est passé trois heures. Vous n'allez pas la jeter sur les chemins. Elle quittera l'école demain, au cours de la journée. Remettez-lui tout de suite son salaire. Je veux que les comptes soient réglés avant mon départ.

Tessier dissimula mal une grimace. Il sortit de la poche intérieure de sa veste une enveloppe pour la tendre en précisant :

— J'ai pris sur moi de payer votre compte au magasin général.

Félicité sortit de sa prostration, leva la tête et accepta l'argent.

— Je vous remercie, dit-elle dans un souffle.

Comme ses séjours au presbytère lui avaient permis de faire des économies, elle quitterait ces lieux avec un peu plus de vingt-cinq dollars en poche.

— Et vous, messieurs, remettez ce local en ordre.

Sur ces mots, le visiteur ferma son porte-documents. Il en avait fini de cette corvée. Dès le lendemain, son secrétaire ferait des copies de la sentence pour les poster à tous les gens concernés par l'affaire.

— Mademoiselle Drousson, la tança-t-il en faisant trois pas vers elle, je vous souhaite de savoir être plus prudente à l'avenir, et une meilleure chance.

Puis il se dirigea vers la porte avant, grande ouverte, en remettant son melon.

Isidore Leclerc s'approcha. Ses yeux trahissaient toute sa sympathie, mais il ne dirait pas un mot. Dans sa situation, exprimer un peu de réconfort à une femme de mauvaise vie pouvait lui porter préjudice.

Une dernière fois, Félicité balaya soigneusement la salle de classe, remit tout en ordre dans l'armoire et se donna même la peine de décrasser la lunette des latrines avec une brosse métallique. Ces gestes maintes fois répétés la calmaient, en quelque sorte. À neuf heures le lendemain, tout était terminé. Elle se tint debout au milieu de la grande pièce. Après avoir sangloté toute la nuit, ses yeux étaient maintenant rougis, mais secs.

Puis elle se dirigea vers la table des petits, s'assit à la place habituelle de Floris et posa ses deux mains sur la surface de bois. Entre ses deux pouces, elle remarqua les initiales du gamin gravées avec une pointe de fer. Alors qu'elle suivait le tracé des lettres du bout de son index, il lui sembla sentir sa présence près d'elle. Cela lui apporta un certain réconfort. Puis le bruit d'un petit poing contre la porte de côté la fit sursauter. Elle s'approcha pour dire :

— Allez-vous-en. Je serai partie dans quelques minutes. Je ne veux voir personne.

« Comme Léonidas Marcoux tient à récupérer bien vite son école numéro 3, pour venir m'importuner aussi tôt ! » songea-t-elle.

— C'est moi, fit une voix bien juvénile.

Ernestine. L'institutrice retira la barre de bois pour ouvrir. L'adolescente affichait toujours le même aspect : des vêtements ayant connu des jours meilleurs et une chevelure blonde en désordre, frisée au point de s'emmêler.

— Quand ma mère apprendra que je suis venue ici, je me ferai passer tout un savon.

— ... C'est naturel. Tu viens chez la pécheresse.

Le ton se faisait grinçant.

— Entre. Je suis heureuse de te voir. Je voulais te donner ça.

Sur la table de la maîtresse s'empilaient quelques livres, les manuels scolaires reçus de sœur Saint-Jean-l'Évangéliste presque un an plus tôt. Comme cela lui paraissait loin, maintenant.

— Ils te serviront à préparer l'examen du Bureau d'examinateurs. Ce qui est dommage, c'est que tu devras attendre encore quatre ans pour le passer. Mais tu es déjà prête, au moins pour passer le brevet élémentaire.

Ernestine avait célébré son quatorzième anniversaire au cours de l'hiver. Attendre ses dix-huit ans lui semblait effroyablement long.

— Et toi, qu'est-ce que tu feras ?

— Tu le sais bien, je n'ai plus de brevet.

— Pour toujours ?

— Eh oui ! Pour toujours.

Si des institutrices reconnues coupables recevaient parfois un pardon, pour un crime comme le sien, ce serait impossible.

— Je vais me rendre en ville, essayer de me trouver un autre emploi. Mais toi, n'abandonne pas. Tu sais déjà tenir une classe mieux que moi, je pense.

— Je continuerai de me préparer. Samuel m'a promis de me conduire lui-même à Joliette, le temps venu.

— Ah, Samuel…

L'image du grand jeune homme passa dans l'esprit de Félicité. Sa mine dégoûtée, sur le parvis de l'église, la hantait.

— Il doit me mépriser, maintenant.

— Il a surtout de la peine.

Devant les yeux chargés d'incompréhension de l'institutrice, l'adolescente expliqua :

— Tu lui plaisais beaucoup. L'aventure de Sildor, dans la cour de l'école, tient à ça…

Jamais Félicité ne lui avait raconté le détail de ces événements. Pourtant, elle savait. Devant ses yeux surpris, l'autre expliqua :

— Avant de partir au chantier, il avait demandé à Jérémie de garder un œil sur toi, pour qu'il ne t'arrive rien. Ce soir-là, Jérémie a vu le vicieux sortir de chez lui, tard le soir. Tu sais, nous sommes voisins. De la fenêtre de sa chambre, il voyait les va-et-vient chez les Malenfant. Il l'a suivi jusqu'ici.

— Pour lui donner une raclée qui aurait pu le tuer…

— Pour lui donner une leçon.

Les confidences d'Ernestine la laissèrent navrée. Les choses auraient pu être bien différentes, si elle s'était montrée moins craintive lors de la soirée « à clencher ». Elle repoussait ce grand gaillard pourtant tout à fait aimable, pendant que le curé lui répétait sans cesse son invitation à souper…

— En tout cas, je suis très contente d'avoir l'occasion de te dire adieu, confia-t-elle à la visiteuse. J'aimerais te demander un service : peux-tu déposer la clé chez Marcoux ? Moi, je ne me sens pas la force de lui faire face.

De la main, elle désignait le petit morceau de métal sur la table.

— Tiens, profites-en pour lui demander la permission de terminer l'année à ma place. Toutes mes préparations de classe sont dans mon cahier, tu sauras en tirer parti.

Ce serait en effet la meilleure solution pour les petits. Personne d'autre n'accepterait de se charger des deux dernières semaines. Félicité passa dans l'appentis afin de prendre son gros sac de toile semblable à ceux que les marins emportaient en guise de bagage. Tout son capital de vêtements s'y trouvait entassé.

Spontanément, Ernestine se jeta dans les bras de sa compagne.

— Tu vas me manquer, articula-t-elle d'une voix rendue rauque par le chagrin.

— À moi aussi. Tu as été ma seule véritable amie, dit doucement Félicité.

Après une étreinte chargée d'émotion, l'adolescente lui offrit de faire un bout de chemin avec elle.

Félicité dut mobiliser son courage pour répondre :

— Non, ne te montre pas avec moi, ta réputation en souffrirait. Je te souhaite le meilleur pour les années à venir.

Elle marqua une pause avant de pouvoir conclure :

— Attends dix minutes avant de sortir, et ferme derrière toi.

L'autre, maintenant en sanglots, ne put que donner son assentiment de la tête. L'institutrice dut littéralement s'arracher à ces lieux pour sortir. Le soleil de juin brillait pourtant, la journée promettait d'être magnifique.

Félicité hâta le pas. Son sac lui pesait lourdement sur l'épaule. Elle préféra éviter le chemin de traverse, craignant une rencontre fortuite avec un paroissien. Mieux valait passer par les champs.

Les belles journées de juin avaient asséché la terre, les semailles du printemps s'étaient transformées en pousses vert tendre. Elle obliqua un peu vers l'est afin de rejoindre la grand-route hors du village. Quand elle y arriva, ce fut pour étouffer un petit cri d'effroi. Tous les paroissiens se trouvaient là, encombrant totalement le chemin.

Elle pensa d'abord qu'ils étaient venus pour lui faire un mauvais parti. Puis la mémoire lui revint. On était le jour de la Fête-Dieu! Entre elle et le village, on avait érigé un bel arc de triomphe avec des ramures de pin et de sapin pour saluer le passage du prêtre et de ses ouailles.

Immobile au milieu de la route, Félicité voulut regagner les champs, et prendre ainsi un long détour. Un sursaut de fierté la fit se raidir. Dans la foule, quelqu'un l'avait aperçue, puis tous les autres se retournèrent pour la dévisager. Ce faisant, ils tournaient le dos à leur pasteur vêtu de sa meilleure chasuble, vert sombre et brodée de fil d'or. Les marguilliers avaient construit un reposoir, lui aussi richement décoré de branches de conifères, devant la croix de chemin. Le prêtre n'y avait pas encore mis l'ostensoir. Il le tenait à deux mains, à la hauteur de la poitrine.

Quand l'institutrice déchue fit le premier pas, un « Oh! » parcourut l'assistance. Pour cette glorieuse procession, chacun portait ses plus beaux habits, les mêmes que la veille, à l'enquête du surintendant. La jeune femme s'avança vers eux, remarqua que les hommes, les femmes, les garçons et les filles formaient des groupes distincts. Tous arboraient les insignes de la société pieuse dont ils étaient membres, des ligues du Sacré-Cœur et Lacordaire aux enfants de Marie et aux dames de Sainte-Anne.

Quand elle arriva à leur hauteur, les gens s'écartèrent. Une furieuse envie de rire envahit Félicité. Comme les eaux devant Moïse, ils lui traçaient un passage. Un regard vers sa gauche lui rendit tout son sérieux. Philomire, figé, l'ostensoir toujours dans les mains, la contemplait. «Brûle en enfer», voulut-elle hurler. Mais pas un son ne sortirait de sa gorge.

Elle s'éloignait déjà de cet attroupement quand la voix rauque de l'ecclésiastique reprit ses incantations en latin. Pour ne plus l'entendre, elle accéléra le pas. Deux mille pieds plus loin, elle aperçut une voiture arrêtée sur le côté du chemin.

— Ton bagage a l'air drôlement lourd, cria Romulus dès qu'elle fut à portée de voix.

— Oui, c'est lourd, dit-elle, visiblement heureuse de retrouver l'un de ses seuls alliés du village. Ou très léger, quand on pense que je ne possède rien d'autre.

— Monte. Tu ne peux pas faire tout ce trajet jsuqu'à la gare à pied.

Le vieil homme avait raison. Le sac se retrouva derrière la banquette. Au moment où elle relevait un peu sa robe pour monter dans la voiture, il ajouta :

— Je savais que je finirais par te sortir de cette foutue paroisse. Je regrette seulement que cela n'ait pas été il y a deux jours.

— … Je le regrette aussi, monsieur Sasseville.

Cette présence joviale l'apaisait. Ils progressèrent d'un bon dix milles en silence. Puis, après s'être éclairci la voix, Romulus demanda :

— Tu l'aimais ?

Elle hésita avant de répondre.

— Oui. Enfin, je crois. Je suis si ignorante, pour tout ce qui touche… les hommes.

S'en confier la soulagea. Ses pensées bifurquèrent et elle comprit alors pourquoi elle avait tenu à s'exposer au processus judiciaire : elle souhaitait arracher définitivement cette mauvaise plante de son cœur, pour qu'il n'en reste rien.

— Ne dis pas ça. Tu en connais plus sur l'amour que la plupart des habitants de la paroisse.

De longues minutes passèrent dans un silence complet, puis le vieil homme risqua :

— Tu sais, il t'aimait aussi.

Avant de l'entendre protester, demander pourquoi il ne s'était pas manifesté autrement que pour la condamner lors de la communion, son compagnon précisa :

— Il t'aimait aussi bien qu'il sait aimer. C'est-à-dire très mal. Quelque chose semble mort, là…

Il indiqua sa propre poitrine pour lui faire comprendre.

— … Alors pourquoi m'avoir trahie ? demanda-t-elle, abasourdie.

— Il s'est surtout trahi lui-même pour préserver son confort, sa réputation et sa stabilité. Des gens commettent des crimes horribles pour moins que cela.

Quand la voiture arriva enfin au croisement de la route et du rang Saint-Jacques, le vieux cocher se tourna vers sa passagère pour demander :

— Je te laisse devant le presbytère ?

— … Non, non, on va me voir.

Sa honte refaisait surface. La rumeur de sa destitution devait déjà alimenter les conservations ici aussi.

— Si tu veux lui parler, tu vas bien devoir descendre. Mais remarque, je peux tout aussi bien te conduire à la gare tout de suite. Il passera bien un train pour Montréal tôt ou tard.

Elle tenait à revoir sa mère, peut-être pour la dernière fois.

— Tournez par là, je vais vous guider.

Pour les quelques verges à parcourir, elle imaginait la brûlure de dizaines d'yeux posés sur elle, ceux de paroissiennes désœuvrées faisant le guet devant une fenêtre. Tout de suite après l'église, elle fit signe à Romulus de tourner dans une terre en friche. Au fond, on voyait une masure un peu basse, comme écrasée sur elle-même à cause de l'âge.

À l'arrêt du cheval, elle sauta de la voiture et s'empressa de prendre le sac posé à l'arrière de la banquette.

— Je vous remercie, monsieur Sasseville. Vous avez toujours été gentil avec moi.

— C'est rien, petite. Je t'aime bien, tu sais, lui dit-il avec chaleur. Bonne chance.

Félicité se dirigea vers la modeste bâtisse en essuyant ses larmes avec sa manche quand le vieil homme l'interpella :

— Ne te torture pas l'esprit avec ces gens, ce sont tous des hypocrites.

La gorge nouée, elle acquiesça.

— Demain, trouveras-tu quelqu'un pour te conduire au train ?

Après un nouveau hochement, elle se mit à courir.

Lorsqu'elle frappa du poing contre la porte basse, elle entendit une voix rude dire « Entre ». Elle passait d'un bedeau à l'autre. Celui de la paroisse Saint-Jacques la regarda en écarquillant les yeux.

— Que fais-tu ici ?

— Je me cache.

Elle crut bon d'ajouter :

— Vous savez, je suppose ?

Le vieil homme fit oui de la tête, la mine désolée.

— Ça circule depuis une semaine.

La rumeur s'était donc rendue aux oreilles de sa mère avant même qu'elle ne sache que le surintendant la soumettrait à un procès.

— Une semaine ?

— Tu sais comment ça se passe. Quand tu es allée vivre au presbytère, ça a attiré l'attention.

Son interlocuteur disait les choses bien pudiquement. Les gosiers s'étaient échauffés en railleries sur le curieux couple.

— J'avais une pneumonie...

Elle s'arrêta. Toute défense devenait inutile, les gens croyaient ce qu'ils voulaient, de préférence le pire.

— Et maman ?

— Elle se fait du mauvais sang, tu penses bien.

Après son séjour au presbytère, Félicité ne lui avait plus écrit.

— Que dit-elle ?

Son interlocuteur contempla le visage chiffonné et choisit de préserver sa sensibilité.

— Elle se fait du mauvais sang, répéta-t-il.

— J'aimerais aller la visiter une fois la nuit tombée. Je ne veux pas être vue...

— Je le lui ferai savoir, tout à l'heure.

La venue de la fille indigne devait être annoncée. Ainsi, elle ne risquerait pas de se heurter à une porte close.

— En attendant, je peux rester ici ?

Elle se tenait toujours debout près de la porte, petite et craintive.

— Pas de problème. Tu seras tranquille. Moi, je dois y aller; je vais démonter les reposoirs de la Fête-Dieu. J'en aurai pour tout l'après-midi. Si tu regardes dans l'armoire, tu trouveras de quoi manger.

Le vieil homme sortit après avoir pris son vieux chapeau accroché à un clou. Seule dans la petite pièce crasseuse, délabrée même, Félicité n'osait pas poser son sac sur le sol de terre battue. Il atterrit sur la table.

Elle s'assit sur une vieille chaise berçante. Épuisée par ses derniers jours sans sommeil, elle ferma les yeux. Peut-être à cause de la proximité réconfortante de sa mère, elle s'endormit presque tout de suite.

Le soleil se couchait tard en cette saison. Félicité trouva la soirée en tête-à-tête avec son hôte bien longue. Les derniers événements les rendaient muets tous les deux. Quand l'institutrice se leva de son siège un peu après dix heures, elle fit mine de prendre son sac.

— Tu peux le laisser là, personne ne le volera.

— En quittant maman, je vais me diriger vers Mascouche.

— À pied? Tu n'es pas sérieuse.

La jeune femme haussa les épaules. Elle ne voyait guère d'autre possibilité.

— Je vais te conduire. Il y a un train vers Montréal dans l'avant-midi. Nous partirons à quatre heures.

Longtemps avant le lever du soleil, donc, comme il convenait pour une fuite.

— Non, je vais me débrouiller.

— Ne fais pas l'enfant, c'est convenu avec ta mère. Je lui ai parlé dans l'après-midi. Arrange-toi pour être là à l'heure. La route sera longue.

L'institutrice accepta d'un geste en sortant. Dehors, la fraîcheur de la nuit lui fit du bien. Quelques dizaines de verges la séparaient du presbytère. Elle alla directement vers l'arrière de la grande bâtisse et plaça son visage contre les carreaux d'une fenêtre. Du bout de l'ongle, elle frappa doucement, juste assez fort pour attirer l'attention d'une personne aux aguets.

Marcile Drousson quitta sa chaise en vitesse et lui fit signe de se rendre à la porte donnant sur la cuisine. Un instant plus tard, elle serrait sa fille contre elle, répétant dans un souffle :

— Ma petite fille. Ma pauvre petite fille.

Elles s'enlacèrent comme elles ne l'avaient jamais fait. À la fin, la ménagère la prit par le bras pour l'entraîner dans sa petite chambre. Assises sur le lit, elles gardèrent longtemps le silence.

— Je te demande pardon, maman.

Marcile tendit la main pour prendre la sienne.

— Tu n'as rien à te faire pardonner.

— Mais le déshonneur…

— De quoi veux-tu que j'aie honte ? La faute repose sur lui, personne d'autre.

Les larmes montèrent de nouveau aux yeux de Félicité. Depuis plusieurs jours, pleurer devenait sa principale activité.

— Mais ici, les gens vont t'insulter…

— Ils ricanent déjà, mais que veux-tu que ça me fasse ?

Elle préférait mentir plutôt que de l'inquiéter. À l'avenir, plus personne ne la saluerait dans la rue, elle deviendrait un objet de dégoût pour tous les paroissiens.

— Que va-t-il t'arriver ? demanda Félicité. Le curé Merlot voudra te chasser.

Au cours des dernières heures, elle avait imaginé la boiteuse réduite à errer par les chemins, condamnée à tendre la main pour survivre. Sinon, le prêtre lui aussi deviendrait l'objet des railleries. Avoir la mère de la pécheresse dans sa maison deviendrait bien vite intolérable.

— Ne te torture pas avec cela. Il m'a assuré il y a longtemps qu'il me garderait à son service jusqu'à sa mort. Ce ne sont pas les calomnies de Pharisiens qui le feront changer d'avis.

Calomnies ou médisances? Tout d'un coup, Félicité reconsidéra la relation entre sa mère et le vieil ecclésiastique. Plus de dix ans auparavant, il se trouvait encore assez robuste et Marcile, exception faite de son fémur mal ressoudé, demeurait une belle femme.

Les dernières semaines avaient changé son regard sur ses semblables. Combien de ces bons prêtres laissaient leurs appétits masculins resurgir dans l'intimité du presbytère avec leur domestique?

Elle secoua la tête, désireuse de chasser bien vite des pensées aussi répréhensibles. La pécheresse, c'était elle.

— Il doit bien m'en vouloir, maintenant. Il m'a recommandée, au moment de l'examen. Il a même menti sur mon âge pour me permettre d'avoir mon brevet. Puis il a écrit une lettre… à la commission scolaire.

Elle s'interdisait toute allusion, directe ou non, à l'abbé Sasseville.

— Il s'en veut tellement de l'avoir écrite, cette maudite lettre. Il se sent coupable.

— … Coupable?

— Il savait, pour ce cochon.

L'institutrice accusa le coup. La ménagère raconta:

— Tu n'étais pas la première, tu le devines bien. Il y a quelques années, une situation semblable est survenue. Le curé Merlot était au courant.

Bien sûr, s'avoua la jeune femme, il s'agissait d'un péché d'habitude. Elle représentait sans doute pour lui une agréable diversion aux amours avec de robustes paysannes. Ses rencontres avec l'ecclésiastique lui revenaient en mémoire. Depuis l'été dernier, il tissait sa toile, attendant patiemment une occasion pour l'y prendre. Une pneumonie la lui avait donnée.

— Il se trouvait alors dans une vieille paroisse bien riche. La nomination à Saint-Eugène, c'était sa punition, lui apprit Marcile.

Une sentence bien légère en fait, qui lui permettait de reprendre impunément ses entreprises de séduction.

— Monsieur le curé le savait…

Les hésitations du pauvre Merlot lui revenaient aussi, toutes ses questions avant de lui écrire une lettre d'appui, et encore lors du congé de Noël.

— Tu comprends, il pouvait prévenir ce qui s'est passé. Il n'a pas le droit de le dire, mais je ne serais pas surprise qu'il l'ait déjà entendu en confession.

Les prêtres avouaient leurs fautes à un collègue. Le côté débonnaire de Merlot devait souvent lui valoir ce privilège.

— J'aurais dû deviner…, se reprocha Félicité.

— Comment le pouvais-tu? Une gamine sortie du couvent depuis… en réalité, tu y vivais encore, quand tu as offert tes services là-bas.

Félicité sentait un poids de moins sur ses épaules: sa mère paraissait protégée des conséquences regrettables de sa faute. Marcile suivait sans mal le cours de ses pensées.

— Le curé se sentait tellement désolé qu'il m'a donné cela pour toi.

Elle sortit un morceau de papier chiffonné de sa poche, puis trois autres, pour les lui donner.

— Voyons, je ne peux pas accepter…

— Tu as les moyens de faire autrement?

Au fond, cela gênait aussi la ménagère d'accepter une offrande pour sa fille.

— Là-bas, ils m'ont payée pour l'année entière, malgré ma maladie et mon départ avant les examens publics.

— C'est bien le moins, après ce qu'il t'a fait. Lui ne sera pas puni. Au pire, il se retrouvera dans une autre paroisse.

Inutile d'ajouter «où il recommencera». Marcile tendit les billets de banque dans un geste d'impatience.

— Il y a vingt dollars. Prends.

Finalement, Félicité accepta et fourra les billets dans le fond de sa poche.

— Que vas-tu faire? demanda la ménagère.

La question hantait aussi la jeune femme. Elle devait partir, mais où? Elle se décida sur-le-champ.

— Aller à Montréal, me chercher un emploi.

— Tu vois, il te faudra un peu d'argent pour tenir. Tu ne sais rien faire d'autre que la classe, et ça…

— Je n'ai plus de brevet. Je dois oublier ce métier.

La nécessité de produire une recommandation signée par le curé et trois commissaires l'empêchait de prendre un nom d'emprunt pour tenter de se faire embaucher. On exigeait plus de moralité des institutrices que des prêtres.

— Que feras-tu?

Répéter la question ne faisait qu'ajouter à l'insécurité de la jeune femme. Elle réagit avec humeur:

— Peut-être ferai-je ce que tu suggérais l'an dernier, domestique chez les bourgeois. Évidemment, le docteur Denis ne voudra plus de moi maintenant. Mais là où personne ne me connaît…

Ce futur obscur représentait pour elle un saut dans un puits dont elle ignorait la profondeur. Dans la paroisse, les femmes de son âge qui recevaient un salaire étaient des institutrices ou des bonnes. Même si elle avait lu sur les manufactures et les magasins embauchant des travailleuses, tout cela lui était aussi peu familier que les savanes de l'Afrique.

— Tu vas m'écrire à ton arrivée là-bas? Je vais me morfondre d'inquiétude.

— Je le ferai dès que possible.

— Tu ne l'as pas fait souvent, cette année.

— Dès que possible, promis.

Si tout allait au plus mal, elle le savait déjà, elle ne tiendrait pas cette promesse. Dans ses pires cauchemars éveillés, elle s'imaginait évoluer dans un «mauvais lieu». De cela aussi, elle n'avait aucune connaissance; elle se représentait ce genre d'endroit comme un presbytère, mais plus achalandé.

— Tu partiras à quelle heure?

— Le bedeau m'offre de me conduire à la gare. Il compte atteler vers quatre heures.

Marcile hocha la tête comme si elle était déjà résignée à voir sa fille la quitter si rapidement. Félicité comprit alors que l'offre généreuse du vieil homme tenait certainement à une directive du curé. «Il doit bien apprécier maman, pour me venir en aide ainsi.» Elle abandonna sa main à Marcile. Pendant les heures précédant son départ en exil, elles ne surent que se taire.

Après une séparation que chacune craignait de voir définitive, Félicité dut courir dans la nuit pour retourner au domicile du bedeau. Elle le trouva en train d'atteler son cheval à une petite voiture, le sac de voyage rempli de toutes ses possessions déjà derrière la banquette.

— Monte, lui recommanda le vieil homme. J'aurai fini dans une minute à peine.

La prédiction se révéla juste. À voix basse, il encouragea l'animal à marcher, le faisant ainsi avancer au pas. Même à cette allure, la jeune femme trouvait assourdissant le bruit des sabots sur la route. Derrière toutes les fenêtres, elle imaginait quelqu'un qui écartait un rideau pour l'épier dans sa fuite. Comme il lui tardait de se trouver au milieu d'étrangers. Mais même avec des inconnus, elle conserverait l'impression de porter une flétrissure au front, une marque au fer rouge.

Quand ils sortirent du village pour se diriger vers le sud, le bedeau fit claquer les guides sur le dos du cheval pour l'inciter à aller au trot.

— Nous serons là à temps, mais il ne faut pas lambiner en chemin.

La jeune femme émit un son qui pouvait passer pour un assentiment. La lune teintait la campagne de gris et d'argent. Un vent léger caressait le visage de Félicité. À chaque foulée de l'animal, le poids sur ses épaules s'allégeait un peu. La couventine craintive ainsi que l'institutrice déchue semblaient disparaître peu à peu… Il lui restait à devenir quelqu'un d'autre.

Mascouche se trouvait à une vingtaine de milles. Vers huit heures, la voiture s'arrêta devant une petite bâtisse de planches ne payant pas de mine.

— Voilà la gare.

Le ton, empreint de compassion, provoqua une nouvelle ondée de larmes chez la passagère.

— Je vous remercie, je ne sais pas ce que j'aurais fait sans vous. Je vais vous payer…

Elle plongeait la main dans la poche de sa robe pour récupérer un petit porte-monnaie.

— Non, laisse. Le curé Merlot m'a demandé de t'amener ici.

— Alors merci encore, du fond du cœur.

Elle passa derrière la voiture pour prendre son sac. Le bedeau lui conseilla alors :

— Écoute, ne laisse pas ton argent dans ta poche. En ville, ce sont tous des voleurs. Ma défunte trouvait toujours une cachette quelque part sous sa robe. Allez, bonne chance, et essaie d'écrire à ta mère.

L'homme renifla bruyamment, puis incita de la voix le cheval à se mettre en route. Debout dans la poussière, Félicité le regarda partir. Il lui fallut faire un effort pour s'arracher de cet endroit.

Épilogue

Dans le petit édifice, sa voix se cassa lorsqu'elle demanda à l'homme derrière le guichet :

— Un billet pour Montréal, s'il vous plaît.

— Avec le retour ?

— ... Non.

L'autre, regardant le gros sac de toile lui servant de bagage, se dit : « En voilà une autre qui pense trouver mieux dans la grande ville. Une petite naïve. » À voix haute, il énonça le prix. Félicité paya en se demandant où elle pourrait dissimuler sa « fortune ». Son long bas de coton lui parut l'endroit le plus sûr.

— Le train arrivera-t-il bientôt ?

— Dans une dizaine de minutes.

Sur le quai fait de planches mal jointes, elle se retrouva au milieu de paysannes, et surtout de paysans, endiman-chés. Quelques hommes un peu mieux vêtus incarnaient pour elle des « professionnels » ou des marchands. Comme ces catégories sociales lui semblaient mystérieuses !

Pour tromper son attente, elle fixa les rails. Puis vint le bruit métallique, le coup de sifflet, le nuage de vapeur blanche. Craintive, elle recula un peu. Elle voyait une locomotive pour la première fois. L'animal de fer lui paraissait receler une force à la fois infinie et inconnue. Si impressionnée, elle pensa furtivement à prendre la fuite, avant de se raviser avec courage. Elle était désormais prête à affronter son destin.

FIN DU TOME PREMIER

Quelques mots

Certains d'entre vous se diront peut-être que j'ai exagéré le côté un peu scabreux de la vie dans nos paroisses. Je vous propose donc de prendre connaissance d'une sentence du surintendant de l'instruction publique. On en trouve des dizaines dans les archives du Département de l'instruction publique, qui ont trait à des situations plus ou moins dramatiques. Vous constaterez que ce jugement m'a grandement inspiré pour développer l'histoire d'une institutrice séjournant dans un presbytère. J'en ai respecté l'orthographe et la syntaxe.

10 juin 1885

Dans l'affaire de

Valery Ouellette, David Turcotte, Joseph Denis et Firmin Albert, commissaires d'école pour la municipalité de St Clément, dans le comté de Témiscouata, requérants dénommés dans la pétition présentée au Surintendant de l'instruction publique, en date du 9 mars dernier, contre Marie Clara Lévesque, institutrice dans l'arrondissement N° 1 de la dite municipalité, en vertu d'un engagement contracté entre la commission de la dite municipalité et elle-même, dans l'année scolaire 1882-83 et qui s'est terminé le 14 mars dernier par la destitution de la dite Marie C. Lévesque discuté par la dite commission scolaire, à leur séance du dit jour du 14 mars dernier.

Attendu que les dits requérants ont allégué dans leur requête

1er *Que la dite Marie C. Lévesque a négligé ses devoirs d'institutrice en s'absentant souvent de l'école, surtout depuis le commencement de la présente année scolaire;*

2e *Qu'elle a tenu un langage irrespectueux en classe, ceci en présence des élèves de l'école, parlant contre les parents des élèves ou autre;*

3e *Qu'elle a raconté ou rapporté des faits d'immoralité à ses dits élèves, contrairement aux sages prescriptions de la pédagogie, de la justice, de la bienséance et de la pudeur;*

4e *Qu'elle a tenu de tels propos dans un but ou pour un motif de vengeance contre certains contribuables dans la dite municipalité;*

5e *Qu'elle a fait connaître à ses élèves des faits ou a fait parvenir à leur connaissance des choses contraires à l'enseignement qu'elle était tenue de donner aux enfants qui lui étaient confiés;*

6e *Qu'elle a insulté des contribuables et des parents d'enfants en présence des commissaires et autres personnes;*

7e *Qu'elle ne résidait pas dans l'appartement qui lui était destiné dans la maison d'école mais pensionnait au presbytère de la dite paroisse, ce qui a été la cause de rumeurs ou de plaintes graves dans la municipalité.*

Attendu que les dites plaintes et allégations des requérants ont été communiqués (sic) par écrit à la dite Marie C. Lévesque et que par sa lettre reçue le 14 de mars dernier elle a nié formellement et entièrement toutes les accusations portées contre elle par quelques contribuables de l'arrondissement N° 1 de la municipalité de St Clément et s'est chargé (sic) de prouver le contraire.

Attendu que les requérants commissaires et la dite Marie C. Lévesque ont demandé instamment au surintendant de tenir une enquête sur les lieux et de vérifier si les dits commissaires avaient eu raison de destituer la dite institutrice pour inconduite, insubordination et négligence à remplir ses devoirs.

Attendu qu'après avis donné aux intéressés, je me suis transporté sur les lieux et que le cinq et le six de juin courant, les parties ont comparu devant moi, à St Clément, savoir : les dits requérants, par le ministère de C. Eugène Denis, écuier (sic) avocat, et la dite Marie C. Lévesque, par le ministère de L. O. Dumais, écuier (sic) avocat, et que là et alors, vingt-deux témoins ont été entendus de part et d'autre, tous préalablement assermentés par moi sur les Saints Évangiles, et que j'ai alors procédé en conformité de l'Acte 41 Vict., chapitre 6, section 8 et au chapitre 15 des Statuts Refondus du Bas-Canada.

Attendu qu'il a été prouvé par les dits témoins et sans contradiction aucune :

1er Que la dite Marie C. Lévesque a fait connaître et dit à ses élèves dans la maison d'école qu'une femme était allée trouver le curé après sa messe, alors qu'il était encore revêtu des habits sacerdotaux, et lui avait dit : « J'ai une chose à vous demander, si vous me l'accordez pas, je m'en vais mourir, je vous demande de m'embrasser », que le curé la mit à la porte. Que cette femme dit en sortant : « Il n'y a pas moyen, je m'en vais donc mourir ». Que ce fait est admis par la dite Marie C. Lévesque, dans sa déposition ; qu'elle a admis avoir écrit à Joseph Lévesque la lettre mentionnée dans le procès verbal des délibérations des commissaires du 29 de décembre dernier, laquelle lettre porte la date du 19 de novembre dernier ; que la dite Marie C. Lévesque a admis qu'elle avait rapporté le fait à ses élèves « dans le but de faire taire cette femme » et qu'elle voulait qu'elle vint à le savoir en le confiant ainsi aux élèves de sa classe, à leur grand scandale ;

2e Que ce fait lui a été communiqué par le curé lui-même qui lui a dit que cela était arrivé il y a quatre ans et qu'il ne l'aurait pas dit à Marie C. Lévesque «si cette femme n'avait pas aussi mal parlé de lui».

3ᵉ Que le curé a écrit au dit Joseph Lévesque, le 19 novembre dernier, dans le même sens que la dite et celle-ci a admis qu'elle le savait ;

4ᵉ Qu'en disant cela à ses élèves elle voulait désigner la femme du dit Joseph Lévesque, dont les enfants fréquentaient l'école ; qu'elle chargeait ainsi les enfants de cette mère de famille de lui rapporter ce que leur institutrice dirait sur son compte ; que tout porte à croire, et je suis personnellement convaincu que cette histoire n'est pas vraie et que le fût-elle, il n'appartenait pas à l'institutrice de la divulguer, surtout dans sa classe, et qu'il est en preuve, au dossier, que la dite Marie C. Lévesque a nié, dans le mémoire qu'elle m'a présenté, d'avoir écrit cette lettre ;

5ᵉ Qu'elle a fait écrire et analyser, sur le tableau noir, par un élève de l'école, une phrase qui commence par ces mots : «Il y a de la magnifique canaille dans St Clément, etc.», et qu'alors elle voulait désigner un des enfants de Joseph Lévesque, bien qu'elle ait nié d'avoir eu ce motif, dans le mémoire qu'elle m'a présenté, en date de janvier dernier, et que tous les élèves de son école savaient qu'elle désignait ainsi le nommé Ernest Lévesque, fils de Joseph Lévesque ;

6ᵉ Qu'elle a demeuré au presbytère pendant une année complète, y mangeant et y couchant ; qu'elle a dit à la veuve Tarrasine Malenfant, parlant du père du curé, qu'il agissait mal avec la servante du curé et elle a ajouté : «On peut agir longtemps ainsi sans avoir de famille, comme le monde dit que j'agis, moi, avec le curé ; que le monde jase, disant que je lui sers de femme, cela ne lui enlève pas son pouvoir». Elle a dit aussi à la même personne qu'elle jouait, mettant une soutane du curé, etc. Cette preuve a été faite sur les questions posées au témoin par la dite institutrice agissant par son avocat et elle est [mot illisible] aux contradictions ; ce témoin ajoutant que cela était bien connu dans la paroisse ;

7e Qu'elle a insulté des contribuables sans cause ni raison, en se servant de paroles grossières, telles que « cochon, yeux de fer blanc (sic), écornifleur, le diable va nous étouffer » et d'autres dans ce sens ;

8e Qu'elle s'est absentée souvent depuis le commencement de la présente année, parce qu'elle est en procès avec le nommé Joseph Lévesque, et que les enfants ont été privés de leur école, ce qui est contraire à l'engagement de l'institutrice ;

9e Que c'est le désir de la grande majorité des contribuables qu'elle ne fasse plus l'école dans la dite municipalité, bien qu'il soit établi qu'elle soit qualifiée sous le rapport de l'instruction pour tenir une bonne école, si elle veut la faire.

En conséquence de tout ce que dessus, d'après les allégués, la preuve entendue et les arguments offerts de part et d'autre.

Je maintiens la requête des requérants que je déclare bien fondée ; je déclare que les commissaires ont eu raison de destituer la dite Marie C. Lévesque de ses fonctions d'institutrice et que rien ne justifie en quoi que ce soit le président des dits commissaires d'avoir entré dans le livre des délibérations des dits commissaires, d'avoir écrit et signé de sa main un prétendu protêt contre la résolution par laquelle les dits commissaires ont destitué la dite Marie C. Lévesque, ce qu'aucun président de commission scolaire n'a le droit de faire : son devoir étant de signer et certifier les procès verbaux des sessions des commissaires dont il est président.

J'enjoins aux dits commissaires d'école de prendre possession immédiate de la maison d'école et l'arrondissement No 1 ; d'engager, si c'est possible, une autre institutrice pour commencer la chose aussitôt que faire se pourra.

J'ordonne aux commissaires [mot illisible] de payer :

1er À Alexis Boucher, huissier, la somme de $2,28 pour ses honoraires de signification des notices ;

2ᵉ Aux charretiers qui ont conduit de l'Île Verte à St Clément le surintendant, deux avocats, maître Denis et maître L. A. Pelletier, l'écrivain qui a écrit les dépositions des témoins et les ont ramenés [mot illisible] à la gare de chemin de fer, la somme de quatorze piastres ;

3ᵉ Au surintendant ses frais et pension à St Clément, savoir $2,50, et, de plus, la somme de seize piastres pour les honoraires du clerc copiste, maître L. A. Pelletier ;

4ᵉ À leur avocat maître Denis, la somme de vingt-cinq piastres pour ses honoraires.

J'ordonne aux dits commissaires de réparer la maison d'école Nᵒ 1 et la mettre confortable pour la saison d'hiver ; de réparer et mettre en bon ordre les latrines ; de faire mettre des dossiers aux bancs des écoliers et de faire tenir l'école en bon état de réparation.

Donné à Québec, au Département de l'instruction publique, le 10ᵉ jour de juin 1885.

Gédéon Ouimet
Surintendant

Dans la même collection :

BERNARD, Marie Christine, *Mademoiselle Personne*, roman, 2010.
BRIEN, Sylvie, *Les Templiers du Nouveau Monde*, roman historique, 2008.
CHARLAND, Jean-Pierre, *L'Été 1939, avant l'orage*, roman historique, 2008.
CHARLAND, Jean-Pierre, *Les Portes de Québec.*
   Tome 1 : Faubourg Saint-Roch, roman historique, 2011.
   Tome 2 : La Belle Époque, roman historique, 2011.
   Tome 3 : Le prix du sang, roman historique, 2011.
   Tome 4 : La mort bleue, roman historique, 2011.
CHARLAND, Jean-Pierre, *Haute-Ville, Basse-Ville*, roman historique, 2012.
CHARLAND, Jean-Pierre, *Les Folles Années.*
   Tome 1 : Les héritiers, roman historique, 2013.
   Tome 2 : Mathieu et l'affaire Aurore, roman historique, 2013.
   Tome 3 : Thalie et les âmes d'élite, roman historique, 2013.
   Tome 4 : Eugénie et l'enfant retrouvé, roman historique, 2013.
CHARLAND, Jean-Pierre, *Félicité.*
   Tome 1 : Le pasteur et la brebis, roman historique, 2014.
   Tome 2 : La grande ville, roman historique, 2014.
   Tome 3 : Le salaire du péché, roman historique, 2014.
   Tome 4 : Une vie nouvelle, roman historique, 2014.
DAVID, Michel, *La Poussière du temps.*
   Tome 1 : Rue de la Glacière, roman historique, 2008.
   Tome 2 : Rue Notre-Dame, roman historique, 2008.
   Tome 3 : Sur le boulevard, roman historique, 2008.
   Tome 4 : Au bout de la route, roman historique, 2008.
DAVID, Michel, *À l'ombre du clocher.*
   Tome 1 : Les années folles, roman historique, 2010.
   Tome 2 : Le fils de Gabrielle, roman historique, 2010.
   Tome 3 : Les amours interdites, roman historique, 2010.
   Tome 4 : Au rythme des saisons, roman historique, 2010.
DAVID, Michel, *Chère Laurette.*
   Tome 1 : Des rêves plein la tête, roman historique, 2011.
   Tome 2 : À l'écoute du temps, roman historique, 2011.
   Tome 3 : Le retour, roman historique, 2011.
   Tome 4 : La fuite du temps, roman historique, 2011.
DAVID, Michel, *Un bonheur si fragile.*
   Tome 1 : L'engagement, roman historique, 2012.
   Tome 2 : Le drame, roman historique, 2012.
   Tome 3 : Les épreuves, roman historique, 2012.
   Tome 4 : Les amours, roman historique, 2012.
DAVID, Michel, *Au bord de la rivière.*
   Tome 1 : Baptiste, roman historique, 2014.
   Tome 2 : Camille, roman historique, 2014.
   Tome 3 : Xavier, roman historique, 2014.
   Tome 4 : Constant, roman historique, 2014.

DUPÉRÉ, Yves, *Quand tombe le lys*, roman historique, 2008.

FYFE-MARTEL, Nicole, *Hélène de Champlain*.

    Tome 1 : Manchon et dentelle, roman historique, 2009.

    Tome 2 : L'érable rouge, roman historique, 2009.

    Tome 3 : Gracias a Dios!, roman historique, 2009.

GAGNON, Hervé, *Damné*.

    Tome 1 : L'héritage des cathares, roman, 2013.

    Tome 2 : Le fardeau de Lucifer, roman, 2013.

    Tome 3 : L'étoffe du Juste, roman, 2013.

    Tome 4 : Le baptême de Judas, roman, 2013.

LANGLOIS, Michel, *La Force de vivre*.

    Tome 1 : Les rêves d'Edmond et Émilie, roman historique, 2012.

    Tome 2 : Les combats de Nicolas et Bernadette, roman historique, 2012.

    Tome 3 : Les défis de Manuel, 2012.

    Tome 4 : Le courage d'Élisabeth, roman historique, 2012.

LÉVESQUE, Anne-Michèle, *Les Enfants de Roches-Noires*.

    Tome 1 : Ceux du fleuve, roman historique, 2013.

    Tome 2 : Ceux de la terre, roman historique, 2013.

    Tome 3 : Ceux de la forêt, 2013.

MALKA, Francis, *Le Jardinier de monsieur Chaos*, roman, 2010.

OUELLET, René, *Le Sentier des Roquemont*.

    Tome 1 : Les racines, roman historique, 2013.

    Tome 2 : Le passage du flambeau, roman historique, 2013.

    Tome 3 : Le dilemme, roman historique, 2013.

SZALOWSKI, Pierre, *Le froid modifie la trajectoire des poissons*, roman, 2010.

Suivez-nous

Achevé d'imprimer en août 2014
sur les presses de Marquis-Gagné
Louiseville, Québec